Estados e moedas

Coleção Zero à Esquerda
Coordenadores: Paulo Eduardo Arantes e Iná Camargo Costa

Conselho Editorial da Coleção Zero à Esquerda:
Otília Beatriz Fiori Arantes
Roberto Schwarz
Modesto Carone
Fernando Haddad
Maria Elisa Cevasco
Ismail Xavier
José Luís Fiori

– *Desafortunados*
  David Snow e Leon Anderson
– *Desorganizando o consenso*
  Fernando Haddad (org.)
– *Diccionario de bolso do almanaque philosophico zero à esquerda*
  Paulo Eduardo Arantes
– *Estados e moedas no desenvolvimento das nações*
  José Luís Fiori
– *A ilusão do desenvolvimento*
  Giovanni Arrighi
– *As metamorfoses da questão social*
  Robert Castel

– *Sinta o drama*
  Iná Camargo Costa
– *A cidade do pensamento único – Desmanchando consensos*
  Otília Arantes, Carlos Vainer e Ermínia Maricato
– *A des-ordem da periferia*
  Andreas Novy
– *O poder americano*
  José Luís Fiori (org.)
– *Poder e dinheiro – Uma economia política da globalização*
  Maria da Conceição Tavares e José Luís Fiori (orgs.)

Dados Internacionais de Catalogação na Publicação (CIP)
(Câmara Brasileira do Livro, SP, Brasil)

Estados e moedas no desenvolvimento das nações /
José Luís Fiori (organizador), 4. ed. – Petrópolis, RJ : Vozes, 2012
Vários autores.

5ª reimpressão, 2017.

ISBN 978-85-326-2234-1

1. Capitalismo – História 2. Desenvolvimento econômico 3. Economia mundial 4. Relações econômicas internacionais I. Fiori, José Luís.

99-3479 CDD-338.91

Índices para catálogo sistemático:
1. Desenvolvimento econômico internacional 338.91

José Luís Fiori
(organizador)

ESTADOS E MOEDAS
no desenvolvimento das nações

EDITORA
VOZES

Petrópolis

© 1999, Editora Vozes Ltda.
Rua Frei Luís, 100
25689-900
Petrópolis, RJ
www.vozes.com.br
Brasil

Todos os direitos reservados. Nenhuma parte desta obra poderá ser reproduzida ou transmitida por qualquer forma e/ou quaisquer meios (eletrônico ou mecânico, incluindo fotocópia e gravação) ou arquivada em qualquer sistema ou banco de dados sem permissão escrita da editora.

CONSELHO EDITORIAL

Diretor
Gilberto Gonçalves Garcia

Editores
Aline dos Santos Carneiro
Edrian Josué Pasini
Marilac Loraine Oleniki
Welder Lancieri Marchini

Conselheiros
Francisco Morás
Ludovico Garmus
Teobaldo Heidemann
Volney J. Berkenbrock

Secretário executivo
João Batista Kreuch

Editoração: Enio P. Giachini
Capa e projeto gráfico: Mariana Fix e Pedro Arantes

ISBN 978-85-326-2234-1

Editado conforme o novo acordo ortográfico.

Este livro foi composto e impresso pela Editora Vozes Ltda.

SUMÁRIO

7   Apresentação

11   Introdução: De volta à questão da riqueza de algumas nações
José Luís Fiori

47   GEOPOLÍTICA E SISTEMAS MONETÁRIOS

49   *José Luís Fiori*
Estados, moedas e desenvolvimento

87   *Luiz Gonzaga Belluzzo*
Finança global e ciclos de expansão

119   *Carlos A. Medeiros e Franklin Serrano*
Padrões monetários internacionais e crescimento

153   OS "CAPITALISMOS TARDIOS" E SUA PROJEÇÃO GLOBAL

155   *Aloisio Teixeira*
Estados Unidos: a "curta marcha" para a hegemonia

191   *José Carlos de Souza Braga*
Alemanha: império, barbárie e capitalismo avançado

223   *Ernani Teixeira Torres Filho*
Japão: da industrialização tardia à globalização financeira

251   *Luís Manuel Fernandes*
Rússia: do capitalismo tardio ao socialismo real

285   "MILAGRES" E "MIRAGENS" NO SÉCULO XX

287   *Wilson Cano*
América Latina: do desenvolvimentismo ao neoliberalismo

327   *José Carlos Miranda e Maria da Conceição Tavares*
Brasil: estratégias de conglomeração

351   *Luciano Coutinho*
Coreia do Sul e Brasil: paralelos, sucessos e desastres

379   *Carlos A. Medeiros*
China: entre os séculos XX e XXI

413   PARA RETOMAR O DEBATE BRASILEIRO

415   *Plinio de Arruda Sampaio Jr.*
O impasse da "formação nacional"

449   *Maria da Conceição Tavares*
Império, território e dinheiro

APRESENTAÇÃO

Estados e moedas propõe-se retomar o debate interrompido sobre o desenvolvimento econômico global e a distribuição desigual da riqueza entre os Estados nacionais[1], continuando nossa pesquisa sobre as transformações contemporâneas do capitalismo e do seu sistema de gestão política, iniciada com a publicação, em 1997, do livro *Poder e dinheiro*. Os dois livros inscrevem-se no mesmo campo da economia política internacional e compartilham a "visão braudeliana, nada convencional, da existência de uma relação ligando a criação e a reprodução ampliada do capitalismo histórico, como sistema mundial, aos processos de formação de Estados, de um lado, e de formação de mercados, de outro... (de forma que todas) as expansões e reestruturações da economia capitalista mundial ocorrem sempre sob a liderança de determinadas comunidades e blocos de agentes governamentais e empresariais..."[2] Uma visão que retoma e atualiza a convicção weberiana de que "todos os processos de desenvolvimento econômico são lutas de dominação".

Ao contrário do *Poder e dinheiro*, entretanto, neste novo livro os autores não partem de uma mesma hipótese: partem de uma mesma pergunta. Uma vez identificado e analisado o processo de mundialização das finanças e de "retomada da hegemonia americana", perguntam-se pelo futuro do desenvolvimento na periferia capitalista depois da vertiginosa polarização da riqueza mundial, que a partir da década de 1980 jogou por terra as expectativas otimistas dos ideólogos da globalização e sua aposta em uma maior convergência e homogeneização da riqueza mundial. Todos os autores do livro reconhecem a excepcionalidade do desenvolvimento e retornam à história para reler seus casos de sucesso, à luz da experiência da segunda metade do século XX, quando se explicita, com mais nitidez, o caráter crucial das relações entre os estados, as moedas e o desenvolvimento das nações.

---

[1] A organização deste livro não teria sido possível sem a colaboração de Carlos Pinkusfeld M. Bastos editando e organizando os textos e discutindo pacientemente com cada um dos seus autores. Ajudaram nesse trabalho Luiz Daniel Willcox e Maria Malta.

[2] ARRIGHI, Giovanni. *O longo século XX*. Rio de Janeiro/São Paulo: Contraponto, Editora Unesp, 1996, p. 9-10.

APRESENTAÇÃO

Estados e moedas contém uma introdução e quatro partes. No ensaio introdutório, J.L. Fiori recapitula o debate e as profecias clássicas, sobre a riqueza das nações e a homogeneização do capitalismo, bem como o debate moderno sobre as teorias e as políticas de desenvolvimento dos países atrasados, introduzindo, no final, a pergunta e a estrutura do livro.

Na primeira parte, sobre "Geopolítica e sistemas monetários", três artigos, de J.L. Fiori, L.G. Belluzzo e o de C. Medeiros e F. Serrano, discutem conceitos e propõem algumas hipóteses sobre o papel cumprido, neste último século e meio da história capitalista, pelos sistemas estatais e monetários internacionais e sua dinâmica de transformação (e impacto) na hierarquização das possibilidades e no ritmo do desenvolvimento desigual das economias nacionais.

O segundo bloco desta coletânea, sobre "Os 'capitalismos tardios' e sua projeção global", reúne quatro artigos sobre as experiências de desenvolvimento nacional dos estados e "capitalismos tardios" do século XIX. A. Teixeira, J.C. Braga, E. Teixeira e L.M. Fernandes retornam à segunda metade do século passado e analisam as condições históricas que viabilizaram a rápida industrialização dos Estados Unidos, Alemanha, Japão e Rússia, e transformaram estes quatro países no núcleo central das ordens e conflitos que atravessam o século XX.

A terceira parte do livro, intitulada "'Milagres e miragens' no século XX", reúne quatro ensaios sobre algumas experiências nacionais de desenvolvimento econômico posteriores à Segunda Guerra Mundial. E neste momento que se cunha a expressão "milagre econômico", referida ao crescimento acelerado da Alemanha e do Japão, mais tarde aplicada aos casos periféricos do Brasil e da Coreia, e neste final de século à China. Wilson Cano analisa e compara a trajetória dos principais países latino-americanos no período desenvolvimentista e na "era neoliberal". J.C. Miranda e M.C. Tavares acompanham esta mesma trajetória, do ponto de vista do processo de conglomeração do capital, que consideram ser o fator diferenciador da experiência brasileira *vis-à-vis* os "capitalismos tardios" e os demais casos de sucesso econômico da segunda metade do século XX. No ensaio seguinte, L. Coutinho compara os "milagres" coreano e brasileiro até o momento das suas crises e identifica algumas incógnitas no futuro destas economias. Por fim, o artigo de C. Medeiros, tomando em conta elementos geopolíticos internacionais, discute as raízes e incógnitas do último caso de desenvolvimento econômico acelerado do século XX, a China.

A quarta parte do livro – "Para retomar o debate brasileiro" – propõe-se sacudir a mesmice intelectual dos tempos neoliberais e reatar a discussão interrompida sobre o passado e o futuro do desenvolvimento brasileiro. Plinio Sampaio Jr. vai até às "raízes" para repropor a discussão das ideias de três clássicos do pensamento crítico brasileiro: Caio Prado Júnior, Florestan Fernandes e Celso Furtado. Por fim, Maria da Conceição Tavares inicia uma nova leitura de alguns momentos decisivos da história econômica brasileira. O artigo, com elas dialogando, contesta algumas interpretações clássicas, marxistas e estruturalistas, sobre a formação e a natureza do "capitalismo tardio" brasileiro. No curso desse ajuste de contas com a história, a

APRESENTAÇÃO

autora desfaz algumas falsas dicotomias, como a do crescimento "para fora" e "para dentro". A dimensão do território nacional e a nossa condição permanente de império excêntrico, muitas vezes esquecidas pelas análises econômicas, são destacadas como elementos cruciais para a interpretação da história brasileira. O ensaio chega até os dias atuais e discute algumas perspectivas futuras a partir das especificidades dessa nova fase em que as políticas neoliberais estão conseguindo, finalmente, desintegrar o espaço econômico e desmantelar o Estado nacional brasileiro.

Estados e moedas faz parte de uma pesquisa acadêmica mais ampla, iniciada há alguns anos e que deverá prosseguir no campo da economia política internacional. Como foi dito, não desenvolve uma única tese; reconhece suas divergências internas e não considera que esteja dentro de sua alçada discutir ou defender projetos políticos ou econômicos específicos. Mas todos os autores deste livro compartem a mesma crítica à aventura ultraliberal das atuais elites econômicas e políticas latino-americanas, e assumem plenamente seu compromisso com um tipo de pensamento crítico que se propõe o desafio de compreender a história, para poder transformá-la.

José Luís Fiori
Rio de Janeiro, junho de 1999

INTRODUÇÃO

José Luís Fiori

De volta à questão da riqueza de algumas nações

"Em última análise, também os processos de
desenvolvimento são lutas de dominação."
(Max Weber, *Escritos Políticos I*)

Multiplicam-se as evidências, neste final de século, de que depois de 25 anos relegada ao esquecimento está voltando a ocupar lugar de destaque na agenda político-econômica mundial a velha questão do "desenvolvimento" dos países atrasados ou, noutra clave, da distribuição desigual da riqueza entre as nações. Na imprensa mundial, como no debate político em vários países centrais ou periféricos, volta-se a questionar a obsessão anti-inflacionária dos Bancos Centrais e muitas lideranças mundiais já assumem explicitamente a defesa de políticas econômicas que priorizem o aumento da produção e do emprego. Por trás dessas novas posições políticas – que entram em choque direto com as ideias hegemônicas deste último quarto de século – o que está se assistindo não é apenas a retomada de um debate teórico, mas o reconhecimento da gravidade da crise que se alastrou a partir do Leste Asiático e da impotência das políticas ortodoxas para enfrentar os efeitos da convulsão financeira que vem projetando sobre o próximo milênio um horizonte de incertezas com relação aos países centrais e de pessimismo com relação às perspectivas econômicas da periferia capitalista. Olhando para o mundo, desde 1999, a maioria dos analistas prevê uma desaceleração do crescimento europeu e norte-americano, uma recessão prolongada no Leste Asiático e uma regressão econômica gigantesca na Rússia. Ao mesmo tempo, antecipam, na outra ponta, um novo período de estagnação na América Latina, e já ninguém tem dúvidas de que o Brasil completará, no ano 2000, mais uma década perdida, em termos de crescimento e emprego. O pior, entretanto, é que, mesmo depois de superada essa conjuntura crítica, as incertezas se mantêm porque não se divisa no horizonte a possibilidade de um controle mais eficaz do livre movimento de capitais nem, muito menos, de uma coordenação cambial entre as três grandes potências econômicas mundiais. Uma decisão desse tipo poderia ser vantajosa para todos, mas representaria, inevitavelmente, uma redução do poder exclusivo das grandes potências de manter sua autonomia política com relação à definição dos seus próprios objetivos nacionais. Por isto, o mais provável é que se mantenha, por mais tempo, esse cenário internacional que vem sujeitando a periferia do capitalismo a uma verdadeira tirania financeira.

Todas essas projeções seriam menos sombrias se fossem apenas conjunturais. O problema é que suas tendências coincidem e aprofundam trajetórias de mais longo prazo, as quais vêm se consolidando de maneira contínua nestes últimos 25 anos que se sucederam ao fim do Sistema de Bretton Woods. Neste último quarto de século, com a conhecida exceção do Leste Asiático (que só entra em crise na segunda metade dos anos 1990), da Índia e da China, as economias nacionais do resto do mundo acompanharam, em grandes linhas, as trajetórias das economias centrais, mesmo quando tenham partido de patamares diversos e seguido *timings* diferentes. E essas trajetórias – a despeito de flutuações cíclicas e especificidades individuais – foram de declínio constante das taxas de investimento, crescimento e emprego, como se pode ver nas tabelas que condensam informações da OECD sobre as variações percentuais anuais das principais economias do mundo:

Tabela I
Média anual das variações percentuais no PNB

	1960-1973	1972-1979	1979-1990	1990-1996
EUA	4.0	2.6	2.4	2.1
Japão	9.2	3.5	3.9	1.6
Alemanha	4.3	2.4	2.1	1.7
G7	4.8	2.8	2.55	1.6

FONTE: OECD. Historical Statistics 1960-1995 (Paris, 1997); "Statistical Annex". *European Economy*, n. 64 (1997), publicados em BRENNER. "The Economics of Global Turbulence". *New Left Review*, n. 229.

Tabela II
Média anual das variações percentuais da produtividade
(de toda a economia)

	1960-1973	1972-1979	1979-1990	1990-1996
EUA (por hora)	2.6	1.0	1.0	0.7
Japão	8.2	3.0	3.0	1.0
Alemanha	4.0	2.7	1.5	1.85

FONTES: Idem.

Tabela III
Média anual das variações percentuais do estoque de capital (privado)

	1960-1973	1972-1979	1979-1990	1990-1996
EUA (líquido)	4.0	3.4	3.2	2.1
Japão (bruto)	12.2	7.35	7.9	4.7 (1990-1995)
Alemanha (bruto)	6.4	3.6	3.0	2.7 (1990-1994)

FONTES: Idem.

Tabela IV
Média anual das variações percentuais da taxa de desemprego

	1960-1973	1972-1979	1979-1990	1990-1996
EUA	4.8	6.7	7.0	6.3
Japão	1.3	1.9	2.5	2.6
Alemanha	0.8	3.4	6.8	7.6
G7	3.1	4.9	6.8	6.9

FONTES: Idem.

Um quadro ainda mais desfavorável quando olhado pelo seu lado "social". O Relatório Anual 1997 da Unctad, depois de constatar "que o acirramento da competição internacional não aumentou o crescimento nem o desenvolvimento dos países", mostra como, nestes últimos 25 anos, as desigualdades entre países ricos e "em desenvolvimento", bem como dentro de cada um desses blocos, vieram se acentuando. Em 1965, a renda média *per capita* dos 20% dos habitantes mais ricos do planeta era 30 vezes maior que a dos 20% mais pobres (U$ 74 contra U$ 2.281), enquanto em 1980 essa diferença já havia pulado para 60 vezes (U$ 283 contra U$ 17.056). A renda *per capita* dos latino-americanos, por exemplo, que em 1979 correspondia a 36% da renda *per capita* dos países ricos, baixou para 25% em 1995. Até o fim da década de 1970, três países na América Latina mantiveram o crescimento da sua renda *per capita*: Brasil, Colômbia e México. Mas, a partir de 1980, o crescimento destes países despencou e eles perderam as posições que haviam conquistado em termos de participação na renda mundial. No caso do Brasil, por exemplo, as taxas médias de crescimento anual do seu PIB *per capita* passaram de 6% na década de 1970 para 0,96% na década de 1980 e algo em torno 0,60% entre 1990 e 1998, segundo dados do Instituto de Pesquisa Econômica Aplicada do Ministério de Planejamento do governo brasileiro.

José Luís Fiori

Essa evolução perversa adquiriu novas dimensões a partir de 1985, com a aceleração exponencial do processo de "financeirização" acompanhado por sucessivas crises, cada vez mais frequentes e com efeitos cada vez mais devastadores sobre as economias da periferia capitalista mundial. De maneira tal, que vários analistas e economistas do próprio mundo anglo-saxão vêm considerando, de forma cada vez mais séria, a hipótese de que o capitalismo global esteja perdendo sua aura de infalibilidade, e de que, portanto, a simples competição intercapitalista em mercados desregulados e globalizados não assegure o desenvolvimento, nem muito menos a convergência entre as economias nacionais do centro e da periferia do sistema capitalista mundial.

Este desencanto com a "utopia global" deixa um indiscutível vácuo ideológico entre as elites econômicas e políticas mundiais e desarruma, de maneira radical, o campo das ideias na América Latina, onde ela ocupou, nesta última década, e de forma incontrastável, o lugar que fora do "desenvolvimentismo" depois da Segunda Guerra Mundial.

Daí a urgência em retomar o fio da discussão interrompida, voltando ao problema originário da economia política clássica – o da riqueza das nações – e retomando o debate histórico sobre a viabilidade e os caminhos do desenvolvimento econômico nacional. Já é hora de fazer um balanço crítico da discussão, no século XX, entre as várias teorias do desenvolvimento atropeladas, nestes últimos vinte anos, pela restauração neoclássica e suas políticas neoliberais. Nesse momento, essa é uma reconstrução útil e talvez indispensável para todos os que se proponham avançar no campo teórico, ou inovar no plano prático das estratégias políticas e econômicas de desenvolvimento.

1 As profecias não cumpridas

Não é necessário ser materialista para reconhecer a importância decisiva que teve o avanço das forças produtivas promovido pelo capitalismo industrial no surgimento da consciência do desenvolvimento e de todas as utopias ligadas à ideia de progresso material e homogeneização social. Não é casual que tenha sido só naquele contexto peculiar ao mundo europeu que tenha nascido uma ciência voltada exclusivamente para a investigação da natureza e causas da riqueza das nações. Uma "economia política" que ao explicar o movimento de longo prazo da acumulação do capital se transformou na primeira versão daquilo que mais tarde se chamou – talvez tautologicamente – de "economia do desenvolvimento". E o que é interessante notar é que também, como no caso dos teóricos do desenvolvimento do sé-

DE VOLTA À QUESTÃO DA RIQUEZA DE ALGUMAS NAÇÕES

culo XX, Smith, Ricardo, Malthus, Stuart Mill e Marx foram todos a um só tempo teóricos e "publicistas" que escreveram suas teorias visando propor caminhos e soluções e influenciar as políticas do seu tempo (DOBB, 1972: 22). E foi, sobretudo, quando tentaram sustentar suas teses políticas nas suas análises econômicas que os teóricos da economia política clássica, em nome de um projeto científico, acabaram dando origem às grandes utopias modernas, sendo que a mais antiga delas – a utopia liberal – foi a que permaneceu viva por mais tempo, culminando com a ideia da globalização. Não é este o lugar nem é nosso interesse recapitular aqui as discussões clássicas sobre os mecanismos e leis da acumulação capitalista. Mas não é possível retomar o tema do desenvolvimento sem comparar, previamente, as profecias clássicas sobre a universalização e homogeneização da riqueza capitalista com o rumo da história real destes dois últimos séculos de expansão e globalização do capital e do poder territorial. Isto nos permite precisar os pontos frágeis da teoria clássica responsáveis por sucessivas frustrações históricas: sua visão ambígua sobre o papel do poder político na acumulação e distribuição da riqueza capitalista; sua visão homogênea do espaço econômico capitalista mundial e, finalmente, sua visão otimista e civilizatória com relação aos povos "sem história".

De David Hume a Karl Marx, todos os autores clássicos, entre o fim do século XVIII e meados do século XIX, atacaram sistematicamente as políticas e os sistemas mercantilistas e acreditaram de uma forma ou de outra na necessidade ou na inevitabilidade do desaparecimento dos Estados territoriais. Não é difícil, por outro lado, localizar na obra de Adam Smith, como na de Karl Marx, a previsão comum de que a expansão dos mercados ou o desenvolvimento das forças produtivas do capitalismo industrial promoveria, no longo prazo e por si só, a inevitável universalização da riqueza capitalista. Apesar de que tenha sido só Ricardo – ou pelo menos sua leitura neoclássica que não viu o destino de Portugal e seus bons vinhos – quem levou esta ideia às últimas consequências, ao profetizar que o livre-comércio promoveria também uma convergência e homogeneização da riqueza das nações. E, além disso, tampouco é difícil localizar na obra desses autores, como no pensamento de todos os intelectuais e dirigentes europeus do século XIX, a crença inabalável no papel civilizatório e equalizador da expansão e dominação colonial europeia sobre os povos "primitivos" ou "incivilizados".

E, no entanto, desde o início do século XIX e, em particular, depois de 1850, o que a humanidade assistiu foi a um impressionante e aceleradíssimo processo de concentração do poder político e da riqueza capitalista nas mãos de um reduzido número de Estados, a maioria deles europeus. Uma espécie de pequeno "clube de nações" que se consolida entre 1830 e 1870 e que acumularia, a partir daí e até o início da Primeira Guerra Mundial, taxas cada vez maiores do poder e da riqueza mundiais. No mesmo período, exatamente quando a economia capitalista se transformava em um fenômeno global e unificado, a Europa assumia o controle político colonial de cerca de 1/4 do território mundial e constituíam-se as redes comerciais e a base material do que foi chamado mais tarde de periferia econômica do sistema capitalista mundial. Em pouco mais de meio século, expandiu-se a produção e o comércio e criou-se uma rede cada vez mais extensa e integrada de transportes, incorporando um número cada vez maior de regiões e países à dinâmica propulsora da economia inglesa. Este é o mesmo período em que se organiza e funciona de maneira relativamente estável – com a adesão inicial e espontânea da maioria dos países europeus – o "padrão-ouro", primeiro sistema monetário internacional. Nesse mesmo período, ainda quando tenha aumentado a desigualdade na distribuição da riqueza mundial, alguns poucos territórios privilegiados conseguiram superar o seu atraso com relação à Inglaterra, sendo progressivamente incorporados ao *core* do sistema capitalista global e à sua competição interna de tipo imperialista. Foi a hora dos primeiros "milagres econômicos" e da industrialização acelerada dos "capitalismos tardios" alemão, norte-americano e japonês, e do enriquecimento de algumas "colônias de povoamento" ou *dominions* ingleses, como foi o caso do Canadá, Nova Zelândia e Austrália, mas também da Argentina e do Uruguai. Territórios que não lograram industrializar-se durante a "era dos impérios" mas conseguiram aumentar a sua participação relativa na riqueza mundial, dando às suas populações brancas níveis "europeus" de bem-estar econômico e social. Neste mesmo meio século, o resto do mundo incorporado à economia europeia, como colônias ou semicolônias, não conseguiu escapar à camisa de força de um modelo econômico baseado na especialização e exportação de alimentos e matérias-primas, e viveu um período de baixo crescimento econômico intercalado por crises cambiais crônicas. Em síntese, entre 1830 e 1914, a riqueza mundial cresceu, mas de forma extremamente desigual, ao mesmo tempo em que se expandia o poder político do núcleo europeu do sistema interestatal no qual foram incorporados os Estados Unidos e o Japão. E, no essencial, entre 1870 e 1914, cerca de 80% do comércio europeu seguiu dando-se entre os próprios países mais ricos, enquanto a maior parte dos investimentos ingleses se dirigiu para os próprios países industrializados ou para os seus *dominions*.

Fatos e tendências que contradisseram fortemente as previsões dos economistas políticos clássicos, liberais ou marxistas. E o mais provável é que na origem deste primeiro grande erro de previsão da economia política clássica esteja a ambiguidade com que sempre tratou das relações entre o poder político territorial dos Estados e do seu sistema interestatal, incluindo aí os sistemas monetários nacionais e internacionais e a dinâmica desi-

DE VOLTA À QUESTÃO DA RIQUEZA DE ALGUMAS NAÇÕES

gual de acumulação e distribuição da riqueza. Um tema clássico dos mercantilistas e que foi abjurado por liberais e marxistas. A sua expectativa generalizada era de crescimento e difusão da riqueza capitalista, mesmo nos territórios coloniais. Mas, de fato, esta previsão econômica sempre supôs de forma implícita ou explícita – sobretudo nos seus ataques aos mercantilistas – a existência de uma condição histórica ou teórica: o necessário desaparecimento do poder e da competição entre os Estados territoriais, que deveriam ser substituídos pelos mercados ou – na fórmula utópica kantiana – por uma grande e única confederação mundial.

Esta é uma ambiguidade que já está presente na crítica de Hume ao sistema mercantilista e na sua explicação pioneira das causas do progresso econômico e do equilíbrio monetário automático produzido pelas relações livre-cambistas entre as nações. Como está também presente em Adam Smith, na sua visão de como atuam as vantagens comparativas absolutas dentro e fora dos países, ampliando os mercados e a produtividade, especializando funções e orientando a alocação dos recursos materiais e monetários segundo critérios que desconhecem analiticamente o fenômeno das fronteiras, posto que atenderiam, teoricamente, ao interesse nacional de todos os Estados territoriais envolvidos nas transações comerciais. De tal maneira que o próprio intercâmbio acabaria promovendo também, no longo prazo, a convergência entre a riqueza dos territórios e das regiões que fossem inicialmente mais atrasadas ou menos ricas. Os Estados e as soberanias não desaparecem explicitamente dos seus raciocínios, mas são negados ou superados por alguma variante do "universalismo benevolente" de que nos fala David Hume: "[...] Eu devo, então, ousar reconhecer que, não só como um tema do homem mas também da Inglaterra, eu rezo para o florescimento do comércio da Alemanha, Espanha, Itália e mesmo da França. Eu estou certo de que tanto a Grã-Bretanha como todas estas nações prosperarão mais, se os seus soberanos e ministros tiverem adotado sentimentos benevolentes e grandiosos na relação de uns com os outros" (apud ROTWEIN: 80-82 – tradução livre). O mesmo suposto em que se sustenta o argumento de Adam Smith sobre o papel das vantagens absolutas do comércio internacional ou ainda o modelo mais sofisticado de David Ricardo sobre o papel das vantagens comparativas e do livre-comércio internacional na redução dos custos salariais e no aumento da lucratividade e produtividade do capital. Também no caso deles, a crítica política que todos fazem ao protecionismo estatal acaba reaparecendo de forma subreptícia como uma premissa teórica indemonstrável e a-histórica de suas teses sobre o papel do comércio no desenvolvimento e distribuição convergente da riqueza das nações. Smith define com precisão as três funções básicas do Estado liberal, mas ao mesmo tempo este Estado não ocupa nenhum papel no seu cálculo econômico das vantagens e do bem-estar dos indivíduos. Nesse sentido, a equação smithiana da origem da riqueza fica politicamente indeterminada: em qualquer tempo ou lugar, a expansão dos mercados deve levar à mesma divisão do trabalho e ao aumento da produtividade e da riqueza.

Da mesma forma, a versão clássica de Ricardo, que se transformou na base da teoria ortodoxa do comércio internacional, mesmo quando se baseie na relação entre dois Estados soberanos, os considera apenas como unidades de cálculo, diferenciadas estaticamente com base nas suas dotações iniciais de tipo tecnológico. Por isso para o Ricardo dos neoclássicos, a convergência automática entre a riqueza das nações é uma espécie de convicção axiomática fundada na certeza de que "as nações se beneficiam da dimensão do comércio, da divisão do trabalho nas manufaturas e da invenção de maquinaria – todos elevam o montante de mercadorias, e contribuem substancialmente para a satisfação e felicidade da humanidade [...]" (RICARDO, 1951: 25-26). Argumento válido para todos os territórios nacionais independentemente de sua situação inicial no contexto do comércio internacional. Só mais tarde, mas ainda dentro do campo liberal da economia política clássica, tocou a Torrens e Stuart Mill questionar a possibilidade de um desenvolvimento tecnológico homogêneo na Inglaterra e nas suas colônias ou territórios dependentes. Ambos sustentaram, contra Smith e Ricardo, que a simples expansão dos mercados e liberação das importações inglesas não asseguraria o ritmo indispensável de crescimento das economias exportadoras de alimentos e matérias-primas – razão pela qual Torrens defendia as virtudes econômicas do colonialismo e Stuart Mill, a necessidade de que o crescimento "periférico" fosse acelerado (no caso dos "países novos", e explicitamente Austrália, Canadá e Estados Unidos) por meio da expansão do crédito criado pela exportação de capitais ingleses (HO, 1996: 413).

A linha central e mais conhecida do argumento de Marx coincide essencialmente com a visão de Smith e Ricardo, seja no seu ataque ao mercantilismo, seja na sua visão otimista do desenvolvimento capitalista à escala global e independente das fronteiras políticas nacionais. Ninguém no seu tempo afirmou de forma mais categórica do que Marx, no *Manifesto Comunista*, que,

> por meio da exploração do mercado mundial, a burguesia configurou de maneira cosmopolita a produção e o consumo de todos os países. Para grande pesar dos reacionários, ela subtraiu à industria o solo nacional em que tinha os pés [...]. No lugar das velhas necessidades, satisfeitas pelos produtos nacionais, surgem novas necessidades, que requerem para sua satisfação os produtos dos mais distantes países e climas. No lugar da velha autossuficiência e do velho isolamento locais e nacionais, surge um intercâmbio em todas as direções, uma interdependência múltipla das nações (MARX, 1998: 11).

DE VOLTA À QUESTÃO DA RIQUEZA DE ALGUMAS NAÇÕES

Uma antecipação extraordinária da tendência globalizante do capitalismo que reaparece, sob outra ótica, no Prefácio de Marx à 1ª edição d'*O Capital,* onde formula sua conhecida tese sobre as perspectivas futuras do desenvolvimento capitalista nos territórios econômicos mais atrasados, ao dizer que "[...] os países que são industrialmente mais avançados mostram aos menos desenvolvidos a imagem do seu futuro". Uma visão linear que lhe permite dissolver o problema das relações conflitivas ou mesmo contraditórias entre as tendências unificadoras de homogeneização internacional das novas tecnologias e as tendências centrípetas e diferenciadoras induzidas pelas hierarquias e a competição entre os Estados nacionais. Em um outro momento, no terceiro volume d'*O Capital,* Marx aproxima-se uma vez mais de Smith e Ricardo na sua crítica ao sistema mercantilista e na sua visão positiva do comércio internacional, que seria capaz de contrariar a tendência declinante da taxa de lucros capitalista. E, por fim, foi quando discutiu a dominação inglesa na Índia que Marx formulou uma de suas teses mais conhecidas sobre o papel progressista do colonialismo capitalista, em um de seus artigos escritos para o *New York Herald Tribune:* "A Inglaterra tem que empreender uma dupla missão na Índia: uma, destrutiva, e a outra, regenerativa – a destruição da velha sociedade asiática e o lançamento das bases materiais da sociedade ocidental na Ásia [...]" (OWEN & SUTCLIFE, 1972: 46).

Vários autores, entre eles H.B. Davis (1967), K. Mori (1978) e P. Scaron (1980), subscreveram em distintos momentos a tese de que Marx modificou substancialmente sua visão sobre as perspectivas do desenvolvimento capitalista colonial a partir da década de 1860, e com base sobretudo na análise dos casos irlandês e polonês. A partir daí Marx teria revisto sua visão sobre a "dupla missão" do colonialismo na Índia, ao perceber que a destruição das velhas sociedades poderia não ser condição suficiente para a construção das bases materiais do processo regenerativo. Nessa direção escreveu em 1879 que

> [...] As ferrovias deram, sem dúvida, um imenso impulso ao desenvolvimento do comércio exterior, mas o comércio em países que exportam principalmente produtos primários elevou a miséria das massas... Na verdade todas as mudanças foram muito proveitosas para os grandes proprietários de terra, os usurários, os comerciantes, as ferrovias, os banqueiros e assim por diante, mas muito decepcionantes para os produtores reais! (MARX, 1879: 298-289).

Em uma direção análoga, ao tratar do comércio de algodão, Marx escreveu que

> nasce uma nova e internacional divisão do trabalho, uma divisão adequada aos requisitos dos centros líderes da moderna indústria, convertendo em uma parte do globo em uma área basicamente de produção

19

agrícola para abastecer a outra parte, que permanece principalmente como área industrial (MARX, 1974, vol. 1: 424-425).

Mas, a não ser nestas referências raras e localizadas, tem razão Paul Baran, quando afirma que a linha central do argumento de Marx aponta para o reconhecimento de que "a direção geral do movimento histórico parece ter sido a mesma tanto para os estratos inferiores assim como para os contingentes mais avançados" (BARAN, 1957: 40). Uma visão que reaparecerá radicalizada e muitas vezes distorcida entre os autores da II Internacional, que no final do século XIX condenavam os métodos do colonialismo, mas não o colonialismo em si mesmo. Como foi o caso de Eduard Bernstein, que frente ao problema colonial afirmava categoricamente que "vamos julgar e combater certos métodos mediante os quais se subjugam os selvagens mas não questionamos nem nos opomos a que estes sejam submetidos e que se faça valer para eles o direito à civilização" (BERNSTEIN, 1978: 73).

Como já vimos, no meio século seguinte à publicação, em 1848, do *Manifesto comunista* de Marx e dos *Princípios de economia política* de Stuart Mill, o capitalismo viveu uma profunda transformação econômica, tecnológica, organizacional e financeira, e o seu núcleo político europeu iniciou uma corrida colonialista que em poucas décadas submeteu quase todo o mundo africano e asiático e transformou a maior parte da América Latina em periferia econômica dependente da Inglaterra. Neste mesmo período, a economia política clássica cedeu lugar ao enfoque neoclássico das teorias do equilíbrio geral de Walras, Jevons, Menger, centradas no estudo do comportamento microeconômico dos indivíduos e das firmas. Foi neste novo contexto que o estudo do desenvolvimento passou a um segundo plano, assumido como um processo gradual e contínuo, natural e harmonioso, independente do momento e do lugar em que ocorra.

Só mais tarde é que estes temas retornaram ao debate político pela mão heterodoxa das teorias do imperialismo, que tentaram explicar, nas primeiras décadas do século XX, as causas das transformações econômicas e políticas ocorridas na segunda metade do século anterior. Entre seus principais autores, Hilferding e Bukharin foram os que incorporaram, de maneira mais original, ao corpo teórico do seu argumento, a importância adquirida dentro da expansão capitalista pelas novas relações entre os Estados, a saber, o protecionismo e a dinâmica expansiva do capital financeiro. Assim mesmo, mantiveram-se fiéis à linha central e mais ortodoxa da teoria do imperialismo, que, com a exceção de Rosa de Luxemburgo, compartilhou o lado otimista da visão de Marx sobre a função progressista, pioneira e civilizatória do imperialismo nas regiões atrasadas ou colonizadas do mundo. Na verdade a preocupação central da teoria foi sempre com a identificação das raízes econômicas da crise responsável pela intensificação – a partir de

DE VOLTA À QUESTÃO DA RIQUEZA DE ALGUMAS NAÇÕES

1870 – da competição que empurrou os capitais e os Estados europeus à corrida imperialista dentro do núcleo político interestatal do sistema e à guerra de 1914. Depois de 1920, e em particular depois que o VI Congresso da Terceira Internacional Comunista, em 1928, redefiniu uma visão crítica e pessimista com relação ao papel pioneiro do imperialismo nas regiões atrasadas do mundo, a teoria do imperialismo passou a ser peça decisiva da luta político-ideológica mundial, perdendo no entanto vitalidade teórica, só recuperada parcialmente com o debate que recomeça com Paul Baran, nos anos 1940/1950, e chega ao seu final – de maneira igualmente inconclusiva – com a retomada pelo marxista inglês Bill Warren (1980) da defesa da função pioneira do imperialismo no que concerne às economias atrasadas do mundo. Mas estes já eram outros tempos, a ordem política e econômica internacional e o próprio conceito de imperialismo já tinham então uma conotação completamente diferente.

As vésperas da Primeira Guerra Mundial, entretanto, o balanço dos fatos políticos e dos números econômicos parecia dar razão a um outro economista político da primeira metade do século XIX, um herege no seu tempo – o alemão Georg Friedrich List. Foi ele que, em 1841, na contramão de Smith e Marx e do clima ideológico de sua época, trouxe de volta o debate mercantilista sobre a relação entre o poder político e a riqueza dos Estados, e sobre a importância desta relação interna a cada um dos Estados nacionais, na competição dentro do sistema interestatal responsável pela gestão política do capitalismo. No seu *Sistema nacional de economia política*, Friedrich List inverte completamente a discussão smithiana sobre as causas da riqueza, e desloca o olhar do problema da divisão do trabalho e da expansão dos mercados para o problema de como se constroem ou destroem as forças produtivas de cada nação. Na contramão do seu tempo, List defendeu o livre-câmbio como uma política vantajosa apenas para as potências econômicas mais avançadas. Nesse sentido, defendeu, também, o protecionismo como caminho indispensável da industrialização e da acumulação de riqueza, e poder, por parte dos países europeus que pretendessem concorrer com a Inglaterra. Não é necessário relembrar que para List, ao contrário dos demais economistas clássicos, a política, a nação e a guerra são elementos essenciais de todo e qualquer cálculo econômico, na medida em que, para ele, a produção e distribuição da riqueza mundiais é um jogo de soma negativo, onde há e haverá sempre lugar para muito poucos Estados nacionais poderosos. Um jogo em que só ganhariam os povos com "vocação de potência" e os Estados capazes de alavancar suas economias em função de seus objetivos e interesses estratégicos de longo prazo. Ao lado desta sua visão sobre os caminhos da Europa, List professava um profundo pessimismo ou fatalismo com relação ao "destino" dos povos tropicais e das nações pobres, que, segundo ele, deveriam seguir prisioneiras de suas especializações e obrigadas ao livre-cambismo inglês, sem poder ambicionar uma convergência tecnológica com os Estados industrializados europeus. Olhando retrospectivamente, e ainda quando se possa discordar dos seus juízos éticos sobre o destino das nações, não há como não reconhecer que a história econômica e política real do século XIX andou na direção contrária à das profecias universalistas e deu a mais completa razão a Georg Friedrich List.

Logo depois da Primeira Guerra Mundial, o projeto de autodeterminação e desenvolvimento nacional sustentado pela liderança liberal dos Estados Unidos, junto com o projeto de libertação nacional e planejamento econômico proposto pelos países socialistas, renovaram o otimismo das velhas profecias do século XIX ao trazer para o primeiro plano das preocupações mundiais a independência e o futuro econômico das colônias europeias. Nasciam ali as raízes daquilo que Immanuel Wallerstein chamou de "geocultura do desenvolvimento", que só alcançou sua plena maturidade depois da Segunda Guerra Mundial. Para Wallerstein, o seu primeiro impulso foi dado, de forma simultânea e paradoxal, pelas duas propostas competitivas das políticas externas norte-americana e soviética, definidas por Wilson e Lenin em torno de 1917, e que defendiam igualmente a autodeterminação e o desenvolvimento econômico dos povos. Nas palavras do próprio Wallerstein:

> A ideologia wilsoniana-leninista da autodeterminação das nações, sua igualdade abstrata, e seu paradigma desenvolvimentista incorporado em ambas variantes ideológicas, foi aceita maciça e praticamente sem exceção como o programa operacional dos movimentos políticos das zonas periféricas e semiperiféricas do sistema mundial (WALLERSTEIN, 1974: 115).

Na prática, entretanto, o princípio da autodeterminação só foi respeitado, até bem mais tarde, no caso dos Estados que nasceram da derrota e destruição dos impérios otomano e austro-húngaro. Não por coincidência, lugar de origem da maioria daqueles que se transformaram em pioneiros da "economia do desenvolvimento" dentro do mundo acadêmico anglo-saxão. Fora da Europa, o princípio da autodeterminação foi sendo estendido de maneira extremamente lenta e condicionado à aceitação pelos povos coloniais dos valores liberais e dos métodos ocidentais de governo democrático. Isto significou, na verdade, a postergação das reivindicações nacionalistas pela independência das colônias até depois do fim da Segunda Guerra. De tal forma que só depois de 1945 – em paralelo com o processo da descolonização asiática e africana – é que, de fato, a "geocultura do desenvolvimento" se transformou em um fenômeno universal. Naquele momento, e em particular depois da Revolução Chinesa de 1949, as novas condições mundiais pesaram decisivamente na formação

DE VOLTA À QUESTÃO DA RIQUEZA DE ALGUMAS NAÇÕES

e consolidação desta hegemonia desenvolvimentista. Somaram-se nessa direção o fracasso econômico liberal dos anos 1920/1930, a urgente necessidade de reconstrução do pós-guerra, o novo cenário de competição geopolítica e ideológica da Guerra Fria e a disputa dos territórios que foram se tornando independentes, progressivamente, dos impérios europeus. De tal maneira que a partir dali e até a década de 1970:

> a possibilidade do desenvolvimento (econômico) de todos os países veio a ser uma fé universal, compartilhada igualmente por conservadores, liberais e marxistas. As fórmulas propostas por cada um para obter tal desenvolvimento foram ferozmente debatidas, mas a própria possibilidade não o foi (WALLERSTEIN: 163).

As próprias Nações Unidas e várias outras instituições multilaterais criadas depois da Guerra colaboraram decisivamente na formulação e difusão das novas ideias que acompanharam os programas de ajuda internacional e os financiamentos do Banco Mundial. Criar infraestruturas, modernizar instituições e incentivar as industrializações nacionais passaram a ser as palavras de ordem do mundo político e os temas que mais frequentavam as preocupações acadêmicas do Terceiro Mundo.

Entre 1945 e 1973, a época dourada do crescimento capitalista e socialista mundiais fez pensar que chegara a hora de realização não só do projeto de autodeterminação dos povos, mas também das profecias econômicas dos clássicos, mesmo quando tivessem sido perseguidas por meio das políticas propostas pelo heterodoxo Friedrich List, implementadas pelos Estados desenvolvimentistas que se multiplicaram e legitimaram através de todo o mundo depois da Segunda Guerra Mundial. E, de fato, sobretudo na década de 1970, assistiu-se a uma diminuição global da distância entre a riqueza dos "países industrializados" e a dos "países em desenvolvimento" (WARREN, 1980; ARRIGHI, 1995). Ainda quando se saiba que as estatísticas que apontam nessa direção estejam fortemente influenciadas pela crise generalizada dos países mais ricos, e pelo crescimento excepcional do Leste Asiático e do Brasil e México na América Latina. O sonho contudo durou pouco e na década de 1980 a queda foi muito mais rápida do que a ascensão. Em poucos anos foram varridos sucessivamente todos os "milagres" econômicos periféricos: primeiro caíram por terra, já nos anos 1960, os poucos casos de sucesso africanos; depois, nas décadas de 1970 e 1980, ruíram sucessivamente os desenvolvimentismos latino-americanos; em seguida foi a vez dos "socialismos reais" e, agora, já no final da década de 1990, são os "milagres econômicos" asiáticos que começam a andar para trás. De tal maneira que também o século XX vai chegando ao seu final deixando a forte impressão de que muito se andou para, na melhor das hipóteses, permanecer no mesmo lugar, do ponto de vista da distribuição do poder e da riqueza mundiais. Sobretudo quando já sabemos que a "restauração liberal" dos últimos 25 anos foi, pelo menos, corresponsável por um novo "surto" (mais violento e veloz do que o que ocorreu na segunda metade do século XIX) de concentração e centralização da riqueza nas mãos de um número reduzidíssimo de capitais privados. Capitais esses cujos centros de decisão estão situados no território daquelas mesmas potências políticas que já monopolizavam o poder e a riqueza na segunda metade do século passado.

Se Eric Hobsbawm estima que em 1800 a diferença de riqueza entre os países mais e menos pobres era de 1 para 1,8 e em 1913, na véspera da Primeira Guerra Mundial, era de 1 para 4, mais recentemente, a economista norte-americana Nancy Birsdall estimou, em artigo publicado na revista *Foreign Policy*, "que a relação entre a renda média do país mais rico e o mais pobre do mundo, que era de 9 para 1, no começo do século, chega a estar em torno de 60 para 1 no final do século XX". Resultados econômicos e sociais que voltam a contradizer as profecias liberais e marxistas. Mas já agora a retomada da discussão sobre o desenvolvimento envolve um balanço teórico e político mais complexo sobre a farta e extensa literatura que foi produzida no século XX e, sobretudo, depois da crise dos anos 1930. Essa releitura crítica deve ser orientada, como nos clássicos, para a explicação da difusão desigual da riqueza mundial, mas visando também, como nos clássicos, orientar, convencer e influenciar as políticas estatais que lideraram, durante estes cinquenta anos, o desenvolvimento dos países atrasados de todo o mundo.

2 Um debate teórico inconcluso: os anos 1950

Já faz um bom tempo desde que Albert Hirschman publicou o seu balanço da teoria do desenvolvimento produzida depois da Segunda Guerra Mundial. No exato momento em que estava ocorrendo o seu *sorpasso* pela restauração do pensamento econômico neoclássico, irmão siamês da restauração política neoliberal,

> [...] a economia do desenvolvimento inicia-se como a ponta de lança de um esforço para se alcançar a completa superação do atraso. Hoje ficou claro que isto não pode ser feito somente por meio da economia. É por esta razão que o declínio da economia do desenvolvimento não pode ser totalmente revertido: nossa subdisciplina obteve considerável brilho e animação por meio da ideia implícita de que poderia destruir praticamente sozinha o dragão do atraso, ou, pelo menos, que sua contribuição nesta tarefa seria central. Nós agora sabemos que isto não é assim [...] (HIRSCHMAN, 1981: 23).

Hirschman referia-se ao que chamou de "development economics", no qual incluía o pensamento dos autores anglo-saxões ao lado dos estruturalistas latino-americanos da Cepal.

Hoje pode-se perceber com mais nitidez que a fragilidade daquela teoria do desenvolvimento não se restringiu ao seu economicismo. O próprio *survey* de Hirschman demonstra que no campo estrito do debate econômico a discussão ficou inconclusa com relação às duas dimensões básicas que ele utiliza para classificar as várias vertentes que ocupam o seu espaço conceitual. Se todos os teóricos do desenvolvimento compartilharam a necessidade de uma teoria específica para as economias dos países atrasados, nunca estiveram de acordo com relação à teoria de Ricardo sobre as vantagens comparativas no comércio internacional, nem tampouco sobre a identificação e hierarquização dos "fatores internos" que poderiam ser os grandes obstáculos ou estímulos ao desenvolvimento das economias atrasadas. E se todos compartilharam igualmente a defesa do intervencionismo estatal, jamais estiveram de acordo sobre a natureza hierárquica e competitiva da ordem política e econômica internacional.

Ninguém desconhece a importância decisiva que tiveram a teoria do desenvolvimento econômico de Schumpeter e a "revolução teórica" keynesiana na origem e na legitimação da "economia do desenvolvimento", ao encaminhar conceitualmente a rebelião antineoclássica que acompanhou a desilusão liberal dos anos 1930. Os modelos de crescimento de Harrod e Domar são seus descendentes diretos e é inegável a sua influência sobre os trabalhos pioneiros – ainda na década de 1940 – de Rosestein-Rodan e Arthur Lewis, ou mesmo de Raul Prebisch[1]. Mas não há dúvida também que o campo da chamada "teoria do desenvolvimento" acabou extravasando a revolução keynesiana e o plano estrito da economia ao incorporar progressivamente indagações e conhecimentos históricos, sociológicos e políticos que, é verdade, acabaram pesando mais no desenho das políticas e estratégias políticas do que nas construções analíticas da própria teoria.

Nesse sentido, não há como desconhecer que na época áurea do otimismo desenvolvimentista – durante a década de 1950 – foi a "economia do desenvolvimento" que ocupou, de fato, o lugar central na discussão teórica, dentro e fora da América Latina, sobre a natureza e as causas do atraso econômico e sobre as virtudes e potencialidades da industrialização como caminho preferencial de superação do subdesenvolvimento. Mas, uma vez

---

[1] Quanto a Prebisch, em relação aos outros autores, deve-se ter presente que na América Latina "[...] conteúdo da confrontação teórica que surgiu na teoria do subdesenvolvimento foi de natureza diferente daquele encontrado nas controvérsias que são típicas de economias avançadas" (BIELSCHOWSKY, 1988: 12).

mais, olhando retrospectivamente, não é difícil perceber que a principal fragilidade da discussão teórica e das estratégias político-econômicas daquela época decorreu da mesma ambiguidade dos clássicos no tratamento da relação entre o Estado, as economias nacionais e os sistemas econômico e político internacionais. E isto apesar de todos os projetos desenvolvimentistas – na contramão da aversão clássica pelo sistema mercantilista – partirem da defesa explícita de um Estado forte, intervencionista e protecionista, e de, além disso, a escola estruturalista inovar teoricamente ao partir de uma visão crítica da estrutura global e hierárquica do sistema capitalista internacional. O problema é que o "Estado" dos desenvolvimentistas foi sempre uma abstração que ora aparecia como construção ideológica idealizada, ora era transformado pela teoria "em uma dedução lógica ou em um mero ente epistemológico requerido pela estratégia de industrialização, sem que se tomasse em conta a natureza das coalizões de poder em que se sustentava [...]" (FIORI, 1995: viii). Essas ideias acabaram sustentando, sobretudo no caso latino-americano, estratégias desenvolvimentistas de natureza extremamente conservadoras, autoritárias e antissociais.

Esta ambiguidade ou imprecisão, entretanto, é mais visível na "development economics" dos autores anglo-saxões, que além disso mantiveram sua fidelidade à teoria ricardiana das vantagens comparativas e das virtudes homogeneizadoras do comércio internacional. E o que se encontra no trabalho pioneiro de economistas como Rosestein-Rodan (1943) e Nurkse (1951), que escrevem sob influência direta do modelo Harrod-Domar, preocupados, portanto, com a questão da possibilidade e viabilização de um "crescimento balanceado" ou equilibrado. Para Rosestein, as regiões atrasadas se caracterizavam pelos baixos ingressos e substancial desemprego ou subemprego, e sua industrialização espontânea se via bloqueada pelas dimensões reduzidas dos mercados internos e pela incompetência do seu empresariado. Como consequência, do ponto de vista político-propositivo, para Rodan o papel do Estado deveria ficar restrito ao treinamento de mão de obra e à coordenação dos investimentos de longo prazo. Nurkse agregava às causas do atraso o problema da escassez de poupança e considerava indispensável o papel do Estado como indutor do investimento doméstico e externo. Os trabalhos posteriores de Walter Rostow (1952) e Arthur Lewis (1954) situam-se ainda em uma linha paralela à dos pioneiros. Lewis, que já havia apresentado uma primeira versão de suas ideias, em 1951, em um documento das Nações Unidas, viu na disponibilidade ilimitada de mão de obra em níveis salariais de subsistência uma especificidade destas economias atrasadas que poderia ser transformada em fator virtuoso, à medida que estes mesmos níveis salariais fossem estendidos à totalidade do sistema produtivo, o que permitiria, segundo ele, manter constantes elevadas taxas de lucratividade e investimento. Donde sua defesa de que o papel central do Estado deveria ser o do controle e restrição do poder sindical e de proteção ativa do setor capitalista doméstico frente à competição externa. Foi Walter Rostow, entretanto, quem desenvolveu a partir do seu *Process of Economic Growth,* publicado em 1952, o que se transformou, no início dos anos 1960, na mais acabada síntese do projeto norte-americano de modernização do Terceiro Mundo. Rostow (1960) no seu célebre "manifesto não comunista" retoma e vulgariza a visão neoclássica do desenvolvimento como um processo natural, progressivo e linear de transição por etapas das sociedades atrasadas ou tradicionais em direção a uma modernidade eurocêntrica. Uma fórmula universalmente válida e capaz de orientar a ação de todos os planejadores estatais competentes.

Frente a essa versão evolucionista da "development economics", destacaram-se e se diferenciaram, na sua época, os trabalhos de Gunnar Myrdal (1957) e Albert Hirschman (1958), críticos veementes da hipótese de um "crescimento equilibrado" em regiões atrasadas e defensores de posições teóricas e políticas muito próximas dos estruturalistas latino-americanos. Myrdal formulou nessa época a conhecida tese da "causação cumulativa", produzida pela concentração do progresso tecnológico e dos capitais de investimento e da própria rapidez da expansão dos mercados, responsáveis em conjunto pelos baixos níveis de ingresso e poupança e pela escassa capacidade fiscal dos Estados mais atrasados. Uma visão menos otimista que a dos demais economistas do desenvolvimento e que o levou à defesa não apenas da necessidade de coordenação e planejamento estatais, mas também da proteção dos mercados e da "indústria infante"[2]. Hirschman explicava a inevitabilidade e fazia a defesa de um "crescimento desequilibrado", ao mesmo tempo em que demonstrava a inutilidade de todos os estudos orientados para a identificação de fatores que pudessem explicar isoladamente o atraso econômico das nações subdesenvolvidas. Para Hirschman o problema fundamental desses países era de ordem essencialmente política: faltava-lhes um "agente articulador" suficientemente forte e capaz de conduzir ou induzir um programa de investimentos orientado pelos "gargalos de mercado" e hierarquizados segundo sua eficácia dentro das cadeias produtivas.

Na mesma época, e em pleno otimismo desenvolvimentista, o estruturalismo latino-americano partiu de um ponto radicalmente oposto ao da "development economics": começou pela crítica à teoria ricardiana do co-

---

[2] Em realidade, a "proteção à indústria infante" é característica encontrada de uma forma ou de outra na maioria das teorias, como podemos observar pela síntese desenvolvida até aqui.

mércio internacional e acabou produzindo uma verdadeira revolução teórica na discussão do problema do subdesenvolvimento. Os latino-americanos Raul Prebisch (1949), Celso Furtado (1954), Oswaldo Sunkel (1957), e Hans Singer (1950) fora da América Latina, entre outros, recolocaram os termos da discussão, desconsiderando o tratamento isolado das economias nacionais e propondo um novo programa de pesquisa, que partia do sistema econômico mundial e explicava o atraso econômico pela difusão desigual do progresso tecnológico induzida pelo funcionamento hierárquico e assimétrico das relações entre economias nacionais que se haviam integrado de maneira diferenciada aos centros cíclicos da economia mundial. Estes autores defendiam uma visão estrutural e histórica do capitalismo visto como um sistema econômico em expansão a partir da revolução industrial europeia e que foi incorporando sucessivas periferias especializadas e articuladas com base nos mercados e investimentos das economias centrais.

Não é necessário recapitular aqui os principais tópicos desta teoria estrutural em que se apoiou o desenho de um projeto e de uma estratégia de industrialização e desenvolvimento muito mais nítida e consistente do que a que se poderia deduzir dos autores anglo-saxões. Entretanto, nos anos 1960 essa estratégia de "substituição de importações" perdeu seu fôlego inicial e não contou com uma coalizão de poder e um Estado capazes de sustentar as reformas indispensáveis ao seu aprofundamento.

3 Os anos 1960

As Nações Unidas e o governo norte-americano declararam 1960 a "década do desenvolvimento". Mas na América Latina, já no final dos anos 1950, multiplicavam-se os sinais de esgotamento e as críticas à estratégia de industrialização que culminaram no trabalho clássico de M.C. Tavares, "O auge e o declínio da substituição de importações no Brasil", publicado em 1963. Frente à crise econômica que se generalizou através do continente, o próprio pensamento estruturalista inspirou um programa de reformas estruturais, visando melhorar a distribuição da renda e dinamizar os mercados internos. Um programa que só foi experimentado no Chile, na segunda metade dos anos 1960, mas que desencadeou a partir do Brasil uma reação conservadora e autoritária que atingiu quase toda a América Latina. Iniciava-se ali uma reversão das expectativas otimistas da década de 1950 e uma diáspora político-econômica que teve seus limites extremos no desenvolvimentismo conservador dos militares brasileiros e no monetarismo ultraliberal dos militares chilenos. Iniciava-se também, no campo intelectual, um período de franco pessimismo com relação às

DE VOLTA À QUESTÃO DA RIQUEZA DE ALGUMAS NAÇÕES

perspectivas e à viabilidade dos projetos de industrialização e modernização, quando não do próprio desenvolvimento capitalista nas regiões atrasadas e periféricas do sistema econômico mundial. "Fase pessimista" que
se prolongou até a primeira metade da década de 1970, e foi logo depois
ultrapassada pela discussão da crise econômica internacional e a crise das
dívidas externas e mais adiante pela nova hegemonia liberal-conservadora
do pensamento econômico neoclássico. Pertencem a esta época de desencanto as várias teorias da dependência formuladas dentro e fora da tradição
estruturalista. Mas também, no mesmo período, ainda que noutra clave,
teve grande repercussão e importância acadêmica a publicação de alguns
estudos histórico-comparativos sobre trajetórias e padrões de industrialização e modernização política, como os de Alexander Gershenkron, Barrington Moore, Charles Tilly, Theda Skocpol, e alguns outros mais, dando
conta da multiplicidade de caminhos percorridos pela industrialização,
modernização e formação dos Estados europeus. Ainda que de maneira indireta, estes novos estudos introduziram no debate teórico, ao lado do pessimismo reinante, uma dúvida radical com relação a todas as previsões e
otimismos evolucionistas e lineares sobre a expansão do capitalismo e a
transformação institucional das "sociedades tradicionais".

Esta nova pesquisa histórico-comparativa não teve a repercussão imediata e política que tiveram, nos anos 1960, as teorias da dependência, mas
contribuiu para o redesenho do programa de investigação sobre o tema do
desenvolvimento do capitalismo nas regiões atrasadas. Alguns destes estudos históricos, de forte conotação institucionalista, já haviam sido publicados nos anos 1950, mas só tiveram audiência mais atenta, sobretudo na
América Latina, a partir da crise e dos impasses gerados pelo esgotamento
da "fase fácil da substituição de importações". Nesse campo duas foram as
obras mais marcantes e decisivas: o *Atraso econômico em perspectiva histórica*, de Alexander Gershenkron, publicado em 1962, e *As origens sociais da
ditadura e da democracia*, de Barrington Moore, publicado em 1966.
Ambos identificam pelo menos três vias distintas, na experiência de industrialização e de modernização política do século XIX, e mesmo quando
suas pesquisas não tratem exatamente dos mesmos casos nacionais, nem
seus modelos sejam coincidentes, ambos utilizam a mesma ideia do "atraso" como um fator essencial na construção de seus paradigmas históricos.
Sua contribuição mais importante e conjunta para o debate teórico, sobretudo latino-americano, veio da identificação – na Alemanha, Rússia, Romênia, Japão, ou mesmo Itália – de uma espécie de segundo paradigma ou
"via tardia de industrialização e modernização conservadora". Algo muito
semelhante ao que Engels e Lenin já haviam identificado na própria Alemanha como "via pelo alto" ou "via prussiana", reunindo burguesias frágeis e

internacionalizadas com burocracias estatais fortes e militarizadas, em um contexto agrário, de lenta mercantilização e repressão da mão de obra, e urbano de industrialização acelerada a partir de objetivos militares e de potência estatal. Um modelo que passou a frequentar de modo assíduo, ainda que muitas vezes incorreto, as reflexões históricas e as proposições políticas dos que já estavam convencidos da impossibilidade de repetir no século XX e em um contexto internacional completamente diferente as revoluções "democrático-burguesas" e as industrializações "sequenciadas" dos países que foram pioneiros na construção do sistema econômico capitalista e do sistema político interestatal.

Hoje, contudo, ninguém tem mais dúvida de que o modelo de Gershenkron exagerou a racionalidade econômica e a coerência da visão de longo prazo da burocracia russa e que tanto ele quanto Barrington Moore deram pouca atenção ao papel cumprido pela forma em que estes países se inseriram e participaram da dinâmica competitiva, mas também complementar, da "economia-mundo europeia", e em particular à forma como se articularam dentro do sistema comercial e monetário liderado pela Inglaterra na sua condição de potência hegemônica durante o século XIX. Por outro lado, suas pesquisas cobriram, sobretudo, o período histórico que vai de 1860 a 1914, completamente distinto daquele que se inicia após a Segunda Guerra Mundial, no qual se inclui o debate em que seus trabalhos historiográficos acabaram desempenhando um papel importante. De tal forma, que o conceito de "atraso", que havia adquirido importância desde os trabalhos pioneiros de Veblen, acabou ficando prisioneiro de uma situação histórica única e de um contexto político e econômico muito particular: a história e o contexto de uma Europa que, atropelada pela revolução industrial inglesa, perde a sua relativa homogeneidade anterior, obedecendo a partir daí a uma temporalidade interna diferenciada segundo ritmos nacionais de progresso tecnológico completamente distintos. Um contexto histórico, portanto, onde fica mais simples delinear o conceito de "atraso" com respeito a Estados que estavam em situação de relativo equilíbrio de forças por volta dos séculos XVII e XVIII e que passam a competir no século XIX, tentando alcançar o mesmo nível de progresso e riqueza da Inglaterra, de forma a restaurar a homogeneidade intraeuropeia.

Não há dúvida, contudo, de que foram as teorias da dependência que interpretaram mais fielmente o clima político e intelectual latino-americano dos anos 1960. Mas há também completo consenso entre os historiadores das ideias de que não houve uma, mas várias teorias da dependência, e que cada uma delas apontava para projetos políticos e estratégias econômicas completamente distintas. Apesar disso, todas têm em comum uma dívida inconteste com a teoria do imperialismo, em particular com a sua releitura feita por Paul Baran a partir da década de 1940, e com a visão da periferia capitalista no contexto de uma economia global e hierarquizada da escola estruturalista. Além disto, compartilharam, em particular os marxistas, a crítica à teoria e à estratégia da "revolução democrático-burguesa" nos países periféricos, questionando o caráter progressista e nacional das suas burguesias industriais e o caráter democrático das alianças populistas patrocinadas, a partir de 1930, por quase todos os partidos comunistas latino-americanos. Uma discussão que havia sido iniciada, na América Latina nos anos 1920, com o debate entre os peruanos J.C. Mariátegui (1928) e V.R. Haya de la Torre. A partir do trabalho clássico de Gabriel Palma (1982), quase todos reconhecem a existência de pelo menos três grandes grupos ou vertentes dentro da "escola da dependência".

O primeiro, e mais conhecido fora da América Latina, é o que tem maior dívida com Paul Baran (1957). Afinal, foi ele quem desviou a atenção da teoria clássica do imperialismo para a análise específica do mundo subdesenvolvido, distinguindo-o da condição colonial e abraçando a ideia de que este não era uma obra das estruturas pré-capitalistas, mas produto de um certo tipo de desenvolvimento capitalista condicionado por um sistema internacional hierarquizado, em que os países avançados exploravam os menos desenvolvidos, transferindo parte do seu excedente, em aliança com as "burguesias compradoras", que gastavam outra parte no consumo de luxo. A conclusão a que chega essa abordagem é que o capitalismo em sua fase monopolista perdera sua capacidade dinâmica e expansiva e passara a bloquear o desenvolvimento industrial dos países atrasados. Argumentos nessa direção foram elaborados logo depois da Segunda Guerra, tendo sido popularizados, entretanto, apenas por meio da tese do "desenvolvimento do subdesenvolvimento", elaborada pelos trabalhos de André Gunder Frank (1967), primeiro sobre o Brasil e depois sobre a América Latina, e desenvolvida de forma mais ou menos fiel por Theotonio dos Santos (1970) e Rui Mauro Marini (1972), entre outros latino-americanos.

Essas ideias foram retrabalhadas fora do continente e de maneira mais detalhada pelas teorias do "intercâmbio desigual" de Arghiri Emmanuel (1972) e da "acumulação à escala mundial" de Samir Amin (1974), desenvolvidas mais tarde, em um outro nível de profundidade histórica e qualidade teórica, pela teoria do *world system* de Immanuel Wallerstein (1974). Na visão de Frank, as relações de exploração entre as "metrópoles" e os seus "satélites", que articulam a totalidade do sistema econômico mundial, bloqueavam definitivamente a possibilidade do desenvolvimento das forças produtivas capitalistas nas regiões mais atrasadas do sistema. Como consequência concluía, junto com Theotonio dos Santos e Rui Mauro Marini, que o caminho do desenvolvimento latino-americano deveria passar inevitavelmente por uma revolução contra a burguesia nativa e o imperialismo que fosse capaz de encaminhar uma estratégia de desenvolvimento socialista apoiada no aumento da participação popular e na conquista da independência econômica externa. Avançando na mesma direção, Immanuel Wallerstein desenvolve um modelo de análise, bem mais complexo e sofisticado, sobre a formação do capitalismo como sistema econômico mundial, articulado, desde o século XVI, na forma de uma única e mesma hierarquia econômica e política. Um espaço econômico único e global que não deu origem a um império, mas a um conjunto de territórios políticos capazes de mudar individualmente suas posições relativas, mas incapazes de se desenvolverem de maneira coletiva e harmônica, devido a uma condição essencial à sobrevivência do sistema: a permanente reprodução da própria hierarquia entre o centro, a semiperiferia e a periferia do sistema, desiguais do ponto de vista do seu poder estatal e de sua riqueza. Nas palavras do próprio Wallerstein:

> se a economia mundial é a entidade básica contendo uma única divisão do trabalho, então é natural que áreas diferentes desempenhem diferentes papéis econômicos [...] mas o fato de que estados particulares modifiquem sua posição na economia mundial, da semiperiferia para o centro, ou vice-versa digamos, não muda em si a natureza do sistema [...] o fator-chave a ser observado é que dentro da economia-mundo capitalista todos os estados não podem se "desenvolver" simultaneamente por definição, já que o sistema funciona por força de ter núcleos desiguais e regiões periféricas (WALLERSTEIN, 1979: 53 e 61).

As duas outras vertentes da escola não viram na dependência um fator externo que explicasse definitivamente o atraso nem condenasse os países ao eterno subdesenvolvimento. Esta seria apenas uma situação condicionante universal cuja eficácia específica variaria segundo o comportamento das estruturas, processos e interesses internos a cada país. O primeiro grupo, mais diretamente ligado ao pensamento estruturalista da Cepal, propõe e começa a desenvolver sua reformulação por volta de meados dos anos 1960, liderados por Aníbal Pinto, Celso Furtado e Oswaldo Sunkel. Não se propuseram uma discussão mais geral sobre a viabilidade do capitalismo atrasado, mas sim um estudo dos obstáculos estruturais responsáveis pela estagnação econômica dos anos 1960 e pelo que viam como frustração definitiva do projeto de desenvolvimento nacional da América Latina. Este é o tema comum ao artigo "Chile, um caso de desenvolvimento frustrado", de Aníbal Pinto (1962), a "Subdesenvolvimento e estagnação", de Celso Furtado (1966), e a "Mudança social e frustração no Chile", de Sunkel (1971). A análise do caso chileno não leva Aníbal Pinto a concluir pela inevitabilidade da estagnação econômica, mas à certeza de que se trata de um estilo perverso de desenvolvimento econômico. As análises de Furtado e

DE VOLTA À QUESTÃO DA RIQUEZA DE ALGUMAS NAÇÕES

Sunkel, pelo contrário, têm um tom mais pessimista e sublinham fortemente a tendência à estagnação latino-americana. Sua visão crítica do processo de substituição de importações dos anos 1950 teve um papel decisivo no programa de reformas estruturais que foi abortado, na maior parte do continente, por meio de uma série de golpes militares conservadores.

O fracasso do projeto reformista chileno e o progressivo esvaziamento, nos anos 1970, da guerrilha socialista latino-americana, deram um destaque político crescente à terceira vertente da escola da dependência, situada em um "justo meio" entre a tradição leninista da teoria imperialista e as teses cepalinas sobre o comércio internacional, cristalizada à volta da obra *Dependência e desenvolvimento na América Latina,* publicada em 1970 por Fernando Henrique Cardoso e Enzo Faletto. Em primeiro lugar, porque defendia, contra o pessimismo dominante – em linha com o ensaio *Mais além da estagnação,* publicado em uma outra clave por M.C. Tavares e José Serra, em 1970 – que um desenvolvimento dependente e associado às metrópoles não tendia necessariamente à estagnação e que era perfeitamente viável do ponto de vista capitalista, independente do fato de que envolvesse pesadas contradições sociais e um controle da economia nacional. Nesse sentido, a viabilidade do desenvolvimento das forças de produção capitalistas deveria ser analisada caso a caso e em função das estratégias de ajustamento às mudanças internacionais adotadas pelas elites empresariais e políticas de cada país e, também, em função da forma de articulação interna entre os seus segmentos mais e menos dinâmicos do ponto de vista econômico. A mesma tese do clássico *Desenvolvimento capitalista na Rússia,* publicado por Lenin em 1899. Mas o que deu uma sobrevida a esta variante da teoria da dependência foi, sem dúvida, o fato de ter servido, muito mais tarde, como base de sustentação de um projeto político reformista, visando a reinserção liberal do Brasil na economia internacional dos anos 1990.

Do ponto de vista estritamente teórico, entretanto, as várias versões da dependência não chegaram a nenhuma conclusão comum ou sequer foram capazes de demonstrar a correção de suas teses contraditórias. Os que viram na dependência externa um bloqueio definitivo ao desenvolvimento do capitalismo periférico jamais conseguiram precisar os seus mecanismos de funcionamento e reprodução. Enquanto os que viram em alguns tipos de dependência uma oportunidade seletiva e específica de desenvolvimento, jamais souberam dizer onde, como e por que poderiam ocorrer ou não associações "virtuosas" com as economias centrais – razão por que as teorias da dependência mantiveram uma alta inconsistência teórica e uma completa inconclusividade política e estratégica. Esse quadro persistiu até o momento em que, nos anos 1990, e em particular no caso brasileiro, a tese do "desenvolvimento dependente e associado" transformou-se em projeto de reforma liberal do modelo desenvolvimentista e permitiu a formação de uma coalizão de poder reunindo alguns de seus principais defensores com as velhas elites econômicas e políticas desenvolvimentistas desligadas do regime militar e agora comprometidas com a ideia de abertura e desregulação da economia e desmontagem da estrutura e estratégia em que se sustentaram os trinta anos de industrialização brasileira. Era uma hipótese que cabia perfeitamente dentro do projeto e da estratégia *associada* mas que foi descartada por uma leitura equivocada e de esquerda da obra de Cardoso e Faletto. Do ponto de vista analítico, o seu diagnóstico foi explícito:

> [...] a acumulação capitalista nas economias dependentes não completa seu ciclo [...] a acumulação, expansão e autorrealização do capital local requerem e dependem de uma dinâmica complementar externa a si próprias: elas devem se inserir dentro do circuito do capitalismo internacional (CARDOSO, 1973: 163).

E do ponto de vista propositivo seu projeto político-econômico também era muito claro: "nestas circunstâncias – de crise política do sistema quando não se pode impor uma política econômica de investimentos públicos e privados para manter o desenvolvimento – as alternativas que se apresentariam, *excluindo-se a abertura do mercado interno para fora, isto é, para os capitais estrangeiros, seriam todas inconsistentes,* salvo se se admitisse a hipótese de uma mudança radical para o socialismo" (CARDOSO & FALETTO, 1970: 120 – grifos meus).

4 Os anos 1970 e 1980

Na segunda metade dos anos 1970, a tese sobre a viabilidade do desenvolvimento capitalista a partir de condições iniciais de dependência encontrou um outro desdobramento teórico e político, diferente do que lhe deu Cardoso por meio de seus novos estudos cada vez mais centrados na análise e crítica dos aspectos políticos autoritários do desenvolvimentismo brasileiro (CARDOSO, 1975; WEFFORT, 1984 e 1992; JAGUARIBE, 1985; STEPAN, 1988; WANDERLEY REIS, 1988; SOLA, 1993 etc.). Deu-se no campo mais estritamente econômico por meio de uma releitura do pensamento estruturalista e de suas estratégias econômicas feitas à luz de uma análise mais acurada das teorias de Marx, Keynes, Schumpeter e Kalecki, entre outros, e que desembocou na chamada "teoria do capitalismo tardio" desenvolvida por um grupo de economistas brasileiros a partir de duas teses de doutoramento absolutamente seminais, *Acumulação de capital e industrialização no Brasil,* defendida em 1974 por M.C. Tavares, e *Capitalismo tardio,* defendida por J.M. Cardoso de Mello em 1975. O novo objeto cen-

DE VOLTA À QUESTÃO DA RIQUEZA DE ALGUMAS NAÇÕES

tral de preocupação e pesquisa voltou a ser predominantemente "endógeno": a questão da "internalização dos mecanismos de acumulação de capital" ganha destaque frente às relações de dependência externa, que fora a tônica dos trabalhos críticos da década anterior. A viabilidade do capitalismo brasileiro já não estava mais em discussão, mas tinha que ser repensada como a história de um certo tipo de "capitalismo tardio" definido a partir de uma dupla determinação: o seu passado imediato enquanto economia exportadora e escravista e o seu momento de inserção internacional em um capitalismo já industrializado e monopolista em escala mundial. Como consequência, afirmavam que o capitalismo brasileiro nasceu desacompanhado das suas forças produtivas clássicas, consolidando-se sem contar com um "departamento" produtor de bens de produção, bloqueado por obstáculos financeiros e tecnológicos que o mantiveram "restringido" até a década de 1950, quando teria sido desbloqueado pela ação conjunta do Estado e da grande empresa oligopolista internacional.

Para essa nova vertente estruturalista, a crise dos anos 1960 havia sido apenas a primeira crise cíclica industrial da economia brasileira e o caráter restrito do progresso tecnológico brasileiro tinha que ser entendido como resultado da assimetria da competição intercapitalista entre empresas pequenas e grandes, nacionais e internacionais, privadas e públicas. Essa nova formulação teórica levou também a uma nova agenda crítica do desenvolvimento brasileiro que sublinhava sobretudo os seus problemas decorrentes da não centralização do capital; da inexistência de um sistema de financiamento endógeno e industrializante; da não calibragem estratégica da política industrial; da ausência de uma política comercial externa mais agressiva, da altíssima concentração da renda e da propriedade territorial agrária e urbana e dos "pés de barro" em que se sustentava o seu projeto de "potência emergente" (LESSA, 1978; BELLUZZO & COUTINHO, 1982 e 1983). Essas ideias ajudaram decisivamente na crítica à política econômica do regime militar e contribuíram para a formulação de um projeto de reforma do desenvolvimentismo conservador brasileiro – profundamente antipopular – que orientou alguns dos primeiros passos do governo de transição democrática no Brasil, entre 1985 e 1988. Mas, nesse caso, ao contrário da tentativa frustrada de reforma dos anos 1960, o aprofundamento da crítica teórica do próprio Estado desenvolvimentista brasileiro (FIORI, 1984a, 1984b) levava à conclusão de que as reformas e o enfrentamento conjunto da crise da dívida externa e do novo contexto econômico internacional requereriam uma mudança radical das bases de sustentação política do projeto de desenvolvimento do país. Seria essencial a construção de uma nova coalizão de poder capaz de redesenhar o projeto nacional com base em outro conjunto de valores, hierarquizados a partir das necessidades da população e de uma inserção soberana na nova onda globalizante da economia capitalista. Essas ideias e projetos foram derrotados politicamente em 1990, dando lugar no plano teórico à hegemonia da crítica neoliberal do "desenvolvimentismo" e no plano prático à substituição do projeto de construção de uma "potência emergente" pelo de transformação do país em um "mercado emergente".

Na entrada dos anos 1980 o Brasil foi submetido a um choque múltiplo e simultâneo provocado pela alta da taxa de juros internacional e dos preços do petróleo e pela queda do preço das *commodities*, seguida pelo afastamento do país do sistema financeiro internacional. Mas para a nova crítica liberal do desenvolvimentismo as crises brasileira e latino-americana foram causadas pelo "populismo macroeconômico" dos regimes militares e pela ação predatória de agentes econômicos *rent seekings*. Eram ideias que já vinham sendo difundidas, durante toda a década de 1980, pela equipe econômica do Banco Mundial, mas entre nós elas se transformaram na argamassa ideológica que ajudou a "recolar" a velha coalizão de poder autoritária e antissocial, conectando-a com as ideias e o poder articulados internacionalmente em torno ao Consenso de Washington. Expressão cunhada em 1989 pelo economista anglo-americano John Williamson para dar conta do conjunto de políticas e reformas propostas pelos organismos multilaterais na renegociação das dívidas externas dos países "em desenvolvimento" e que passam a ser chamados a partir dos anos 1990 – dentro do espírito do novo consenso – de "mercados emergentes".

No seu todo as propostas do Consenso atualizam para o conjunto do Terceiro Mundo – e em particular para a América Latina – as novas convicções liberais hegemônicas nas academias e na política econômica mundial, a partir da crise dos anos 1970, sobretudo depois da tentativa do governo de François Mitterand de implementar uma resposta de tipo keynesiana à recessão mundial de 1980-1984, alternativa vetada pela ação conjunta dos governos conservadores americano, inglês e alemão. No caso da América Latina, desde 1973 com o regime militar chileno e depois, a partir de 1976, com a política econômica da nova ditadura argentina, esse receituário monetarista e neoliberal já vinha sendo experimentado, ainda que sob a forma do que Samuelson chamou de "fascismo de mercado". A partir dali o debate teórico latino-americano se voltou, em boa medida em resposta à realidade vivida por essas economias, cada vez mais para a discussão macroeconômica da inflação e de várias estratégias alternativas de estabilização monetária associada a uma crítica cada vez mais liberal dos aspectos autoritários do modelo desenvolvimentista-conservador que se manteve, pelo menos no Brasil e no México, até a eclosão da crise da dívida externa na entrada dos anos 1980. A partir da segunda metade da década e, no caso brasileiro, depois da crise do Plano Cruzado de estabilização monetária, em 1987,

DE VOLTA À QUESTÃO DA RIQUEZA DE ALGUMAS NAÇÕES

e da promulgação da nova Constituição de 1988, a preocupação com o desenvolvimento é definitivamente engavetada e substituída pela velha convicção neoclássica de que o crescimento das regiões atrasadas exigia adesão ao livre-comércio, estabilização e homogeneização dos preços, pela via dos mercados desregulados, globalizados e competitivos. Um pouco mais à frente, em 1990, iniciava-se também no Brasil desmonte institucional dos instrumentos de regulação e intervenção do Estado desenvolvimentista, de uma parte expressiva das cadeias industriais e de boa parte das infraestruturas construídas entre 1950 e 1980. Do ponto de vista político-econômico, chegava a sua última estação a "era desenvolvimentista" enquanto os economistas e demais intelectuais do velho mundo subdesenvolvido voltavam a acreditar nas profecias da economia política clássica do século XIX e na visão natural, linear e cumulativa do crescimento econômico da escola neoclássica. Esse movimento ocorreu a despeito de que, com todas as críticas que já foram feitas, tenha sido só na "era desenvolvimentista" que os países do Terceiro Mundo conseguiram crescer a uma taxa média superior à dos países do "núcleo orgânico do capitalismo".

No caso da América Latina, por exemplo, o PIB global quintuplicou durante aquele período, e a renda média anual cresceu a uma taxa média de 5,5% enquanto a renda *per capita* crescia a uma taxa média de 2,75 ao ano. No caso brasileiro, em particular, o PIB cresceu a uma taxa média anual de 7,1% enquanto o PIB industrial crescia a 9% ao ano e a participação do produto industrial no PIB global passava de 26% em 1949 para 40% em 1980. Nestes mesmos trinta anos, a participação dos produtos manufaturados passou para 60% da pauta de exportações do país e o setor produtor de bens de produção chegou a estar produzindo 30% do PIB industrial na entrada dos anos 1980. E, apesar de todos os pesares, a expectativa de vida da população saltou de 50 para 65 anos, ao mesmo tempo em que a população rural caiu de 60% para 30%, o analfabetismo passou de 50% para 25% da população adulta e a escolaridade subiu de 10% para 50% da população em idade escolar. Esses fatos e números favoráveis, entretanto, não negam a tendência de longo prazo, observada nos séculos XIX e XX, (com a exceção já mencionada da década de 1970) de polarização da riqueza em escala global. Ou seja, a despeito de períodos de maior crescimento nos países mais pobres, não houve a tão esperada convergência de riqueza na escala global.

Talvez por isto Bill Warren e Giovanni Arrighi, dois autores com a mesma origem marxista, tenham podido escrever dois ensaios chamados "A ilusão do subdesenvolvimento" (WARREN, 1980) e "A ilusão do desenvolvimento" (ARRIGHI, 1992). Uma leitura divergente dos mesmos fatos que poderia ser conciliada pela ideia da "causação cumulativa", de Gunnar Myrdal, que parece ter sido amplamente confirmada pelo século XX.

5 Os anos 1990

Na década de 1990, no mesmo momento em que o Brasil começava a implementar, tardiamente, a nova estratégia neoliberal, sob a batuta dos teóricos do "desenvolvimento dependente e associado" mas com o apoio das mesmas forças políticas e econômicas que haviam sustentado o desenvolvimentismo conservador do regime militar, iniciava-se também uma revisão autocrítica do Consenso de Washington, dentro dos organismos multilaterais comprometidos com a sua execução. São exemplos típicos desta autocrítica, além do *East Asían Miracle,* publicado em 1993 pelo Bird, e do *The Washington Consensus Revisited,* publicado em 1996 pelo próprio John Williamson, dois outros ensaios publicados em momentos distantes da década de 1990: o *"Latin American Thought: Future Policy Directions and Relevance",* publicado por Colin Bradford, Diretor de Pesquisa da OECD, em 1991; e o *"Post-Washington Consensus",* publicado mais recentemente, em 1997, por Joseph Stiglitz, vice-presidente e economista chefe do Banco Mundial. Esta revisão crítica, feita pelo próprio *establishment* multilateral de Washington, veio sendo induzida, já na primeira metade dos anos 1990, pela catástrofe da transição econômica russa, pelo sucesso heterodoxo do Leste Asiático (até 1997) e da China, e pela visível "inapetência" para o crescimento do novo modelo liberal latino-americano. Na versão mais antiga, branda e complementar da crítica de Bradford, as reformas da política macroeconômica defendidas pelo Consenso de Washington eram necessárias, mas insuficientes. Para ele, a liberalização comercial não se constitui por si só em fator suficiente de dinamização das exportações, e as privatizações, desregulações e estímulos ao investimento direto estrangeiro podem remover dificuldades, mas não asseguram o crescimento do setor privado. Em síntese, para Bradford, o Consenso de Washington seria um ingrediente necessário mas não suficiente para obter o desenvolvimento econômico sustentado prometido pelos novos neoclássicos.

A crítica mais recente e dura formulada por Stiglitz vai bem mais além, quando afirma que as ideias e os supostos teóricos do Consenso de Washington não conseguem dar conta nem do sucesso nem tampouco da crise recente do milagre econômico do Leste Asiático, que, segundo este autor, não se deveu ao excesso e sim à escassez de intervenção dos Estados locais. Joseph Stiglitz vai mais longe, e afirma, sem receio, que a excessiva ênfase do Consenso no problema da inflação levou à implementação de políticas que não são as melhores do ponto de vista dos requerimentos de crescimento de longo prazo das economias afetadas. De fato, Stiglitz considera que o Consenso de Washington não oferece as respostas adequadas à questão do desenvolvimento, exatamente porque se submete à sua obsessão anti-inflacioná-

DE VOLTA À QUESTÃO DA RIQUEZA DE ALGUMAS NAÇÕES

ria fundada em convicções não comprovadas, historicamente, sobre a própria natureza do processo inflacionário. Por fim, Stiglitz questiona a própria eficácia dos programas de privatização e defende o papel ativo do Estado na regulação da economia, na implementação de políticas industriais e de políticas de bem-estar social para a população.

De maneira mais ou menos explícita, estas novas propostas recorrem às teses da chamada "new-institutional economics", liderada por dois vencedores do Prêmio Nobel, em 1991 e 1993, Ronald Coase e Douglas North, seguidores, até certo ponto, do "velho institucionalismo" de Walton Hamilton, Wesley Mitchell e Thorstein Veblen. Mas enquanto os "velhos institucionalistas" eram críticos do pensamento neoclássico e davam importância nas suas análises histórico-institucionais aos conflitos entre grupos de interesse, os novos institucionalistas são neoclássicos, ainda quando rejeitem a tese da "racionalidade instrumental". No seu lugar introduzem como conceito estratégico a ideia de "custos de transação", os novos responsáveis pela existência de mercados imperfeitos. Do ponto de vista propositivo, estes "novos institucionalistas" também agregam novas ideias ao que já foi a política dos velhos teóricos da modernização: acabam postulando a necessária difusão de um pacote institucional capaz de reduzir "custos" segundo o modelo anglo-saxão. Como nos tempos de Walter Rostow, o segredo do desenvolvimento volta a estar na capacidade, maior ou menor, dos povos atrasados reproduzirem as crenças e instituições que tiveram sucesso nos países mais avançados.

Não é muito diferente a conclusão prática – em termos de política de desenvolvimento – que se pode extrair do novo institucionalismo de filiação não neoclássica. Nesse caso, o crescimento econômico bem-sucedido dependerá da "capacitação tecnológica" ou, também, da "capacidade de aprendizado" demonstrado ou adquirido por parte das empresas e dos "sistemas nacionais de inovação". Mas mesmo quando a inovação tecnológica dependa – em clave keynesiana – de decisões empresariais construídas sob condições de instabilidade de expectativas, esses autores raramente incluem no seu argumento e estratégias os problemas cruciais em países atrasados ligados aos sistemas de financiamento e às relações monetárias e políticas internacionais, restringindo-se a uma visão estática e conservadora do papel das instituições. Elas só aparecem, quase invariavelmente, como um conjunto de convenções destinadas a estabilizar as expectativas e reduzir as incertezas dos decisores econômicos. Assim, se para a "new institutional economics" o segredo do desenvolvimento passa pela reprodução de instituições capazes de zerar ou reduzir os custos de transação, para os institucionalistas não neoclássicos o segredo estaria na capacidade política de estabilizar as convenções indispensáveis ao bom funcionamento do impulso microeconômico, responsável, em última instância, pelo crescimento econômico sustentado. Conclusões que não tomam na devida conta uma advertência decisiva, do próprio Douglas North, de que "as instituições não foram criadas para ser eficientes mas para servir aos interesses dos grupos com suficiente poder de barganha para impor as regras" e que, além disso, "nós sabemos muito pouco sobre as relações entre os mercados econômicos e políticos" (NORTH, 1995: 20). Ele mesmo aliás, depois disso, acaba também concluindo, de maneira quase simplória e tautológica, que a riqueza ou a pobreza das nações decorre da existência ou ausência em cada país dos "requerimentos institucionais *necessários* para capturar as implicações produtivistas da moderna tecnologia" (p. 21).

Essas críticas recentes ao Consenso de Washington, como esse "novo institucionalismo", inovam pouco no campo teórico e não conseguem escapar à camisa de força das políticas da restauração liberal-conservadora. Por isso, ao terminar esta releitura das ideias, ainda quando feita na forma de um simples roteiro, pode-se perceber com mais nitidez o tamanho e a complexidade do vácuo teórico e ideológico deixado pela crise da "utopia global". Com ela esgotam-se as profecias da economia clássica e a expectativa ingênua de desenvolvimento dos neoclássicos. Tudo isso na hora em que se desencanta a última utopia dos modernos e as teorias econômicas do desenvolvimento chegaram ao limite do empobrecimento, imprecisão e inconclusividade. No entanto, mesmo que a maior parte da América Latina permaneça, por um longo tempo, em estado de letargia econômica, é pouco provável que suas principais economias já tenham chegado, de forma definitiva, a um "estado estacionário" precoce. O mais provável é que retomem, em algum momento, o caminho do desenvolvimento. Mas primeiro será necessário superar a hegemonia liberal que bloqueou o pensamento político-econômico latino-americano e recolocar as perguntas capazes de reanimá-lo e reimpulsioná-lo na direção de novas ideias e pesquisas, de novos conceitos e projetos.

6 Uma nova pergunta

Neste último quarto de século, a história econômica do capitalismo parece haver retomado a sua trajetória liberal do século XIX, repondo em funcionamento o "moinho satânico" dos mercados autorregulados, transformados agora em parceiros de uma hegemonia imperial mais implacável e unipolar que no caso da supremacia inglesa. Essa conjunção de forças, por sua vez, gerou uma finança privada, global e desregulada, que na ausência de um padrão monetário internacional tem sido a grande responsável pela

DE VOLTA À QUESTÃO DA RIQUEZA DE ALGUMAS NAÇÕES

instabilidade e pouco dinamismo do sistema e por uma gigantesca concentração e centralização empresarial e territorial da riqueza. Nesse contexto, e devido à fragilidade de suas moedas e do seu balanço de pagamentos, os países periféricos não têm conseguido acompanhar o sistema de taxas de câmbio flutuantes (praticado pelos países centrais) e, quando optam pela alternativa de atrelar as suas moedas à da potência dominante mundial ou regional, condenam-se a ciclos curtos de modesto crescimento (na média do ciclo), altas taxas de desemprego e ingovernabilidade, sustentável só durante os períodos de disponibilidade de capitais e créditos internacionais abundantes e baratos.

Nesse sentido, a experiência destes vinte cinco anos deu maior nitidez às relações entre o poder dos Estados e das moedas, colocando-as no epicentro de uma ordem hierárquica internacional em que parece muito mais difícil o desenvolvimento e a mobilidade ascendente das economias nacionais. Essa relação entre Estados, moedas e desenvolvimento já existia desde o padrão-ouro, e é provável que nunca tenha tido um funcionamento mais regular e "virtuoso" do que no padrão-dólar, quando foi possível conciliar, sob a pressão geopolítica da Guerra Fria, a ordem liberal internacional com a autonomia das políticas econômicas nacionais, nas experiências keynesianas como nas desenvolvimentistas. Nesse sentido, a transparência da conjuntura atual ilumina melhor o que ocorreu naqueles dois períodos anteriores, e permite reconhecer a importância que sempre tiveram os sistemas de poder interestatal e os padrões monetários internacionais para os desenvolvimentos econômicos nacionais – três alicerces de uma arquitetura econômica e política mundial construída na segunda metade do século XIX, mas que se projetou sobre o século XX, criando os espaços, os bloqueios e as oportunidades de expansão cíclicas das economias periféricas. Foi naquele momento, e sobretudo a partir de 1860, que – com o fim da Guerra da Secessão nos Estados Unidos; a unificação da Alemanha depois da guerra franco-prussiana; a Restauração Meiji, depois da ameaça externa do comodoro Perry; e a abolição da servidão russa, depois da derrota na Guerra da Crimeia – se constituiu um bloco de Estados que, ao lado da França de Bonaparte III e sob a hegemonia da Inglaterra, deram origem ao que se pode chamar de núcleo duro e hierarquizado do "sistema global". Naquele momento, definiram-se algumas fronteiras territoriais decisivas, consolidou-se – por adesão "espontânea" – o primeiro sistema monetário internacional, iniciou-se a corrida colonialista e, junto com a "segunda revolução industrial", os novos conglomerados e o capital financeiro, nasceram os "capitalismos tardios", que na virada do século já ultrapassavam o poder industrial da Inglaterra. Capitalismos "turbinados" por Estados nacionais

41

que foram capazes de sustentar estratégias de desenvolvimento e que souberam utilizar e romper, a um só tempo, a camisa de força criada pelo padrão-ouro, liderado pela Inglaterra, a potência hegemônica do momento. Estados e capitais que cumpriram, ao mesmo tempo, o papel de forças transformadoras da "civilização liberal" e que acabaram se transformando, no século XX, em atores centrais dos conflitos e das ordens políticas e financeiras que viabilizaram ou obstaculizaram alguns casos de desenvolvimento econômico nacional, rápido e bem-sucedido, e que ficaram conhecidos no jargão ideológico, como "milagres econômicos".

Esta a perspectiva analítica e histórica que estrutura este livro e explica a retomada da questão da "riqueza de algumas nações" a partir da segunda metade do século XIX. Mas dirigindo sua pergunta fundamental ao presente e futuro do desenvolvimento em países periféricos, em particular daqueles que submetem, neste momento, suas estratégias de crescimento econômico à dinâmica da finança privada, global e desregulada.

REFERÊNCIAS

AMIN, S. (1974). "Accumulation on a World Scale". *Monthly Review Press*, Nova York.

ARRIGHI, G. (1997). *A ilusão do desenvolvimento.* Petrópolis: Vozes.

_____ (1996). *O longo século XX.* Rio de Janeiro/São Paulo: Contraponto, Editora Unesp.

BAEAN, E. (1957). "The Politicai Economy of Economic Growth". *Monthly Review Press*, Nova York.

BELLUZZO, L.G. & COUTINHO, R. (1982 e 1983). *Desenvolvimento capitalista no Brasil.* Vols. 1 e 2. São Paulo: Editora Brasiliense.

BERNSTEIN, E. (1978). La socialdemocracia alemana y los distúrbios turcos. In: E. BERNSTEIN, E. BELFORT BAX, K. KAUTSKY, & K. RENNER. "La Segunda Internacional y el problema nacional y colonial". *Cuadernos de Pasado y Presente*, 73, México.

BIELSCHOWSKY, R. (1988). *Pensamento económico brasileiro*: o ciclo ideológico do desenvolvimentismo. Rio de Janeiro: Ipea/Inpes.

BRESSER PEREIRA, L.C. (1991). *Populismo económico.* São Paulo: Editora Nobel.

CARDOSO, F.H. & FALETTO, E. (1970). *Dependência e desenvolvimento na América Latina*. 2. ed. Rio de Janeiro: Zahar Editores.

CARDOSO, F.H. (1982). *Autoritarismo e democratização*. Rio de Janeiro: Paz e Terra.

_____ (1973). Associated-dependent development: theoretical and practical implications. In: STEPAN, A. (org.). *Authoritarian Brazil*: Origins, Policies and Future. New Haven: Yale University Press.

CARDOSO DE MELLO, J.M. (1982). *O capitalismo tardio*. São Paulo: Editora Brasiliense.

DAVIS, H.B. (s.d.). "Nationalism and Socialism". *Monthly Review Press*. Nova York, cap. 3.

DOBB, M. (1972). *Theories of Value and Distribution since Adam Smith*. Londres: Cambridge University Press.

DORNBUSCH, R. & EDWARDS, S. (1991). *The Macroeconomics of Populism inLatin America*. Chicago: The Chicago University Press.

DOS SANTOS, T. (1970). "The structure of dependence". *American Economic Review*.

EMMANUEL, A. (1972). *Unequal Exchange*. Londres: New Left Books.

FIORI, J.L. (1984a). "Para uma crítica da teoria latino-americana do Estado", mimeo., editado em Id. (1995). *Em busca do dissenso perdido*. Rio de Janeiro: Insight Editorial.

_____ (1984b). "Conjuntura e ciclo na dinâmica de um Estado periférico", Tese de doutoramento, USP, depois publicada como: Id. (1995). *O voo da coruja* – Uma leitura não liberal da crise do Estado desenvolvimentista. Rio de Janeiro: Eduerj.

FIORI, J.L. et al. (1998). *Globalização*: o fato e o mito. Rio de Janeiro: Eduerj.

FRANK, A.G. (1969). "Capitalism and Underdevelopment in Latin America". *Monthly Review Press*. Nova York.

FRANK, A.G. (1970). "Latin America: Underdevelopment or Revolution". *Monthly Review Press*. Nova York.

FURTADO, C. (1966). *Subdesarrollo y Estancamiento en América Latina*. Buenos Aires: Eudeba.

_____ (1965). *Desarrollo y Subdesarrollo*. Buenos Aires: Eudeba.

_____ (1954). "Capital formation and economic Development". *International Economic Papers*, n. 4.

HAYA DE LA TORRE, V.R. (1928). *El Antimperialismo y el Apra*. México [s.e.].

HIRSCHMAN, A. (1981). The rise and decline of development economics. In: *Essays in Trespassing*. Economics to Politics and Beyond. Cambridge: Cambridge University Press.

_____ (1958). *The Strategy of Economic Development*. New Haven: Yale University Press.

HUME, D. (1995). *Writings on Economics*. Org. and Introduction by ROTWEIN, E. Madison: University of Wisconsin Press.

JAGUARIBE, H. et al. (1985). *Brasil, sociedade democrática*. Rio de Janeiro: Editora José Olympio.

LESSA, C. (1978). "A estratégia de desenvolvimento 1974-76: Sonho e fracasso". Tese para concurso de professor titular da Faculdade de Economia e Administração da UFRJ, mimeo., Rio de Janeiro.

LEWIS, A. (1954). Economic development with unlimited supplies of labour, Manchester School, reeditado. In: AGARWALA, A. & SINGH, S. (orgs.). *The Economics of Underdevelopment*. Oxford: Oxford University Press.

MARIÁTEGUI, J.C. (1928). *Siete Ensayos de Interpretación de la Realidad Peruana*. Lima.

MARINI, R.M. (1972). "Dialéctica de la dependência: la economia exportadora". *Sociedad y Desarrollo*, n. 1.

MARX, K. (1974). *Capital*. Vol. I. Londres: Lawrence & Wishart.

_____ (1879). "Letters to N. F. Danielson", 10 de Abril de 1879. In: *Selected Correspondence*. Moscou: Progress Publishers, p. 184-185 [1975].

MYRDAL, G. (1957). *Economic Theory and Underdevelopment*. Duckworth: ed. Countries.

MORI, K. (1978). "Marx and 'underdevelopment': his thesis on the 'Historical role of British free trade' revisited". *Annals of the Institute of Social Science*, University of Tokyo, n. 19.

NOYOLA VELASQUEZ, J. (1954). "El desarrollo econômico en Mexico y otros países latino-americanos". *Revista de Investigación Econômica*.

NORTH, D. (1995). The new institutional economics and third world development". In: HARISS, J., HUNTER, J. & LEWIS, C. (org.). *The New Institutional Economics and Third World Development*. Londres: Routledge.

NURSKE, R. (1952). "Same international aspects of the problem of economic development". *American Economic Review*, may.

DE VOLTA À QUESTÃO DA RIQUEZA DE ALGUMAS NAÇÕES

OWEN, R. & SUTCLIFFE, B. (org.) (1972). *Studies in the Theory of Imperialism*. Londres: Longman.

PALMA, G. (1978). "Dependency: a formal theory of underdevelopment or a methodology for the analysis of concrete situations of underdevelopment?". *World Development*, vol. 6, p. 881-924, Londres: Pergamon Press.

PINTO, A. (1962). *Chile, un Caso de Desarrollo Frustrado*. Santiago: Editorial Universitaria.

PREBISCH, R. (1949). "The economic development of Latin America and its principal problems". *Economic Bulletin of Latin America*, vol. VII, n. 1, 1962 [primeiro publicado em 1949].

RICARDO, D. (1951). An essay on the influence of a low price of corn on the profits of stock. In: SRAFFA & DOBB (org.). *Works and Correspondence of David Ricardo*, vol. 1, Cambridge: Cambridge University Press.

ROSESTEIN-RODAN, E. (1943). "Problems of industrialization of Eastern and South Eastern Europe". *Economic Jounal 53*, june-setember.

ROSTOW, W. (1960). *The Stages of Economic Growth*: aNon-comunist Manifesto. Cambridge: Cambridge University Press.

_____ (1952). *The Process of Economic Groivth*. Nova York: Norton.

SAI-WING HO, P. (1996). "Rethinking classical trade analysis within a framework of capitalist development". *Cambridge Journal of Economics*, 20, p. 413-432.

SCARON, E. (1980). A modo de introducción. In: MARX & ENGELS. "Materiales para la Historia de América Latina". *Cuadernos de Pasado y Presente*, p. 5-19.

SINGER, H. (1950). "The distribution of gains between investing and borrowing countries". *American Economic Review*, vol. 40, n. 2, may.

SOLA, L. (1993). *Estado, mercado e democracia*. Rio de Janeiro: Paz e Terra.

STEPAN, A. (org.) (1988). *Democratizando o Brasil*. Rio de Janeiro: Paz e Terra.

SUNKEL, O. (1965). "Cambio social y frustración em Chile". *Economía*, ano 23, 3º e 4º semestre.

_____ (1957). "Um esquema geral para a análise da inflação". *Revista econômica brasileira*.

TAVARES, M.C. (1974). "Acumulação de capital e industrialização no Brasil". Tese defendida na Faculdade de Economia e Administração da UFRJ. Campinas: Editora Unicamp.

_____ (1963). "Auge e declínio do processo de substituição de importações no Brasil", reeditado em Id. (1972). *Da substituição de importações ao capitalismo financeiro*. Rio de Janeiro: Zahar Editores, 1972.

WANDERLEY REIS, F. & O'DONNELL, G. (orgs.) (1988). *A democracia no Brasil*. Dilemas e perspectivas. São Paulo: Editora Vértice.

WALLERSTEIN, I. (1995). The concept of national development, 1917-1989. In: *After Liberalism*. Nova York: The New Press.

_____ (1995). The geoculture of development. In: *After Liberalism*. Nova York: The New Press.

_____ (1979). Present state of the debate on world inequality. In: *The Capitalisty World-Economy*. Cambridge: Cambridge University Press.

_____ (1974). *The Modern World System*. Nova York: Academic Press.

WARREN, B. (1995). *Imperialism Pioneer of Capitalism*. Londres: Verso.

WEBER, M. (1982). *Escritos políticos I*. México: Folios Ediciones.

WEFFORT, F. (1984). *Por que democracia?*. São Paulo: Editora Brasiliense.

WEFFORT, F. (1992). *Qual democracia?*. São Paulo: Companhia das Letras.

GEOPOLÍTICA E SISTEMAS MONETÁRIOS

José Luís Fiori

Estados, moedas e desenvolvimento

> "Futuramente, é possível que os nativos desses países se tornem mais fortes, ou os da Europa mais fracos, e os habitantes de todas as diversas regiões do mundo possam chegar àquela igualdade de coragem e força, que, inspirando temor mútuo, constitui o único fator capaz de intimidar a injustiça das nações independentes e transformá-la em certa espécie de respeito pelos direitos recíprocos".
>
> (Adam Smith, *A riqueza das nações*)

1 *A visão clássica*

Ao defender a tese de que uma mudança na correlação de forças entre os Estados era uma condição indispensável a uma maior equidade entre as nações, Adam Smith propôs à economia política clássica uma questão e um caminho que ele mesmo, posteriormente, abortou. Quando Smith publicou, em 1776, sua *Investigação sobre a natureza e as causas da riqueza das nações,* já fazia mais de dois séculos que os mercantilistas estavam convencidos de que o dinheiro e a riqueza eram dimensões inseparáveis do poder dos Estados. Entretanto, o viés político-ideológico imposto pela luta do liberalismo econômico contra o "sistema mercantil" impediu os economistas políticos ingleses de reconhecerem o que havia de verdade na política mercantilista e acabou enviesando, de forma definitiva, todo o pensamento econômico clássico. O próprio Smith, depois de propor com absoluta precisão – a propósito dos países atrasados – o que era, de fato, o enigma central de todo desenvolvimento capitalista, foi incapaz de analisá-lo e esclarecê-lo de forma objetiva e consequente. Pelo contrário, acabou concluindo – submetido ao seu *desideratum* ideológico – que "nada parecia ter mais probabilidades de criar tal igualdade de força do que o intercâmbio mútuo de conhecimentos e de todos os tipos de aprimoramentos que trazem consigo um amplo comércio entre si" (SMITH, 1983: 101). Resposta perfeitamente circular, uma vez que para Smith fora o próprio "intercâmbio mútuo" que provocara os "infortúnios horríveis" nos territórios coloniais, exatamente porque a correlação de "coragem e força" entre os povos conquistadores e conquistados era muito desigual. É, portanto, um contrassenso supor que esse mesmo intercâmbio pudesse desfazer a correlação originária e desigual de forças entre as nações. Smith foge de sua própria contradição, dissolvendo o problema no campo teórico, ao identificar o seu conceito de nação com o de mercado, e ao definir o seu conceito de riqueza a partir da satisfação dos consumidores. Como resultado, reinventa uma nação sem Estado nem território, feita apenas de mercadores e consumidores. A mesma falácia se prolonga na teoria do comércio internacional de Ricardo, incompatível com o seu próprio modelo, baseado na relação entre dois países que permaneceram desiguais através dos séculos.

Essa mesma ambiguidade teórica permeia a discussão de Smith e Ricardo[1] sobre o valor da moeda. Ambos reconhecem a importância universal (e nefasta) do poder político dos Estados soberanos na determinação do valor do dinheiro, mas preocupam-se apenas com o controle do "Estado inglês", por meio do seu parlamento e da criação do sistema de referência baseado no padrão-ouro. Não discutem o problema, diretamente relacionado, da interferência do Estado e do poder econômico inglês na determinação do valor das moedas dos outros povos, inferiores em "coragem e força", apesar de Ricardo reconhecer que "o valor do dinheiro jamais é o mesmo em dois países quaisquer" (RICARDO, 1982: 108).

Como o liberalismo inglês, ao contrário dos fisiocratas, jamais assumiu a "tirania esclarecida" como condição do bom funcionamento dos mercados autorregulados, acabou transformando o "poder político" em uma espécie de "complexo reprimido" ou "trauma originário" de todo o seu pensamento econômico. Essa ideia foi radicalizada pelo *mainstream* neoclássico, que elevou à categoria de axioma número um dos seus modelos o que fora apenas uma proposta político-ideológica do liberalismo ascendente: a eliminação ou neutralização do poder político na determinação do valor do dinheiro e no funcionamento dos mercados capitalistas.

A própria "crítica da economia política" de Marx manteve-se fiel ao antimercantilismo de sua época. Sua teoria do Capital foi ainda mais radical no processo analítico de "despolitização" do sistema econômico e da dinâ-

---

[1] Em *A riqueza das nações*, Adam Smith denuncia o fato de "que, em todos os países do mundo, a avareza e a injustiça dos nobres e dos Estados soberanos os levou, abusando da confiança dos seus súditos, a diminuir gradualmente a quantidade de metal que originariamente existia nas suas moedas [...] conseguindo desse modo pagar as suas dívidas e compromissos com quantias de prata inferiores às que de outro modo seriam forçados a utilizar [...]" (1983: 23). Ricardo usa da mesma veemência, nos seus Princípios, ao sustentar que "nenhuma reclamação tem sido tão comum quanto em relação aos aumentos dos preços de todas as mercadorias, mas poucos sabem quão grande parte da inconveniência que sofrem é para ser atribuída inteiramente ao uso impróprio que os diretores do Banco têm feito dos poderes extraordinários que a legislatura confiou a eles" (1983: 132).

mica capitalista. Nem sua teoria da acumulação, nem seus esquemas de reprodução ampliada, "endogenizam" o papel do poder político na ruptura da "reprodução simples". Marx reconheceu a enorme importância das "dívidas públicas", mas restringiu-a aos processos e momentos de "acumulação primitiva", sem considerar o papel dos Estados nacionais na competição, concentração e centralização do capital, que viria a ser, exatamente, o tema central da teoria marxista do imperialismo. Nesse campo, foi Hilferding quem revolucionou o pensamento clássico ao reenfocar, de maneira absolutamente original, as relações entre os Estados, as moedas e o desenvolvimento do capitalismo "organizado" em um novo patamar do processo de concentração e centralização do capital, hegemonizado pelo "capital financeiro". Para Hilferding, como para Bukharin, o imperialismo foi a política do capital financeiro em geral que visava "governar o mundo na forma de um império universal". Entretanto, eles tinham consciência de que tal objetivo entrava em choque com os Estados nacionais associados aos seus capitais financeiros individuais, os quais se propunham, em conjunto, a defesa dos seus territórios econômicos, delimitados politicamente pelas fronteiras do protecionismo. Essa contradição reaparece a todo momento no debate clássico entre Kautsky e Lenin sobre a viabilidade ou não de uma coordenação pacífica entre as grandes potências, seus conglomerados financeiros e seus "territórios econômicos".

Na contramão do liberalismo e do marxismo, ainda no século XIX, a "verdade produtivista" do mercantilismo foi redescoberta pelo "protecionismo" industrializante de Alexander Hamilton, e pelo "nacionalismo econômico" de Friedrich List e Max Weber, todos movidos pelo mesmo objetivo político: o fortalecimento dos seus Estados e capitalismos tardios frente ao capitalismo originário e imperial da Inglaterra de Smith, Ricardo e Marx. No seu *Reporton Manufactures*, publicado em 1791, Hamilton definiu o que viria a ser – nos séculos seguintes – o ponto central da disputa com o livre-cambismo, ao sustentar que "a superioridade desfrutada inicialmente pelas nações que monopolizaram e se aperfeiçoaram em um ramo da indústria, se constitui no mais formidável obstáculo... à instalação do mesmo ramo em um país onde este não existisse anteriormente" (HAMILTON, 1996: 80). Meio século depois, Friedrich List sintetizou essa crítica e denunciou o que considerava a fragilidade central da economia política inglesa: "ela não reconhece nenhuma distinção entre as nações que atingiram um estágio superior de desenvolvimento econômico e as que ainda estavam em estágio inferior de evolução... [e por isto] em parte alguma, os defensores deste sistema se preocupam em explicar os meios pelos quais as nações hoje prósperas chegaram a atingir esse poder e esta prosperidade que nelas observamos [...] fazendo-nos crer que a economia política não deve levar em consideração as políticas e o poder político [...] a influência recíproca que a riqueza material e o poder político exercem um sobre o outro [...]" (LIST, 1986: 101, 119, 120 e 129).

Quase meio século mais tarde, Max Weber voltaria ao mesmo argumento de List[2], mas foi na sua *História econômica geral* que ele substituiu o campo normativo do nacionalismo econômico pela análise histórica, concluindo que a competição entre os Estados pelo poder e pela riqueza foi decisiva para o desenvolvimento do próprio capitalismo[3]. Uma tese que encontraria seu prolongamento analítico natural na teoria posterior de Ferdinand Braudel sobre o papel da relação – permanente e profícua – entre os donos do poder e do dinheiro na geração dos "grandes lucros extraordinários" que movem o capitalismo histórico.

Já no século XX, e no coração do mundo liberal, Lord Keynes foi responsável pela redescoberta da "verdade monetária" do mercantilismo, exposta no capítulo XXIII da sua *Teoria geral*: "num tempo em que as autoridades não podiam agir diretamente sobre a taxa de juro interna, nem sobre os motivos que a governavam, as entradas de metais preciosos, resultantes de uma balança favorável, eram os únicos meios indiretos de baixar a taxa de juros interna, isto é, de aumentar a incitação a realizar investimentos [...]" (KEYNES, 1936). E entre 1943 e 1944, nas negociações de Bretton Woods, Keynes pôde explicitar melhor sua tese sobre a "verdade mercantilista", ao definir o que seriam, para ele, as relações ideais entre um novo sistema monetário internacional e as moedas, as taxas de juros e o nível de emprego de cada uma das economias nacionais[4]. Seu objetivo

---

[2] Em uma aula inaugural, na Universidade de Freiburg, Max Weber sustentou categoricamente que, "em última análise os processos de desenvolvimento econômico também são lutas de dominação; e os interesses de potência da nação constituem, quando são postos em questão, os últimos e decisivos interesses a cujo serviço deve estar sua política econômica. A ciência da política econômica é uma ciência política... e no que se refere ao problema de se o estado deve intervir na vida econômica, a última e decisiva palavra deve corresponder aos interesses econômicos e políticos de potência da nossa nação" (WEBER, 1982: 18).

[3] Na sua *História geral da economia,* Weber afirma que "esta luta competitiva criou as mais amplas oportunidades para o moderno capitalismo ocidental. Os estados, separadamente, tiveram que competir pelo capital circulante, que lhes ditou as condições mediante as quais poderia auxiliá-los a ter poder [...] portanto, foi o estado nacional bem-delimitado que proporcionou ao capitalismo a sua oportunidade de desenvolvimento [...]" (1968: 291).

[4] Até hoje ecoam de forma premonitória suas palavras no discurso à Câmara dos Lordes de maio de 1943: "nós precisamos de um instrumento como meio de pagamento internacional que tenha aceitação entre as nações [...] nós precisamos de determinação das taxas de câmbio de todas as moedas conforme regras estabelecidas e acordadas tal, que as ações unilaterais e desvalorizações competitivas das taxas de câmbio sejam evitadas [...] em um sentido mais amplo, precisamos garantir, para um mundo conturbado, que os países cujas próprias questões forem conduzidas com a devida prudência terão aliviada sua aflição por uma situação pela qual não são responsáveis" (KEYNES, 1943, apud HARROD, 1951: 526 e 527).

ESTADOS, MOEDAS E DESENVOLVIMENTO

era impedir o retorno à competição monetária do entre-guerras e também o retorno ao padrão-ouro, no qual os governos eram obrigados a subir automaticamente suas taxas de juros, contrair o crédito e criar desemprego toda vez que enfrentavam situações adversas no seu balanço de pagamentos[5]. Na sua *Teoria geral,* assim como na sua diplomacia econômica, Keynes ensinava a mesma lição: na ausência de um sistema interno e organizado de crédito ou de empréstimos e investimentos externos, seguia válida a política mercantilista como a única forma de manter a autonomia nacional da gestão da política monetária, independente das flutuações dos fluxos externos de capitais. E o único caminho, talvez, para os países atrasados realizarem o sonho de Adam Smith, equiparando-se em força, coragem e riqueza às nações avançadas.

Cada uma dessas teses foi proposta em momentos muito diferentes da formação e expansão do capitalismo comercial e industrial, mas deixou pelo menos três pistas fundamentais a respeito do problema das relações entre os Estados, as moedas e a riqueza desigual das nações.

A da escola liberal e cosmopolita, que propõe, permanentemente, autonomizar o desenvolvimento capitalista das fronteiras e do poder dos Estados mas que reconhece, com Smith, a importância da equiparação dos poderes entre os Estados para esse desenvolvimento nas colônias, bem como a importância do poder político na determinação do valor da moeda, decisiva para a estabilização dos negócios.

A da "escola" marxista, que se debruça sobre as leis de movimento do capital e de sua "compulsão" internacionalizante. Entretanto, é apenas quando teoriza o imperialismo que restabelece a importância da associação entre o poder político e o capital financeiro na competição imperialista entre os Estados nacionais e seus territórios econômicos supranacionais.

Por fim, a da escola mercantilista, que se prolonga no nacionalismo econômico do século XIX e reconhece a relação direta e inseparável entre o poder político, o manejo das moedas e a expansão e distribuição desigual da riqueza entre Estados territoriais orientados, em última instância, pela ideia da inevitabilidade da guerra econômica ou militar, e, portanto, da importância do controle nacional do dinheiro e das armas.

O debate entre essas três vertentes do pensamento clássico, entretanto, deixou sem resposta o enigma histórico proposto por Adam Smith. Se a equalização de poder é condição indispensável à equalização da riqueza en-

---

[5] Como ele mesmo confessou em discurso de 1944 à mesma Câmara dos Lordes: "nós repudiamos os instrumentos de taxa de juros e contração de crédito que operam no sentido de aumento do desemprego como um meio de forçar nossa economia a se alinhar a partir de fatores externos" (KEYNES, 1944, apud HARRIS, 1947: 374).

tre as nações e se a competição interestatal, como sintetiza Weber, é um elemento essencial da acumulação capitalista, como é possível alterar uma correlação de poder desfavorável entre as nações, a partir de uma situação na qual os Estados já aparecem hierarquizados historicamente, do ponto de vista de sua "coragem, força e riqueza", e competem dentro de uma mesma economia capitalista global?

2 Uma leitura histórica

Foi Karl Polanyi quem retomou esse problema, de uma perspectiva histórica, no seu trabalho clássico, publicado em 1944, *A grande transformação*. Uma interpretação absolutamente original sobre a natureza e as raízes da crise que destruiu a "civilização liberal" do século XIX, entre as duas grandes guerras mundiais do século XX. Mas ao discutir o "século liberal" e a sua crise dos anos 1930, Polanyi, de fato, transcendeu o seu próprio tema e lançou as bases e a agenda de uma nova economia política internacional, que se propunha o estudo simultâneo e histórico das relações entre os Estados, as moedas, os mercados e a luta pela riqueza capitalista. Sua tese sobre a crise dos anos 1930 é bem conhecida. Polanyi não se restringe ao campo econômico e recua no tempo histórico para encontrar as raízes últimas da crise na mercantilização do trabalho, da terra e do dinheiro, e no conflito entre as tendências expansivas dos mercados autorregulados e as medidas políticas defensivas, de resistência e contenção, tomadas pelas sociedades para não serem aniquiladas pelas forças entrópicas geradas pelo funcionamento dos próprios mercados. Contradição que se aprofunda a partir da segunda metade do século XIX e acaba atingindo e destruindo, nas primeiras décadas do século XX, as quatro grandes instituições em que se apoiou o sucesso liberal: seu sistema de "equilíbrio de poder" europeu, seu "sistema monetário internacional" baseado no padrão-ouro, seus "Estados e crenças liberais", e, finalmente, os seus próprios "mercados autorregulados".

A força do argumento histórico de Polanyi está na sua tese sobre a simultaneidade dos dois processos: o da expansão e complementaridade das quatro ordens institucionais que permitiu à Europa viver um século de paz e prosperidade e o da autodestruição dessas mesmas instituições, que culmina com a ruptura do padrão-ouro, levando à crise dos anos 1930 e ao início de uma nova era, quando os mercados vieram a ser transitoriamente contidos e redisciplinados pela pressão social e pela vontade política dos Estados.

Essa tese histórica, entretanto, inaugura ao mesmo tempo uma nova "economia política internacional", que contém algumas hipóteses e contribuições que mantêm sua validez teórica e metodológica quando aplicadas a diferentes situações históricas e que definem um novo ponto de partida para a discussão mais geral sobre as relações entre os Estados e a riqueza capitalista.

Em primeiro lugar, porque seu argumento histórico coloca, exatamente, como ponto de partida da discussão teórica, o enigma deixado pelos clássicos quanto à relação entre a geopolítica, a gestão da moeda internacional e o desenvolvimento contraditório das economias de mercado. Em segundo lugar, porque reintroduz a ideia de contradição, no seu velho sentido dialético, ao sugerir a existência simultânea, e endógena ao sistema capitalista, de um "duplo movimento" provocado pela ação de dois princípios de organização da sociedade: "um, o princípio do liberalismo econômico, que objetiva estabelecer um mercado autorregulado, e o outro, o princípio da proteção social, cuja finalidade é preservar o homem e a natureza, além da organização produtiva" (POLANYI, 1980: 139). Em terceiro lugar, porque Polanyi reconhece que este "duplo movimento", ou contradição, adquiriu uma nova natureza a partir da década de 1870, quando se generaliza a adesão dos países ao padrão-ouro, no mesmo momento em que "o episódio do livre-comércio estava no final", com barreiras protecionistas começando a ser levantadas, dando a partida para a competição colonial entre os Estados nacionais europeus. Como diz Polanyi, a partir daquele momento decisivo, "o mundo continuou a acreditar no internacionalismo e na interdependência, mas agiu cada vez mais sob os impulsos do nacionalismo e da autossuficiência, [por isso] na verdade o novo nacionalismo foi o corolário do novo internacionalismo" (p. 139).

É nesta nova conjuntura também que começa a bifurcar-se o "princípio de autoproteção" das sociedades europeias: por um lado, avançou a luta política das classes pela autoproteção social, e por outro, separadamente, a luta dos Estados pela apropriação da riqueza mundial, movidos pelo que poderíamos chamar com Polanyi de "princípio da nacionalidade ou da territorialidade".

E, finalmente, em quarto lugar, a nova economia política internacional de Polanyi reconhece a existência e a importância da hierarquia de poder existente entre os Estados, para o funcionamento do mundo liberal e do sistema capitalista, o qual,

> na verdade, contava com um número limitado de países, dividido em países que emprestavam e países que pediam emprestado, países exportadores e países praticamente autossuficientes, países com exportação

variada e países que dependiam de uma única mercadoria para suas importações e empréstimos estrangeiros" (p. 206).

Realidade que era desconhecida pelos "mecanismos automáticos" do padrão-ouro, que supunha "que os países envolvidos fossem participantes mais ou menos igualitários em um sistema de divisão internacional do trabalho, o que não era o caso, enfaticamente" (p. 206). Mas que era perfeitamente identificada na ação da *haute finance,* que se fortaleceu na segunda metade do século XIX, e que, embora fosse independente de qualquer governo, sabia distinguir perfeitamente dois casos: o das grandes potências, no qual reconhecia a precedência do poder sobre o lucro e em que, em última instância, era "a guerra que estabelecia as leis dos negócios", e o caso dos países mais fracos e periféricos, no qual atuava como emprestador e gestor em última instância da sua política econômica.

> Nesses casos os empréstimos e a renovação dos empréstimos se articulavam com o crédito e este dependia do bom comportamento [...] que se refletia no orçamento e no valor externo da moeda. Ali, o pagamento dos empréstimos externos e o retorno às moedas estáveis eram reconhecidos como as pedras de toque da racionalidade política [...] e até mesmo o abandono dos direitos nacionais e a perda das liberdades constitucionais eram considerados um preço justo a pagar pelo cumprimento da exigência de orçamentos estáveis e moedas sólidas (p. 32, 43 e 147).

Todos esses elementos e passos são essenciais na explicação de Polanyi sobre "o fracasso histórico da utopia do mercado", que culmina com a Primeira Guerra e a crise econômica dos anos 1930. Entretanto, ao darem conta de um período de apogeu liberal, parecem de utilidade imediata para pensar a nova era liberal, que se inaugura a partir de 1970, e que relembra em alguns dos seus aspectos mais essenciais o final do século XIX. Sobretudo, quando olhamos para o lado dos países que na periferia do sistema aderiram, de novo, à crença religiosa nos mercados autorregulados, submetendo-se, muitas vezes, a um subsistema cambial regional que é uma espécie de caricatura do padrão-ouro. Nesses países, seus governantes voltaram a se preocupar obsessivamente:

> com a segurança da moeda, protestando tanto contra os déficits orçamentários ameaçadores como contra as políticas do dinheiro barato, opondo-se assim tanto à "inflação do tesouro" quanto à "inflação do crédito", e denunciando sistematicamente os encargos sociais e os altos salários, os sindicatos e os partidos trabalhistas (p. 224).

Exatamente da mesma forma como fizeram as elites internacionalizantes do capitalismo liberal do século XIX. Trata-se de um exercício de comparação e replicação de hipóteses repleto de riscos, mas a própria flexibili-

ESTADOS, MOEDAS E DESENVOLVIMENTO

dade do modelo de Polanyi estimula uma releitura de suas teses teóricas, na perspectiva de interesse deste trabalho[6].

3 O projeto teórico

Em clave arquitetônica, a civilização liberal de Polanyi teria a forma de uma catedral com duas naves, os mercados e os Estados, e duas cúpulas, situadas a igual nível de altura e entrelaçadas entre si, uma, com a forma do poder internacional e a outra, com a do padrão-ouro. Mas, a partir de 1870, a consolidação internacional do sistema monetário baseado no padrão-ouro transformou-o na síntese de toda a obra liberal. Por isso, ao ruir definitivamente na década de 1930, levou consigo uma época e uma utopia. O essencial, entretanto, é que para Polanyi a crise do padrão-ouro não se gera endogenamente, por um mau funcionamento dos seus mecanismos automáticos. Foi produzida pelas modificações que ocorreram dentro das demais ordens institucionais em que se sustentava, e que acabaram incompatibilizando-as com as regras e mecanismos do padrão monetário.

Nesse sentido, o fato de ter sido o padrão-ouro uma síntese da arquitetura liberal acabou transformando-o no "ponto de condensação" de todas as demais contradições que se acumulavam dentro do sistema, na forma de "desemprego", "tensão de classes", "pressão sobre o câmbio", e das "rivalidades imperialistas" de que nos fala Polanyi[7]:

> O mercado se expandia continuamente, mas esse movimento era enfrentado por um contramovimento que cerceava essa expansão em direções definidas. Embora tal contramovimento fosse vital para a proteção da sociedade, ele era, em última análise, incompatível com a autorregulação do mercado e, portanto, com o próprio sistema de mercado (p. 137).

Nesse sentido, pode-se dizer que a crise se condensava no padrão-ouro mas era determinada em última instância pelo funcionamento dos mercados autorregulados e seus impactos destrutivos sobre a totalidade do sistema.

---

[6] Como diz o próprio Polanyi, refletindo sobre a originalidade dos acontecimentos históricos: "Num certo sentido, esta é uma tarefa impossível, pois a história não é modelada por qualquer fator único. Entretanto, a despeito de toda a sua riqueza e variedade, o fluxo da história tem suas situações e alternativas periódicas, que respondem pela ampla similaridade na tessitura dos acontecimentos de uma época. Não precisamos nos preocupar com as fímbrias dos torvelinhos imprevisíveis, se podemos dar conta, até certo ponto, das regularidades que governam as correntes e contracorrentes sob condições típicas" (p. 217).

[7] A moeda internacional transformara-se no pivô d̶   ̶líticas nacionais e a "essencialidade do padrão-ouro para o funcionamento do sistema econômico internacional da época era o dogma primeiro e único comum aos homens de todas as nações, de todas as classes, de todas as religiões e filosofias sociais [...] mas a quebra do padrão-ouro nada mais fez do que estabelecer a data de um acontecimento demasiado grande para ser causado por ele" (p. 43 e 45).

57

Para Polanyi foi a generalização das relações mercantis que levou à politização das relações sociais e econômicas, pressionando o alargamento democrático dos sistemas políticos e o aumento do intervencionismo estatal, em um lento processo de mutação do Estado liberal e crescente descrédito na eficácia dos próprios mercados autorregulados. O mesmo argumento pode ser formulado de um ponto de vista mais amplo e genérico. Na verdade, a reprodução estável das várias instituições em que se sustentava a "civilização liberal", supunha a imutabilidade do poder interno e externo dos Estados nacionais. E o questionamento social deste poder não levou apenas a uma reversão autodefensiva das sociedades e dos governos, levou também a várias formas de expansão do próprio poder do Estado sobre a sociedade e contra o poder dos demais Estados, num processo contínuo de superação e desestabilização das contradições originárias. O sistema supunha homogeneidade e estabilidade, mas de fato não era nem homogêneo nem estável.

Em primeiro lugar, a estabilidade do poder interno dos Estados supunha uma capacidade de contenção permanente dos gastos sociais e dos salários, e de manutenção do equilíbrio orçamentário contra qualquer tentação de políticas ativas de emprego ou desenvolvimento. Em condições de paridade cambial fixa e livre circulação de capitais, que caracterizava o padrão-ouro, como diz Barry Eichengreen, na mesma linha de Polanyi:

> havia apenas consciência limitada que as políticas do banco central poderiam estar voltadas para metas como o desemprego. E qualquer que fosse esta consciência teria pequeno impacto na política adotada, dado o escopo limitado dos direitos políticos e sociais, a fraqueza dos sindicatos, e a ausência de partidos trabalhistas no parlamento (EICHENGREEN, 1996: 191).

Qualquer descumprimento desse compromisso implícito, ou qualquer tentativa de os governos implementarem políticas macroeconômicas independentes, em condições de mercados abertos e desregulados, sobretudo no caso dos países com Estados e moedas fracas, seriam imediatamente castigados pela fuga de capitais. Por isso também, o funcionamento regular do sistema supunha a capacidade dos governos nacionais de isolar o comando de suas políticas monetárias com relação às pressões internas do mercado e do mundo do trabalho. Razão por que, conclui Eichengreen – prolongando o argumento de Polanyi – neste tipo de regime cambial, ou qualquer outro equivalente, não há como fugir à seguinte disjuntiva: ou se contém a participação democrática ou se rompe com as regras e a paridade do sistema, aumentando o controle do movimento de capitais[8]. De fato, a estabilidade as-

---

[8] Por isto, Andrew Walter sustenta, no seu *World Money and World Power,* que "apesar das dificuldades de comparação deve ser enfatizado que a 'estabilidade' frequentemente associada com o padrão-ouro clássico tinha um caráter muito limitado [...] tal estabilidade, como ocorreu, deve ser creditada principalmente aos grandes países industrializados da Europa, em vez dos países periféricos" (WALTER, 1993: 95).

ESTADOS, MOEDAS E DESENVOLVIMENTO

segurada pela administração inglesa da moeda internacional não foi permanente, e quando ocorreu esteve confinada ao núcleo central das nações europeias – ao que se juntaram mais tarde os Estados Unidos e o Japão – cujas elites políticas e econômicas tinham no padrão-ouro uma verdadeira religião. Mas atenção: foi aí também que ocorreram os mais frequentes, sistemáticos e bem-sucedidos desrespeitos às regras, infringidas pelos Estados e "capitalismos tardios" que souberam aproveitar e desrespeitar as vantagens do padrão-ouro e do "déficit de atenção" da hegemonia inglesa.

Sublinhe-se, entretanto, que o sistema-ouro não era apenas incompatível com a expansão das pressões democráticas, também era inconciliável com qualquer projeto nacional de expansão da capacidade militar que implicasse aumento dos gastos públicos, o que significava um veto implícito à mudança da hierarquia geopolítica. Esta foi, aliás, uma das razões do relativo despreparo militar inglês no início das duas grandes guerras, quando comparado com o poder militar alemão construído na contramão do sistema.

Por isso pode-se falar de uma segunda grande inconsistência do sistema, porque supunha que existisse igualdade entre os seus participantes. De fato o sistema não só não era homogêneo, como sua heterogeneidade era reforçada e ampliada pelo seu próprio funcionamento[9]. O sistema-ouro não era neutro, mesmo com relação aos países do "núcleo central", que competiam entre si nos campos econômico e colonial, favorecendo, em última instância, o poder financeiro da *City*, a peça essencial da supremacia ou hegemonia britânica. Esta característica foi uma outra fonte geradora de instabilidade do padrão-ouro, não tendo relação direta com a desigualdade entre as classes, e sim com a distribuição desigual da riqueza entre as nações[10]. Nesse ponto, encontra-se o elo mais frágil da teoria de Polanyi: a passagem do conflito social e de classes para o plano da desestabilização e ruptura da ordem política internacional associada ao funcionamento do

---

[9] Como diz Robert Gilpin: "[...] no mundo moderno, as normas e convenções que governam os sistemas monetários têm efeitos distributivos importantes sobre o poder dos estados e o bem-estar de grupos dentro destes estados [...] cada regime monetário impõe custos e benefícios diferenciados sobre os grupos e estados [...] cada regime monetário internacional reflete uma ordem política" (GILPIN, 1987: 118-119).

[10] Polanyi faz uma radiografia correta, ainda que estática, dessa nova realidade, enfocando o papel cumprido na estabilização europeia pelas redes transnacionais e as conexões da *haute finance:* "uma instituição *sui generis,* peculiar ao último terço do século XIX e ao primeiro terço do século XX, e que funcionou nesse período como o elo principal entre a organização política e econômica do mundo [...] Às vezes a *Pax Britannica* mantinha esse equilíbrio por meio dos canhões dos seus navios; mais frequentemente, entretanto, ela prevalecia puxando os cordéis da rede monetária internacional [uma vez que] orçamentos e armamentos, comércio exterior e matérias-primas, independência nacional e soberania eram, agora, funções da moeda e do crédito" (Id.: 29, 32 e 35).

padrão-ouro. O que Polanyi não viu, foi o "duplo movimento" interno específico da esfera geopolítica, que atuou de forma igualmente desestabilizadora e que mudou de natureza, e qualidade, a partir da consolidação e hegemonia do capital financeiro na competição capitalista internacional. Por isso ele atribui o fim da "paz dos cem anos" ao acordo, em 1904, da Inglaterra com a França, e um pouco mais tarde com a Rússia, responsável pela bipolarização geopolítica da Europa, mas não se questiona, como faz com o fim do padrão-ouro, sobre as causas dessa decisão, que vêm de antes, e que derivam, em parte, da natureza instável de qualquer "equilíbrio de poder" internacional. Tal "equilíbrio" ficou ainda mais difícil com o fortalecimento dos capitais financeiros alemão e norte-americano.

Muito antes do Congresso de Viena, a Paz de Westphalia havia estabelecido o "direito de autodefesa" como fundamento de uma ordem política internacional baseada nos princípios da soberania, independência e igualdade entre os Estados. Entretanto, o realismo, no campo internacional, sempre defendeu a tese de que um sistema interestatal baseado no direito de autodefesa tendia a ser anárquico e todo "equilíbrio de poder" que fosse alcançado, jamais seria estável, "devido ao sistema de autoajuda gerar uma espiral de competição, visando tornar cada ator individual mais seguro, produzindo no entanto uma insegurança geral" (GUZZINI, 1998: 35). O clássico "dilema da segurança"[11], de que falaram, de forma implícita ou explícita, os realistas de todos os tempos: o direito de autodefesa provoca uma espiral competitiva, ou uma "ascensão aos extremos" – na linguagem de Von Clausewitz – que mantém a guerra como uma situação limite ou virtual, mas permanente. Uma armadilha ou lei que só poderia ser desativada,

---

[11] Na mesma época em que foi publicada *A grande transformação*, Edward Carr (1946) e Hans Morgenthau (1948) propuseram uma explicação teórica distinta do funcionamento e da ruptura do sistema de equilíbrio de poder europeu do século XIX. Para eles, num sistema internacional anárquico, formado por Estados com o mesmo direito de autodefesa, o "equilíbrio de poder" será sempre um ideal político e uma lei universal que não podem realizar-se plenamente. Mais tarde, a escola realista qualificou seu próprio axioma da anarquia interestatal. Henry Kissinger (1957) falou da existência de duas ordens internacionais, uma "legítima" e a outra "revolucionária", dependendo se suas principais potências compartilham ou não um código de conduta comum; e Raymond Aron (1962), da existência de subsistemas internacionais "homogêneos" e "heterogêneos", dependendo do grau em que os Estados envolvidos compartam ou não as mesmas concepções políticas internacionais. Mas estas qualificações não resolveram o problema de que as grandes guerras tenham se dado exatamente dentro dos sistemas "legítimos" ou "homogêneos", o que reforça, em vez de contradizer, a tese original de que, apesar da existência de mecanismos normativos ou de regimes institucionais, permanece vigorando a lei que rege a competição política interestatal, provocada pelo dilema da segurança.

ESTADOS, MOEDAS E DESENVOLVIMENTO

teoricamente, se fosse possível tomar e sustentar a decisão universal, e simultânea, de abdicação do princípio da autodesfesa.

Nesse sentido é legítimo falar também da existência de um "duplo movimento", próprio do Sistema de Westphalia, e responsável pela expansão contraditória e conflitiva da ordem política internacional responsável pela gestão política do sistema capitalista. Também aqui atua, por um lado, o princípio e a utopia liberal de um mundo sem fronteiras e sem poderes políticos competitivos. O sonho cosmopolita de Kant, presente em todos os pensadores liberais, e que reaparece periodicamente associado aos grande surtos de internacionalização ou globalização do capital. Mas esse princípio é permanentemente negado e superado pelo princípio da territorialidade, que alimenta a *Realpolitik,* defendida por Maquiavel e por todos os pensadores mercantilistas ou nacionalistas. O princípio liberal objetivava a construção de uma ordem transnacional baseada na existência de regimes e instituições legitimadas coletivamente[12]. Já o princípio da territorialidade vê o fortalecimento do poder dos Estados como única forma de manutenção da paz, baseada em um equilíbrio instável de poder.

Um segundo aspecto do mesmo problema, que escapou à observação de Polanyi, mas também dos realistas, é a mudança que sofreram as relações internacionais e o próprio funcionamento do "direito de autodefesa" com o aparecimento e posterior supremacia do capital financeiro desde o final do século XIX. Nesse ponto, foi Hilferding e os demais teóricos marxistas do imperialismo que perceberam a radicalidade dessa transformação. Estes autores, analisando as mudanças econômicas do capitalismo na virada do

---

[12] A versão mais recente dessa tese, no campo da teoria das relações internacionais, foi apresentada por Robert Keohane e Joseph Nye (1972) num trabalho em que propõem um novo paradigma político mundial, baseado em uma "complexa interdependência" entre atores transacionais cada vez mais autônomos com relação ao poder dos estados territoriais. Uma nova ordem política e econômica mundial estabilizada por "regimes institucionais" legítimos, capazes de interconectar e sustentar as relações entre as sociedades, mesmo na ausência da potência hegemônica que tenha contribuído para sua construção e aceitação mundial. Um conjunto de "redes de regras, normas e condutas que regularizam os comportamentos e controlam efeitos [...] que, uma vez estabelecidas, serão difíceis tanto de erradicar quanto de rearrumar dramaticamente" (1977: 19 e 55). Keohane e Nye reconhecem a existência de situações em que "não existam normas e procedimentos acordados ou quando as exceções às regras forem mais importantes do que os graus de adesão" (p. 20). Nesses casos seguiria vigorando a lei imposta pelo "dilema da segurança", em que os Estados ainda seriam os atores mais importantes e a força seguiria tendo um papel decisivo na hierarquização da agenda e nas soluções impostas à comunidade internacional. Mas essa solução conceitual mantém as mesmas dificuldades que já estavam presentes nos conceitos de Raymond Aron e Henry Kissinger sobre a existência de ordens "homogêneas" e "heterogêneas", "legítimas" e "revolucionárias".

século XX, a partir do "domicílio oculto da produção" e não apenas das relações mercantis, sustentaram que, no movimento da acumulação, os processos de concentração e centralização do capital haviam alcançado uma nova etapa e gerado um novo poder de expansão e conflito internacional:

> [...] o capital financeiro para manter e ampliar sua superioridade precisa de um Estado politicamente poderoso [...], um Estado forte que faça valer seus interesses no exterior [...] e que possa intervir em toda parte do mundo para converter o mundo inteiro em área de investimento (HILFERDING, 1985: 303 e 314).

A rede de poder da *haute finance*, identificada por Polanyi, adquire um lugar completamente diferente como instrumento do novo capital financeiro, que, segundo Hilferding, aprofunda a "compulsão" expansiva da burguesia e aumenta o seu caráter agressivo ao envolver o poder dos Estados em uma competição por novos "territórios econômicos", que transcendem as fronteiras nacionais, sem jamais se transformar "num império universal, [apesar de ser este] o ideal sonhado do capital financeiro", segundo Bukharin[13].

Nem Polanyi nem os realistas percebem que essa nova forma de associação entre o capital e o poder político transformou a competição intercapitalista também em uma competição política entre Estados e simultaneamente transformou o sistema interestatal em uma espécie de mercado ou espaço preferencial da competição capitalista entre os grandes conglomerados econômicos. Como consequência, para as grandes potências, alarga-se o conceito de soberania, incluindo também o direito de autodefesa dos seus novos territórios econômicos. Nikolai Bukharin radicalizou um pouco mais tarde o mesmo argumento, ao afirmar que

> cada uma das "economias nacionais" desenvolvidas, no sentido capitalista da palavra, transformou-se em uma espécie de truste nacional de Estado [...] porque esses grupos vão buscar seu último argumento na força e na potência da organização do Estado [...] porque sua capacidade de combate no mercado mundial depende da força e da coesão da nação, de seus recursos financeiros e militares (BUKHARIN, 1984: 99).

---

[13] Como dizia Lenin, no seu *Imperialismo, fase superior do capitalismo*, "o imperialismo é o capitalismo na fase de desenvolvimento em que ganhou corpo a dominação dos monopólios e do capital financeiro, adquiriu marcada importância a exportação de capitais, começou a partilha do mundo pelos trustes internacionais e terminou a partilha de toda terra entre os países capitalistas mais importantes" (LENIN, 1979: 642).

ESTADOS, MOEDAS E DESENVOLVIMENTO

O debate inconclusivo entre Lenin e Kautsky sobre a inevitabilidade ou não da guerra imperialista aponta exatamente para a ação contraditória dos dois princípios que movem a política internacional: o novo contexto em que a competição intercapitalista foi redefinida pelo estreitamento da relação entre os Estados e seus capitais financeiros, e o conceito de soberania, que se estendeu ao espaço dos territórios econômicos recortados pela luta entre estes vários "trustes nacionais de Estados". Na verdade, ambos os princípios, ou tendências, convivem apontando todo o tempo, e contraditoriamente, para uma dupla direção ou situação-limite. Num extremo, a realização ideal do primeiro princípio, ou "movimento" – na linguagem de Polanyi – aponta para a criação financeira de um império universal. O que se poderia chamar de "lei de Bukharin". Enquanto que o segundo princípio, ou movimento, aponta para a guerra econômica ou militar, que estimula o refortalecimento constante e crescente dos Estados que se propõem a competir no jogo financeiro e geopolítico. O que se poderia chamar, também, de "lei de Weber", para quem a substituição dos Estados nacionais por um império mundial representaria, simultaneamente, o perecimento do capitalismo. Um só império seria sinônimo de um só território econômico, com uma só moeda. Isto suporia a eliminação simultânea das soberanias políticas e das moedas nacionais dissolvidas no comando único, político e monetário, do império que passaria a ser responsável pela política monetária e orçamentária de todas as suas províncias. Nesse caso, se eliminaria também o próprio habitat do capital financeiro, que se alimenta da competição interestatal. O cenário mais provável para este império pós-capitalista seria uma tendência ao estado de estagnação ou a uma grande reversão histórica, em direção ao que foi, durante séculos, o império chinês.

Esta é uma contradição que está na origem e na essência do sistema interestatal de gestão do capitalismo, e que se mantém ainda quando mude sua forma e intensidade. Para o liberalismo, trata-se de uma espécie de defeito de fabricação incorrigível, mas, na história real, não só esteve na origem de todas as guerras, mas também, como nos ensinou Braudel, foi a fonte "de grandes e sistemáticos lucros que permitiram ao capitalismo prosperar e se expandir indefinidamente nos últimos quinhentos ou seiscentos anos". Como efeito desse "duplo movimento" internacional, o poder dentro do sistema capitalista ora assume a sua forma mais abstrata, o dinheiro, ora retoma a face mais dura e visível das armas, sem que seja possível jamais alcançar uma estabilidade econômica ou equilíbrio político de longo prazo. Nesse contexto, o projeto smithiano de uma "equivalência geral de coragem, força e riqueza" entre todas as nações é tão utópico quanto a ideia de um só império financeiro e político universal. A própria desigualdade de força e riqueza é que move o sistema, em última instância,

63

a favor dos "territórios econômicos" que lograram associar o poder das armas ao poder do capital financeiro, mantendo assim o seu controle interno do crédito e dos investimentos.

Por fim, dessa perspectiva, o "duplo movimento" de Polanyi adquire três novas dimensões: a da permanência através da história capitalista; a da sua múltipla determinação, a partir dos mercados e das relações de produção capitalistas, mas também da geopolítica e da geoeconomia internacionais; e a da progressividade, e não apenas da autoproteção, porque a luta social e de classes não foi apenas uma forma de sobreviver, foi uma forma de apropriar-se de uma riqueza que lhes era negada pelo mercado. Da mesma maneira o protecionismo e a competição imperialista não foram apenas uma forma de preservar uma mesma posição relativa dentro da hierarquia mundial, foram uma forma de lutar pela sua modificação e pela redistribuição do poder e da riqueza mundiais. Nesse sentido, o ensinamento teórico da história real do século XIX respondeu à questão proposta por Smith, dando razão, em última instância, à leitura de Keynes da verdade mercantilista, e à convicção de Max Weber de que "em última análise os processos de desenvolvimento econômico são lutas de dominação" (WEBER, 1982: 18).

4 A lição liberal

Entre 1860 e 1870, formou-se o núcleo do sistema interestatal que constituiu os impérios coloniais e depois assumiu a responsabilidade, em última instância, pela gestão política e militar do capitalismo mundial, mantendo-se quase intocado, imutável, até o final do século XX. A partir de 1870, consolida-se também o padrão-ouro, vigente na Inglaterra desde 1821, mas que se transforma em um sistema monetário internacional, com a adesão dos países que passaram a compor, até o final do século XIX, o núcleo orgânico do sistema econômico capitalista mundial: Alemanha, em 1871, França, em 1873, Estados Unidos, em 1879, e Japão, em 1895 – esse sistema que se estende à periferia colonial ou dependente com a adesão da Índia, em 1893, Argentina, em 1899, Brasil, em 1906, e Coreia, em 1910. Iniciava-se ali uma nova conjuntura política e econômica mundial, que balizou um processo de redistribuição mundial da riqueza viabilizado pelo sucesso econômico de alguns "capitalismos tardios" e de algumas economias periféricas.

Quais as principais lições históricas deste período quanto à relação entre a geopolítica, a geoeconomia monetária e o desenvolvimento econômico das nações, que possam ser projetadas para além desse momento de apogeu da "civilização liberal" de que nos fala Polanyi?

ESTADOS, MOEDAS E DESENVOLVIMENTO

Em primeiro lugar, a ordem econômica e política liberal não foi, evidentemente, homogênea, nem tampouco se manteve estática. Sustentou-se numa dupla hierarquização do poder econômico e político internacionais, dentro do "núcleo orgânico" e da sua periferia colonial ou dependente. No correr do período, estas hierarquias foram alteradas pela redistribuição da riqueza e do poder a favor de alguns Estados que lograram rápidos processos de desenvolvimento econômico, que escaparam do processo de periferização a que foi submetida, inclusive, uma parte significativa da Europa. Esta reorganização criou um conjunto de Estados de segunda linha que passam a disputar diretamente a supremacia inglesa. Ao mesmo tempo, o equilíbrio de poder desenhado pelo Congresso de Viena e administrado pela Santa Aliança foi sendo substituído por uma hegemonia mais explícita da Inglaterra e de suas "altas finanças".

No núcleo orgânico dessa ordem mundial, a complementaridade foi companheira inseparável da competição tanto no campo econômico como no político, enquanto dentro dos espaços inferiores do *imperium* europeu houve apenas casos de complementaridade econômica ou de submissão e extração pura e simples da riqueza disponível. Foi nesse espaço-tempo que se deu a experiência, bem-sucedida, de alguns Estados e capitalismos tardios que se propuseram o *catch-up* tecnológico e militar com a Inglaterra e contaram, a um só tempo, com o "déficit de atenção" inglês (que lhes permitiu usufruir do seu mercado desprotegido) e com o apoio do Banco da Inglaterra e de seus capitais. A Inglaterra, secundada por este núcleo orgânico, determinou os ritmos cíclicos da economia e as ondas de expansão territorial ou de influência econômico/financeira. Suas consequências, entretanto, variaram enormemente, dependendo não apenas das condições naturais e demográficas, mas também das relações políticas que se estabeleceram com os três estamentos básicos da periferia: as colônias, os *dominions* e os países dependentes. A partir de então estabeleceu-se e funcionou durante a maior parte do tempo uma hierarquia "virtuosa" no centro do sistema, de apoio mútuo em situações de crise. No seu centro encontrava-se o Banco da Inglaterra, numa segunda fila os bancos da França e da Alemanha e numa terceira os da Holanda, Áustria, Bélgica etc.[14]. Estas relações de

---

[14] Keynes, ao analisar em 1913 – no seu *Indian Currency and Finance* – as relações hierárquicas entre o Banco da Inglaterra com outros bancos centrais, já identificava o mecanismo básico que operava as finanças a favor dos interesses ingleses: "Nós vimos acima que a política de taxa de juros do Banco da Inglaterra é exitosa porque de forma indireta leva o mercado monetário a reduzir seus empréstimos de curto prazo para os demais países, e assim reverter o imediato balanço de endividamento a seu favor. A política indireta é menos factível em países onde o mercado monetário já seja tomador de empréstimo e não credor no mercado internacional".

65

coordenação se transformaram em rivalidade e enfrentamento, sobretudo no momento em que Berlim, Nova York e mesmo Paris chegaram a ameaçar a supremacia monetária e financeira de Londres, agregando ao efeito mais direto e desestabilizador do "dilema da segurança" um elemento perturbador no coração do sistema. O conflito potencial concentrou-se nessa região, passando por suas rivalidades imperialistas, e atuou como "força de ruptura" apenas entre as potências de primeira e segunda linha militar e econômica. A própria bipolarização geopolítica da Europa, lembrada por Polanyi, e que ocorre a partir de 1905, apareceu na esteira do aumento da concorrência no desafio ao capital financeiro inglês. Por isto, apesar dos inúmeros enfrentamentos coloniais, as guerras diruptivas que acabaram destruindo a ordem mundial liberal ocorreram no cenário europeu onde estava situada a ordem "legítima" e "homogênea" de que falam Henry Kissinger e Raymond Aron, e todos os conflitos ocorridos nos espaços que eles chamam de "revolucionários" ou "heterogêneos" foram isolados e tiveram baixa capacidade de difusão para o resto do sistema. Isso parece indicar que, por mais extensos que fossem os novos "territórios econômicos" criados pela aliança dos Estados com o capital financeiro, seguia sendo decisivo o lugar onde se situava o centro do poder político do território, onde de fato se articulavam e repercutiam, mais diretamente, as estratégias financeiras e militares.

Em segundo lugar, parece não haver dúvida de que a nova supremacia do capital financeiro foi mesmo o que acabou alterando a natureza e tendência do "duplo movimento" de que nos fala Polanyi. A reaproximação e associação entre os Estados e seus capitais financeiros representou um salto qualitativo no processo de politização das relações econômicas nacionais e internacionais dos países situados no núcleo orgânico do sistema.

De um lado, o "primeiro princípio" de Polanyi seguiu apontando na direção do liberalismo econômico e defendendo o livre-comércio e a estabilidade do padrão-ouro, bem como mantendo a ideia do equilíbrio orçamentário como princípio organizador e limitador da ação estatal. Esse movimento expansivo e internacionalizante foi liderado pela Inglaterra, pelo seu mercado de capitais e por sua moeda de referência internacional, contando com o apoio das elites cosmopolitas dos demais países europeus. O avanço desse movimento, permitido pela prolongada situação de paz, transformou, de fato, a libra num instrumento decisivo para o exercício do poder inglês. Do outro lado, o segundo princípio, nacional ou da territorialidade, é que adquiriu maior complexidade com o aprofundamento das relações entre os Estados e o capital financeiro. Tem razão Polanyi quando diz que o novo nacionalismo que se expande a partir do final do século XIX "foi o corolário do novo internacionalismo", sendo ambos, entretanto, corolários da nova relação entre os Estados e seus espaços econômico-financeiros. E se as elites orientadas pelo princípio do nacionalismo e do militarismo foram aparecendo e se destacando através de todos os Estados europeus – e no final do século, também no Japão e nos Estados Unidos – não há duvida de que seu poder e influência cresceram mais rapidamente nos países de "segunda linha" que se propuseram desafiar o poder financeiro e a posição hegemônica da Inglaterra. Como também não há dúvida de que sua influência foi decisiva na reorientação do protecionismo na direção de uma estratégia de industrialização de guerra.

Como metáfora, pode-se dizer que o "princípio do liberalismo" e da internacionalização foi "encarnado" pela potência hegemônica, a Inglaterra, e sua rede de alianças com as elites globalizantes do mundo capitalista. Já o "princípio da nacionalidade" foi "encarnado" pelos Estados tardios que disputaram diretamente a supremacia econômica e a liderança financeira inglesa: em particular, Alemanha e Estados Unidos, e mais tarde, em menor escala, também Japão e Rússia. Países que abandonaram e voltaram ao padrão-ouro, sempre que foi necessário atender a seus interesses nacionais, sem enfrentar os mesmos efeitos catastróficos que essas "retiradas" provocaram nos países periféricos e com dependência cambial de suas exportações, geralmente especializadas. Ainda que pareça surpreendente, é interessante constatar que foi na Rússia onde se assistiu à mais clara ascensão aos extremos do "duplo movimento" de que fala Polanyi, abrindo as portas ao que talvez se possa considerar como o único e verdadeiro milagre econômico nacional do século XX. Ali, o aumento dos conflitos e reivindicações sociais culminou na Revolução Soviética e se somou a um projeto nacional e militar que permitiu à Rússia percorrer o ciclo completo, passando, num curto espaço, da foice e do martelo à condição de superpotência vitoriosa no campo industrial, tecnológico e militar. Isso não foi suficiente, entretanto, para resolver o problema da sua inclusão no capital financeiro internacional.

Em terceiro lugar, foi nesse período que se inicia (em torno de 1860/1870) e se consolida o que Prebisch chamou, de forma conceitualmente mais rigorosa, de periferia do sistema econômico capitalista, articulada a partir do seu "centro cíclico principal", a Inglaterra. Dentro desse espaço econômico, que cumpriu o papel simultâneo de supridor de matérias-primas e alimentos para o centro, e de "variável de ajuste" dos países centrais, nas crises periódicas do sistema, é possível constatar que houve, durante o período que vai de 1870 até 1914, casos de países que alcançaram altas taxas de crescimento econômico, sem se transformarem em potências nem serem incorporados ao núcleo central do sistema. Seu sucesso dependeu do grau de integração e complementaridade do seu setor exportador com a economia inglesa e do seu efeito dinamizador interno com relação aos demais setores de sua própria economia nacional. Sem dispor de um sistema de crédito próprio, foram economias que viveram na dependência do comportamento dos preços de suas exportações, e do seu acesso ao crédito e aos capitais de investimento dos países centrais.

Nestes casos, como lembra Polanyi, a *haute finance* agia de maneira diferente do que nos países centrais:

> os empréstimos e a renovação dos empréstimos se articulavam com o crédito e este dependia do bom comportamento [...] que se refletia no orçamento e no valor externo da moeda. Ali, o pagamento dos empréstimos externos e o retorno às moedas estáveis eram reconhecidos como as pedras de toque da racionalidade política [...] e até mesmo o abandono dos direitos nacionais e a perda das liberdades constitucionais eram considerados um preço justo a pagar pelo cumprimento da exigência de orçamentos estáveis e moedas sólidas (p. 32, 43 e 147).

No entanto, é necessário distinguir nesse universo dos "mais fracos" o que foi sua condição genérica de periferia econômica da sua forma específica de relacionamento político com os países centrais. Nesse sentido, pesou decisivamente no desempenho econômico a natureza específica de cada país: ser uma periferia colonial, ocupar a condição de *dominion* inglês ou ser simplesmente um Estado autônomo, primário-exportador e cativo do "princípio liberal", que no caso significava economias abertas, desreguladas, atreladas ao padrão-ouro e dependentes do capital financeiro internacional.

Os principais casos de sucesso econômico, dentro desse universo, foram os *dominions* ingleses, que eram territórios coloniais mas que tinham direito ao autogoverno e mantinham uma política monetária administrada, de maneira indireta, pelo Banco da Inglaterra, por meio do sistema do *currency board* – sistema que lhes garantia o *last resort* inglês e assegurava os capitais de investimento europeus contra eventuais crises cambiais ou qualquer possibilidade de mudança de política econômica do centro cíclico. Essa forma de subordinação e integração colonial permitiu, nos momentos de auge do crescimento – nesses três países –, que a participação do capital estrangeiro chegasse a cerca de 50% ou 60% da formação interna de capital, e que estes investimentos se concentrassem na construção dos sistemas de infraestrutura e na implantação de atividades produtivas necessárias e complementares com a da economia inglesa. Como resultado disto, estes *dominions* formais, junto com o caso informal da Argentina – na condição privilegiada de celeiro do império – chegaram a estar, na entrada do século XX, em termos de renda *per capita*, entre as sociedades mais ricas do mundo.

ESTADOS, MOEDAS E DESENVOLVIMENTO

O mesmo não se registrou, evidentemente, no resto da periferia, atingida periodicamente por crises cambiais graves, quando as taxas de crescimento econômico foram muito baixas, como baixa também foi a capacidade de dinamização e integração social interna dos seus sistemas exportadores. Sem contar com um sistema de crédito próprio, muito menos com capital financeiro, só lhes restava exportar e se endividar, levando-os no momento das crises cambiais a abandonar a saída do padrão-ouro, declarar a inconvertibilidade de suas moedas e a recorrer, no limite, à moratória. Este foi o caso típico dos principais países da América Latina, com a exceção já referida da Argentina. Entre sua independência, em torno dos anos 1820, e sua inserção periférica no ciclo da economia inglesa, viveram um processo conflitivo de consolidação dos seus Estados territoriais. São inúmeras as interpretações por que esses países não lograram industrializar-se, como ocorreu com o caso dos capitalismos tardios que conseguiram resistir à sua periferização por parte da Inglaterra[15], mas é um consenso que depois de 1870 a opção das elites políticas e econômicas da região já havia sido feita e se submetia à supremacia geopolítica dos Estados Unidos e à hegemonia econômica, liberal e internacionalizante, da Inglaterra. De qualquer maneira, como balanço final do período, é possível concluir que, no conjunto do espaço colonial e periférico do *imperium* inglês ou europeu, no momento da crise dos anos 30, poucos tinham sido os países que tinham alcançado aquela igualdade de coragem e força que, inspirando temor mútuo, constitui o único fator capaz de intimidar a injustiça das nações independentes e transformá-la em certa espécie de respeito pelos direitos recíprocos.

Em quarto e último lugar, é interessante observar a forma como se manifestou nesses territórios, ainda que de forma tardia e mais tênue, o "duplo movimento" de que fala Polanyi. Não nos *dominions,* onde seus sinais são praticamente inexistentes. Ou mesmo nas colônias, onde assumiu a forma óbvia e condensada da luta pela independência, que só alcançará sucesso pleno na segunda metade do século XX. Tal "duplo movimento" se deu na periferia autônoma e dependente. Aí, apesar de sua posição periférica e dependente, a defesa intransigente do livre-comércio e da ortodoxia monetária também entrou em choque com a rigidez do padrão-ouro e acabou instigando um aumento do conflito social (que chegou a se transformar numa revolução camponesa, no México) e uma expansão dos direitos políticos – mais visível nos casos argentino, uruguaio e chileno. Esse movimento termina por convergir com a crise dos anos 30, contribuindo para o aumento do intervencionismo, bem como para o protecionismo estatal, e para o aparecimento "restringido" do princípio da nacionalidade, que desembocaria

---

[15] O ensaio de Maria Conceição Tavares, neste livro, percorre várias interpretações do caso brasileiro, incluindo uma leitura original deste período da história.

José Luís Fiori

depois, em alguns casos, nas experiências mais ou menos bem-sucedidas do nacional-desenvolvimentismo.

5 De volta à história recente

A leitura histórica do período de auge e crise da "utopia do mercado autorregulado", que culmina com a Primeira Guerra e o fim do padrão-ouro, sublinha traços paradigmáticos da relação entre a geopolítica e a geoeconomia capitalista, cuja importância e validez transcendem aquele momento da história. Não cabe no objetivo deste ensaio reler, por exemplo, à luz desse paradigma, o período pós-Segunda Guerra Mundial. Em particular, a forma como o novo sistema monetário internacional dólar-ouro, negociado em Bretton Woods, conciliou a paridade fixa entre as moedas com a autonomia das políticas monetárias nacionais, sob a hegemonia capitalista "benevolente" dos Estados Unidos, pressionados pelo desafio ideológico e militar da União Soviética (e sua zona de influência socialista). Uma conjuntura geopolítica que deu ao padrão-dólar a flexibilidade que o padrão-ouro não teve, permitindo uma época sem precedentes de desenvolvimento e redistribuição da riqueza entre as classes nos países centrais, e entre um número significativo de nações que lograram crescer a taxas médias anuais superiores às das economias desenvolvidas. Foi nesse período, aliás, que se cunhou a expressão "milagres econômicos", para referir-se a esses casos de sucesso no campo do desenvolvimento. Tampouco caberia neste espaço analisar a forma como o "duplo movimento", identificado por Polanyi, gestou a crise política e econômica internacional dos anos 1970. Sobretudo porque na década de 1960 – na contramão do liberalismo clássico – as sociedades do núcleo central do sistema capitalista, mesmo havendo alcançado um grau de democratização política e um nível de proteção social sem precedentes, viviam um momento de radicalização dos seus conflitos sociais. O mesmo acontecendo no campo da competição estatal entre os Estados Unidos e seus aliados, que ocorreu em paralelo com uma "insubordinação" política crescente do mundo periférico, começando pelo Vietnã e a Opep e culminando com as revoluções da Nicarágua e do Irã. Nesta segunda grande crise do século XX, entretanto, a ruptura do sistema monetário internacional dólar-ouro, e mais adiante do equilíbrio de forças consagrado pela Guerra Fria, desencadeou um movimento oposto ao de 1930, ou seja, o retorno à defesa dos mercados desregulados e dos Estados mínimos.

Nosso interesse é analisar, exatamente, essa conjuntura histórica aberta pela crise dos anos 70, e o lugar de alguns países periféricos na transição conservadora que trouxe de volta – ainda que noutras condições – o princípio do liberalismo econômico. A tentativa de explicar o que se passou na década de 1970 deu origem a uma nova "economia política internacional", que retomou, de certa forma, o projeto de Polanyi, a partir de algumas teses propostas pelo economista Charles Kindleberger (1973)[16] e depois desenvolvidas pela teoria neorrealista das hegemonias internacionais. Quase trinta anos depois, a crítica das suas inconsistências teóricas e históricas[17] e o seu fracasso frente ao teste da história recente[18] sugerem a necessidade de

---

[16] *EmThe World in Depression, 1929-1939,* Charles Kindleberger formulou pela primeira vez sua teoria sobre a importância do comportamento dos países líderes na estabilização da "anarquia internacional", por meio do fornecimento de alguns "bens públicos" indispensáveis para o funcionamento estável de uma ordem econômica mundial e liberal. São três suas teses fundamentais: 1) "para que a economia mundial seja estabilizada, deve haver um estabilizador e um só país estabilizador" (p. 304), que deve garantir uma moeda internacional estável, a liberdade dos mercados, a coordenação das políticas econômicas nacionais, tomar iniciativas anticíclicas etc.; 2) a estabilidade do sistema tende a ser ameaçada, no longo prazo, pela ação de países *free-riders,* cujo comportamento acaba minando a posição de poder do *hegemon;* e 3) na ausência de uma potência liberal dominante, é muito difícil seguir mantendo a cooperação econômica alcançada previamente. Por isso, o declínio do poder hegemônico tende a ser seguido pela deterioração dos "bens públicos" que ele fornecia à comunidade internacional.

[17] Durante a década de 1980, as teses de Kindleberger foram submetidas a uma crítica minuciosa das suas inconsistências teóricas e históricas (Mc KEOWN, 1983; ROGOWSKI, 1983; STEIN, 1984; RUSSET, 1985; SNIDAL, 1985; STRANGE, 1987; WALTER, 1993). Com relação à primeira tese, vários autores puseram em dúvida de que a Inglaterra tenha promovido, ativamente, a construção de um sistema de livre-comércio ou a adesão dos demais países ao padrão-ouro e demonstraram historicamente que na maioria dos casos o comportamento dos países hegemônicos se orientou pelos seus próprios interesses nacionais, transformando-se, às vezes, em obstáculo, mais do que em condição da estabilidade internacional. Contra a segunda tese de Kindleberger, Susan Strange, em particular, mostrou que as crises sistêmicas através da história têm sido causadas por fatores internos à sociedade e economia hegemônica, muito mais do que pelo comportamento dos países que usufruem e contestam o sistema. Por fim, com relação à terceira tese, todos estão de acordo que a "crise do sistema de Bretton Woods" não só não abalou como aumentou o poder dos Estados Unidos sobre o sistema monetário e financeiro internacional.

[18] A história destes últimos 25 anos, contudo, encarregou-se de contradizer, simultaneamente, a teoria e a estratégia propostas por esta "teoria da estabilidade hegemônica", formulada inicialmente por Charles Kindleberger. Desde o fim do padrão-dólar e da Guerra Fria, o balanço é muito claro. O mundo nunca esteve entregue de forma mais incontestável ao arbítrio de uma só potência hegemônica que estivesse tão radicalmente orientada pelo seu *liberal commitment,* e pelo seu objetivo de construir e sustentar uma ordem internacional baseada sobre um conjunto de regimes e instituições regionais e globais consagradas pela aceitação coletiva, tanto no campo do desarmamento como no do comércio e dos investimentos. Como propunha Kindleberger, os Estados Unidos, hoje, arbitram isoladamente o sistema monetário internacional, promovem ativamente a abertura e desregulação das economias nacionais e o livre-comércio, têm incentivado a convergência das políticas macroeconômicas, têm atuado – pelo menos em parte – como *last resort lender* em todas as crises financeiras e detêm um poder incontrastável no plano industrial, tecnológico, militar, financeiro e cultural. E, no entanto, não se conhece período da história moderna em que o capitalismo tenha passado por maior instabilidade sistêmica, graças à "revolução financeira" que acompanhou a consolidação e funcionamento do novo sistema cambial. Nem tampouco se conhece período em que as relações políticas entre os Estados estivessem tão carentes de parâmetros ou referências – sobretudo depois da Guerra do Golfo –, que não seja o arbítrio da superpotência ou do seu "diretório político-militar" anglo-saxão.

um retorno ao esquema original de Karl Polanyi, mais impreciso, mas também mais flexível.

O renascimento liberal deu-se de maneira progressiva, começando pela crise simultânea do sistema geopolítico e monetário em que se sustentara o sucesso do *embedded liberalism* que vigorou nas décadas de ouro do pós-Segunda Guerra, e prolongando-se no problema da "ingovernabilidade" diagnosticada pelos conservadores das sociedades desenvolvidas atingidas pela escalada dos movimentos sociais e das reivindicações sindicais. Em dois momentos ou conjunturas, entretanto, se aceleraram e radicalizaram os acontecimentos e as decisões responsáveis pelo renascimento da velha ideologia e o desenho da nova ordem internacional. Primeiro, na virada dos anos 1980, com a vitória política das forças conservadoras na Inglaterra, Estados Unidos e Alemanha, e depois no início dos anos 1990, com a dissolução do mundo socialista e o fim da Guerra Fria.

Com a vitória política conservadora, retornou ao governo e ao poder das principais potências mundiais, na forma de crença e de política econômica, o "princípio liberal", defendendo, como antes, a abertura e desregulação dos mercados. E de novo com ênfase particular nos mercados do trabalho e do dinheiro. A importância hierárquica dos novos governos conservadores e de seus mercados financeiros desencadeia um efeito dominó que em poucos anos generaliza as mesmas políticas liberais em quase todos os países capitalistas. Como no século XIX, este *liberal commitment* é assumido pelos governos e pelas elites internacionalizantes de todos os países componentes do velho núcleo do poder político e econômico do sistema capitalista. E, também como no século XIX, o capital financeiro volta a ocupar o proscênio, em blocos de poder formados com seus Estados nacionais e competindo por novos territórios econômicos, delimitados já não pelas barreiras comerciais, mas pela credibilidade das suas moedas e dos sistemas de pagamento. Criam-se verdadeiros "territórios monetários" que se espraiam e competem através de um universo integrado pelas desregulações nacionais do movimento de capitais e pela descompartimentalização dos próprios mercados financeiros do câmbio, dos títulos públicos e privados, das ações, dos imóveis e das *commodities.* Nasce, então, uma nova onda de internacionalização e concentração financeira mais volátil e excludente do que a que ocorreu no século XIX, porque é impulsionada, em última instância, pela flutuação cambial que não existia no padrão-ouro. Por isso mesmo, ela também impõe, e de maneira mais categórica, a mesma convergência "ortodoxa" das políticas econômicas nacionais, em particular no caso dos Estados com moedas fracas. O "moinho satânico" volta a operar a todo vapor, como no século XIX, mas agora de maneira mais perversa no mundo do trabalho e de maneira mais extensa e imperial no mundo das finanças globalizadas, impondo li-

ESTADOS, MOEDAS E DESENVOLVIMENTO

mites estreitos às políticas econômicas e às taxas de crescimento da economia mundial, começando pela dos próprios países mais industrializados. Fenômenos que se reproduzem de forma mais dura nos países periféricos, onde, como no século XIX, mas agora sob a batuta direta dos "mercados financeiros" e seus principais *players,*

> as privações dos desempregados, sem emprego devido à inflação, a demissão de funcionários públicos, afastados sem uma pensão, até mesmo o abandono dos direitos nacionais e a perda das liberdades constitucionais [voltam a ser] considerados um preço justo a pagar pelo cumprimento da exigência de orçamentos estáveis e moedas sólidas (POLANYI, 1980: 147).

Esses processos e tendências são reforçados pela política ativa da potência hegemônica e de suas redes de apoio globais a favor dos novos regimes internacionais de comércio e investimento e da convergência das políticas econômicas dos países situados dentro do seu espaço imperial. Devendo-se destacar o fato de que nesse período, ao contrário do que ocorrera com a Inglaterra, os Estados Unidos renovaram seu potencial industrial, tecnológico e comercial, ao mesmo tempo em que reafirmavam e expandiam o poder global do seu capital financeiro. Tendências que se confirmam e acentuam nos anos 1990, quando a economia norte-americana transforma-se na estranha locomotiva de uma economia mundial quase estagnada.

No campo geopolítico, também foi no início dos anos 1980 e 1990 que se deram os passos mais importantes para a conformação de uma nova ordem altamente hierarquizada, que não se baseia mais no equilíbrio de poder, mas na capacidade de arbítrio militar e monetário da única superpotência mundial que sobreviveu à Guerra Fria e que vem gerindo o mundo, de forma unipolar, desde 1991. A partir da Guerra do Golfo, os Estados Unidos dispuseram de total autonomia para redefinir sua hegemonia dentro do núcleo central do sistema interestatal e redesenhar as hierarquias e responsabilidades dentro dos seus vários espaços periféricos. Samuel Huntington considera que a política internacional contemporânea assumiu a forma híbrida de um "uni-multipolar system" (1999: 36), mas os fatos parecem confirmar a tese de que, do ponto de vista do poder militar, têm sido os Estados Unidos que têm arbitrado, isoladamente, as decisões mais importantes, no campo da segurança, em todos os tabuleiros regionais da geopolítica mundial. Como sua tecnologia e capacidade operacional distancia-os geometricamente dos seus parceiros ocidentais, tem-lhes tocado, também, o comando direto e participação majoritária em todas as intervenções militares que se multiplicaram durante a década. Em síntese, depois do fim da Guerra do Golfo, na ausência de contrapoderes, os Estados Unidos vêm exercendo uma função arbitral e tutelar em escala mundial, de forma cada vez mais absoluta e arbitrária. Mas essa unipolaridade sem contrapesos é que tem sido a grande responsável pela

73

instabilidade sistêmica que se instalou dentro do arranjo geopolítico, como ocorreu com o sistema financeiro mundial.

Paralelamente a estas transformações geopolíticas, também foi sendo progressivamente modelado o sistema monetário internacional instalado com o fim da conversibilidade do dólar, em 1973. Aceito, inicialmente, como forma de aumentar a liberdade das grandes potências no manejo de suas políticas monetárias, este assumiu, na prática, durante os anos 1980, uma forma completamente distinta do projeto inicial. A partir da diplomacia norte-americana do "dólar forte", mas sobretudo depois de 1985, o sistema monetário internacional baseado na ideia das taxas flutuantes foi se transformando em um sistema híbrido e dolarizado. Entre os países desenvolvidos consolidou-se paulatinamente um estranho sistema monetário internacional "dólar flexível", enquanto entre os países com moedas fracas foram se generalizando várias formas de ancoragem cambial, um verdadeiro simulacro do velho padrão-ouro. Nos dois "mercados", entretanto, o verdadeiro padrão de referência do novo sistema, substituto do ouro, tem sido o poder puro e simples da única superpotência capaz de arbitrar, a cada momento, por meio do movimento competitivo de suas taxas de juros, o valor relativo da sua e de todas as demais moedas nacionais envolvidas no funcionamento dos mercados capitalistas. Nesse sentido, a passagem do padrão-dólar para o atual sistema "dólar flexível" correspondeu a um estreitamento da relação entre o poder político e o valor internacional das moedas. Do ponto de vista de um economista liberal clássico, um verdadeiro recuo com relação aos temores que levaram Ricardo a defender a neutralização do poder monetário do príncipe por meio do seu controle parlamentar e da adesão inglesa, em 1819, ao padrão-ouro. Nesse caso, a comparação entre os finais do século XIX e XX pode estar apontando para uma explicitação progressiva das relações capitalistas em suas formas mais ocultas e intoleráveis do ponto de vista da ideologia liberal. Tudo ocorre como se, progressivamente iniciando no padrão-ouro e passando pelo sistema monetário inaugurado em Bretton Woods e sobretudo depois de 1991, o poder político e militar tenha se transformado no verdadeiro avalista do valor do dinheiro, e o inverso também se explicita, pois o dinheiro passa a assumir, de maneira mais transparente, o seu papel como instrumento do poder, indo dos antigos Príncipes às novas potências que governam o mundo. Neste novo sistema, apesar da sua dolarização, se mantém, contudo, a competição entre algumas moedas, o que permite que a flutuação dos seus valores alimente e multiplique a riqueza financeira derivada e virtual, mantendo, a um só tempo, a instabilidade global do sistema financeiro. Mas o que é mais importante é que nesse caso, diferente do século passado, a "flutuação" cambial foi seguida pela desregulação dos mercados de capitais, dan-

ESTADOS, MOEDAS E DESENVOLVIMENTO

do origem a uma nova finança privada, global, estreitamente associada ao processo de retomada da hegemonia americana, nos anos 1980, e à nova forma unipolar e imperial do exercício do poder norte-americano depois do fim da Guerra Fria. Um processo de desregulação econômica que foi iniciado pelo eixo anglo-saxão e que se impôs aos demais países – na forma de um efeito dominó – forçados pela lógica implacável da "desregulação competitiva" (HELLEINER, 1994) induzida pelo poder dos sistemas financeiros concentrados nas mãos aliadas da *City* e de Wall Street.

O núcleo político e econômico do sistema segue sendo praticamente o mesmo do final do século XIX, e sua hierarquia interna também. Os Estados Unidos substituíram e incorporaram a Inglaterra e alargaram a supremacia anglo-saxã sobre o mundo, mantendo-se Alemanha, Japão, França e Rússia como Estados de segunda linha, mesmo quando já não sejam *challengers* capazes de desafiar, isoladamente, a supremacia americana. Ocupam, hoje, posição muito diferente dentro do tabuleiro internacional, em relação à que tinham na altura da Primeira Guerra Mundial. O Japão, depois de derrotado na Segunda Guerra, foi obrigado a secundar a presença norte-americana no seu antigo "espaço vital", sem dispor mais de poder militar e sem o beneplácito americano para exercer a função de coordenação política do espaço econômico por onde se espalham os seus capitais de investimento. Transformado, depois do início da Guerra Fria, num híbrido neomercantilista sob proteção militar externa, o Japão acabou se convertendo em uma potência industrial e comercial sem conseguir entretanto impor o seu sistema financeiro à sua própria região, ou mesmo conseguir construir um sistema de pagamento regional baseado na sua moeda. Como potência econômica desarmada, também desativou ou fragilizou suas elites internas capazes de comandar algum tipo de reversão nacionalista frente a um eventual agravamento da crise econômica ou política regional e internacional. Algo análogo ocorreu com a Alemanha, do ponto de vista da sua condição de protetorado militar norte-americano. No seu caso, contudo, a proteção americana induziu um projeto de integração regional sob a batuta político-ideológica francesa mas sob a égide econômica dos alemães. Nos dois casos, japonês e alemão, os norte-americanos foram obrigados a permitir o renascimento de formas de articulação financeira e estatal intoleráveis ao liberalismo anglo-saxão. Mas, nos dois casos, as elites de tipo nacionalista foram dizimadas, forçando uma economicização radical do princípio da nacionalidade. Mudança que se reflete de forma paradigmática nos impasses da nova comunidade europeia, uma potência industrial e comercial que conseguiu construir uma moeda única mas não dispõe de unidade entre seus capitais financeiros, nem muito menos de um projeto estatal ou militar comum. Essa situação peculiar obscurece os caminhos históricos que deverá assumir a dialética do duplo movimento de Polanyi dentro desses territórios que "encarnaram", mais do que ninguém, no início do século XX, o "princípio", antiliberal e weberiano, da nacionalidade e da territorialidade. O mais provável é que ainda passe muito tempo antes que a Europa possa desafiar coletivamente a supremacia financeira norte-americana, e muito mais tempo para que possa ombrear com o poderio militar dos Estados Unidos. Falta-lhe ainda o Estado capaz de dar o sopro de vida indispensável para que sua moeda deixe de ser um ente meramente virtual. Frente ao Japão, coloca-se ainda o imenso desafio de desfazer-se da tutela americana no momento em que se sente ameaçado pela ascensão do poderio econômico e militar da China. Por isso, o mais provável é que o chamado "princípio da nacionalidade" volte a se manifestar, em face da destruição provocada pelos mercados globalizados, mas se desloque espacialmente e comece a ressurgir nos grandes Estados territoriais – inabsorvíveis pelo princípio liberal – como é o caso da China, Índia, Indonésia, Turquia e a Rússia, que afinal ficou com a tecnologia militar e as armas, mas, sem contar com o capital financeiro, acabou perdendo o seu próprio poder industrial.

Por fim, é na escala inferior da hierarquia econômica e estatal, na zona da periferia econômica e dos Estados sem moedas fortes, que a nova onda liberal e a pressão da finança globalizada chegou de maneira mais forte e opressiva. Nos anos 1970, a crise internacional deixou intocados alguns países que seguiram levando adiante seus projetos desenvolvimentistas, notadamente Brasil e Coreia. Mas, nos anos 1980, depois da crise da dívida externa, a desregulação dos mercados e a submissão das políticas econômicas nacionais se transformaram em regra geral. Ao se chegar à segunda metade da década de 1990, todos os milagres desenvolvimentistas tinham entrado em crise, incluindo o último "milagre econômico" do século XX, que se concentrou no Leste Asiático, exatamente depois do início da crise dos anos 1970. De tal maneira que, na segunda metade da década de 1990, generalizaram-se, dentro da velha periferia do século XIX – com a exceção da China – as baixas taxas de crescimento, a instabilidade crônica, as altas taxas de exclusão social e sinais evidentes de deslegitimação das autoridades e de ingovernabilidade. Fatos que, em conjunto, parecem sugerir que, mais – cedo do que tarde, as pressões sociais acabarão se somando às clássicas reversões nacionalistas que marcaram a manifestação do "duplo movimento" nos antigos territórios coloniais, e mesmo nos velhos países dependentes. Algo diferente já havia ocorrido no caso dos velhos *dominions* ingleses, que depois da sua independência passaram diretamente à tutela norte-americana, como um processo natural e uma herança anglo-saxã, mantendo o seu lugar privilegiado, como espaço preferencial dos investimentos ingleses e norte-americanos. Como disse um economista canadense, e o mesmo

ESTADOS, MOEDAS E DESENVOLVIMENTO

vale para Austrália e Nova Zelândia: "o Canadá não teve outra alternativa a não ser servir de instrumento do imperialismo britânico e, depois, do americano" (INNIS, 1956: 405), como não poderia deixar de ocorrer com um espaço territorial contínuo e situado exatamente entre a Inglaterra e os Estados Unidos. Ao contrário destes casos excepcionais, a maior parte da África Colonial e da velha periferia latino-americana, que já havia entrado em crise nos anos 1960 e 1970, a partir dos anos 1980 foi relegada à condição de espaço de exclusão permanente. Na América Latina as elites econômicas e políticas internacionalizantes dos principais países, com alguns apresentando inclusive experiências desenvolvimentistas bem-sucedidas, optaram, desde a segunda metade dos anos 1980, por uma espécie de retorno ao seu modelo de integração internacional do século XIX, e enfrentam agora uma crise profunda, provocada, em última instância, pelo "moinho satânico" dos seus mercados autorregulados e internacionalizados.

6 Sem moedas nem "coragem e força"

Durante a segunda metade do século XIX foi possível compatibilizar a integração e dependência econômica dos principais países latino-americanos no padrão e no ciclo da economia inglesa, com sua subordinação à supremacia geopolítica regional dos Estados Unidos. No século XX estes países tiveram muito pouca importância na Guerra Fria, mas aceitaram, com total lealdade, a hegemonia norte-americana e foram lugares privilegiados de experimentação da estratégia liberal-desenvolvimentista organizada por seus Estados, aliados ao capital financeiro internacional. O caso do Brasil, nesse sentido, foi exemplar: com exceção de alguns momentos, nos governos Vargas e Geisel, foi possível conciliar, com o apoio norte-americano, o liberalismo internacionalizante de suas elites civis, econômicas e políticas, com o nacionalismo anticomunista de suas elites militares, promovendo uma industrialização com forte participação estatal e ampla "internacionalização do mercado interno".

Foi no início dos anos 1970 que o *establishment* intelectual e administrativo da política externa norte-americana começou a rever sua estratégia com relação ao Terceiro Mundo e seu projeto desenvolvimentista. Não foi uma resposta ao pessimismo que se generalizara, a partir da América Latina, com respeito à eficácia das políticas de desenvolvimento. Foi uma resposta ao questionamento simultâneo do seu poder militar e econômico, expresso, pelo lado militar, como reação à humilhante derrota no Vietnã, e que se prolongou na imprevisão da guerra do Yom Kippur e bem mais tarde nas revoluções da Nicarágua e do Irã. Pelo lado econômico, respondia à proposta de um grupo expressivo de países do Terceiro Mundo favorável à rediscussão da ordem econômica internacional, o que supunha algum grau de redistribuição do poder entre os Estados como condição prévia do sucesso dos projetos de distribuição da riqueza mundial.

Esse processo começou com o sucesso da estratégia da Opep com relação ao aumento dos preços do petróleo, que por sua vez estimulou o aparecimento do Grupo dos 77 e de sua proposta, aprovada pela Sexta Sessão Especial da Assembleia Geral das Nações Unidas em 1974, favorável à criação de uma Nova Ordem Econômica Internacional, que incluía a formação da Unctad e a defesa do direito dos países em desenvolvimento de: 1) criarem associações de produtores; 2) vincularem os preços dos seus produtos de exportação ao movimento dos preços dos produtos industriais que importavam dos países desenvolvidos; 3) nacionalizarem empresas ligadas ao exercício da soberania sobre seus recursos naturais; 4) definirem regras próprias para o funcionamento das multinacionais nos seus territórios. Agrega-se a esta agenda a defesa da necessidade premente de rediscutir o sistema de tarifas e o próprio sistema monetário internacional. Em síntese, uma proposta de reforma global da ordem internacional vigente, que questionava a própria hierarquia de poder que regia as relações interestatais.

A resposta americana foi uma nova estratégia, que proclamou a impossibilidade do desenvolvimento generalizado e passou a priorizar países e regiões. Como dizia na época Robert Tucker, um dos intelectuais da nova estratégia, tratava-se agora de "prestar atenção às reivindicações dos Estados que estão, em virtude de seu poder, em condições de ameaçar a estabilidade internacional e assim a viabilidade do sistema" (1977: 148). Ou como afirmava Tom Farer no *Foreign Affairs,* na mesma linha mas de maneira mais explícita: "mesmo no que diz respeito às questões econômicas, é possível resolver o conflito [com os países em desenvolvimento] não somente porque suas exigências são modestas, mas também porque é pequeno o número daqueles países que há que cooptar [...] acertando-se com as elites governantes de muito poucos Estados. Na África, a Nigéria. Na América Latina, Brasil, Venezuela e talvez México [...]" (1975: 79). O objetivo último da nova proposta era bastante claro: "uma estratégia de compromisso que vise o enfraquecimento dos laços que preservaram até aqui a solidariedade entre os países em desenvolvimento" (TUCKER, 1977: 150).

Foi nos anos 1980, entretanto, a partir da administração Reagan e da sua grande restauração liberal-conservadora, que se criaram as condições econômicas e políticas que permitiram associar esta nova orientação geoeconômica ao projeto simultâneo de abandono do próprio desenvolvimentismo. A "diplomacia do dólar forte" e a falência financeira dos últimos

ESTADOS, MOEDAS E DESENVOLVIMENTO

Estados desenvolvimentistas abriram as portas para a promoção ativa da convergência das políticas econômicas da região. Na segunda metade da década de 1980, a renegociação das dívidas externas permitiu que a estratégia de "cooptação seletiva" se associasse de forma mais clara e definitiva ao projeto de restauração na periferia latino-americana do princípio liberal vigente no século XIX: mercados desregulados, economias abertas e exportadoras e Estados liberais não intervencionistas.

O projeto de liberalização das economias latino-americanas, sintetizado na proposta geoeconômica do Consenso de Washington, durou pouco porque supunha que as reformas liberais somadas a uma política macroeconômica ortodoxa seriam condição suficiente para manter uma entrada abundante e constante do investimento direto estrangeiro, que passaria a ser o carro-chefe do "novo modelo" de crescimento econômico destes países. A crise argentina e seu novo plano de estabilização, em 1990, baseado na dolarização da economia, representou, de fato, um salto de qualidade e uma mudança de rota com relação ao primeiro projeto. Logo depois, a crise mexicana de 1994 e o acordo que garantiu o empréstimo de 40 bilhões de dólares ao país, e alguns anos depois, a crise e o acordo com o FMI e o BIS, que garantiu o empréstimo de 48 bilhões de dólares ao Brasil, acabaram explicitando as novas expectativas das elites liberais e internacionalizantes destes três países. Nos três casos, o que passou a ser proposto, de forma explícita ou implícita, é uma mudança de estatuto com relação à "cláusula" de aceitação da nova ordem liberal. Argentina, México e Brasil estão de fato se propondo a deixar a condição de "mercados emergentes", estimulados pelas propostas norte-americanas do Nafta e da Alca. Na verdade, a nova utopia das elites liberais e internacionalizantes dos três principais países latino-amercianos deixou de ser a simples integração liberal à economia internacional. Ela agora responde pelo nome de *dominion,* e se alimenta de um grande paradigma: "as relações siamesas entre Canadá e Estados Unidos, que são muito extensas mas que têm muito pouco a ver com a situação de gêmeos, para ser exato...[...]" (INNIS, 1952: 238). Apontam nessa direção, ao terminar a década de 1990, várias decisões unilaterais tomadas pelos governos dos três países e todos os acordos internacionais que assinaram a partir de suas crises cambiais. Na prática esses países mantêm formalmente o autogoverno interno, mas compartilham de forma crescente sua gestão com os Estados Unidos, por meio dos seus organismos multilaterais e da *haute finance* americana. Não dispõem de um sistema de crédito e de capital financeiro sob comando nacional e já tomaram várias decisões que caminham, em última instância, na direção da dolarização das suas economias, mesmo quando ela enfrente fortes resistências internas e internacionais. Seu objetivo, agora, é garantir o afluxo de investimentos com que contavam desde o início, mas agora em condições de escassez e alta seletividade por parte dos investidores privados internacionais. Daí a atração exercida pelo sistema do *currency board,* criado exatamente para garantir os capitais de investimento ingleses contra eventuais instabilidades ou idiossincrasias políticas dentro dos seus velhos *dominions.* Por meio do processo de privatizações ou fusões de suas indústrias, bancos e serviços, já alcançaram um avançado grau de transnacionalização de suas economias, e seguem depositando todas suas expectativas de crescimento no aumento da participação dos investimentos externos na sua formação interna de capital. Não contam com a continuidade territorial nem cultural que manteve o Canadá ligado umbilicalmente à Inglaterra e aos Estados Unidos. E tampouco fizeram a conversão estrutural que permitiu ao Canadá passar, no século XX, diretamente, da agricultura para a indústria sob o comando dos mesmos capitais financeiros anglo-saxões.

Esse é hoje o projeto em que apostam, de forma explícita ou implícita, as elites internacionalizantes da Argentina, México e Brasil. Um projeto que não seria impossível, se pensado apenas num plano abstrato ou "teórico" que desconhecesse completamente a história e as condições objetivas desses países. Mas que se defronta com grandes obstáculos reais, situados dentro e fora da própria região. Começando, exatamente, pelo problema da relação das moedas locais com o sistema monetário internacional. Hoje, ao contrário do século XIX, os Estados Unidos não se submetem e não aceitam nenhum tipo de padrão monetário ou regra cambial que entre em conflito com os seus próprios interesses econômicos e estratégicos. Como, por outro lado, a economia dos três candidatos a *dominion* não tem condições de suportar, no longo prazo, um sistema cambial flutuante, lhe acabarão restando sempre e apenas duas alternativas-limites: adotar o sistema do *currency board* dos velhos *dominions,* ou a troca direta da moeda local pelo dólar. Os Estados Unidos rejeitam esta última hipótese de dolarização porque não têm condições, no momento, de arcar com a responsabilidade da estabilização monetária e do equilíbrio orçamentário de sociedades que ainda são democráticas e podem, portanto, escapar do seu controle centralizado, mas não colonial. Mas uma parte expressiva do *establishment* de Washington não se opõe, pelo contrário, ao sistema do *currency board.* Nesse caso, o volume do crédito interno e a variação das taxas de juros ficam condicionados pelo volume ou escassez dos recursos externos que entrarem nos três países. Trata-se, na prática, de um simulacro do padrão-ouro que mantém a possibilidade de desenvolvimento do país totalmente dependente do movimento internacional de capitais, deixando seus governos completamente indefesos frente a eventuais crises nos mercados financeiros globais. Este será também o limite de qualquer outra solução inter-

ESTADOS, MOEDAS E DESENVOLVIMENTO

mediária e transitória como seria o caso do modelo chamado de "target inflation" adotado, uma vez mais, pelo Canadá, Nova Zelândia e Austrália e em experimentação no México. Mantém, em última instância, a mesma restrição dos outros dois modelos mas com um maior grau de fragilidade e sensibilidade frente a variações nos fluxos de capitais, tendo menor capacidade de assegurá-los contra os efeitos das mudanças cambiais. Não por acaso só foi adotado pelos velhos *dominions* ingleses um século mais tarde.

No caso de adoção de quaisquer dessas "soluções" cambiais, a única resposta a crises do tipo das que ocorreram em 1997 e 1998 será sempre a recessão, de forma a reduzir a produção e o emprego internos até o nível requerido pela manutenção do equilíbrio externo, dada a oferta de capitais do momento. Por isso, como no caso do padrão-ouro, o funcionamento deste "modelo de desenvolvimento" requer o isolamento dos seus administradores com relação a qualquer tipo de demanda ou reivindicação internas, o que supõe a despolitização radical das relações econômicas, o enfraquecimento dos sindicatos, a fragilização dos partidos políticos e dos parlamentos, e, finalmente, a redução da vida democrática ao mínimo indispensável. Nesse sentido, coloca-se novamente o dilema identificado por Polanyi e desenvolvido por Eichengreen: nesses casos, como ocorreu no século XIX, ou se limita a mobilidade dos capitais ou a democracia. Um dilema muito mais difícil de ser enfrentado agora do que foi há um século, porque nesses cem anos, como previra Polanyi, alargaram-se os sistemas políticos e o crescimento das grandes metrópoles aumentou geometricamente o potencial de resistência social a ser atropelada por uma estratégia monetária e orçamentária que reduz, inevitavelmente, as expectativas de mobilidade social da população. Dentro da camisa de força do sistema de *currency board,* os países que o adotam estarão condenados a ter ciclos muito curtos de baixo crescimento, a menos que se transformem, como no caso dos *dominions* ingleses do século passado, em lugar privilegiado e permanente de alocação maciça dos investimentos orientados pelo capital financeiro internacional. Uma hipótese difícil de sustentar porque, ao contrário da relação dos velhos *dominions* com a sua metrópole inglesa, no caso dos três novos candidatos à condição de *dominions* norte-americanos, não existe complementaridade mas competição entre suas estruturas produtivas, o que coloca no caminho do projeto os interesses internos da sociedade americana, que já se opôs ao Nafta e impõe permanentes barreiras protecionistas contra os produtos de exportação brasileiros e argentinos. O que é ainda mais importante do ponto de vista das restrições "externas" a tal projeto, é a própria natureza distinta do capital financeiro neste final do século XX, constituído, em grande parte, por fundos de investimento, cujos porta-fólios são permanentemente reavaliados pelos mercados. Eles buscam aplicações com a maior rentabilidade possível e com liquidez a curto prazo, o que é completamente incompatível com as necessidades de infraestrutura e serviços básicos das economias dos novos *dominions*. Por isso mesmo, tampouco é provável que esse capital financeiro deambulante construa economias complementares ou divisões internacionais de trabalho consistentes e duradouras.

No padrão-ouro a periferia atuava como uma espécie de "variável de ajuste" dos países centrais, hoje o capital financeiro vai de um mercado emergente a outro sem construir pontes sólidas e caminhos duradouros. A forma como se deu a expansão dos investimentos durante o padrão-ouro acompanhou os espaços hierarquizados do *imperium* e foi constituindo uma divisão territorial do trabalho que acabava funcionando, em alguns casos, como uma máquina complementar e permanente de crescimento. Hoje, o capital financeiro diluiu e flexibilizou ao máximo as fronteiras variáveis dos seus territórios econômicos, passando de um a outro país e região mundial sem se propor nenhuma fixação mais permanente, muito menos qualquer tipo de projeto "civilizatório" para a periferia do sistema.

Qual o limite desse projeto, até onde pode ir, e como se dará o "segundo movimento" de Polanyi dentro dessa nova onda expansiva da crença "quase religiosa" nos mercados autorregulados, combinada com a crença quase ingênua no comportamento benevolente do poder hegemônico ou imperial? O que é certo é que esse projeto, ao menos quanto às condições mencionadas, é rigorosamente incompatível com um ritmo acelerado e sustentado de crescimento econômico. Por outro lado, ele é perfeitamente compatível com o aumento da riqueza privada de burguesias que sempre foram "voláteis" e podem se adaptar, portanto, com enorme facilidade, a uma nova condição, que seria inevitavelmente a do rentismo.

Nessa nova "civilização liberal", contudo, aumenta a velocidade com que os "mercados autorregulados" vão destruindo "os interesses da sociedade como um todo". E como isso ocorre sob um patamar muito mais elevado de desenvolvimento das forças produtivas e das necessidades sociais, também seus efeitos tendem a ser mais rápidos e violentos. Nesse sentido, ao contrário do que sonhara Smith, esse projeto, do ponto de vista das nações, torna mais fracos e não mais fortes os habitantes desses países, de forma que seus povos tendem a se afastar cada vez mais daquela "igualdade de coragem e força", que, segundo ele, seria capaz de intimidar a injustiça dos demais Estados. Nesse sentido, se Polanyi tiver razão, e a lição liberal do século XIX transcender sua própria época, o que se deve esperar é que também se apressem e intensifiquem as manifestações próprias do que ele chamou de "segundo movimento", que se manifestará pelo lado da demanda e da proteção social dos que vão ficando sem emprego nem subsistência. Mas, nesse caso, as pressões que vieram no século XIX pelo lado do "princí-

ESTADOS, MOEDAS E DESENVOLVIMENTO

pio da nacionalidade" deverão se apoiar nessas mesmas forças sociais. Porque já agora, em condições de crise cambial, o refluxo econômico deverá, uma vez mais, apontar na direção da substituição de importações, mas esta será apenas uma mera reação de mercado, se não contar com uma estratégia social de poder que aponte na direção democrática do fortalecimento da produção e da sociedade que segue contida pelas fronteiras territoriais do Estado nacional. A forma em que isso ocorrerá, entretanto, em um mundo onde segue em plena expansão o poder dos interesses e das redes liberalizantes, é uma incógnita. Mas esse é o ponto em que o enigma teórico se transforma em um problema que só pode ser resolvido no campo da luta política.

REFERÊNCIAS

ARON, R. (1962). *Paix et Guerre entre les Nations.* Paris: Calman-Lévy.

BUKHARIN, N. (1984). *A economia mundial e o imperialismo.* São Paulo: Abril Cultural.

CARR, E.H. (1946). *The Twenty Yearscrisis*: An Introduction to the Study of International Relations. Londres: MacMillan.

GFARER, T. J. (1975). "The United States and the Third World: a basis for accomodation". *Foreign Affairs,* n. 54, october.

GUZZINI, S. (1998). *Realism in International Relations and International Political Economy.* Nova York: Routledge.

FIORI, J.L. (1998). O poder e o dinheiro: uma hipótese e várias lições. In: FIORI, J.L. et al. *A globalização. O fato e o mito.* Rio de Janeiro: Eduerj.

_____ (1997). Globalização, hegemonia e império. In: TAVARES, M.C. e FIORI, J.L. *Poder e dinheiro* – Uma economia política da globalização. Petrópolis: Vozes.

HARRIS, S. (1947). *The New Economics.* Nova York: Knopf.

HERZ, J. (1950). Idealist internationalism and the security dilemma. In: *World Politics II*, p. 157-180.

HILFERDING, R. (1985). *O capital financeiro.* São Paulo: Nova Cultural.

HUNTINGTON, S. (1999). "The lonely superpower". *Foreign Affairs,* vol. 78, n. 2, march/april.

HIRSCH, P. & THOMPSON, G. (1996). *Globalization in Question*. Londres: Polity Press [Há tradução brasileira, *Globalização em questão*. Petrópolis: Vozes].

HAMILTON, A. (1996). Report on Manufactures. In: GODDARD, C. et al. *International Political Economy*. Boulder: Lynne Rienner Publishers.

HARROD, R. (1951). *The Life of John Maynard Keynes*. Nova York: Macmillan.

HELLEINER, E. (1994). *States and the Reemergence of Global Finance from Bretton Woods to the 1990s*. Ithaca: Cornell University Press.

KEYNES, J.M. (1983). *Teoria geral do emprego, do juro e da moeda*. São Paulo: Abril Cultural.

_____ (1943). *Proposals for an International Clearing Union*. [s.l.]: [s.e.].

KINDLEBERGER, C. (1973). *The World in Depression, 1929-1939*. Berkeley: University of California Press.

KISSINGER, H. (1957). *A World Restored*. Boston: Houghton Mifflin.

LENIN, V.I. (1979). Imperialismo, fase superior do capitalismo. In: *Obras escolhidas*. São Paulo: Editora Alfa-Omega.

MCKEOWN, T.J. (1983). "Hegemonic stability theory and 19th century tariff levels in Europe". *International Organization*, vol. 37, n. 1, winter.

MORGENTHAU, H. (1948). *Politics Among Nations*: The Struggle for Power and Peace. Nova York: Knopf.

POLANYI, K. (1980). *A grande transformação*. Rio de Janeiro: Campus.

RICARDO, D. (1982). *Princípios de economia política e tributação*. São Paulo: Abril Cultural.

ROGOWSKI, R. (1983). "Structure, growth and power: three rationalist accounts". *International Organization*, vol. 37, n. 4, winter.

RUSSET, B. (1985). "The mysterious case of vanishing hegemony or, is Mark Twain really dead ?" *International Organization*, vol. 39, n. 2, spring.

SMITH, A. (1984). *Investigação sobre a natureza e as causas da riqueza das nações*. São Paulo: Abril Cultural.

SNIDAL, D. (1985). "The limits of hegemonic stability theory". *International Organization*, vol. 39, n. 4, autumn.

SRAFFA, P. (1955). *The Works and Correspondence of David Ricardo*. Cambridge University Press.

STEIN, A. (1984). "The hegemon's dilemma: Great Britain, the United States, and the international economic order". *International Organization*, vol. 38, n. 2, spring.

STRANGE, S. (1987). "The persistent myth of lost hegemony". *International Organization*, vol. 41, n. 4, autumn.

TAVARES, M.C. & FIORI, J.L. (1997). *Poder e dinheiro* – Uma economia política da globalização. Petrópolis: Vozes.

TUCKER, R. (1980). *De l'Inégalité des Nations*. Paris: Economica.

WALTER, A. (1993). *World Power and World Money*. Londres: Harvester, Wheatsheaf.

WEBER, M. (1982). El Estado nacional y la política económica alemana. In: *Escritos políticos*. México: Folios Ediciones.

_____ (1982). Estado Nacional y Política Económica. In: *Escritos políticos*. México: Folio Ediciones.

_____ (1968). *Historia geral da economia*. São Paulo: Mestre Jou.

Luiz Gonzaga Belluzzo

Finança global e ciclos de expansão*

1 A controvérsia sobre o capital financeiro

Esse artigo tem o propósito de discutir o papel desempenhado no processo de desenvolvimento capitalista pelos diversos "sistemas" monetários e pela transformação dos mercados financeiros internacionais. O período escolhido vai desde o padrão-ouro e das finanças liberalizadas do final do século XIX até o atual arranjo com taxas flutuantes de câmbio e crescente liberalização financeira. Não há nenhuma pretensão de se proceder a um estudo exaustivo da questão ao longo da história do capitalismo. Trata-se tão somente de, apoiado nos trabalhos históricos existentes, tentar investigar em que medida os vários arranjos monetários e financeiros, em sua evolução, favoreceram determinadas orientações do desenvolvimento capitalista e influíram na morfologia de seus ciclos de expansão e das crises.

Com a modéstia requerida no tratamento de tema tão complexo e controvertido, vou partir de Giovanni Arrighi que, em seu livro *O longo século XX* (1996) sustenta que "o capitalismo financeiro não foi um novo rebento da década de 1900", mas que a sua predominância é o *sinal de outono* dos grandes desenvolvimentos capitalistas. Ao mesmo tempo, Arrighi contrasta as teorias sobre o capital financeiro elaboradas por Hilferding e Hobson. Pretende demonstrar que Hilferding trata, na verdade, de uma forma particular de capitalismo financeiro, o capitalismo monopolista de Estado, que corresponderia a "um quadro bastante exato das estratégias e estruturas de capital alemão do final do século XIX e início do século XX". Já Hobson

---

* Este texto está amplamente apoiado em trabalhos anteriores do autor, todos mencionados em notas de rodapé subsequentes.

"capta os aspectos essenciais da estratégia e da estrutura do capital britânico no mesmo período. Como tal, é muito mais útil que a (concepção) de Hilferding na análise da expansão financeira do fim do século XIX".

No início da década de 1980, a professora Maria da Conceição Tavares e eu arriscamos algumas notas (TAVARES & BELUZZO, 1980) sobre o conceito de capital financeiro em Marx, bem como sobre as contribuições já mencionadas de Hilferding e Hobson. Nosso objetivo, então, era avaliar – à luz do ciclo de internacionalização financeira que estava prestes a se esgotar – o que, nesses autores, seria capaz de iluminar as atuais transformações do capitalismo.

Começamos afirmando que Marx não paralisou sua investigação no momento em que termina a decomposição dos elementos que constituem o modo de produção capitalista, mas desdobrou analiticamente as possibilidades de que estas *formas* tivessem uma evolução histórica *numa direção determinada*. Assim, na lei geral da acumulação capitalista estão estruturalmente implícitas as necessidades de concentração e centralização dos capitais, comandada por meio da ampliação e da autonomização crescentes do capital a juros, ou seja, com o predomínio cada vez maior do sistema de crédito sobre as órbitas mercantil e produtiva. O capital a juros nasce, portanto, da necessidade de perpétua expansão e valorização do capital para além dos limites de seu processo mais geral e elementar de circulação e reprodução. Para revolucionar periodicamente a base técnica, submeter massas crescentes de força de trabalho a seu domínio, criar novos mercados, o capital precisa existir permanentemente de forma "livre" e líquida e, ao mesmo tempo, crescentemente centralizada. Apenas dessa maneira pode fluir sem obstáculos para colher novas oportunidades de lucro e, concomitantemente, reforçar o poder do capital industrial imobilizado nos circuitos prévios de acumulação. Daí as análises da concorrência, do crédito e, portanto, do processo de concentração e centralização do capital constituírem a parte mais rica e substantiva da investigação marxista sobre a evolução do sistema capitalista e suas metamorfoses.

A autonomização do capital-dinheiro sob a forma de capital a juros e a correspondente expansão do sistema de crédito são os elementos que permitem entender a centralização do capital e a fusão de interesses entre os bancos e a indústria. A modalidade de organização capitalista que historicamente concretiza essa fusão de interesses é a sociedade anônima, cujo caráter "coletivista" se sobrepõe aos capitais dispersos e, ao mesmo tempo, reforça sua rivalidade. Representa, nas palavras de Marx (1996), a "abolição da indústria privada capitalista dentro do próprio regime capitalista de produção". O controle da riqueza sob a forma *líquida* é que permite ao sistema de crédito impor o seu *comando* sob todas as outras formas de riqueza.

FINANÇA GLOBAL E CICLOS DE EXPANSÃO

Partindo dessa análise de Marx, Hilferding (1981) constrói o conceito de *capital financeiro*, realizando um duplo movimento. De um lado, propõe uma formulação geral que se destina a caracterizar uma etapa mais avançada da concentração de capitais. Esta etapa é mais avançada porque o desenvolvimento da capacidade de mobilização dos capitais, por meio de novas formas de associação (cartéis e trustes), também se transforma em uma força de supressão das barreiras tecnológicas e de mercado, que nascem do próprio processo de concentração – em particular daquelas que decorrem do aumento das escalas de produção com imobilização crescente de grande massas de capital fixo.

Os grandes bancos que participam da constituição e gestão do capital das grandes empresas estão interessados na supressão da concorrência entre elas, e, portanto, em reforçar seu caráter monopolista.

Mas, ao fazer isso, estimulam a busca de novos mercados, provocando um acirramento da rivalidade entre blocos de capital e originando, inclusive, uma internacionalização crescente da concorrência intercapitalista. Esta análise tem, evidentemente, caráter geral e não se prende, apenas, à descrição morfológica do capitalismo monopolista alemão. Não há dúvida de que uma outra parte de sua investigação diz respeito à forma específica de associação entre os bancos e as grandes empresas, que deu origem aos grandes cartéis alemães. E específica, sobretudo, diante do papel que os bancos alemães desempenharam como comandantes da maquinaria monopolista. A presença desse duplo movimento analítico na obra de Hilferding levou alguns autores, Sweezy entre eles, a confundir o caráter morfológico particular do cartel alemão, no que se refere à fusão de interesses entre o capital bancário e o capital industrial, sob a hegemonia do primeiro, com a questão mais geral e central do papel do capital financeiro no processo de monopolização.

Hobson, em seu livro clássico, *The Evolution of Modem Capitalism* (1965), cuja primeira edição é do final do século XIX, desenha os contornos teóricos do assim chamado capitalismo trustificado. Essa forma "moderna" assumida pelo capitalismo foi desenvolvida a partir das modificações ocorridas na economia americana na virada do século. Os resultados das transformações observadas bem merecem a qualificação de "capitalismo moderno", sobretudo no sentido de que o surgimento e o desenvolvimento da grande corporação americana se constituem no embrião nacional do posterior desdobramento transnacional do grande capital.

Não poucas vezes têm sido ressaltadas, para explicar o atual predomínio da economia americana, as vantagens ...cnológicas de seu sistema manufatureiro *vis-à-vis* o complexo industrial europeu. Com o mesmo propósito alguns autores apontam para a natureza continental do espaço econômico americano. Mais recentemente a ênfase tem sido colocada na morfologia multidivisional da corporação norte-americana.

Hobson, da mesma maneira que Hilferding, acentuou corretamente o papel do capital financeiro para explicar o surgimento da grande empresa americana e o caráter de sua hegemonia futura. No capítulo X, "The Financier", Hobson aponta magistralmente os elementos básicos que, ainda hoje, podem ser considerados essenciais na estruturação econômica do grande capital monopolista.

As mudanças radicais operadas na organização industrial da grande empresa vão se fazer acompanhar do aparecimento de uma "classe financeira", o que tende a concentrar nas mãos dos que operam a máquina monetária das sociedades industriais desenvolvidas, isto é, dos grandes bancos, um poder crescente no manejo estratégico das relações intersticiais (intersetoriais e internacionais) do sistema. Assim, diz Hobson, "a reforma da estrutura empresarial à base do capital cooperativo, mobilizado a partir de inúmeras fontes privadas e amalgamado em grandes massas, é utilizada em favor da indústria lucrativa por diretores competentes das grandes corporações". Como se vê, Hobson coloca o acento na "classe financeira" enquanto comandante estratégica da grande empresa e não no fato de que estejam os bancos comprometidos com a gestão direta da empresa industrial. Em sua perspectiva, a solidariedade entre bancos e empresas se fazia simplesmente por meio da "comunidade de negócios", já que, por sua forma peculiar de estruturação, a moderna companhia americana tinha se tornado virtualmente possuidora de todo o espectro de atividades estratégicas do capitalismo: minas, transporte, banco e manufaturas.

Na verdade, o que distingue essa forma de capital financeiro das que a precederam historicamente é o caráter universal e permanente dos processos especulativos e de criação contábil de capital fictício, práticas ocasionais e "anormais" na etapa anterior do "capitalismo disperso". A natureza intrinsecamente especulativa da gestão empresarial, nessa modalidade de "capitalismo moderno", traduz-se pela importância crescente das práticas destinadas a ampliar "ficticiamente" o valor do capital existente, tornando necessária a constituição de um enorme e complexo aparato financeiro. Segundo Hobson, uma companhia honesta costuma atribuir um valor separado aos ativos tangíveis – terra, edifícios, maquinaria, estoques etc. – e aos ativos não tangíveis; como patentes, marca, posição no mercado etc. No entanto, a estimativa real do valor dos ativos é efetivamente calculada a partir de sua capacidade de ganhos. Se os ativos tangíveis podem ser avaliados pelo seu custo de produção ou reposição, aqueles de natureza não tangível só podem sê-lo por meio de sua capacidade líquida de ganho. Esta, por sua vez, só pode ser estimada como o valor capitalizado da totalidade

FINANÇA GLOBAL E CICLOS DE EXPANSÃO

dos rendimentos futuros esperados, menos o custo de reposição dos ativos tangíveis. E aqui, neste último elemento (ativos não tangíveis), que reside a elasticidade do capital, comumente utilizada pela "classe financeira" para ampliar a capitalização para além dos limites da capacidade "real" de valorização. Dessa forma, a capacidade putativa de ganho de uma grande companhia, independentemente de como seja financiada, repousa fundamentalmente no controle dos mercados, na força de suas armas de concorrência, e é, portanto, mesmo amparada em métodos avançados de produção, altamente especulativa em seu valor presente.

Ao ressaltar o elemento especulativo da finança moderna, Hobson adverte, no entanto, para o fato de que a "classe financeira" só especula nos mercados de capitais ou de dinheiro com os ganhos excedentes que resultam de suas práticas monopolistas em negócios bem-administrados (industriais ou mercantis) ou, então, com os resultados acumulados de suas bemsucedidas especulações passadas. Entre estas incluem-se tanto as praticadas nos mercados de capitais quanto as exercidas por meio da manipulação de preços das mercadorias, em particular de matérias-primas sob seu controle. A ampliação e consolidação dessas práticas, do ponto de vista do conjunto da economia monopolista, só pode ter livre curso com o alargamento do crédito. "Quando nos damos conta do duplo papel desempenhado pelos bancos no financiamento das grandes companhias, primeiramente como promotores e subscritores (e frequentemente como possuidores de grandes lotes de ações não absorvidas pelo mercado) e, em segundo lugar, como comerciantes de dinheiro – descontando títulos e adiantando dinheiro – torna-se evidente que o 'negócio' do banqueiro moderno é a gestão financeira geral (*general financier*) e que a dominação financeira da indústria capitalista é exercida fundamentalmente pelos bancos." E, à medida que o crédito vai se tornando a força vital dos negócios modernos, a classe que controla o crédito vai se tornando cada vez mais poderosa, tomando para si – como seus lucros – uma proporção cada vez maior do produto da indústria.

A predominância do financeiro na organização do capitalismo monopolista apenas demonstra que a autonomização do capital a juros, referida por Marx, acaba-se resolvendo no comando sobre o capital produtivo, independentemente da forma particular que esse comando possa assumir ou da forma morfológica que a grande empresa venha a adotar em suas estratégias de expansão. A função "corruptora" do capital a juros, vislumbrada por Marx em sua imagem do Moloch e concretizada no processo de fazer dinheiro a partir do dinheiro, prescindindo de qualquer mediação do capital produtivo, é também ressaltada por Hobson. A "classe financeira", enquanto classe distinta dos capitalistas e dos investidores "amadores", utiliza sua função legítima e profícua de direção da parte mais importante dos fluxos de capital para desenvolver métodos de ganho privado, todos eles "um abuso e uma corrupção de sua verdadeira função".

2 O padrão-ouro clássico e finança global no século XIX

Hobson e Hilferding escrevem entre o final do século XIX e o começo do XX. Ambos realizam as suas observações sobre um capitalismo financeiro que se desenvolve sob as normas do padrão-ouro. Na verdade, seria correto afirmar que o padrão-ouro clássico foi a *organização monetária* do apogeu da Ordem Liberal Burguesa. Isto quer dizer que ele se apresentava como a forma "adequada" de coordenação do arranjo internacional que supunha a coexistência de forças contraditórias: 1) a consolidação da hegemonia financeira inglesa, exercida por meio de *acceptances houses* e dos bancos de depósitos; 2) a exacerbação da *concorrência* entre a Inglaterra e as "novas" economias industriais *dos trustes e da grande corporação,* nascidos na Europa e nos Estados Unidos; 3) a exclusão das massas trabalhadoras do processo político (inexistência do sufrágio universal); e 4) a constituição de uma periferia "funcional", fonte produtora de alimentos, matérias-primas e, sobretudo, *fronteira de expansão dos sistemas de crédito dos países centrais.*

A combinação desses fatores levou a um prolongado declínio dos preços – a Grande Depressão do período 1873/1896 – e, ao mesmo tempo, a uma notável expansão do comércio e da produção. Na passagem do Oitocentos para o Novecentos, o auge do comércio internacional expressou-se no crescimento espetacular do volume e do valor das exportações mundiais, bem como na diversificação das mercadorias envolvidas no intercâmbio "global" e na incorporação de novas áreas periféricas, especializadas na produção de alimentos e matérias-primas. Esse auge foi impulsionado, no centro, por importantes inovações nos métodos de produção e pelo surgimento de novos produtos, acompanhados de significativas alterações nas escalas de produção. Essas transformações foram amparadas por uma forte expansão das transações financeiras internacionais, o que engendrou um intenso processo de concentração bancária na Inglaterra e, ao mesmo tempo, suscitou o aparecimento de novos centros financeiros dispostos a concorrer com Londres. Arrighi aponta corretamente para a *intensificação da concorrência* – entre os sistemas empresariais e financeiros da industrialização originária e aqueles recém-constituídos sob a forma monopolista – como o fator capaz de explicar a aparente contradição, apontada por alguns estudiosos, entre a deflação prolongada de preços e a rápida acumulação de capital.

FINANÇA GLOBAL E CICLOS DE EXPANSÃO

O florescimento da finança internacional, como em todos os ciclos de crédito, estava primordialmente amparado no crescimento dos negócios do desconto de letras de câmbio, originárias de compra e venda de mercadorias. Em seu desenvolvimento, porém, o sistema financeiro internacional liderado pela Inglaterra foi ampliando suas demais funções, como as de emissão e negociação de títulos de dívida, soberanos ou privados, concessão de avais e recebimento de depósitos de governos estrangeiros. Londres manteve até às vésperas da Primeira Guerra a sua posição de liderança na emissão de títulos dos países da periferia.

O economista italiano Marcello De Cecco, em seu livro clássico *Moneta e Impero* (1979), mostra que, entre 1870 e 1890, havia um predomínio incontrastado de Londres como centro de intermediação financeira. Essa superioridade da City iria ser contestada por Paris e Berlim nas duas décadas que antecederam a Primeira Guerra Mundial.

A liderança do sistema financeiro inglês estava assentada no grande desenvolvimento dos bancos de depósito, o que havia permitido a Londres assegurar-se do financiamento do comércio de todo o mundo. Segundo De Cecco, a Inglaterra possuía, então, todos os requisitos para o exercício desta função de "financiadora do mundo": a moeda nacional, a libra era reputada a mais sólida entre todas e, por isso, mantinha uma sobranceira liderança enquanto intermediária nas transações mercantis e como instrumento de denominação e liquidação de contratos financeiros. O rápido crescimento e a impressionante concentração dos bancos de depósito colocavam à disposição esta *matéria-prima* para o desconto de cambiais emitidas em vários países.

Impulso decisivo para o avanço da *globalização* financeira daqueles tempos foi dado, em boa medida, pelo crescente endividamento dos países da periferia e da semiperiferia do sistema, obrigados a tomar empréstimos nas praças financeiras mais importantes com o propósito de sustentar a conversibilidade de suas moedas. Isso porque os problemas de balanço de pagamentos eram recorrentes, normalmente associados a perdas nas relações de troca ou às flutuações periódicas no nível de atividades nos países centrais. As economias periféricas funcionavam, na verdade, como áreas de expansão comercial e financeira dos países centrais nas etapas expansivas do ciclo e como uma "válvula de segurança" para o ajustamento das economias desenvolvidas nas fases de contração.

O período situado entre 1880 e a eclosão, em 1914, da Primeira Grande Guerra, foi pródigo na produção de episódios de instabilidade cambial e financeira na periferia. Eram tão frequentes os ataques desferidos contra as paridades estabelecidas *legal ou informalmente* entre moedas fracas e o ouro, quanto as súbitas e pronunciadas quedas de preços dos títulos de dívida emitidos pelos governos, bancos e empresas localizados em países da periferia ou semiperiferia capitalista, onde estavam incluídos países como a Rússia, a Itália e o Império Austro-Húngaro.

Mesmo os Estados Unidos, uma economia em rápida ascensão, poderoso competidor nos mercados mundiais de alimentos, matérias-primas e manufaturados, eram frequentemente afetados por severas crises financeiras e cambiais, dada a sua posição devedora e a reputação, na melhor das hipóteses, duvidosa de Nova York como praça financeira internacional. Colapsos de preços dos títulos e corridas bancárias sucederam-se na posterioridade da Guerra Civil. Os Estados Unidos voltaram ao padrão-ouro em 1879 e logo depois, em 1894, sofreram as consequências de uma grave crise financeira, o que se repetiria mais tarde, entre 1893/1897, para culminar com o famoso episódio de 1907.

A acumulação de estoques respeitáveis de dívida externa naturalmente gerava um contrafluxo, da periferia para o centro, correspondendo aos pagamentos dos juros, cuja periodicidade era fixada contratualmente. Essa circunstância permitia, aos profissionais da arbitragem, a determinação do momento em que haveria uma concentração de compras de moeda estrangeira, da parte daqueles países com dificuldades para cobrir as necessidades de financiamento de seu balanço de pagamentos. As nações devedoras e deficitárias estavam, portanto, condenadas a defender, na maioria das vezes, em vão, a conversibilidade das suas moedas em relação ao ouro.

Enquanto isso, os que faziam arbitragem internacional, não raro os mesmos que emprestavam em divisa forte, transformavam-se em especuladores, tratando de tomar pesadas posições contra as moedas "fracas", tanto nos mercados à vista quanto em operações a termo. O risco de perdas era pequeno, já que o controle das informações permitia não só calcular antecipadamente as necessidades de financiamento dos países periféricos, como influenciar a "opinião" dos mercados, que se convenciam da situação de fragilidade dos devedores.

A especulação contra as moedas dos devedores habituais, na maioria das vezes, não se fazia diretamente nos mercados cambiais. Concentravam-se nos mercados de títulos da dívida externa, em geral nas praças financeiras em que a dívida da periferia era avaliada e negociada. As crises cambiais geralmente eram desencadeadas por uma venda em massa dos papéis "condenados". A queda pronunciada no preço dos títulos provocava pânico nos detentores "nacionais" da dívida soberana, que, ao tentar liquidar suas posições, automaticamente "vendiam" a moeda local. A perspectiva iminente de desvalorização e provável declaração de inconversibilidade da moeda sob ataque precipitavam vendas adicionais da divisa fraca.

FINANÇA GLOBAL E CICLOS DE EXPANSÃO

Como já afirmamos em outra ocasião (BELUZZO, 1997), o suposto automatismo do *price-specie-flow mechanism,* que deveria comandar os ajustamentos do balanço de pagamentos, era, na verdade, um produto da crença dos que controlavam a riqueza financeira no firme comprometimento dos bancos centrais com a defesa das paridades. Estamos falando, naturalmente, das instituições que integravam o núcleo industrializado do capitalismo, sob a liderança do Banco da Inglaterra.

No auge dos ciclos, quando as saídas de ouro ameaçavam colocar sob tensão o balanço de pagamentos, os banqueiros centrais elevavam as taxas de desconto, confiantes na atuação cooperativa de seus pares. A medida destinava-se a restringir a liquidez doméstica e atrair capital estrangeiro, evitando a saída de ouro. Por isso, as expectativas dos mercados financeiros e os movimentos de capitais eram, em geral, "estabilizadores" e convergentes com a ação dos bancos centrais na defesa das paridades. Os capitais faziam "arbitragem", buscando os mercados nacionais onde os ativos prometiam ficar mais baratos e ofereciam a possibilidade de uma recuperação mais rápida dos preços.

É claro que este arranjo – entre as convenções dos mercados e a ação dos responsáveis pela gestão monetária – favorecia a sucessão periódica dos ciclos de negócios, provocando ajustamentos deflacionários, com seu séquito de liquidação de ativos e crises bancárias. Aliás, as políticas econômicas se reduziam à política monetária e esta estava primordialmente voltada para a defesa do valor externo das moedas e, às vezes, empenhada em evitar colapsos bancários. O estado de convenções que prevalecia sob o padrão-ouro disseminou entre os proprietários de riqueza e até mesmo entre as classes trabalhadoras a convicção de que os ajustamentos deflacionários eram não só naturais e incontornáveis, como benéficos ao funcionamento da economia.

Não havia, portanto, espaço, nem instrumentos fiscais e monetários para a execução de políticas destinadas a anular ou mesmo atenuar os demais efeitos provocados por uma reversão mais aguda do ciclo.

A etapa depressiva do ciclo eliminava o excesso de capital e de capitalistas, ao desvalorizar os ativos, deprimir os preços e salários e incrementar a insolvência. Esses movimentos de preços e suas consequências sobre a distribuição da riqueza estimulavam o *processo de centralização dos capitais e a valorização dos saldos monetários,* criando as condições para o início de uma nova fase de recuperação da economia.

Esses ajustamentos, já foi dito, eram muito mais dramáticos na periferia, onde as reversões cíclicas vinham acompanhadas de quedas de preços dos produtos primários, crise aguda do balanço de pagamentos e, muito frequentemente, do abandono do padrão-ouro.

Nos auges cíclicos, Londres, Paris e Berlim coordenavam as respectivas políticas monetárias, elevando a taxa de desconto, com o propósito de evitar as saídas de ouro. Beneficiavam-se, assim, da queda dos preços das matérias-primas e dos alimentos e de um influxo positivo de capitais de curto prazo, absorvendo a liquidez mundial, fatores que amorteciam a fase descendente do ciclo. Os movimentos de capitais, da periferia para o centro, eram "estabilizadores" e os ajustes de preços relativos "virtuosos" para as economias industrializadas.

3 Policentrismo financeiro e colapso do padrão-ouro

Não foram poucos os estudiosos que viram a empreitada de ressuscitar o padrão-ouro na década dos 1920 como uma tentativa de "fazer o relógio andar para trás". A Grã-Bretanha havia perdido a liderança financeira para os Estados Unidos, uma economia continental que ainda não podia desempenhar o mesmo papel "internacional" da sua predecessora. Além disso, a rivalidade entre as grandes potências industriais havia se acentuado, as massas trabalhadoras foram despertadas durante a guerra para a sua importância social e política e, finalmente, como é óbvio, havia se dissipado o clima de cooperação entre os bancos centrais, o qual permitira o bom funcionamento do padrão-ouro.

Nos escritos que sucederam a paz de Versalhes e antecederam a crise de 1929, Keynes tentou explicar, de um ponto de vista britânico, que os pressupostos acima mencionados da Ordem Liberal Burguesa não mais subsistiam e que a insistência em tentar reanimá-los só daria sustentação e fôlego à instabilidade e à desordem monetária e financeira.

O *Treatise on Money* é uma tentativa, bastante bem-sucedida, de definir os problemas de administração da moeda em uma situação histórica em que os constrangimentos internacionais começam a impor suas razões, de forma assimétrica, à ação dos bancos centrais. Esse fenômeno, muito conhecido pelos administradores da moeda nos países da periferia, começou a incomodar os colegas mais ilustres das economias industrializadas. Keynes adverte que o grau em que uma economia, individualmente, é capaz de, ao mesmo tempo, manter as condições de estabilidade interna e o equilíbrio de sua posição internacional, depende de seu *poderio financeiro*.

Depois da Primeira Guerra, diz ele, a França e os Estados Unidos estavam em condições de ignorar o seu desequilíbrio externo por um longo período de tempo, em proveito de sua estabilidade interna, enquanto a Grã-Bretanha podia ser tomada como exemplo de um país que estava obrigado a conceder atenção prioritária à situação externa de sua economia, em detrimento do desempenho doméstico.

FINANÇA GLOBAL E CICLOS DE EXPANSÃO

Ao realçar a importância do *poderio financeiro* para determinar a maior ou menor liberdade de execução das políticas monetárias, Keynes (1971) estava apontando para a hierarquia entre as moedas nacionais. Pretendia sublinhar a capacidade inferior das economias devedoras e "dependentes" de atrair recursos "livres" para a aquisição de ativos e bens denominados na moeda nacional. Dessa diferença de poder financeiro nascem importantes assimetrias, nos processos de ajustamento de balanço de pagamentos, entre países credores e devedores.

A posição então subalterna da Grã-Bretanha permitiu que Keynes, observando as desordens do entre-guerras, denunciasse o componente "político" dos sistemas monetários fundados no padrão-ouro, que as alegações de naturalismo, impessoalidade e automatismo, características do liberalismo da *belle époque,* pretendiam ocultar. As classes dirigentes e dominantes aparentemente negligenciaram a natureza essencialmente política do padrão-ouro, ao tentar restabelecê-lo, sob a forma do Gold Exchange Standard, a qualquer custo, na posterioridade da Primeira Grande Guerra (BELUZZO & ALMEIDA, 1999).

Nesse período, a economia mundial foi palco de rivalidades nacionais irredutíveis, que se desenvolveram sem peias, na ausência de um núcleo hegemônico e de mecanismos de coordenação capazes de conter as desesperadas iniciativas para escapar dos efeitos das crises. Diante dos desequilíbrios financeiros dos anos 1920, nascidos do problema das reparações e da volta precipitada ao padrão-ouro, o projeto do governo republicano dos Estados Unidos era o de concentrar nas mãos dos grandes bancos privados americanos a responsabilidade pelos financiamentos "de última instância". Esse foi o caso da Comissão Dawes, que negociou o empréstimo de estabilização para a Alemanha em 1924. A Comissão tinha a liderança "técnica" do financista Owen T. Young e de especialistas do Banco Morgan (FANO, 1981).

Essa ação do Banco Morgan foi, aliás, o sinal para a "explosão" dos financiamentos de curto prazo americanos para a Europa, sobretudo para a Alemanha. É reconhecido o papel negativo desse movimento de capitais especulativos no agravamento da instabilidade financeira que levou à Depressão dos anos 1930.

Paradigmático, no plano internacional, foi o episódio das desvalorizações competitivas que assolaram o começo dos anos 1930, depois que os países centrais e periféricos começaram a abandonar o Gold Exchange Standard. Essas reações acabaram provocando uma contração espetacular dos fluxos de comércio e suscitando tensões nos mercados financeiros. Tais forças negativas propagavam-se livremente, sem qualquer capacidade de coordenação por parte dos governos. Na verdade, o que se assistiu foi à disseminação das práticas do *beggar-your-neighbour.* Assim, a economia global mergulhou em uma espiral deflacionária que atingiu indistintamente os preços dos bens e dos ativos.

A Grande Depressão e a experiência do nazi-fascismo colocaram sob suspeita as pregações que exaltavam as virtudes do liberalismo econômico. Frações importantes das burguesias europeia e americana tiveram que rever seu patrocínio incondicional ao ideário do livre-mercado e às políticas desastrosas de austeridade na gestão do orçamento e da moeda diante da progressão da crise social e do desemprego. A contração do comércio mundial, provocada pelas desvalorizações competitivas e pelos aumentos de tarifas, como foi o caso da lei Smoot-Hawley nos Estados Unidos, provocou uma onda de desconfiança contra as proclamadas virtudes do livre-comércio e deu origem a práticas de comércio bilateral e à adoção de controles cambiais. Na Alemanha nazista estes métodos de administração cambial incluíam a suspensão dos pagamentos das reparações e dos compromissos em moeda estrangeira, nascidos do ciclo de endividamento que se seguiu à estabilização do marco em 1924.

Assim que a coordenação do mercado deixou de funcionar, setores importantes das hostes conservadoras, não só na Alemanha, aderiram aos movimentos fascistas e à estatização impiedosa das relações econômicas, como último recurso para escapar à devastação de sua riqueza. Em sua essência, estas reações foram políticas, no sentido de que envolveram a tentativa de submeter os processos supostamente impessoais e automáticos da economia ao controle consciente da sociedade. Com o colapso dos mecanismos econômicos, a politização das relações econômicas tornou-se inevitável.

Entre os observadores mais agudos da trajetória que iria culminar no retumbante fracasso de 1929, estava, sem dúvida, John Maynard Keynes, advogando com uma veemência crescente o abandono da "relíquia bárbara" e a adoção de regimes de "moeda administrada", tanto na esfera das relações entre as moedas nacionais quanto no âmbito interno.

4 Padrão-dólar e "repressão" financeira

A última reestruturação importante daquilo que, parodiando Schumpeter, poderíamos chamar de Ordem Capitalista (BELUZZO, 1998), começou a se desenvolver a partir dos anos 1930 e encontrou seu apogeu nas duas primeiras décadas que se seguiram à Segunda Guerra Mundial. Nos trabalhos elaborados para as reuniões que precederam as reformas de Bretton Woods, Keynes (1980) tomou posições radicais em favor da "administração" *centralizada e pública* do sistema internacional de pagamentos e de criação de liquidez.

FINANÇA GLOBAL E CICLOS DE EXPANSÃO

As propostas do *bancor* e da Clearing Union são, na verdade, aperfeiçoamentos da ideia, aventada no *Treatise*, de um banco supranacional. Esta instituição – um banco central dos bancos centrais – seria encarregada de executar uma gestão "consciente" das necessidades de liquidez do comércio internacional e dos problemas de ajustamento entre países credores e devedores. "O ponto principal é que não deve ser permitido ao credor permanecer passivo. Pois, se ele se comportar assim, uma tarefa impossível é lançada contra o devedor, que naturalmente está na posição mais débil" (1980).

Com este parágrafo Keynes quis ressaltar o caráter negativo dos ajustamentos de balanço de pagamentos, em um sistema internacional em que problemas de liquidez ou de solvência dos países deficitários e de menor "poderio financeiro" têm de ser resolvidos mediante a busca da "confiança" dos mercados de capitais. Em setembro de 1941, Keynes reafirma que "é próprio de um padrão monetário de livre conversibilidade atirar o ônus do ajustamento sobre as posições devedoras em seu balanço de pagamentos – ou seja, sobre os países mais fracos e acima de tudo menores, se comparados com a escala do resto do mundo".

Nesse arranjo institucional não haveria lugar para a livre movimentação de capitais de curto prazo entre as diversas praças financeiras. Já foi mencionado que esses fundos líquidos eram vistos, no padrão-ouro clássico, como veículos da "especulação estabilizadora", na medida em que respondiam aos sinais da taxa de desconto, acionados pelos bancos centrais do "núcleo duro" da finança global.

No entre-guerras, o arranjo monetário e financeiro "permitiu a livre remessa e aceitação de fundos de capitais internacionais, por motivos de fuga, especulação ou de investimento. Na primeira fase, depois da última guerra [no caso a 1ª], o fluxo de fundos continuou a mover-se na direção dos países credores para os devedores, mas uma grande parte de tais fluxos, sobretudo aqueles que saíam dos Estados Unidos para a Europa, deixaram de corresponder ao desenvolvimento de novos recursos. Na segunda fase, às vésperas da guerra atual [no caso a 2ª], a degeneração foi completa e os fundos começaram a sair dos países que tinham a balança deficitária na direção daqueles em que a balança era favorável" (1980).

A ideia keynesiana do *bancor* assumia o compromisso de estabelecer uma regulação da moeda e do sistema internacional de pagamentos que atribuísse um papel para o ouro apenas na fixação da unidade de conta da moeda universal. Nenhum papel *efetivo* lhe seria concedido na liquidação das transações e contratos – função que seria exercida pela moeda bancária internacional, administrada pelas regras da Clearing Union. O plano Keynes visava sobretudo eliminar o papel perturbador exercido pelo ouro enquanto último ativo de reserva do sistema, instrumento universal da preferência pela liquidez.

Nesse sentido, apenas as moedas nacionais estariam investidas plenamente em suas três funções. Isso, aliás, era coerente com a visão keynesiana da ordem mundial. Para ele a produção de bens e serviços e sobretudo as finanças deveriam ser desenvolvidas de acordo com os interesses nacionais de cada país. A relações internacionais seriam, portanto, tão somente residuais.

Em um sistema internacional "regulado", como o de Bretton Woods, os processos de ajustamento deveriam funcionar mais ou menos assim: taxas de câmbio fixas, mas ajustáveis; limitada mobilidade de capitais; e demanda por cobertura de déficits (problemas de liquidez) atendidas, sob condicionalidades, por meio de uma instituição pública multilateral. O câmbio e os juros, nesse sistema, são preços-âncora, cuja relativa estabilidade e previsibilidade constituem-se em guias para a formação das expectativas dos possuidores de riqueza.

No pós-guerra, o rápido crescimento das economias capitalistas esteve apoiado em uma forte participação do Estado, destinada a impedir flutuações bruscas do nível de atividades e a garantir a segurança dos mais fracos diante das incertezas inerentes à lógica do mercado. Essa ação de regulação dos mercados e de promoção do crescimento supunha a redução da influência dos condicionantes externos sobre as políticas macroeconômicas domésticas. Os controles de capitais eram prática corrente e assim as políticas monetárias e os sistemas financeiros nacionais estavam voltados para a sustentação de taxas elevadas de crescimento econômico. Comandados por políticas monetárias acomodatícias, os sistemas financeiros – incluídos os bancos centrais – funcionavam como redutores de incertezas para o setor privado, que, por sua vez, sustentava elevadas taxas de investimento.

O círculo virtuoso entre gasto público, oferta de crédito barato, investimento privado e estabilidade financeira foi a marca registrada da *economia da demanda efetiva*. A concepção de demanda efetiva supõe que as decisões dos capitalistas são tomadas a partir de expectativas a respeito da evolução de dois conjuntos de preços: 1) os preços da produção corrente *vis-à-vis* os dos ativos de capital e 2) as variações esperadas nos preços das dívidas contraídas para sustentar a posse daqueles ativos.

O primeiro sistema de preços aparece na *Teoria geral* expresso no conceito de eficácia marginal do capital; o segundo, relaciona o preço das dívidas e demais compromissos com a *disposição* dos detentores de riqueza líquida de "comprar" aqueles títulos que representam direitos contra a riqueza real.

São as expectativas a respeito da evolução provável desses dois conjuntos de preços que vão determinar as decisões quanto à forma de posse da riqueza dos que controlam os meios de produção e o crédito e, portanto, o ponto de *demanda efetiva*. Ou seja, o *valor monetário do produto e*

FINANÇA GLOBAL E CICLOS DE EXPANSÃO

da renda que os detentores dos meios de produção e os controladores do crédito estarão dispostos a criar, vai depender da relação entre os dois conjuntos de preços.

Assim, a oferta de empregos na economia resultará, por um lado, da expectativa dos empresários a respeito dos fluxos de rendimentos prováveis, decorrentes da *sua* decisão de colocar em operação a capacidade produtiva existente, tanto no setor de meios de consumo quanto no que produz bens de capital. De outra parte, essas decisões de gasto estão subordinadas às expectativas dos possuidores de riqueza líquida – do sistema bancário, em derradeira instância – de criar liquidez, incorporando novos títulos de dívida à sua carteira de ativos.

Michel Aglietta (1996) mostra que, de uma maneira geral, nos sistemas financeiros da *economia da demanda efetiva* as taxas nominais de juros são rígidas, seja porque estão sob o controle das autoridades monetárias, seja porque são determinadas pelo oligopólio bancário. Se ocorre uma súbita elevação nos planos de gasto das empresas, a demanda de crédito vai aumentar, suscitando uma subida na taxa de inflação e portanto uma queda nas taxas de juros reais. O investimento vai se elevar e a variação positiva da renda e do emprego vai gerar a "poupança" (lucros) necessária para servir à dívida contraída.

As políticas keynesianas tinham, portanto, o propósito declarado de estimular o acesso à riqueza por meio do crédito *dirigido* à acumulação produtiva, com o desiderato de manter o pleno emprego, elevando, em termos reais, os salários e demais remunerações do trabalho. *A regulamentação financeira* foi a norma em todos os países. Os Estados Unidos recorreram à segmentação dos mercados e à especialização das instituições, buscando proteger os *money center banks* das eventuais instabilidades originadas nos mercados de capitais. Os países europeus e o Japão construíram sistemas financeiros em que prevaleciam as relações de clientela entre os bancos e as empresas. No Japão, é reconhecida a importância do *main bank* para o financiamento das altas taxas de acumulação de capital e de inovação das empresas.

Seria conveniente relembrar que a rápida recuperação das principais economias europeias e o espetacular crescimento do Japão foram causas importantes do progressivo desgaste das regras monetárias e cambiais acertadas em Bretton Woods. A *concorrência* das renovadas economias industrializadas da Europa e do Japão e o fluxo continuado de investimentos americanos diretos para o Resto do Mundo determinaram, desde o final dos anos 1950, um enfraquecimento do dólar, que funcionava como moeda central de sistema de taxas fixas (mas ajustáveis) de câmbio. O enfraquecimento do dólar provocou reiteradas tentativas de "reforma" do sistema de Bretton Woods, mas todas elas terminaram na resistência americana em aceitar uma redução do papel de sua moeda no comércio e na finança internacionais. As decisões políticas tomadas pelo governo americano, ante a decomposição do sistema de Bretton Woods, já no final dos anos 1960, foram ampliando o espaço supranacional de circulação do capital monetário.

Diga-se que o *establishment* financeiro americano jamais se conformou com a regulamentação imposta aos bancos e demais instituições não bancárias pelo Glass-Steagall Act no início dos anos 1930. Foi também grande a resistência dos *negócios do dinheiro* às propostas de Keynes e de Dexter White para a reforma do sistema monetário internacional. Na verdade, as políticas americanas de resposta às ameaças contra a hegemonia do dólar estavam associadas à recuperação do predomínio da *alta finança* nas hierarquia de interesses que se digladiam no interior do Estado plutocrático americano. É deste ponto de vista que devem ser analisadas as mudanças na política econômica americana entre os anos 1970 e 1980.

Tais mudanças devem ser entendidas como um dos fatores centrais que determinaram os movimentos de internacionalização financeira gestados pela desorganização do sistema monetário e de pagamentos criados em Bretton Woods, no final da Segunda Guerra Mundial.

No crepúsculo dos anos 1960, a desorganização progressiva do sistema de regulação de Bretton Woods recebeu uma contribuição decisiva com o surgimento de operações de empréstimos/depósitos que escapavam do controle dos bancos centrais.

A fonte inicial dessas operações "internacionalizadas" no chamado euromercado foi certamente os dólares que brotavam dos crescentes déficits do balanço americano e excediam a demanda dos agentes econômicos e das autoridades monetárias estrangeiras.

Depois do primeiro "choque do petróleo", em 1973, o circuito financeiro internacionalizado e operado pelos grandes bancos comerciais – à margem de qualquer regulamentação ou supervisão dos bancos centrais – acentuou sua tendência à superexpansão do crédito concedido a empresas, bancos e governos, alimentando sobretudo um forte endividamento da periferia.

Passou a funcionar como um sistema de "crédito puro" em suas relações com governos e empresas, com criação endógena de liquidez e altos prêmios de risco. Os agentes endividados, por sua vez, aceitavam qualquer taxa de juros para a rolagem e ampliação de suas dívidas. O sistema bancário americano, por outro lado, foi cúmplice e beneficiário da chamada *negligência benigna,* na medida em que o declínio da moeda americana permitia a sua participação nos ganhos de senhoriagem. Isso era possível por meio da ampliação continuada do volume de crédito, denominado em dólares, em uma velocidade maior do que a taxa de desvalorização da moeda.

102

FINANÇA GLOBAL E CICLOS DE EXPANSÃO

Isso acabou exasperando a busca por novos devedores, afrouxando os critérios de avaliação de risco dos bancos e gerando, nos devedores "soberanos", a inclinação a ingressar, primeiro, na região da finança especulativa e, finalmente, na zona perigosa da *Ponzi finance,* isto é, da sustentação do pagamento do serviço da dívida com endividamento adicional. Os símbolos dessa era foram, sem dúvida, o crescimento espetacular do euromercado e das praças *offshore,* que alimentaram a primeira etapa do ciclo de endividamento da periferia no pós-guerra.

Essa etapa da "internacionalização financeira" pode ser entendida como a crescente supremacia da função de meio de financiamento e de pagamento do dólar à custa de sua função de *standard* universal. O conflito entre as duas funções está na raiz da crise do dólar dos anos 1970 e chegou a suscitar tentativas de substituição do dólar por Direitos Especiais de Saque, ativos de reserva emitidos pelo Fundo Monetário Internacional e lastreados em uma "cesta de moedas" (BELUZZO, 1995).

Ao impor a regeneração do papel do dólar como *standard* universal, por meio de uma elevação sem precedentes das taxas de juros, em 1979, os Estados Unidos, além de deflagrarem uma crise de liquidez para os devedores, deram o derradeiro golpe no estado de convenções que sustentara a estabilidade relativa do pós-guerra.

As tentativas de assegurar a centralidade do dólar – depois da desvinculação do ouro em 1971 e da introdução das taxas de câmbio flutuantes em 1973 – determinaram o enfraquecimento da demanda da moeda americana para transações e como reserva e o surgimento de um instável e problemático sistema de paridades cambiais. O dólar "flutuava" continuamente para baixo. Sendo assim, não era de espantar que o papel da moeda americana nas transações comerciais e financeiras começasse a declinar, assim como a sua participação na formação das reservas em divisas dos bancos centrais.

Não há dúvida de que o gesto americano de subir unilateralmente as taxas de juros em outubro de 1979 foi tomado com o propósito de resgatar a supremacia do dólar como moeda-reserva. O fortalecimento do dólar tinha se transformado, então, em uma questão vital para a manutenção da liderança do sistema financeiro e bancário americano no âmbito da concorrência global.

Durante os anos 1980, a economia mundial foi afetada por flutuações amplas nas taxas de câmbio das moedas que comandam as três zonas monetárias (dólar, iene e marco). Estas flutuações nas taxas de câmbio foram acompanhadas por uma extrema volatilidade das taxas de juros. Na verdade, as flutuações das taxas de câmbio, supostamente destinadas a corrigir

103

desequilíbrios do balanço de pagamentos e dar maior autonomia às políticas domésticas, foram instabilizadoras.

Isso porque a crescente mobilidade dos capitais de curto prazo obrigou a seguidas intervenções de esterilização, determinando fortes oscilações entre taxas de juros das diversas moedas e criando severas restrições à ação da política fiscal e à política monetária.

Ainda nos anos 1980, a ampliação dos dois *déficits* – orçamentário e comercial – dos Estados Unidos foi um fator importante para dar um segundo impulso e uma nova direção ao processo de globalização financeira.

Na prática, a ampliação dos mercados de dívida pública constituíram a base sobre a qual se assentou o desenvolvimento do processo de securitização. Isto não apenas porque cresceu a participação dos títulos americanos na formação da riqueza financeira demandada pelos agentes privados americanos e de outros países, mas também porque os papéis do governo dos Estados Unidos são ativos dotados de grande liquidez.

A expansão da posição devedora líquida norte-americana permitiu o ajustamento, sem grandes traumas, das carteiras dos bancos, à medida que os créditos desvalorizados dos países em desenvolvimento foram sendo substituídos por dívida emitida pelo Tesouro Nacional dos Estados Unidos.

A evolução da crise do sistema de crédito internacionalizado e as respostas dos Estados Unidos ao enfraquecimento do papel do dólar criaram, portanto, as condições para o aparecimento de novas formas de intermediação financeira e para o desenvolvimento de uma segunda etapa da globalização. Foi nesse ambiente de reimposição da supremacia do dólar e de desestruturação do sistema monetário internacional que ocorreu "a grande fuga para a frente", consubstanciada no aparecimento dos novos processos de globalização, desregulamentação e securitização.

Esse processo de transformações na esfera financeira pode ser entendido como a generalização e a supremacia dos mercados de capitais em substituição à dominância anterior do sistema de crédito comandado pelos bancos.

Esses "novos" mercados teriam a virtude de combinar as vantagens da melhor circulação da informação, da redução dos custos de transação e da distribuição mais racional do risco.

A teoria dos "mercados eficientes" pretendia, enfim, ensinar que todas as informações relevantes sobre os "fundamentais" da economia estão disponíveis em cada momento para os participantes do mercado. E que, na ausência de intervenção dos governos, a ação racional dos agentes seria capaz de orientar a melhor distribuição dos recursos, entre os diferentes ativos, denominados em moedas distintas.

5 O poder do dólar e a financeirização da riqueza

Em artigo recente, publicado na revista *Economia e sociedade* (COUTINHO & BELUZZO, 1998), o professor Luciano Coutinho e eu procuramos demonstrar que, desde o início dos anos 1980, a composição da riqueza social vem apresentando uma importante mutação. Cresce velozmente a participação das formas financeiras de posse da riqueza. Nos países desenvolvidos, particularmente nos Estados Unidos, as classes médias passaram a deter importantes carteiras de títulos e ações, diretamente ou por meio de fundos de investimentos ou de fundos de pensão e de seguro. O patrimônio típico de uma família de renda média passou a incluir ativos financeiros em proporção crescente, além dos imóveis e bens duráveis.

As empresas em geral também ampliaram expressivamente a posse dos ativos financeiros e não apenas como reserva de capital para efetuar futuros investimentos fixos. A "acumulação" de ativos financeiros ganhou na maioria dos casos *status* permanente na gestão da riqueza capitalista.

Por isso, a taxa de juros – critério geral de avaliação da riqueza – ou seja, a expectativa de variação dos preços dos ativos financeiros passa a exercer um papel muito relevante nas decisões das empresas e bancos, conforme já advertira, primeiramente, o Professor José Carlos Braga em sua tese de doutoramento, configurando uma tendência à "financeirização" e ao rentismo nas economias capitalistas.

Esse processo não ficou confinado às fronteiras nacionais. Muito embora a maior parcela dos ativos financeiros em cada país seja de propriedade dos seus residentes, cresceu bastante a participação cruzada de investidores estrangeiros, com a liberalização dos mercados de câmbio e desregulamentação dos controles sobre os fluxos de capitais. O valor da massa de ativos financeiros transacionáveis nos mercados de capitais de todo o mundo saltou de cerca de US$ 5 trilhões no início de 1980 para US$ 35 trilhões em 1995, segundo as estimativas do BIS.

Essa impressionante escalada do volume da riqueza financeira a um ritmo de pelo menos 15% suplantou de longe o crescimento da produção e da acumulação de ativos fixos. Como, em última instância, os ativos financeiros representam direitos de propriedade sobre o capital em funções, é inescapável a conclusão de que ocorreu nos últimos anos uma notável inflação dos ativos financeiros. Em outras palavras, os preços desses ativos subiram muito além da velocidade de acumulação dos ativos instrumentais do capital, criando nos seus detentores uma percepção de enriquecimento acelerado.

Assim, as empresas, bancos e também as famílias abastadas passaram a subordinar suas decisões de gasto, investimento e poupança às expectativas quanto ao ritmo do seu respectivo "enriquecimento" financeiro. Do ponto de vista individual, esse "enriquecimento" não parecia fictício, pois os títulos podiam ser perfeitamente validados por mercados líquidos e profundos. A certeza de comercialização, de que os papéis sempre poderiam ser reconvertidos à forma monetária e geral da riqueza, realimentava o circuito de valorização, induzindo uma parcela crescente de agentes a alavancar as suas carteiras de ativos financeiros com base em dívidas tomadas junto ao sistema bancário. Os autores já assinalaram, em texto anterior, as características do mercado financeiro na atualidade:

1) profundidade, assegurada por transações secundárias em grande escala e frequência, conferindo elevado grau de negociabilidade aos países;
2) liquidez e mobilidade, permitindo aos investidores facilidade de entrada e de saída entre diferentes ativos e segmentos do mercado;
3) volatilidade de preços dos ativos, resultante das mudanças frequentes de avaliação dos agentes quanto à evolução dos preços dos papéis (denominados em moedas distintas, com taxas de câmbio flutuantes).

O veloz desenvolvimento de inovações financeiras nos últimos anos (técnicas de *hedge* por meio de derivativos, técnicas de alavancagem, modelos e algoritmos matemáticos para "gestão de riscos"), associadas à intensa informatização do mercado, permitiu acelerar espantosamente o volume de transações com prazos cada vez mais curtos. Essas características, combinadas com a alavancagem baseada em créditos bancários, explica o enorme potencial de realimentação dos processos altistas (formação de bolhas), assim como os riscos de colapso no caso dos movimentos baixistas.

No início de 1980, a política econômica de Reagan – com seu dólar supervalorizado, enormes déficits orçamentários e nas contas de comércio – foi estimulante para a Europa, permitiu que os países endividados cumprissem a duras penas seus programas de ajustamento, mas foi particularmente generosa para os países da Ásia. Esse foi o período dos grandes superávits comerciais japoneses, taiwaneses e coreanos. Os bancos japoneses começaram a galgar posições no *ranking* das finanças globais, deslocando os americanos e os europeus, encalacrados na crise da dívida latino-americana e enfraquecidos pela recessão provocada pela brutal elevação dos juros nos Estados Unidos, em 1979.

O aparecimento dos bancos, corretoras e seguradoras japonesas no cenário das finanças globais foi o produto inevitável da acumulação dos enormes excedentes financeiros, decorrentes dos sucessivos e crescentes superávits comerciais do Japão, principalmente com os Estados Unidos, mas também com a Europa. Isto implicou o crescimento significativo da participação dos ativos denominados em moeda estrangeira nas carteiras das ins-

FINANÇA GLOBAL E CICLOS DE EXPANSÃO

tituições financeiras nipônicas. Os ativos não eram constituídos apenas de títulos do governo americano, mas também papéis e obrigações emitidas por empresas estrangeiras de boa reputação, além da participação em investimentos diretos e compras de ativos imobiliários no exterior. Esse avanço dos bancos japoneses chegou a sugerir a possibilidade de que o iene (assim como o marco) viesse a disputar com o dólar, nos negócios internacionais, a condição de moeda principal. Mas o fato é que, já nesse momento, depois da elevação brutal dos juros, o dólar estava recuperando a sua participação como principal moeda na denominação de contratos e no faturamento dos preços cobrados nas transações mercantis efetuadas no mercado internacional. A política do dólar forte correspondeu à recuperação da liderança por parte dos grandes bancos americanos e, mais importante, à campanha de promoção da exportação do "modelo" americano de mercado de capitais "desregulamentados" para o resto do mundo.

Foi nesse ambiente que se intensificaram as pressões sobre o Japão e os dois tigres asiáticos de segunda geração, Coreia e Taiwan, para a liberalização financeira (BELUZZO, 1998). É preciso sublinhar que a abertura e a desregulamentação financeiras, ou seja, a progressiva liberalização das transações registradas na conta de capital e o afrouxamento dos controles sobre a atividade dos bancos, vão ocorrer em um momento em que os bancos japoneses estavam obrigados a "reciclar" os excedentes em divisas para evitar os desequilíbrios monetários e financeiros domésticos. As autoridades monetárias do Japão, com sua política monetária passiva e de baixas taxas de juros, pretendiam obviar tanto a uma valorização excessiva do iene quanto a uma expansão indesejada da dívida pública, que seria causada pela esterilização da oferta adicional de moeda, decorrente dos persistentes saldos comerciais. Cuidavam, nesse sentido, de estimular os bancos e empresas japonesas a adquirir ativos financeiros e reais no exterior, aliviando a pressão monetária interna.

Além disso, foram grandes as transformações na gestão de tesouraria da grande empresa japonesa, frequentemente às voltas com excedentes de caixa ou lucros acumulados – acima de seu cronograma de dispêndio – o que exigia a oferta de serviços mais diversificados e sofisticados por parte das instituições financeiras locais.

A "descompressão" financeira envolveu, assim, três tipos de providências: 1) eliminação dos controles cambiais, ampliando a possibilidade dos agentes domésticos realizarem transações em moeda estrangeira não decorrentes de uma operação comercial; 2) liberação das taxas de juros, com restrição progressiva dos créditos dirigidos e subsidiados; e 3) desregulamentação bancária, ensejando que os bancos locais pudessem ampliar a gama de "serviços financeiros" prestados às empresas não financeiras.

Os bancos japoneses, acostumados a prover crédito para as empresas, sob o amparo das práticas de redesconto do Banco do Japão, diversificaram sua atuação, intermediando operações nos mercados imobiliários, alavancando posições nas bolsas de valores e em negócios com derivativos. Essas transformações foram a causa dos formidáveis surtos especulativos com ações e imóveis que culminaram nas agudas deflações de preços dos ativos sobrevalorizados, entre 1989 e 1990.

Entre o final dos anos 1980 e os primeiros anos da década de 1990, a recessão generalizou-se, atingindo a Europa e os Estados Unidos. Essa crise foi administrada por um afrouxamento das políticas monetárias sob a condução do Federal Reserve e do Banco do Japão. Foram incisivas as reduções nas taxas de juros, com o propósito de impedir a degradação dos ativos bancários e impedir um *credit crunch*, aliviando, simultaneamente, para as empresas e famílias, os encargos decorrentes das dívidas assumidas no ciclo de expansão dos anos 1980. Para os bancos japoneses, a política monetária permissiva era uma oportunidade para compensar os problemas das carteiras incobráveis e da geração de nova dívida de qualidade no mercado doméstico, com a aquisição de novos ativos, nas economias da vizinhança, que prometiam rendimentos mais elevados. Nos Estados Unidos, a partir de 1992, a liquidez abundante permitiu que os bancos e os investidores institucionais cuidassem de atender à demanda de crédito, gerada pela recuperação da economia americana, e ainda diversificassem seus empréstimos e aplicações nas economias emergentes.

Os europeus, por seu turno, apesar de envolvidos com os problemas da unificação alemã e as tensões no âmbito do Sistema Monetário Europeu, ancorado no marco – o que impediu um movimento semelhante das taxas de juros governadas pelo Bundesbank – foram estimulados a buscar melhores oportunidades, em face da estagnação da economia europeia.

Essas circunstâncias serviram para orientar uma fração crescente dos fluxos de capitais para os ditos países emergentes. Os dados do BIS e do FMI mostram claramente que, no início dos anos 1990, particularmente a partir de 1992, há um forte incremento dos fluxos de capitais – investimento direto, aplicações de porta-fólio, empréstimos bancários, aquisição de bônus, financiamentos comerciais e compras de ativos – para os mercados de maior risco, inclusive para aqueles que ainda sofriam as sequelas da crise da dívida dos anos 1980. O aumento dos empréstimos bancários e a absorção de um maior volume de colocações de títulos privados e públicos foram acompanhados, até a eclosão da crise mexicana, de uma queda significativa dos diferenciais de juros entre os títulos emitidos pelos "emergentes" e os títulos de mesmo prazo do governo americano.

FINANÇA GLOBAL E CICLOS DE EXPANSÃO

Os administradores da riqueza *livre e líquida* – fundos de pensão, fundos mútuos, *hedge-funds* – deslocaram uma fração marginal, mas crescente deste *capital flutuante* para capturar pingues rendimentos em mercados que oferecessem taxas de juros mais elevadas ou apresentassem perspectivas de ganhos de capital elevados.

Os movimentos de capitais responderam, portanto, às perspectivas de menor rentabilidade nos mercados de "qualidade" e à situação de sobreliquidez (causada por um período de taxas de juros muito baixas) diante das oportunidades surgidas nos países "emergentes", sobretudo na Ásia.

Um fator importante para essa invasão de capital monetário nos mercados financeiros "desregulamentados" da periferia é a *concorrência* entre as instituições financeiras para atrair os aplicadores. Os administradores de porta-fólios, no afã de carrear mais dinheiro para os seus fundos e na ânsia de bater os concorrentes, devem exibir as melhores performances. Para tanto, veem-se forçados a abrir espaço em suas carteiras para ativos de maior risco.

A explosão especulativa na Ásia, bem como a euforia mexicana da primeira metade de 1990, e as "estabilizações" com âncora cambial da América Latina foram os primeiros rebentos da *Segunda onda* de expansão dos mercados financeiros "globalizados". Mais exatamente, foram fenômenos produzidos pela abundante liquidez derramada pelos bancos centrais do G-7, especialmente pelo Federal Reserve, para impedir a deflação de ativos e o *credit crunch* depois da correção de preços na bolsa de Nova York em outubro de 1987.

No caso das economias da Ásia era ampla a oferta de ações, projetos imobiliários e industriais que prometiam alta rentabilidade, localizados em economias com programas ambiciosos de modernização urbana e com tradição de elevadas taxas de crescimento e prolongados períodos de expansão econômica. A isso deve-se adicionar a convicção, disseminada entre os investidores e entre agências de avaliação de risco (e confirmada pelas análises dos organismos multilaterais), quanto à sólida situação macroeconômica dos países da região. Essas "convenções" otimistas exacerbaram o "choque de demanda" sobre o conjunto de ativos, provocando o surgimento de fenômenos inter-relacionados: sobreinvestimento nas áreas consideradas mais "dinâmicas", explosão de preços de ativos de oferta inelástica, sobrevalorização das moedas, déficits crescentes em transações correntes, endividamento em moeda estrangeira e, finalmente, fragilidade financeira.

A internacionalização financeira, em vez da maior eficiência na alocação de recursos, levou, isso sim, à valorização das moedas locais, à especulação com ativos reais e financeiros, à aquisição de empresas já existentes, ao sobreinvestimento. Em algum momento, maior vulnerabilidade em transa-

109

ções correntes, as antecipações negativas quanto à evolução dos preços dos ativos, à rentabilidade dos investimentos ou à manutenção das paridades cambiais, deflagram as vendas em massa e a liquidação de posições na moeda sobrevalorizada. Em geral, mas não necessariamente, estas antecipações negativas estão associadas a uma trajetória imprudente do déficit de transações correntes do balanço de pagamentos. Nessas situações, a fuga dos ativos inflados e cujos preços estão despencando é, ao mesmo tempo, uma *fuga da moeda local* em direção aos ativos financeiros denominados na moeda realmente forte que servia de referência, ou seja, o dólar.

Essa diferença de "poder financeiro", como diria Keynes, torna delicada a situação dos países devedores e de moeda fraca. Deixando de lado a crise asiática, mais recentemente essa posição desconfortável ficou explícita nos episódios da crise financeira da Rússia de setembro de 1998 e na desvalorização brasileira de janeiro de 1999.

Ao russos tentaram aplacar a desconfiança dos investidores, domésticos e internacionais, quanto à possibilidade de um *défaut,* o que acarretaria, de cambulhada, uma forte desvalorização do rublo. A intervenção do FMI e dos países do G-7 fez a confiança retornar, provisoriamente, depois da abertura de uma linha de crédito de mais de US$ 20 bilhões. Apesar disso, o *défaut* tornou-se inevitável, o rublo sofreu uma forte desvalorização e a Rússia não conseguiu escapar de uma prolongada crise econômica e financeira.

O Brasil suscitou uma operação de "financiamento preventivo", organizada, no final de 1998, pelo FMI e pelos países do G-7. Primeiro, desde setembro, depois da moratória da Rússia, estava claro que as expectativas do mercado financeiro internacional antecipavam um "ataque" fulminante contra os ativos de maior risco, posições atraentes que tinham buscado com avidez desde o começo dos anos 1990. Depois da crise asiática, a desconfiança em relação aos emergentes manifestou-se por meio de uma elevação dos *spreads* médios entre os papéis de maior risco e os títulos de igual prazo emitidos pelo Tesouro americano. Na posterioridade do *défaut* russo, a aversão ao risco assumiu formas agudas.

Nesse momento, as reservas brasileiras eram de US$ 70 bilhões. O Fundo Monetário exigiu o de sempre: ajuste fiscal, metas rigorosas para o crédito líquido doméstico, limites para o endividamento externo de curto prazo.

Curiosamente e – na visão de muitos – de forma incompatível com os supostos de seu próprio "modelo" de ajustamento, o Fundo concordou com a manutenção da política cambial vigente. O mercado percebeu que esse *monstrum vel prodigium* da tecnocracia globalitária teria vida curta. Intensificaram-se os ataques contra a cidadela enfraquecida do emergente em dificuldades. Há dúvidas quanto à origem da desastrosa manobra tática acolhida pelo Fundo Monetário: erro crasso de avaliação ou um aviso para

FINANÇA GLOBAL E CICLOS DE EXPANSÃO

a retirada dos capitais, usufruindo os benefícios de uma taxa de câmbio favorecida?

O governo brasileiro acabou desvalorizando o real, depois de uma perda de US$ 45 bilhões de reservas.

A chamada finança direta, de "mercado" ou "desregulamentada", costuma produzir ciclos de valorização e desvalorização dos ativos intensos, rápidos e propensos a reversões violentas. Por isso, já nas etapas de euforia, aparecem inevitavelmente agentes investidores que suspeitam da possibilidade de sustentação do nível de preços atingido pelos ativos. Esses senhores começam a formar posições "baixistas", as que antecipam uma reversão do ciclo e a queda dos preços. É essa lógica que tem guiado a ação de alguns investidores que apostam contra moedas apreciadas, bolsas de valores da periferia, consideradas sem fôlego para capitalização ulterior, mercados imobiliários excessivamente valorizados e com oferta excessiva. Habitualmente esses fundos, conhecidos como *hedge funds,* costumam operar nos mercados futuros de câmbio, com grandes posições vendidas nas moedas que se candidatam a um ataque especulativo. Tanto o peso das posições assumidas pelos especuladores altistas quanto a crescente presença de agentes baixistas nos mercados emergentes forçam os bancos centrais dos países de moeda fraca a tomar atitudes defensivas, tornando as suas políticas monetárias prisioneiras quer da necessidade de evitar as fugas de capitais e de escapar das desvalorizações selvagens, quer da obsessão de manter a confiança dos investidores.

Nos países periféricos, essas medidas defensivas restringem-se, quase sempre, à elevação dos juros ou à concessão de estímulos à volta dos capitais. A rápida "recuperação" brasileira, por exemplo, é fruto não só da *benevolência benigna* que permitiu a fuga de capitais à taxa de câmbio favorecida ou da queda dos preços dos ativos em dólares, determinada pela desvalorização do real, mas também da submissão da política econômica ao objetivo de manter a economia atraente para o "retorno" dos capitais. Isto significa que o crescimento da economia estará determinado pelos humores e percepções dos mercados que atendem às necessidades de financiamento do balanço de pagamentos.

6 *Dólar: recuperação da hegemonia ou concentração dos riscos?*

Os fluxos líquidos de investimento em porta-fólio, destinados por estrangeiros ao mercado americano, cresceram quase dez vezes entre 1990 e 1997: passaram de US$ 52 bilhões em 1990 para US$ 564,4 em 1997. Se tomamos como referência os últimos dois anos, 1995 e 1997, o fluxo líquido

111

de investimento de porta-fólio simplesmente dobrou. As aplicações de residentes no Japão e o crédito barato em iene vêm contribuindo com uma parte importante desse fluxo de capitais para os Estados Unidos. Esses capitais estão sendo atraídos pela perspectiva de expressivos ganhos (COUTINHO & BELUZZO, 1998) com a valorização dos ativos financeiros nos Estados Unidos.

Os Estados Unidos, usufruindo do seu poderoso sistema financeiro, podem impor a *dominância* de sua moeda, mesmo apresentando um déficit elevado e persistente em conta corrente e uma posição devedora externa. Isto significa que os mercados financeiros estão dispostos a aceitar, pelo menos por enquanto, que os Estados Unidos exerçam, dentro de limites elásticos, o privilégio da senhoriagem.

Os capitais de curto prazo contam, assim, nos Estados Unidos, com um mercado amplo e profundo que funciona como porto seguro nos momentos de grande instabilidade ou quando a confiança fraqueja em outros mercados. A existência de um volume respeitável de papéis do governo americano, reputados por seu baixo risco e excelente liquidez, tem permitido que a reversão dos episódios especulativos, com ações, imóveis ou ativos estrangeiros, seja amortecida por um movimento compensatório no preço dos títulos públicos americanos.

Os Estados Unidos, até agora, em função da sua capacidade de atrair capitais para os seus mercados de ações em alta, puderam se dar ao luxo de manter taxas de juros moderadas, apesar da ampliação do déficit em transações correntes. As sucessivas crises das moedas e dos mercados financeiros na periferia incitaram a demanda por títulos do governo norte-americano, considerados de maior qualidade. Isso vinha permitindo a queda das taxas de juros de longo prazo.

O movimento de capitais vem reforçando a supremacia do dólar, provocando a exuberante valorização das ações e ampliando desmesuradamente, como já foi dito, o poder de senhoriagem dos Estados Unidos. Essa é uma das razões pelas quais foi possível, até agora, prolongar o crescimento norte-americano sem inflação.

As taxas de câmbio são determinadas pela expectativa de valorização dos ativos denominados nas distintas moedas. O país dominante, mesmo com déficits crescentes, pode se beneficiar de fortes revalorizações de sua moeda, caso o preço de seus ativos ainda esteja subindo. Não é, portanto, seguro imaginar que, na eventualidade de uma prolongada e profunda "correção de preços" na Bolsa de Nova York, seja possível aos Estados Unidos reagir com uma redução dos juros para salvar a sua economia e o mundo da *débâcle*. Na verdade, a recente evolução dos mercados financeiros não só exacerbou os desequilíbrios dos fluxos de rendimentos entre credo-

FINANÇA GLOBAL E CICLOS DE EXPANSÃO

res e devedores, mas também ampliou os riscos de deslocamentos *entre* os estoques de riqueza denominados em moedas distintas. As antecipações quanto aos movimentos dos diferenciais de juros e seus efeitos sobre alterações nas taxas de câmbio podem provocar mudanças nos preços dos ativos, da mesma forma que as mudanças "autônomas" nos preços dos ativos podem afetar as taxas de câmbio e as relações entre taxas de juros nas diferentes moedas. Nesse sistema de taxas flutuantes, ampla e rápida mobilidade de capitais e provimento de liquidez efetuada a partir do mercado, mediante a ação de agentes privados especializados, as taxas de juros e de câmbio se tornam "endógenas" e ficam mais sensíveis às bruscas mudanças de expectativas dos possuidores de riqueza. Não é de espantar que nesse sistema seja mais frequente a ocorrência de graves problemas de liquidez, "resolvidos" por meio de violentas quedas de preços dos ativos e desvalorização das moedas.

No regime atual de taxas de câmbio flutuantes e ampla mobilidade de capitais, uma queda pronunciada nas cotações da Bolsa de Nova York pode provocar uma desvalorização do dólar. Essa desvalorização, caso ocorra de forma abrupta, deverá acentuar a fuga dos ativos denominados na moeda americana, o que, por sua vez, vai acelerar ainda mais a queda do dólar e, muito provavelmente, provocar uma mudança nas tendências da inflação. As taxas dos títulos do governo vão começar a subir, exigindo do Federal Reserve uma elevação das taxas curtas.

Até recentemente a ampliação do déficit na conta de comércio vinha impedindo que a força da demanda interna em expansão pudesse se materializar em uma aceleração inflacionária, ainda que os salários reais mostrem inclinação para subir. É importante registrar que a relativa estagnação europeia, a longa recessão japonesa e as desvalorizações levadas a cabo nos países emergentes ensejaram uma queda pronunciada no preço das *commodities* agrícolas e industriais.

Depois das desvalorizações em cadeia que acompanharam a crise asiática, o fenômeno tornou-se mais grave. É provável que o déficit comercial americano aproxime-se dos US$ 300 bilhões ainda em 1999.

As cifras do Departamento do Comércio dos Estados Unidos mostram que a tendência é de crescimento das compras externas – apesar da queda de preços dos bens importados – e de recuo nas taxas de crescimento das exportações. Não é de espantar que os mercados venham revelando uma especial sensibilidade diante das expectativas quanto ao fluxo de lucros esperados pelas empresas com ações cotadas em Bolsa. Os lucros ainda não revelam sinais de declínio, revelam os balanços trimestrais.

As previsões sobre uma possível "correção" de preços das ações na bolsa de valores de Nova York têm sido sistematicamente desmentidas. Kindleberger (1986), escrevendo sobre o *crash* de 1929, diz que *a posteriori* é fácil ironizar as hipóteses que naquela ocasião procuravam justificar as taxas ele-

113

vadas de capitalização das ações. Elas não eram diferentes das que vêm sendo divulgadas agora: uma nova era de prosperidade capaz de assegurar uma elevação continuada dos preços. Negando que os níveis de preços e os volumes de transações fossem exagerados, Kindleberger aponta "os precários mecanismos de crédito" como responsáveis pelo colapso.

Na comparação com o que acontece hoje, dois aspectos devem ser sublinhados: primeiro, nos dias que correm, o uso abundante do crédito para *alavancar* posições especulativas não se restringe aos mercados à vista, mas se estende aos mercados futuros de índices, taxas de juros e câmbio; segundo, nos anos 1920, como agora, os mercados financeiros eram interdependentes e integrados, facilitando as crises de contágio. A grande diferença, entre ontem e hoje, parece estar na capacidade das autoridades monetárias em empreender *intervenções de última instância* para conter os colapsos de preços dos ativos e as contrações do crédito que sucedem esses episódios.

Desconfiam alguns analistas que a peculiaridade da atual conjuntura internacional está na convivência entre forças contraditórias: 1) tendências à deflação ou ao crescimento lento dos preços nos mercados de bens e serviços; e 2) surtos recorrentes de aceleração de preços nos mercados de ativos financeiros e reais cuja oferta é inelástica a curto prazo. Este é o caso das ações, devido aos movimentos de fusões, aquisições, e à compra de papéis da própria empresa para evitar a transferência selvagem da propriedade. O relatório do Federal Reserve, *Flows of Funds Accounts of the United States,* de 1998, revela que, a despeito do aumento espetacular de US$ 2.661,7 bilhões no valor do estoque de ações nas bolsas americanas, a colocação líquida de papéis foi *negativa*. Nos últimos cinco anos ações no valor de US$ 544,6 bilhões foram retiradas do mercado.

A política monetária americana move-se, portanto, entre o objetivo de prevenir a ampliação da discrepância entre o movimento dos preços da produção corrente e a necessidade de regular a "exuberância irracional" dos mercados financeiros, evitando sobretudo a formação de bolhas especulativas, ou seja, a explosão dos preços das ações.

Diante das tendências atuais, parecem exageradas as preocupações do Federal Reserve com o reaparecimento das pressões inflacionárias. Mas é sabido que, desde o início dos anos 1980, quando aumenta a participação da riqueza financeira no conjunto da riqueza capitalista, tornou-se mais acentuada a *sensibilidade* dos donos e administradores da riqueza financeira em relação às mudanças *imaginadas* do nível geral de preços. Assim, por exemplo, um deslocamento para cima do patamar inflacionário, julgado desprezível em outras épocas, tem suscitado reações elásticas das taxas de juros dos títulos de 30 anos do governo americano.

FINANÇA GLOBAL E CICLOS DE EXPANSÃO

Neste momento, muitos observadores vêm antecipando o surgimento de tensões inflacionárias na economia americana, decorrentes do aquecimento da demanda de trabalho, da elevação dos preços das matérias-primas e de serviços e de outros insumos. Os efeitos de um aumento da inflação neste momento seriam também desastrosos, na medida em que as expectativas de taxas mais altas de elevação do nível geral de preços serão capturadas pelas taxas de juros de longo prazo, o que forçaria o FED a ajustar tempestivamente as taxas curtas.

Um hipotético rearranjo de porta-fólios, antecipando-se a um possível ciclo "baixista" nos mercados financeiros americanos, coloca as autoridades monetárias americanas diante de decisões complicadas. O temor da saída de capitais recomendaria a manutenção ou até mesmo a subida dos juros de curto prazo. Tais medidas poderiam, no entanto, tornar mais agudo e rápido o processo de "encolhimento" da bolha formada pelo crescimento desmesurado dos preços dos ativos financeiros. Um colapso abrupto dos preços levaria inevitavelmente a economia à depressão, devido ao caráter cumulativo e de autorreforço assumido pela deflação de ativos[1].

O desenvolvimento da economia capitalista neste final de século parece dar guarida à ideia de Arrighi de que a predominância do capital financeiro sinaliza o *outono* dos ciclos de expansão. No entanto, comparado com etapas anteriores, o outono do final do século XX se apresenta como uma síntese "expressionista" dos predecessores. A "financeirização" e a correspondente valorização fictícia da riqueza, como nunca, vêm subordinando a dinâmica da economia. Dissemos, na primeira parte deste artigo, que, no processo de acumulação capitalista, "estão estruturalmente implícitas as necessidades de concentração e centralização dos capitais sob o *comando* da autonomização crescente do capital a juros, ou seja, com o *domínio* cada vez maior do sistema de crédito sobre as órbitas mercantil e produtiva. Para revolucionar periodicamente a base técnica, submeter massas crescentes de força de trabalho a seu domínio, criar novos mercados, o capital precisa existir permanentemente de forma 'livre' e líquida e, ao mesmo tempo, crescentemente centralizada".

Marx e Keynes já haviam compreendido que a característica central do capitalismo não é a *produção de mercadorias por meio de mercadorias,* nem vai ser encontrada na coordenação, efetuada por meio dos mercados competitivos, dos planos dos indivíduos racionais, na busca da maximização da utilidade.

---

[1] Para uma descrição dos efeitos de uma queda de preços das ações, cf. COUTINHO & BELLUZZO, op. cit.

Admiradores da sua enorme capacidade de produção de mercadorias e de seu formidável potencial de satisfação de necessidades, para eles o capitalismo é um regime de acumulação de riqueza abstrata. Se, por um lado, é admirável o seu potencial de criação de riqueza material, de progresso tecnológico e de bem-estar das nações, de outra parte é assustador o seu inerente desprezo pelas condições particulares da existência dos povos e pelos conteúdos da vida.

Assim, o capitalismo é o regime de produção em que a riqueza acumulada sob a forma monetária está sempre disposta a dobrar-se sobre si mesma, na busca da autorreprodução. D-D- e não D-M-D- é o processo em estado puro, adequado a seu conceito, livre dos incômodos e empecilhos de suas formas materiais particulares. Não se trata de uma deformação, mas do aperfeiçoamento de sua substância, na medida em que o dinheiro é o suposto e o resultado do processo de acumulação de riqueza no capitalismo.

É este processo fantasmagórico de autorreprodução que o capital está realizando sob os nossos olhos nos mercados financeiros contemporâneos.

REFERÊNCIAS

AGLIETTA, M. (1996). Financial Globalization, Systemic Risk and Monetary Control. In: *OECD Countries* In: Sunanda Sen (ed.). *Financial Fragility, Debt, and Economic Reforms.* Nova York: St. Martin Press.

ARRIGHI, G. (1996). *O longo século XX.* Rio de Janeiro/São Paulo: Contraponto/Editora Unesp.

BELLUZZO, L.G. (1998). "Fim de Século". *São Paulo em perspectiva,* vol. 12, n. 2, Revista da Fundação Seade, abril/junho, SãoPaulo.

_____ (1998). "Notas sobre a crise da Ásia". *Praga,* n. 5, São Paulo: Hucitec, maio.

_____ (1997). O dinheiro e as transfigurações da riqueza. In: TAVARES, M.C. & FIORI, J.L. (orgs.). *Poder e dinheiro* – Uma economia política da globalização. Petrópolis: Vozes.

_____ (1995). "O declínio de Bretton Woods e a emergência dos mercados globalizados". *Economia e sociedade,* n. 4, junho, Campinas.

BELLUZZO, L.G. & ALMEIDA, J.S.G. (1999). *A economia brasileira*: Da crise da dívida à agonia do real. São Paulo: Editora da Unesp.

COUTINHO, L. & BELLUZZO, L.G. (1998). "Financeirização da riqueza, inflação de ativos e decisões de gasto em economias abertas". *Economia e sociedade,* dezembro, Campinas.

DE CECCO, M. (1979). *Moneta e impero.* Milão: Einaudi.

FANNO, E. (1981). "Los Paises Capitalistas desde la Guerra Hasta la Crisis de 1929". *Cuadernos del Passado y Presente,* n. 85.

HILFERDING, R. (1981). *Finance Capital. A Study of the Latest Fase of Capitalist Development.* Londres: Rutledge and Kegan Paul.

HOBSON, J.A. (1965). *The Evolution of Modern Capitalism.* Londres: Allen and Unwin.

KEYNES, J.M. (1980). *Complete Works,* vol. XXV. Londres: Macmillan-Cambridge University Press.

_____ (1971). *Complete Works,* vol. VI. Londres: Macmillan-Cambridge University Press.

KINDLEBERGER, C. (1986). *The World in Depression,* 1929-1939. Los Angeles: University of California Press.

MARX, K. (1966). *El Capital.* Vol. III. México: Fondo de Cultura Económica.

TAVARES, M.C. & BELLUZZO, L.G.M. (1980). "Capital financeiro e empresa transnacional". *Temas,* n. 9.

Carlos A. Medeiros
Franklin Serrano

Padrões monetários internacionais e crescimento*

1 Introdução

A tendência natural do capitalismo desregulado é a crescente polarização e a divergência entre taxas de crescimento do produto e níveis de renda *per capita* dos diferentes países[1]. Esta tendência ao desenvolvimento desigual decorre dos efeitos cumulativos das enormes assimetrias entre os países centrais e os periféricos. Estas assimetrias dizem respeito fundamentalmente a três aspectos, a saber: a) o poder militar; b) o controle da moeda e finanças internacionais; e c) o controle sobre a tecnologia e o progresso técnico (CARDOSO DE MELLO, 1997)[2].

Tais assimetrias, que também se reproduzem, ainda que em menor grau, entre os países desenvolvidos, podem gerar fortes efeitos cumulativos, como a facilidade de forjar alianças e expandir o poder político e diplo-

---

* Os autores agradecem o apoio financeiro do CNPq, a Carlos Pinkusfeld Bastos, pela revisão e comentários, e a Maria Malta, pela assistência à pesquisa.

[1] Para uma fonte ortodoxa, cf. BARRO & SALA-Y-MARTIN (1991), em que dados sobre o suposto *puzzle* (para os neoclássicos) da não convergência da renda *per capita* entre países e regiões são apresentados. Note-se que a evidência de convergência parcial dentro de regiões muito integradas (como os diversos estados dos Estados Unidos ou países da Europa Ocidental no pós-guerra) não contraria a proposição de que o capitalismo desregulado tende a divergir, pois nestas regiões a atuação do Estado ou Estados foi evidentemente fundamental.

[2] A menos de outras qualificações, seguimos neste texto a definição de Cardoso de Mello, para quem três elementos caracterizam a periferia: "a natureza dinamicamente dependente do sistema produtivo; a fragilidade monetária e financeira externa; a subordinação político-militar" (CARDOSO DE MELLO, 1997: 18).

mático que vêm do poderio militar; a maior "liquidez" e "segurança" que a moeda e os ativos financeiros do centro (principalmente os do país que emite a moeda internacional) naturalmente proporcionam aos detentores de capital de todos os países; e os "retornos crescentes" de escala e aprendizado que decorrem do controle da tecnologia e dos mercados internacionais.

Dessa forma, tanto a ampliação ou mudança na hierarquia dos países do centro quanto o crescimento acelerado e mesmo a diminuição significativa do atraso relativo dos países da periferia são processos que pouco ou nada têm de automáticos ou naturais e dependem, fundamentalmente, de estratégias internas de desenvolvimento dos Estados nacionais. Por outro lado, precisamente pelas assimetrias mencionadas acima, o resultado final de tais projetos está fortemente associado, em cada período histórico, às suas condições externas.

Nosso ponto de partida é o de que em cada momento da evolução do sistema monetário internacional, com a exceção (dentro de certos limites) do país central que emite a moeda dominante, em todos os demais países que tentam se desenvolver, o papel dos condicionantes externos aparece de forma objetiva no fato de que estes têm sempre que enfrentar e resolver o seu problema de balanço de pagamentos.

Nossa hipótese central é a de que a amplitude dos espaços e oportunidades para o crescimento desses países em cada período histórico está ligada a dois determinantes fundamentais da natureza da restrição externa por eles enfrentada: i) as características gerais do regime monetário internacional e, em particular, a forma pela qual o país central opera o padrão monetário internacional; ii) a orientação geopolítica da(s) potência(s) dominante(s).

O país que emite a moeda de curso internacional, por não estar diretamente sujeito à restrição de balança de pagamentos, cumpre um papel fundamental no controle da expansão da demanda efetiva e da liquidez internacional (cf. TRIFFIN, 1972), influenciando a divisão internacional do trabalho de forma decisiva, tanto pela criação e expansão dos mercados internacionais quanto pela viabilização de seu financiamento (cf. PREBISCH, 1949).

Por outro lado, a forma e a direção que a criação de mercados e a expansão da integração financeira comandada pelo país central assumirem, serão influenciadas pela situação geopolítica internacional, principalmente no que diz respeito às rivalidades e à natureza dos conflitos entre as principais potências internacionais.

Vamos usar a seguinte cronologia de regimes monetários internacionais:

1. O padrão ouro-libra, de 1819 até 1914;

2. A tentativa de retorno ao padrão ouro-libra do fim da Primeira Guerra até os anos 1930;

3. O padrão ouro-dólar do fim da Segunda Guerra até 1971;

PADRÕES MONETÁRIOS INTERNACIONAIS E CRESCIMENTO

4. O período de crise, entre 1971 e 1979;
5. O padrão dólar flexível, de 1980 até os dias de hoje.

Na seção 2 resumimos brevemente algumas das características principais de cada um destes regimes. Na seção 3 discutimos esquematicamente a relação entre o centro e a restrição externa da periferia no padrão ouro-libra e em sua crise (regimes 1 e 2 acima). Fazemos o mesmo para o ouro-dólar e sua crise (regimes 3 e 4) na seção 4 e para o atual padrão dólar flexível (regime 5) na seção 5. A seção 5 apresenta breves observações finais.

2 A evolução do sistema monetário internacional

O primeiro período (1819-1914) corresponde ao padrão ouro-libra, quando a libra era a moeda-chave para as transações internacionais. Nesse período, *grosso modo*, a Inglaterra mantém a paridade de sua moeda em relação ao ouro, tem crescente déficit comercial em termos de mercadorias, que é compensado, em grande parte, por superávits em serviços não fatores (como fretes e seguros) e a renda líquida recebida de seus ativos no exterior, de tal forma que não ocorrem déficits em conta corrente (durante este período a Inglaterra mantém superávits em conta corrente, os déficits só começam a aparecer depois do início da Primeira Guerra Mundial – cf. KENWOOD & LOUGHEED, 1982). Apesar dos superávits em conta corrente, a Inglaterra tem déficits globais na balança de pagamentos, devido ao grande montante de investimentos diretos e empréstimos ao exterior. Estes déficits não envolvem nenhuma perda de ouro, pois, dada a posição internacional da libra como ativo de reserva, a Inglaterra financia com facilidade todo o seu déficit de balança de pagamentos causado pela saída de capital de longo prazo, recebendo as aplicações de curto prazo do resto do mundo[3].

Nesse sistema é importante ressaltar que, por conta do protecionismo, dos ganhos de produtividade dos outros países que se industrializam (França, Alemanha, Estados Unidos) e também do câmbio fixo inglês, os crescentes déficits de mercadorias da Grã-Bretanha com seus parceiros que se industrializam são compensados não apenas pelos serviços não fatores e renda dos seus ativos externos, mas também pelo grande saldo de mercadorias positivo com as colônias, particularmente no que diz respeito à Índia (cf. De CECEO, 1984).

---

[3] Note-se que, como em Kindleberger (1987), estamos definindo o saldo da balança de pagamentos do país que emite a moeda internacional como igual à variação de ouro mais variação de ativos externos de curto prazo (cf. SERRANO, 1999).

121

No segundo período, que se inicia no final da Primeira Guerra, vemos que esse sistema já não funciona adequadamente. De um lado, o antigo país central dominante, a Inglaterra, passa a incorrer em déficits na conta corrente (perde inclusive o saldo comercial positivo com a Índia). De outro, há o retorno à conversibilidade feito à paridade antiga, a despeito das diferenças de inflação durante a Primeira Guerra e da mudança de paridade de vários outros países. Esse retorno à velha paridade foi muito criticado por Keynes, mas, do ponto de vista dos interesses financeiros (como relembra HICKS, 1989), fazia sentido, para manter a ideia de que a libra de fato era "as good as gold".

Como se sabe, esse retorno é um fracasso, dada a perda de competitividade industrial inglesa e as mudanças na situação internacional. Desde as últimas décadas do século XIX os demais países industriais impõem gradativamente crescentes obstáculos às saídas de capital de curto prazo em direção a Londres, numa tendência que se acelera muito fortemente a partir da Primeira Guerra. Estes elementos, somados aos déficits em conta corrente, observados tanto na Inglaterra quanto nos demais países europeus com os EUA, em vários anos a partir da Primeira Guerra, e aos pagamentos de reparações dos perdedores da guerra, fazem com que o ouro, nas décadas de 1920 e 1930, vá fluindo cada vez mais em uma única direção: os Estados Unidos.

Além das características estruturais distintas, a política econômica americana na época tornava impossível a este país cumprir o papel desempenhado pela Inglaterra no período anterior. Ao longo deste período, os Estados Unidos obtêm vultosos saldos positivos tanto na conta corrente (inclusive na balança comercial na conta de mercadorias) quanto na conta de capitais, atraindo cada vez mais o ouro do resto do mundo. Para piorar a situação, nos anos 1930 os Estados Unidos aumentam suas tarifas, sobem a taxa de juros e depois ainda desvalorizam o câmbio, lançando o mundo na Grande Depressão.

Depois da Segunda Guerra temos o período do padrão ouro-dólar de Bretton Woods. Nesse período que vai até 1971, o preço oficial do ouro em dólar é mantido fixo e o dólar substitui de vez a libra como a moeda-chave nas transações internacionais. No início do período os Estados Unidos têm saldo comercial e em conta corrente positivo, mas a Guerra Fria faz com que, via ajuda externa e por meio de empréstimos e investimento direto, os Estados Unidos tenham crescentes déficits na balança de pagamentos. Ao longo do tempo, com a reconstrução dos demais países capitalistas centrais (incentivada e financiada pelos próprios americanos), os saldos comerciais e de conta corrente dos Estados Unidos são reduzidos continuamente até se tornarem negativos em 1971. Ao longo da década de 1960 vai ficando claro para o governo americano que um realinhamento cambial se torna necessário para desacelerar o declínio relativo da competitividade dos Estados Unidos.

PADRÕES MONETÁRIOS INTERNACIONAIS E CRESCIMENTO

No entanto, a desvalorização do dólar dentro das regras do sistema, isto é, via aumento do preço do dólar em ouro, não era desejável para os americanos, pois havia o risco de que tal mudança gerasse uma fuga generalizada do dólar para o ouro. Se isto ocorresse, haveria o perigo de que a restrição do balanço de pagamentos, que não existia para os Estados Unidos nessa época, da mesma forma que não existia para a Inglaterra no período do padrão ouro-libra (até a Primeira Guerra), voltasse a existir, à medida que pagamentos internacionais passassem a ser feitos cada vez mais diretamente em ouro, em vez de dólar.

Por outro lado, os demais países centrais recusaram a proposta dos Estados Unidos de um movimento coordenado de valorização das moedas dos outros países (que simultaneamente deveriam reduzir o preço oficial do ouro em suas respectivas moedas). Além disso, estes países insistiam em propostas de reforma que diminuiriam a importância do dólar na economia internacional (aumentando o papel do ouro e/ou dos Direitos Especiais de Saque – cf. SOLOMON, 1982).

Nesse contexto de impasse a solução encontrada pelos Estados Unidos, para conciliar a preservação do papel internacional do dólar com seu desejo de desvalorizar o câmbio, foi decretar unilateralmente a inconversibilidade do dólar em ouro em 1971, como preparação para a iniciativa americana de desvalorização do dólar, que começa em 1973 (cf. PARBONI, 1981).

A decisão americana de desmontar unilateralmente o sistema de Bretton Woods faz a economia mundial capitalista entrar em um período de grande turbulência.

A nova situação de inconversibilidade e flexibilização das taxas de câmbio dos países centrais gerou grandes ondas especulativas, em um contexto em que a demanda efetiva e a liquidez internacional cresciam impulsionadas tanto pela expansão acelerada da economia americana quanto pela expansão do circuito *offshore* do eurodólar.

O acirramento das rivalidades entre os Estados capitalistas e a complexa situação geopolítica da década de 1970 naturalmente contribuíram para ampliar essa instabilidade sistêmica.

Além disso, na medida em que as taxas de juros americanas eram mantidas relativamente baixas para operar a desvalorização do dólar, ficando negativas em termos reais, se desenvolveu uma enorme onda especulativa de *commodities*, que culmina nos choques do petróleo, levando a uma explosão inflacionária jamais vista em tempos de paz nos países centrais.

Esse movimento especulativo, sem dúvida, foi ampliado pelo fato de que diversos países ainda mantinham restrições a fluxos de capital especulativo externo de curto prazo, que eram parte integrante do antigo sistema de Bretton Woods, apesar da flexibilidade das taxas de câmbio, o que tornava especular com *commodities* uma maneira indireta de fazer especulação cambial (cf. BIASCO, 1979).

No final de 1979 ocorre uma nova e decisiva guinada na política monetaria americana, com o choque dos juros de Volcker (presidente do FED à época). As taxas de juros nominais e reais atingem níveis sem precedentes e são acompanhadas por uma onda de inovações e desregulação financeiras, que desde então vêm espalhando por todo o mundo a combinação entre enormes fluxos de capitais de curto prazo e a volatilidade de juros e taxas de câmbio.

Com essa política, a bolha de preços de *commodities* e a inflação internacional são debeladas. Os Estados Unidos, a partir de então, retomam progressivamente o controle do sistema monetário-financeiro internacional (cf. TAVARES, 1985). Os demais países centrais, finalmente convencidos da futilidade de questionar a centralidade do dólar no novo sistema passam a aceitar um novo padrão monetário internacional, o padrão dólar flexível.

Nesse novo padrão, o dólar continua sendo a moeda internacional. Só que agora finalmente livre das duas limitações que tanto o padrão ouro-libra quanto o ouro-dólar impunham aos países que emitiam a moeda-chave, a saber, a necessidade de manter o câmbio fixo (para evitar a fuga para o ouro) e de evitar déficits na conta corrente, para inibir reduções nas reservas de ouro do país central (cf. SERRANO, 1999).

No atual padrão dólar flexível, os Estados Unidos podem incorrer em déficits globais na balança de pagamentos e financiá-los com ativos denominados em sua própria moeda como nos outros padrões anteriormente citados. Além disso, a ausência de conversibilidade em ouro dá ao dólar a liberdade de variar por sua iniciativa unilateral a paridade em relação às moedas dos outros países, conforme sua conveniência, por meio de mudanças nas taxa de juros americanas. Isso é verdade tanto para valorizar o dólar (período 1980-1985 e 1995-1999) quanto para desvalorizá-lo (período 1985-1995). No último caso não há mais por que temer uma fuga para o ouro, pois o novo padrão dólar flexível é inteiramente fiduciário, baseado na premissa de que um dólar *"is as good as one dollar"*, premissa ancorada no poder do Estado e da economia americana no mundo unipolar pós-Guerra Fria. O dólar é o meio de pagamento internacional, a unidade de conta nos contratos e nos preços dos mercados internacionais e também naturalmente a principal reserva de valor.

Flutuações na paridade do dólar com as outras moedas têm efeito apenas nas outras moedas, que perdem competitividade quando se valorizam e sofrem pressões inflacionárias quando se desvalorizam em relação ao dólar. A liberdade para fazer flutuar o dólar é assim uma das vantagens do padrão dólar flexível, permitindo que os Estados Unidos não "tenham" que perder competitividade real em nome da manutenção de sua preeminência financeira.

A outra vantagem para os Estados Unidos da ausência de conversibilidade em ouro é a eliminação completa da sua restrição externa. Agora os Estados Unidos podem incorrer também em déficits em conta corrente permanentes, sem precisar se preocupar com o fato de que seu passivo externo líquido está aumentando, uma vez que este passivo "externo" é composto de obrigações denominadas na própria moeda americana e não conversíveis em mais nada (desaparece o problema da redução das reservas em ouro quando ocorrem déficits em conta corrente) (cf. SERRANO, 1999).

O padrão-dólar flexível, que Nixon e Kissinger tentaram implantar nos turbulentos anos 1970 e que se torna uma realidade a partir dos anos 1980, permite então que os Estados Unidos incorram em déficits de conta corrente permanentes, tanto é assim que a economia americana tem tido déficits em conta corrente em quase todos os anos desde 1971 (exceto em 1973-1976 e 1980-1981). Nesse sistema, todo o valor dos déficits americanos tanto em conta corrente quanto na balança de pagamentos, na medida que os pagamentos internacionais são realizados em dólar, é total e automaticamente financiado por um influxo de capital de curto prazo, idêntico ao aumento das reservas dos outros países, que necessariamente, se quiserem participar da economia monetária capitalista internacional, têm que aceitar simplesmente acumular títulos em dólar (em geral a própria dívida pública americana).

Em seu último livro Hicks (1989) percebeu que os Estados Unidos, a partir do início dos anos 1980, haviam tomado para si a responsabilidade de ser a moeda internacional e portanto corretamente passaram a manter uma atitude "passiva" em relação ao resultado de sua balança de pagamentos.

No entanto, Hicks se pergunta se esse papel pode ser desempenhado satisfatoriamente por uma moeda "fraca" como o dólar. Por "fraca" Hicks quer dizer apenas que essa é a moeda de um país que tende a déficits crônicos na conta corrente. A resposta a essa dúvida parece ser afirmativa, uma vez que a vitória americana na Guerra Fria garantiu o sucesso da desmonetização definitiva do ouro e a redução da capacidade de contestação da liderança americana por parte dos outros Estados nacionais capitalistas.

3 Crescimento do padrão ouro-libra

3.1 Dois padrões de crescimento

As condições gerais estabelecidas pelo padrão monetário libra-ouro permitiram dois processos de desenvolvimento: o industrializante, liderado pelo Estado e centrado na formação, expansão e proteção do mercado interno; e o desenvolvimento "para fora", complementar à estrutura produtiva inglesa e baseado na produção especializada de *commodities*. A possibilidade de copiar técnicas, estabelecer unilateralmente controles de capital e erigir barreiras tarifárias, no primeiro caso, e o investimento direto britânico nos países periféricos, com condições especiais para produção de alimentos e matérias-primas, no outro, responderam pelas trajetórias mais bem-sucedidas de crescimento. No entanto, a maioria dos países, em particular nos continentes asiático e africano, permaneceu à margem de ambos os processos de desenvolvimento.

3.2 O modelo agrário-exportador e o desenvolvimento "para fora"

Em relação aos países que se inserem e se desenvolvem por meio da exportação de alimentos e matérias-primas, a questão central foi amplamente examinada por Prebisch (1949); tendo em vista a assimetria e a dependência do movimento cíclico do centro principal, apenas em circunstâncias muito particulares pode um crescimento puxado pelas exportações se afirmar como motor do desenvolvimento, como de fato ocorreu em países como Argentina, Canadá, Austrália, Nova Zelândia ou Noruega e Dinamarca.

O ajustamento cíclico da balança de pagamentos inglesa, via variações na taxa de juros, se por um lado permitia à Inglaterra financiar suas contas externas com tranquilidade, por outro lado impunha aos países agrário-exportadores da periferia uma forte instabilidade cíclica (TRIFFIN, 1972).

Na fase de auge cíclico tanto o déficit comercial quanto os investimentos diretos e empréstimos da Inglaterra ao exterior aumentavam. Nesse momento, para evitar a saída de ouro, a Inglaterra aumentava suas taxas de juros, o que levava a uma diminuição no crescimento da criação de crédito na Inglaterra e a grandes entradas de capital, atraído pelos juros ingleses.

Isso levava à reversão do ciclo e à diminuição do déficit comercial, tanto via diminuição do *quantum* importado como também pela queda simultânea dos preços das matérias-primas e alimentos importados. Assim, para a Inglaterra, a variação da taxa de juros permitia tanto o financiamento quanto o amortecimento das flutuações cíclicas de sua balança de pagamentos global, pois as mudanças na conta de capitais tendiam a compensar os movimentos na balança comercial.

No entanto, na periferia, este mesmo movimento tinha o efeito exatamente inverso, ou seja, de exacerbar a instabilidade cíclica. Na fase ascendente do ciclo, esses países se deparavam com demanda forte por seus produtos de exportação, termos de trocas favoráveis, juros externos baixos, e amplos influxos de capital externo. Por outro lado, na fase descendente, sofriam simultaneamente um choque negativo de demanda por exportações, queda nos termos de troca, aumentos na taxa de juros externa, além de tendência à saída de capital, atraído pelos juros altos ingleses e pelo risco de crise cambial na periferia.

PADRÕES MONETÁRIOS INTERNACIONAIS E CRESCIMENTO

Nesse contexto, duas condições eram necessárias para que os países agrário-exportadores, a despeito da instabilidade, conseguissem equacionar seus problemas de balança de pagamentos. A primeira (enfatizada por PREBISCH, 1949) era a existência de grande complementaridade entre a economia periférica e a internacional (e em particular a economia inglesa), que garantia uma demanda crescente por suas exportações. A segunda condição dizia respeito à integração financeira com o centro, e Londres em particular. Devido à instabilidade cíclica e à fragilidade externa da periferia, era necessário que nas fases recessivas os países conseguissem financiamento externo em quantias suficientes para se manterem integrados no sistema até a próxima reversão do ciclo.

Por outro lado, o maior ou menor sucesso do modelo agrário-exportador na promoção do desenvolvimento econômico no contexto do século XIX dependia não apenas dessas condições externas favoráveis, mas também de uma dimensão interna, que se expressa no quanto os impulsos dinâmicos do setor exportador da economia se transmitiam para o seu conjunto (FURTADO, 1970).

Do ponto de vista da Inglaterra e demais países centrais a lógica e dinâmica do investimento direto e dos empréstimos aos Estados periféricos baseava-se no controle das fontes de alimentos e matérias-primas e formação de mercados para a indústria. Desse modo, o que põe em marcha o *"desarrollo hasta fuera"*, ou *"export led growth"* dos países periféricos do século XIX, é o acesso a esse financiamento, viabilizando a construção da infraestrutura exportadora e a obtenção de equilíbrio no balanço de pagamentos.

Assim, de certo modo, as dimensões externas e internas com frequência se entrecruzavam, pois a integração do complexo exportador tanto para fora quanto para dentro da economia periférica dependia da infraestrutura de transportes e esta do financiamento internacional. O acesso a este financiamento – enormemente facilitado no caso das Colônias formais e informais – e a qualidade das terras diferenciavam os Estados nacionais periféricos em seus esforços de integração na economia mundial. Em um polo, afirmavam-se as "áreas de planície" de países como Argentina, Canadá, Austrália, Nova Zelândia, verdadeiras extensões da agricultura europeia plenamente integradas às finanças e ao comércio internacional. Esses países puderam crescer a taxas elevadas, induzidas pelo grande dinamismo nas exportações. Em um outro plano afirmava-se um diversificado conjunto de países periféricos (na Europa Central, na América Latina, na Ásia), cuja dinâmica exportadora e cujo tipo de integração financeira eram incapazes de impulsionar suas economias a taxas elevadas de crescimento. No caso dos países da Europa Central, a concorrência com a agricultura das "áreas de planície", exacerbada no início do século XX, levou a baixas taxas de crescimento.

3.3 O "déficit de atenção" e a industrialização tardia

Em relação ao extraordinário processo de industrialização tardia ocorrido em diversos países e que levou no caso da Alemanha e dos Estados Unidos não apenas à convergência de renda, mas também à própria ultrapassagem da Inglaterra, é importante perguntar: por que a Inglaterra, com os imensos recursos (especialmente financeiros, mas também industrial e naval/militar) que possuía e com sua grande influência política praticou o livre-comércio[4], de forma isolada entre os países mais desenvolvidos, e displicentemente tolerou o protecionismo e o desenvolvimento dos sistemas financeiros nacionais dos demais, cedendo sua liderança industrial e tecnológica, permitindo o processo de industrialização liderado pelo Estado e voltado para o mercado interno?

Como relata Hirschman (1984), Burke, referindo-se ao tratamento inglês na colonização dos Estados Unidos, considerava que teria havido nesse período uma "negligência sábia e saudável". Em parte o que Hirschman chama em geral de "déficit de atenção" ocorria devido ao controle por Londres da moeda e das finanças mundiais. Como salienta Hobsbawm (1978: 141), durante o auge da liderança inglesa, na segunda metade do século, "[...] o mesmo processo que debilitava a produção britânica – o surgimento de novas potências industriais, a diminuição do poder de competição britânico – fortalecia o triunfo das finanças e do comércio do país". A Inglaterra cobria seu déficit comercial com os novos países industriais por meio de grande superávit de rendimentos na conta de serviços não fatores, como transporte, seguros etc., e também por meio da renda líquida recebida do exterior, pois ainda era o maior credor do mundo: "Os fios da trama do comércio e das liquidações financeiras mundiais corriam por Londres, e cada vez mais, pois somente Londres podia tapar os buracos que se abriam nela" (HOBSBAWM, 1978: 141).

Além disso, deve-se ressaltar a importância estratégica da Índia e de outros territórios do império inglês, onde, ao contrário do resto do mundo, a Inglaterra possuía amplo superávit comercial e administrava politicamente em seu favor (e sem nenhum "déficit de atenção") as relações comerciais e financeiras. A Índia era essencial para a Inglaterra, não apenas como o grande mercado para os têxteis ingleses, mas essencialmente porque o grande superávit que a Índia possuía com o mundo (em particular com a China) era repassado para a Inglaterra em função do seu déficit comercial bilateral e das *home charges*. Progressivamente, com a proximidade do novo século,

---

[4] Para uma análise das distintas políticas de proteção no período, cf. Shaffaedin (1998).

PADRÕES MONETÁRIOS INTERNACIONAIS E CRESCIMENTO

Inglaterra tornava-se cada vez mais dependente da Índia para seu superávit na conta corrente (De CECCO 1984, 1987).

Até o final do século, as estratégias rivais possuíam alguns elementos de complementaridade com a dinâmica financeira inglesa. A rivalidade, de fato, começa a ultrapassar a complementaridade, à medida que os capitalismos nacionais e relativamente fechados dos Estados Unidos e da Alemanha conquistam mercados externos. A afirmação de centros financeiros fora da *City* londrina e a oferta de financiamento privado e público aos importadores de bens manufaturados alemães e norte-americanos iniciam uma crescente rivalidade, a qual a Inglaterra não mais poderia displicentemente ignorar.

Com efeito, a expansão dos bancos de investimento entre os principais competidores da Inglaterra se deu de forma articulada com a expansão econômica e política desses países, de forma a assegurar mercados externos. França e Alemanha financiaram dívidas públicas nos países mais atrasados da Europa, com destaque para a Rússia, o maior recipiente de investimento na Europa, bem como marcaram sua presença na América Latina com investimentos em infraestrutura e indústria.

A Alemanha transforma-se rapidamente de nação devedora em nação credora. Também os Estados Unidos, de longe o maior recipiente de investimento externo, passaram a investir fortemente no Canadá e na América Latina desde a segunda metade do século XIX.

Entre os principais receptores de investimento direto em termos *per capita* no período destacam-se Austrália, Nova Zelândia e Canadá e, na Europa, os países escandinavos. A lógica desses investimentos estava associada ao acesso às fontes de matérias-primas e alimentos. Era justamente entre esses países da América Latina, da Ásia e da África, que a Inglaterra mantinha sua supremacia financeira.

Em sua análise do capitalismo alemão, Hilferding (1973) tinha claro que a produtividade de determinada indústria dependia do tamanho do seu mercado. Desse modo, se o protecionismo, tal como praticado na Europa no final do século XIX, diminuía extraordinariamente as vantagens das nações pequenas, por outro lado, aumentava as vantagens das economias grandes como a Alemanha. Estas beneficiavam-se da concentração de capital e da monopolização estimuladas pela proteção. A proteção e os mecanismos estatais de promoção industrial permitiam aos conglomerados nacionais maior poder de competição, por lhes assegurar um mercado de escala suficientemente grande. Quanto maior o mercado interno, maiores os benefícios decorrentes da conglomeração, e quanto mais avançado esse processo, maior o poder de concorrência desses conglomerados no mercado mundial. Com o *Zolverein*, a Alemanha inaugurava o que modernamente é descrito como "política comercial estratégica", na qual a preservação

129

do mercado doméstico para as empresas nas indústrias em que existem economias de escala é um meio essencial de redução de custos e promoção das exportações. A estratégia alemã era proteger o seu mercado interno e, ao mesmo tempo, criar condições de conquistar o mercado europeu.

A exportação de capitais (quer sob a forma de investimento direto, quer sob a forma de crédito) resultava dos esforços de expansão do mercado para as empresas alemãs. A expansão das exportações depende do financiamento aos novos mercados e da capacidade de exportação desenvolvida nesses países. Como vimos acima, este segundo aspecto tinha sua base, no século XIX, na complementaridade entre manufaturas e matérias-primas, tal como a estabelecida pela Inglaterra e considerada estrategicamente indispensável pela Alemanha.

Protegidos por barreiras tarifárias e naturais e auxiliados pela extensão de seu mercado interno, os Estados Unidos deslancham na segunda metade do século XIX um inédito processo de industrialização, que, além de contar com as novas instituições financeiras e empresariais que caracterizavam a "industrialização tardia" europeia (e com produção farta de ouro na Califórnia), apresentava uma integração com sua agricultura de alta produtividade, sem qualquer paralelo na Europa.

Fora dos Estados Unidos, a concorrência pelo acesso aos mercados supridores de matérias-primas era, com efeito, decisiva para a expansão dos novos países industriais (tanto para os europeus quanto para o Japão) e está na base do acirramento dos conflitos entres os Estados do centro na era do imperialismo, conflitos estes que contribuíram decisivamente para a situação de instabilidade geopolítica que levou à Primeira Guerra (e ao fim do padrão ouro-libra).

Será precisamente a montagem de redes comerciais e de pagamentos dos Estados Unidos e da Alemanha em torno de suas periferias que minará a função da Inglaterra de centro financeiro e entreposto mercantil da economia mundial. Com a transformação dos Estados Unidos em exportadores líquidos de manufaturas e com o crescimento acelerado das exportações alemãs para a Europa, a circulação da liquidez internacional começa a deixar de obedecer às características historicamente montadas pela Inglaterra e que serviram de base para o sistema de pagamentos baseado no padrão ouro-libra (De CECCO, 1987).

3.4 A crise do crescimento "para fora" e o processo de "substituição de importações"

Depois da Primeira Guerra Mundial e particularmente a partir da Grande Depressão, as duas condições externas que permitiam a alguns países agrário-exportadores crescer a taxas aceleradas deixam de ter validade. Em primeiro lugar, a progressiva substituição da Inglaterra pelos Estados Unidos como a principal economia do mundo (o novo "centro cíclico principal" de Prebisch) desfaz em grande parte a complementaridade entre estas economias periféricas e o centro, pois a economia americana não apenas tinha um coeficiente global de importações muito mais baixo do que a Inglaterra, como também era altamente competitiva justamente na produção de alimentos e matérias-primas.

Por outro lado, a sequência de crises e dificuldades financeiras que marcam a abortada tentativa de restabelecer o padrão ouro-libra nos anos 1920 acaba, a partir da década de 1930, por desmontar a integração financeira da periferia com o centro pela insolvência generalizada dos países periféricos diante do colapso do comércio internacional e dos preços das *commodities*. Assim, países latino-americanos como Argentina e Brasil, que aderiram ao "novo" padrão ouro-libra em 1927 e em 1926 respectivamente, tiveram que romper com este sistema e desvalorizar suas moedas em alguns poucos anos (em 1929 a Argentina abandona o padrão e em 1930 o Brasil).

O protecionismo, a autarquia e a substituição de importações foram uma resposta natural e praticamente inevitável a essas mudanças, que se configuram em uma brutal redução na "capacidade de importar" da periferia e em uma situação de escassez de divisas permanente (agora uma escassez de dólares e não de libras).

Esse processo forçado de substituição de importações e racionamento de divisas na América Latina impulsiona a economia latino-americana, que consegue crescer razoavelmente dos anos 1930 até o fim da Segunda Guerra.

Em um primeiro momento, a restrição externa absoluta, como a que se afirmou nesses anos, somada à relativa facilidade de substituir uma ampla faixa de bens de consumo de tecnologia simples, exerceu um efeito positivo ao permitir um "desvio de demanda" dos fornecedores estrangeiros para os produtores nacionais.

No entanto, as possibilidades de se manter um padrão de crescimento a longo prazo baseado nesse processo natural ou espontâneo são muito limitadas. À medida que o processo avança, e com ele a industrialização e as necessidades de importação de bens de capital e insumos, tornam-se cada vez mais difíceis ulteriores reduções no coeficiente de importação[5].

---

[5] Como aponta Tavares (1964: 45): "Se, por exemplo, se continuar substituindo apenas nas faixas de bens finais de consumo, a pauta pode vir a ficar praticamente comprometida com as importações necessárias à manutenção da produção corrente, sem deixar margem suficiente para a entrada de novos produtos e, em particular, dos bens de capitais indispensáveis à expansão da capacidade produtiva. Para evitar que isso ocorra, é indispensável que se comece bastante cedo a substituição em novas faixas, sobretudo de produtos intermediários e bens de capital, antes que a rigidez excessiva da pauta comprometa a própria continuidade do processo".

Assim, o desenvolvimento industrial no segundo pós-guerra dos países periféricos latino-americanos mais dinâmicos, como o Brasil ou o México, não poderá se limitar a essa substituição espontânea de importações, na medida em que o planejamento da industrialização se mostra essencial para a continuidade do processo. Dessa forma, a industrialização destes países passará a ser "para dentro", isto é, liderada pelo Estado e explicitamente voltada para o crescimento do mercado interno. Nesse novo processo, como veremos adiante, a promoção de exportações e o próprio retorno do financiamento internacional são fatores que permitiram o afrouxamento da restrição externa ao crescimento.

4 Crescimento no padrão ouro-dólar

4.1 A Guerra Fria, o keynesianismo e o desenvolvimento a convite

O período que começa a partir do final da Segunda Guerra se caracteriza por dois elementos principais. Em primeiro lugar, surge como conflito geopolítico fundamental a concorrência entre dois sistemas econômicos antagônicos, liderados pelos Estados Unidos e pela URSS. Esse conflito passa a subordinar a concorrência entre os Estados nacionais capitalistas tanto pelos mercados quanto pelo poder. O segundo aspecto essencial é a afirmação da supremacia industrial, comercial, financeira e militar dos Estados Unidos sobre as demais economias do bloco capitalista[6]. Como peça importante nesse último aspecto, criou-se um sistema monetário internacional supervisionado por instituições como o FMI e o Bird, subordinados ao controle e aos interesses americanos.

Estabelece-se assim um contexto inteiramente novo e que altera profundamente as características das condições externas gerais do crescimento acelerado e de acesso de países capitalistas ao meio de pagamento internacional (nesse momento o dólar americano): a sua posição estratégica no contexto da Guerra Fria.

Nos anos do pós-guerra, os Estados Unidos incorreram em déficits globais em sua balança de pagamentos, pois seus déficits da conta de capital excediam o seu superávit comercial, e na balança de transações correntes (que no imediato pós-guerra são bastante elevados, mas vão se reduzindo progressivamente). Os déficits na conta de capital se devem à grande ajuda ex-

---

[6] Entre 1938 e 1944 o PIB americano cresceu cerca de 114%, aumentando de forma inédita a distância entre os Estados Unidos e os demais países. Como o conjunto de inovações básicas do período estava associado à economia de guerra, a liderança americana na produção de armamentos ampliou imensamente as diferenças tecnológicas entre esta economia e as demais.

terna (econômica e militar) americana aos países estratégicos, em particular à Alemanha e ao Japão e posteriormente à Coreia e Formosa, e à substancial saída de investimento direto dos Estados Unidos nos anos 1950 e 1960.

Circunstâncias especiais como a abertura unilateral do mercado americano; a manutenção de taxas de câmbio desvalorizadas, favoráveis à competitividade dos aliados dentro do sistema de Bretton Woods; tolerância com políticas de proteção tarifária e não tarifária; missões de ajuda técnica e o forte estímulo à expansão das multinacionais americanas, ajudaram a aliviar a restrição externa nesses países. Isto permitiu aos países europeus e ao Japão, rapidamente, a adoção de um regime de conversibilidade ao dólar e viabilizou uma onda de supostos "milagres" nacionais de reconstrução e/ou crescimento econômico.

Devido à forma como o sistema-ouro-dólar estava sendo administrado, o keynesianismo expansivo, voltado à obtenção do pleno emprego na economia americana, pôde se generalizar aos demais países capitalistas mais desenvolvidos. O quadro geopolítico que resulta da revolução chinesa permitiu a proliferação de distintos estilos nacionais de capitalismo. Em particular essas condições externas favoráveis tornaram possíveis processos de industrialização acelerada, liderados pelo Estado e baseados em estruturas de conglomerados nacionais, como os *keiretsu* japoneses e os *conzern* alemães. Os casos de desenvolvimento mais rápidos e bem-sucedidos, a começar pelo Japão, foram os que combinaram exportação de manufaturas com produção local e subsidiada de bens de capital, além de estrito controle estatal sobre o setor financeiro e os fluxos de capital.

No pós-guerra o acesso ao mercado americano e ao financiamento internacional criou para os países aliados as condições externas para o crescimento acelerado. Assim, podemos caracterizar como "desenvolvimento a convite" a estratégia americana de não apenas permitir, como também em vários casos promover deliberadamente o desenvolvimento econômico dos países aliados nas regiões de maior importância estratégica para o conflito com a URSS[7].

Tendo em vista a situação do imediato pós-guerra, o esforço exportador era absolutamente central para os países europeus (e para a derrotada Alemanha, em particular) e o Japão, em razão de suas necessidades elevadas de importações (matéria-prima e bens de capital) e de sua situação de crônica escassez de dólares. A formação de reservas, necessárias à sustentação dos compromissos assinados em Bretton Woods, aos quais o Japão aderiu

---

[7] A expressão "desenvolvimento a convite" é de Wallerstein (cf. ARRIGHI, 1994) e, para este autor, diz respeito ao convite ao desenvolvimento feito por grandes empresas a pequenos países. No presente trabalho estamos usando a mesma expressão com um sentido totalmente diverso.

tardiamente, apenas em 1952, dependia do acesso às doações e empréstimos americanos e da capacidade de exportar. Do ponto de vista dos Estados Unidos, a expansão das reservas e das exportações dos seus aliados, bem como a reconstrução da economia regional na Europa Ocidental e no sudeste Asiático, era percebida como essencial para o crescimento da economia mundial e para a construção de uma ordem econômica internacional que pudesse isolar o bloco soviético. Estava claro que esta ordem deveria ser montada a partir da afirmação do dólar como a moeda internacional[8].

4.2 Os convidados

A partir da Guerra da Coreia – com seu extraordinário impulso às exportações de manufaturas alemãs e japonesas – a *performance* econômica dos aliados foi fortemente condicionada pelos interesses estratégicos dos Estados Unidos.

No caso da Alemanha, a prioridade dos Estados Unidos era apoiar um processo de reconstrução de forma concomitante com a construção da Comunidade Europeia. A dinâmica deste processo, inicialmente induzido pelos Estados Unidos, estava centrada em um amplo crescimento do comércio europeu, na conversibilidade das moedas e, ainda que de forma nacionalmente diferenciada, nos investimentos diretos das grandes empresas americanas. Progressivamente a Alemanha recuperava o seu peso na economia europeia, afirmando-se nas exportações de bens de capital e produtos químicos, ao mesmo tempo em que promove, por seu dinamismo, o crescimento das exportações industriais de países como a Itália e a Holanda. Como a Alemanha possuía uma taxa de crescimento maior do que a do restante da Europa ocidental, o déficit comercial que a maioria dos países europeus possuía com esse país não neutralizava o crescimento regional. A alta taxa de crescimento da economia e das importações alemãs junto com as baixas taxas de juros e ampla disponibilidade de crédito comercial intrarregional (a partir da introdução da conversibilidade das principais moedas europeias em 1959) permitia que estes déficits fossem financiados com facilidade[9].

---

[8] A busca desse objetivo a partir do Plano Marshall requeria a desativação da área da libra, que recebe seu golpe de misericórdia com sua desvalorização forçada em 1949. De fato, ao contrário dos demais países que desejavam desvalorizar suas moedas em relação ao dólar por motivos de competitividade, a Inglaterra relutava em fazê-lo, pois ainda mantinha a ilusão de que a libra efetivamente tivesse um papel como umas das duas *key currencies* (moeda de reserva), como havia sido combinado em Bretton Woods. A desvalorização da libra em 30% acabou ocorrendo de qualquer jeito e foi seguida por uma série de desvalorizações, que aumentaram a competitividade externa de 25 outros países (De CECCO, 1979).

[9] Nos anos 1960, os déficits comerciais americanos com a Europa e a expansão dos investimentos diretos contribuíram para um relaxamento ainda maior da restrição externa dos países europeus (HALEVI, 1998).

O milagre japonês do pós-guerra, como descrito por Tsuru (1992) e Halevi (1998), ilustra muito bem o "desenvolvimento a convite" induzido pela Guerra Fria. A partir da Guerra da Coreia em 1950, a estratégia americana em relação ao Japão muda radicalmente (cf. TORRES FILHO, 1999). As indenizações de guerra foram perdoadas, o desmonte dos *zalbatsu* foi interrompido e as encomendas dos Estados Unidos impulsionaram a indústria de máquinas e a automobilística, que passam a crescer a uma velocidade acelerada. Com os ganhos de produtividade daí derivados, a taxa de câmbio nominal de 360 ienes por dólar começou a representar uma taxa real de câmbio bastante desvalorizada, contribuindo para um grande crescimento das exportações manufatureiras.

Em relação aos países do sudeste da Ásia, a política dos Estados Unidos passou a ser a de construir uma dinâmica economia regional em torno do Japão. A diminuição das elevadas transferências unilaterais americanas para a Coreia do Sul e para Taiwan com a manutenção de elevadas taxas de crescimento regionais só seria possível com a criação de um amplo mercado externo para a exportação dessas economias e amplo acesso ao financiamento internacional. A abertura do mercado americano e a construção de uma economia regional fazia parte dessa estratégia (HALEVI, 1998).

A partir da segunda metade dos anos 1960, a Coreia do Sul e Taiwan, por meio de agressiva política industrial e comercial, seguem o caminho percorrido pelo Japão, penetrando no mercado americano com exportações de têxteis e produtos industriais de baixo valor unitário, no momento em que o Japão deslocava-se para produtos de maior valor unitário.

Por sua particularidade política, a de ser um rival ativo na Guerra Fria, e, nos anos 1970, um país rival da União Soviética, a China obteve nos anos 1970 o apoio americano para o seu projeto de modernização e industrialização e contou, como o Japão, a Coreia ou Taiwan contaram nas décadas anteriores, com a abertura unilateral do mercado americano como a principal fonte de divisas. Conforme será observado em outro capítulo deste livro, a China foi o último dos convidados (MEDEIROS, 1999).

4.3 A América Latina

Distante das áreas mais quentes da Guerra Fria, as condições externas para a região eram bem menos favoráveis ao prosseguimento da industrialização. Na América Latina não houve nem Plano Marshall nem projeto de construção de economia regional apoiado pela ajuda e por acesso privilegiado aos mercados dos Estados Unidos. A ajuda externa só começa com a Aliança para o Progresso, depois do "susto" da revolução cubana e mesmo assim em quantidades insuficientes para as necessidades dos países maiores. Assim, o financiamento externo da região tornou-se muito dependente da expansão do investimento direto das multinacionais americanas e europeias. Como este se concentrava em setores voltados para o mercado interno, acabaram tendo (como apontavam PREBISCH, 1964 e KALECKI, 1972) um efeito líquido negativo em termos de divisas. O crescimento da capacidade de importar ficou assim fortemente dependente da *performance* exportadora de cada país, que ainda teve de enfrentar o protecionismo dos países centrais.

É importante confrontar desse ângulo os casos da Argentina e do Brasil. A questão do baixo desenvolvimento do setor de bens de capital neste primeiro país e sua incapacidade de prosseguir um processo industrializante deveram-se tanto a uma menor capacidade de planejamento do governo (política de compra, de crédito, tributária e de alocação de divisas) quanto a uma também menor disponibilidade de divisas (maior coeficiente de importações e menor receita de exportações). Sob este último aspecto deve-se salientar que no pós-guerra, ao longo dos anos 1950, os termos de troca foram muito mais favoráveis ao Brasil do que à Argentina (TAVARES, 1964).

Na década seguinte, a expansão dos investimentos diretos e, a partir de meados dos anos 1960, a exportação de manufaturas diferenciaram o Brasil no contexto regional. A economia brasileira, além de ter registrado taxas de crescimento muito mais elevadas tanto nos anos 1950 quanto nos anos 1960, apresentou um coeficiente de importações muito mais baixo do que o argentino. A diferença específica deve-se a uma maior diversificação da estrutura produtiva, ao tamanho do mercado interno e o rápido desdobramento da substituição de importações para um processo mais amplo e planejado de industrialização com promoção de exportações. Assim, na segunda metade dos anos 1960, o Brasil iniciava um rápido processo de diversificação das exportações em direção a produtos manufaturados, da mesma forma que fizeram, nesse mesmo momento, a Coreia do Sul e o Taiwan (ainda que em contextos regionais bastante diversos).

4.4 O fim do padrão ouro-dólar e as respostas da Alemanha e do Japão

Os anos 1970 são caracterizados pelo crescimento da inflação internacional, pelo desmonte do regime de taxas de câmbio fixas porém reajustáveis de Bretton Woods, pela redução do crescimento nos países centrais e posterior mudança do compromisso keynesiano do pleno emprego. O dólar se desvaloriza em relação ao iene e ao marco, e ocorre forte elevação dos preços relativos do petróleo e das matérias-primas. Destacam-se também a expansão acelerada do crédito privado, decorrente da internacionalização dos bancos americanos e do mercado de "eurodólares", a expansão extraordinária da renda petroleira e a reestruturação industrial e deslocamento de capitais alemães e japoneses em suas respectivas áreas de expansão.

Com suas taxas de câmbio valorizadas inicia-se já nos anos 1970, tanto na Alemanha quanto no Japão, um movimento de reestruturação indus-

PADRÕES MONETÁRIOS INTERNACIONAIS E CRESCIMENTO

trial, visando uma especialização na produção e exportação de manufaturas de maior valor unitário. A redução do crescimento econômico nesses dois países, de forma a manter o excedente na balança comercial e financiar a saída de capital para áreas periféricas, acirra a rivalidade comercial e financeira em uma dimensão inédita desde o pós-guerra (TAVARES, 1993a).

A resposta alemã conduz a uma nítida contração no crescimento econômico na Europa. O principal fator aqui é a crescente dependência da Europa em relação à expansão da demanda efetiva na Alemanha, que age como o centro cíclico principal da região. A assimetria entre a Alemanha e o resto da Europa continental resulta da baixa participação das exportações de cada país nas importações alemãs e na alta participação das importações alemãs na exportação de cada país. Desse modo, se a Alemanha eleva o seu nível de atividade, induz uma expansão em toda a Europa, transmitindo este impulso a cada país, tomado isoladamente. Se, ao contrário, como se deu nos anos 1970, um dos demais países tenta reativar sua economia, visando recuperar o nível de atividade e emprego, a expansão leva imediatamente a dificuldades externas, pois as importações crescem muito mais que as exportações (cf. PARBONI, 1979 e HALEVI, 1998).

Esse fenômeno não ocorreu no Leste Asiático pelo fato de que nesta região a fonte de demanda final para as exportações regionais eram os Estados Unidos e não o Japão, cujo comércio com os demais países da região sempre foi superavitário e era, durante os anos 1950 e 1960, relativamente pequeno e pouco dinâmico (cf. ROWTHORN, 1996, BAGCHI, 1987 e HALEVI, 1998)[10].

4.5 O eurodólar e o desenvolvimentismo

Os anos 1970 testemunharam, muito mais do que na década anterior, uma aceleração da industrialização, do crescimento econômico e da exportação de manufaturas dos países em desenvolvimento. Com efeito, a taxa de crescimento média dos países em desenvolvimento ultrapassa a dos países desenvolvidos em uma proporção muito mais ampla do que nas décadas anteriores (em parte, também, pela redução das taxas de crescimento do centro).

Os casos mais impressionantes foram Brasil e México na América Latina e, no sudeste asiático, Coreia e Taiwan. Em particular no Brasil e na Coreia, o acesso ao financiamento internacional privado permitiu que o Esta-

---

[10] Quando o Japão aciona nos anos 1970 uma estratégia de subcontratação e investimento na Coreia, Formosa, Hong-Kong e Cingapura, de forma a compensar os novos custos decorrentes da valorização cambial e elevação do preço das matérias-primas, inicia-se um processo triangular, combinando a oferta de bens de capital e investimentos externos japoneses com a demanda externa americana e que foi responsável pela extraordinária taxa de crescimento dessas economias a partir desses anos.

137

do deslocasse o processo de industrialização para setores menos complementares às estratégias privadas das grandes empresas transnacionais. Estas, em particular na América Latina, viabilizaram nos anos 1950 e 1960, em meio a profunda restrição externa, o prosseguimento da industrialização por meio da produção local de bens padronizados e já longamente difundidos nos mercados dos países centrais. Contudo, a abundância de financiamento externo nos anos 1970 permite aos Estados desenvolvimentistas desses dois países completar a industrialização, incorporando os setores de bens de capital e insumos, necessários à uma base industrial integrada.

Ao lado da elevação dos preços relativos das principais *commodities* exportadas, o fator decisivo para a aceleração do crescimento econômico dos países não produtores de petróleo foi o forte aumento em suas dívidas externas, estimuladas por baixas taxas de juros em dólar, ainda que com o fim das taxas de câmbio fixas os riscos fossem elevados, devido ao novo sistema de empréstimos a taxas de juros reajustáveis. No caso de alguns países, como no Brasil por exemplo, estes riscos foram substancialmente ampliados por uma política de manter diferenciais de juros entre taxas internas e externas, o que levou a um endividamento bruto muito maior que o necessário para pagar a conta do petróleo e as importações necessárias à trajetória de crescimento, o que fica evidenciado pelo forte acúmulo de reservas internacionais nesse período (cf. CRUZ, 1995).

É importante sublinhar que, a despeito dos esforços do FMI na direção da liberalização total dos movimentos de capitais (como nos casos do Cone Sul e na Turquia), tanto os "convidados" quanto os "não convidados" (como o Brasil) mantiveram nos anos 1970 esses fluxos sob fortes controles nacionais, de forma a preservar seus interesses estratégicos. Tanto na Coreia quanto na China ou no Brasil, o controle sobre os fluxos de capitais era indispensável, sobretudo em condições de alto endividamento, para o controle doméstico da taxa de câmbio e da balança de pagamentos.

5 Crescimento no padrão dólar flexível

5.1 O dólar flexível, a desregulação financeira e o fim da Guerra Fria

A década de 1970 termina com uma mudança radical na orientação estratégica americana, a partir da indicação de Paul Volcker para o FED e da eleição de Ronald Reagan para presidente logo em seguida. A nova estratégia americana tinha por objetivos explícitos[11] vencer a Guerra Fria, enquadrar os países aliados e retomar a liderança do bloco capitalista. Adicional-

---

[11] Tão explícitos, que poucos na época acreditavam que seriam levados realmente a sério. Para uma exceção, cf. Tavares, 1985.

PADRÕES MONETÁRIOS INTERNACIONAIS E CRESCIMENTO

mente, propunha-se reduzir gastos sociais e combater os sindicatos. Visava também controlar os organismos internacionais, como o FMI, Bird e a própria ONU, de forma mais adequada aos interesses americanos, enfraquecendo as tendências multilateralistas ou até terceiro-mundistas, que ganharam alguma força nos turbulentos anos 1970, além de retomar o projeto Nixon-Kissinger, que havia perdido fôlego após *Watergate*. Quase vinte anos depois, podemos verificar que a estratégia foi extremamente bem-sucedida em seus vários aspectos.

A década de 1980 se inicia com um aumento, sem precedentes em tempos de paz, dos gastos militares americanos, que se integrava à estratégia de confronto com a URSS e com um renovado convite ao desenvolvimento da China (convite este que visava ampliar as divergências dentro do bloco socialista). Ao mesmo tempo, ocorre o choque dos juros e se inicia nos Estados Unidos e na Inglaterra um processo de desregulação e inovações financeiras que os Estados Unidos a partir de então farão o possível para difundir no resto dos países centrais nos anos 1980 e na periferia, rebatizada de "emergente" nos anos 1990. O choque dos juros leva à recessão mundial e abre um período de valorização do dólar que dura até 1985. A subida recorde dos juros e a recessão internacional derrubam os voláteis preços internacionais das *commodities*. Este fator, junto com a queda dos preços de exportação em dólar, provocada pela desvalorização das moedas dos principais países supridores do mercado internacional de produtos industriais, gera choques de oferta positivos, que desaceleram a inflação americana e internacional.

Esse processo leva os Estados Unidos a grandes déficits comerciais e à atração de grandes fluxos de capital, buscando os altos juros e a renovada "segurança" da moeda americana. A contrapartida desse movimento no lado da periferia é uma crise financeira sem precedentes, a qual coloca a América Latina, os países socialistas e a África em grandes dificuldades.

A partir de 1985, com a inflação já sob controle, a política cambial americana muda de orientação e o acordo do Plaza marca o início de um longo período de desvalorização do dólar perante as moedas dos demais países centrais, que, com algumas idas e vindas, dura até 1995. Nessa nova desvalorização do dólar, as pressões especulativas e inflacionárias que marcaram a desvalorização nos anos 1970 são eliminadas. Em parte porque os Estados Unidos conseguem, por meio da cooperação forçada dos demais países centrais, que a queda do dólar se dê simultaneamente com uma política de redução gradual dos níveis nominais das taxas de juros americanas (de forma a não acender novamente os mercados de *commodities*), o que foi possível pela manutenção entre os países desenvolvidos de taxas de juros altas o suficiente para viabilizar a desvalorização do dólar. Data deste período também o colapso dos preços do petróleo (que ainda se mantinham elevados por conta da guerra Irã-Iraque). Além disso, os preços internacionais em dólar dos produtos industriais não sofrem pressão altista nesse período, pois os Estados Uni-

139

dos passam a ser supridos cada vez mais pelos países asiáticos em desenvolvimento (agora incluindo a China), tendo o dólar não se desvalorizado em relação a este grupo de países como um todo, mas apenas em relação às moedas europeias e ao iene.

Nesse período, a economia americana cresce moderadamente, mas a japonesa começa a se desacelerar fortemente, puxada pela diminuição da taxa de crescimento e pela perda de rentabilidade de suas exportações, devido à impossibilidade de responder à nova valorização via aumento de produtividade. A essa dificuldade se soma mais um fator: a crescente concorrência dos demais países asiáticos, a qual impede o Japão de repassar aos preços de exportação, em dólar, os efeitos da nova valorização cambial.

Por seu turno a economia europeia, com problemas fiscais causados pelos juros altos e com as moedas valorizadas, se mantém em uma trajetória de baixo crescimento e alto desemprego.

Finalmente, a partir de 1995 e até os dias de hoje, há uma nova inversão na política cambial americana e o dólar novamente se valoriza em relação às moedas europeias e ao iene. Essa última guinada transforma as tendências de baixa inflação internacional em uma tendência de deflação aberta, tanto de *commodities* quanto de preços por atacado internacionais[12], tendência esta que se agrava no final da década com os efeitos, sobre os preços internacionais (em dólar) das *commodities*, das desvalorizações sucessivas (em relação ao dólar) das moedas dos países asiáticos, Rússia e Brasil.

O padrão dólar flexível se configura, assim, como um regime macroeconômico de crescimento moderado nos Estados Unidos e muito baixo nos demais países avançados, com taxas de inflação bastante reduzidas e com grande piora nos termos de troca das *commodities* em geral (inclusive petróleo).

5.2 A "globalização financeira" e os mercados "emergentes"

Ao longo desse período de várias mudanças no valor do dólar, a política comercial americana foi endurecendo gradualmente com todos seus parceiros comerciais, inclusive com os antigos "convidados". Este movimento se acelera bastante a partir da década de 1990, depois do desmonte da URSS e do fim da Guerra Fria. Na atual fase do padrão dólar flexível, os Estados Unidos, tanto diretamente quanto por meio de sua influência em organismos internacionais, como a OMC, têm de forma sistemática agido na tentativa de reduzir déficits comerciais bilaterais, preservar suas velhas indústri-

---

[12] O aumento do déficit comercial americano amortece a desaceleração da economia mundial e se mostra necessário tanto para evitar danos ainda maiores ao Japão (uma vez que os Estados Unidos obtiveram todas as concessões que desejavam, cf. TORRES FILHO, 1997) quanto para tornar viável a passagem das principais economias europeias para o euro.

PADRÕES MONETÁRIOS INTERNACIONAIS E CRESCIMENTO

as (aço e suco de laranja, por exemplo) e obter concessões e abertura de mercados para os seus setores de indústrias e serviços mais dinâmicos, nos quais eles têm grande superioridade competitiva (informática, entretenimento etc.).

O baixo crescimento da demanda efetiva, os termos de troca desfavoráveis e o endurecimento da política comercial dos Estados Unidos e dos países da União Europeia criam uma situação na qual, embora o comércio mundial continue a crescer moderadamente mais do que o produto mundial, os mercados de exportação para os países em desenvolvimento apresentam baixo crescimento e concorrência muito acirrada.

Em relação aos investimentos diretos, que a partir de 1980 crescem a taxas excepcionais, predominaram os fluxos entre países desenvolvidos (p. ex., investimentos japoneses e europeus nos Estados Unidos e investimentos entre os países da União Europeia) ou então em conjunto de países em desenvolvimento na Ásia e cada vez mais na China. Esses investimentos estiveram ligados inicialmente à integração crescente destes países aos fluxos de comércio internacional e, posteriormente, seguindo a expansão dos mercados internos desta região.

Ao mesmo tempo, a crescente desregulação financeira torna aparentemente fácil para todos os países, inclusive os periféricos, que haviam sido excluídos do circuito internacional desde a crise da dívida externa no início dos anos 1980, financiarem déficits em conta corrente por meio dos mercados financeiros internacionais de curto prazo (principalmente investimentos de porta-fólio e não tanto via crédito bancário). De fato, a partir do início dos anos 1990, se retoma a expansão acelerada de fluxos de capitais para a periferia, que, a despeito de inúmeras crises, se mantém com grandes flutuações durante toda a década.

A situação da balança de pagamentos dos países periféricos no atual padrão dólar flexível se mostra bastante peculiar. De um lado, como vimos acima, em termos de balança comercial, as tendências são bastante desfavoráveis, pois (ao contrário da expansão dos anos 1970) agora o crescimento do volume das exportações é baixo, os termos de troca pioraram e a pressão do centro para o aumento das importações da periferia é bastante forte. Por outro lado, pela conta de capitais, ficou ainda mais fácil, comparando com os anos 1970, atrair vultosos fluxos de capital.

Agravando essa contradição, em geral a facilidade de captar o montante de capital atraído é tanto maior quanto mais o país periférico (ou mercado "emergente") pratique políticas de abertura financeira, políticas que invariavelmente levam à valorização cambial e à perda de competitividade. Dessa forma amplia-se ainda mais o descompasso entre a enorme massa de passivos em moeda estrangeira e as reais possibilidades de crescimento da

141

capacidade de pagamento do serviço gerado por estes passivos, que inevitavelmente requer a rápida expansão do valor em dólar das exportações.

É importante ressaltar que esse problema não pode ser resolvido por meio de uma mudança na forma dos fluxos de capitais atraídos. Evidentemente, quanto mais a economia financeiramente aberta atrair capital especulativo de curto prazo, mais sujeita estará a crises de liquidez externa[13]. No entanto, mesmo que os fluxos de capitais para a periferia se constituíssem inteiramente de investimento direto, a fragilidade externa estrutural não seria necessariamente reduzida, pois, conforme assinalado por Prebisch (1964) e Kalecki (1972), e mais recentemente por Kregel (1996), o investimento direto, a não ser que esteja em expansão contínua e diretamente conectado com a expansão das exportações (ou substituição de importações), não gera efeitos de longo prazo positivos para a balança de pagamentos.

Dentro desse quadro, e a despeito da grande instabilidade, se observa claramente que têm melhor *performance* em termos de crescimento os países em desenvolvimento que conseguiram (em vários casos, enquanto conseguiram) resistir à tentação da (e às pressões para a) abertura financeira descontrolada, mantendo algum tipo de controle, principalmente sobre a entrada de capitais, e que preservaram políticas cambiais e industriais de promoção de exportações; em outras palavras, os países nos quais o advento da chamada globalização financeira não conduziu (ou enquanto não conduziu) ao abandono da estratégia do desenvolvimentismo (Chile pós anos 1980, China, países asiáticos até o final dos anos 1980).

Estes temas serão desenvolvidos nos itens que se seguem.

5.3 Auge e declínio do crescimento na Ásia

A política americana de reafirmação do dólar como moeda reserva provocou um amplo movimento de reestruturação e mudança do padrão de desenvolvimento do Japão, envolvendo a abertura financeira e internacionalização dos grandes bancos e empresas japoneses e a construção de uma ampla rede de comércio e investimento na região do sudeste asiático, agora incluindo uma segunda geração de países, como Malásia, Indonésia, Tailândia e Filipinas (Asean-4). Como consequência desse processo, as exportações de capitais japoneses ao longo dos anos 1980, e sobretudo após o acordo Plaza em 1985, sobrepujaram em dinamismo as exportações de

---

[13] Como aponta Kregel (1996), se a conta de capitais do país é aberta, mesmo o capital proveniente de investimento direto pode rápida e facilmente se transformar em capital especulativo, o que enfraquece a ideia de que o financiamento via investimento direto permitiria diminuir muito a exposição da economia a movimentos de especulação cambial e crises de liquidez externa.

bens e serviços. Com a súbita e profunda valorização do iene em 1985 e com a pressão americana para a abertura financeira e internacionalização da sua moeda, o Japão transforma-se no principal investidor internacional. Esse processo conduziu a um elevado dinamismo na economia regional asiática (cf. MEDEIROS, 1997).

Como o Japão manteve com todos os países, com exceção da China, um superávit comercial e na balança de transações correntes, foi o elevado superávit comercial que as economias do sudeste da Ásia mantiveram com os demais países da OCDE (em particular com os Estados Unidos) que permitiu a obtenção de divisas necessárias à importação de bens de capital japoneses, sem incorrer em elevado endividamento externo.

A estratégia japonesa, e posteriormente a dos "4 tigres", em relação aos países da Asean-4 e à China contribuiu para a promoção das exportações desses países. Ao deslocar a pauta de suas exportações para os Estados Unidos e demais países da OCDE, especializando-se na produção de bens industriais de maior valor unitário, o Japão propiciou aos países de menor grau de desenvolvimento a ocupação de sua antiga posição de exportador daqueles bens ao mercado americano[14]. Esse processo deu impulso a um extraordinário crescimento do comércio asiático com os países da OCDE e sobretudo do comércio regional responsável pelas elevadas taxas de crescimento do produto interno durante toda a década de 1980 e a primeira metade dos anos 1990.

Com a desvalorização do dólar em relação ao iene (mas não em relação ao conjunto das demais moedas asiáticas, que mantêm a paridade com o dólar até 1997) em 1985, o Japão, transformado no maior investidor internacional no final da década, desloca seus investimentos industriais cada vez mais para a Ásia. Produzir para exportação nessas regiões era nesse período muito mais "barato", pois, como vimos acima, inicialmente o dólar não se desvalorizou em relação às moedas das economias desta região como um todo. Assim, de 1985 a 1995, uma parcela importante dos elevados superávits na balança de transações correntes japonesa era transformada em investimento direto na Ásia[15].

---

[14] A triangulação entre o Japão (o principal supridor de bens de capital), as economias do sudeste asiático e os Estados Unidos (na função de gerador de "demanda final") já se iniciara na década anterior, mas foi acelerada fortemente nos anos 1980, particularmente após 1985 (cf. MEDEIROS, 1997).

[15] A partir de 1988 esse movimento se estende a outros países da Ásia. Com o início de uma tendência de valorização parcial das moedas da Coreia e de Taiwan em relação ao dólar e com o crescimento das exportações dos países da "segunda geração" (Indonésia, Malásia e Filipinas) e, em particular, da China, os investimentos diretos oriundos de Hong-Kong, Cingapura e Taiwan ampliam a dinâmica construída pelas grandes empresas japonesas.

A partir do final dos anos 1980, os Estados Unidos começam a reduzir o ritmo de absorção das exportações oriundas da Ásia e iniciam uma persistente promoção de suas exportações na região. Por outro lado, a recessão japonesa ampliou o já elevado superávit comercial do Japão com o sudeste e sudoeste asiático, com a exceção da China. A relação entre as variações do superávit japonês e os investimentos diretos nos países da Asean-4 voltados às exportações, começou por se desfazer e a dinâmica triangular do desenvolvimento asiático a sofrer descontinuidade, pois começa a ocorrer também na Ásia uma discrepância entre a abundância de recursos externos e o ritmo de crescimento das exportações.

Os bancos japoneses ampliaram fortemente sua presença nos países hospedeiros dos investimentos diretos das corporações nipônicas. A expansão do crédito, principalmente em dólares, cresceu a taxas muito elevadas em países como Coreia, Tailândia, Malásia, Indonésia, Filipinas, e, ao contrário dos fluxos de capitais dos anos 1980, não mais possuía uma íntima conexão com as exportações. A expansão do financiamento externo foi mobilizada nos primeiros anos da década pela desregulação e liberalização financeira praticada por esses países.

A Coreia em 1988, sob pressão americana, liberalizou o câmbio e relaxou os mecanismos de controle de capital. A adesão a um regime de maior mobilidade de capitais levou a uma forte expansão de endividamento de curto prazo em moeda externa, principalmente em dólares.

Processos semelhantes de abertura financeira se espalharam na Ásia, com duas notáveis exceções: a China, que manteve o iuane inconversível (e desvalorizado em relação ao dólar) e Taiwan, que conservou os seus mecanismos tradicionais de controle de capital. Com o preço das principais *commodities* industriais denominados em dólar, a entrada da China como grande exportador no mercado mundial, ao lado da expansão de Taiwan como grande fornecedor de *chips* no mercado americano, provocou elevada e generalizada queda de preços de bens manufaturados de baixo valor unitário, em particular dos semicondutores, afetando especialmente a Coreia.

Em 1995, com a desvalorização do iene em relação ao dólar e com as demais moedas seguindo a valorização do dólar, a economia regional e os mecanismos de sua sustentação se desfazem. Ampliaram-se os déficits desses países com o Japão (novamente a exceção é a China) e, na maioria deles, excluindo a China (que manteve isoladamente amplo excedente em transações correntes) e Taiwan, aumentou o déficit global de transações correntes.

Embora nessas condições a desaceleração do crescimento regional fosse inevitável, para explicar a crise cambial que se seguiu foi importante não a magnitude destes déficits – relativamente baixos se comparados com os da América Latina – e sim a mudança na estrutura de seu financiamento. No

PADRÕES MONETÁRIOS INTERNACIONAIS E CRESCIMENTO

caso da Coreia e nos países do Asean-4, os passivos externos de curto prazo em relação às reservas disponíveis cresceram rapidamente. A fragilidade financeira revelou-se de forma plena com o colapso financeiro de 1997, iniciado pela decisão da Tailândia de romper com o regime cambial vigente (cf. MEDEIROS, 1998).

5.4 A América Latina do ajuste exportador ao ajuste importador

Com a moratória mexicana de 1982 a América Latina se viu privada de fontes externas de financiamento, ao mesmo tempo em que os termos de troca se deterioram, os juros internacionais sobem, e a demanda por suas exportações se retrai, com a recessão mundial. Esse conjunto de fatores levou a região a uma severa e prolongada crise de balanço de pagamentos.

De um modo geral, a resposta regional à crise externa baseou-se no controle recessivo e administrativo das importações e na promoção das exportações por meio de agressivas políticas cambiais. Estas políticas levaram a um forte crescimento das exportações e simultaneamente à estagnação econômica e à explosão inflacionária. Este ajuste externo interrompeu no Brasil e no México a estratégia desenvolvimentista de industrialização.

Notável exceção ocorreu no Chile (e de certa forma na Colômbia), que a partir de 1985 combinou uma estratégia de promoção e diversificação das exportações do setor privado baseada em recursos naturais e crescimento dos gastos públicos. O crescimento foi financiado tanto por créditos – no Chile de Pinochet os créditos internacionais não foram racionados como nos demais países, pelo menos a partir de 1983 – quanto pela melhoria dos termos de troca, devido à elevação do preço do cobre (cf. TAVARES, 1993b).

Com a economia europeia em recessão no início dos anos 1980, a contrapartida ao déficit dos serviços de fatores e à saída de capitais da América Latina foi o crescimento do superávit comercial da região com os Estados Unidos. Assim, por razões distintas às das dinâmicas economias asiáticas, que expandiam intensamente suas exportações para os Estados Unidos, também as economias latino-americanas, no limiar da inadimplência, encontravam no mercado americano a única forma de obtenção de divisas. Como o objetivo era servir à dívida e não aumentar a capacidade de importar (que permaneceu reprimida durante toda a década), a contrapartida ao impulso exportador foi o baixo crescimento e a alta inflação.

A abundância de liquidez internacional, decorrente dos processos de desregulação financeira e de securitização das dívidas externas, ocorrida no início dos anos 1990, levou os países latino-americanos a uma mudança radical no seu padrão de financiamento externo. De uma estratégia voltada ao crescimento das exportações, desvalorização cambial e compressão das importações (responsável pela estagnação e inflação dos anos 1980), passou-se a uma estratégia voltada à obtenção de crescentes fluxos de capitais externos, de forma a deslocar a restrição externa, controlar a inflação e integrar os mercados financeiros domésticos aos circuitos financeiros internacionais. Com a exceção do Chile (que não permite a valorização cambial excessiva e impõe controle à entrada de capitais) e da Colômbia, as maiores economias da América Latina aderiam finalmente ao fracassado "modelo do Cone Sul", tal como havia sido praticado na Argentina e Chile no final dos anos 1970[16]. Com a abertura comercial e financeira e com a estabilização da taxa nominal de câmbio (agora acompanhada de ampla desindexação), países como a Argentina, o México e o Brasil tornaram-se grandes receptores dos abundantes fluxos internacionais de capitais especulativos.

No entanto, esta integração financeira não se materializou em um retorno ao antigo padrão agrário-exportador de crescimento "para fora". Pelo contrário, o resultado foi que os fluxos de capitais viabilizaram um grande ajuste importador. Com o relaxamento dos controles sobre as importações, e com a retomada, ainda que moderada, do crescimento econômico, a América Latina realizou um amplo ajuste importador, favorecendo essencialmente as exportações americanas (cf. MEDEIROS, 1997). Com o fim das estratégias nacionais desenvolvimentistas e com a sobrevalorização cambial das moedas domésticas, decorrente do enorme influxo de capitais atraídos pelo amplo diferencial entre juros internos e externos, que estão na base dessas políticas, as exportações estagnaram (DELFIM NETTO, 1998), com exceção daquelas integradas aos circuitos das grandes empresas multinacionais, como, notoriamente, as das *maquiladoras* mexicanas.

A crise do Cone Sul do início dos anos 1980, a mexicana de 1994, bem como a dos países asiáticos, afirmam-se simultaneamente como uma crise de balanço de pagamentos e uma crise financeira, decorrentes ambas da liberalização financeira e do ajuste importador. Quanto menor a taxa de crescimento das exportações, maior o crescimento do coeficiente de importações e, paradoxalmente, quanto *maiores* os fluxos de capital já atraí-

---

[16] Inicialmente o Chile e a Argentina inauguraram no final dos anos 1970 um modelo de inserção internacional pelo qual estes dois países puseram em prática, entre 1978 e 1982, uma política de fixação da taxa nominal de câmbio (sem desindexar a economia), precedida por ampla abertura comercial e financeira. O rápido crescimento dos passivos externos, em um momento em que as taxas de juros internacionais elevavam-se a níveis sem precedentes, tornou o sistema financeiro doméstico inteiramente insolvente. A resposta em ambos os países foi a estatização da dívida externa, o controle das importações e a desvalorização da taxa de câmbio. No caso chileno, a solução foi ainda mais radical, com a própria estatização de entidades bancárias.

PADRÕES MONETÁRIOS INTERNACIONAIS E CRESCIMENTO

dos, *menor é* a taxa de crescimento compatível com a sustentabilidade deste padrão de financiamento externo[17].

5.5 Inserção externa e perspectivas para a economia brasileira

No caso brasileiro, diante do colapso da demanda e dos preços em dólar de nossas exportações e da contração da oferta de capitais decorrentes da crise russa de 1998, foi feita uma última tentativa de sustentar o regime cambial valorizado por meio de acordo "preventivo" com o Fundo. A decisão brasileira posterior de desvalorizar o câmbio, devido à contínua saída de capitais e ao esgotamento das reservas, gerou grande confusão e atritos com o FMI. Apesar disso, em conjunto com a política macroeconômica contracionista, ajudou a reduzir rapidamente as importações. Depois da troca parcial de equipe e da permissão do Fundo de usar os recursos do acordo para estabilizar o câmbio, com a consequente recuperação de linhas de crédito no exterior, o Bacen foi forçado a começar a fazer rápidas reduções nas altíssimas taxas de juros internas, de modo a evitar uma entrada excessiva de capitais. No entanto, as exportações não se recuperaram (por conta da baixa demanda externa, termos de troca desfavoráveis e dificuldades de financiamento da exportação).

Nesse contexto continua dominante a ideia de que o problema é como captar cada vez mais (e/ou "melhores") recursos externos e se fortalece em alguns meios a proposta do *currency board* (conselho da moeda) para uma dolarização definitiva. Aparentemente seus defensores entendem que a dolarização definitiva reduziria o risco cambial e atrairia muito mais capital externo, particularmente por meio da desnacionalização do sistema bancário, que, segundo esta visão, forçaria o FED a garantir a liquidez do nosso sistema financeiro internacionalizado.

É curioso (embora sintomático) que essa proposta volte à tona exatamente agora, quando ela se torna irrelevante por duas razões principais. Em primeiro lugar, a crise argentina diante da desvalorização brasileira deixa mais do que claro que o *currency board*, ao fixar o câmbio nominal, não elimina e sim agrava a contradição básica entre exportar pouco e cap-

---

[17] Para o caso brasileiro, cf. Serrano (1998). A ideia difundida de que captar recursos externos sempre é bom, e que quanto mais for captado melhor, parte de arraigadas confusões, primeiro, entre fluxos de capitais e "poupança externa" (esquecendo que o fluxo de capitais pode simplesmente aumentar as reservas) e, depois, da noção de que o aumento da "poupança externa" (que é simplesmente o déficit em conta corrente) contribui diretamente para aumentar os gastos em investimento do país receptor (esquecendo que em qualquer economia monetária é o investimento que determina o valor do total das poupanças). Uma crítica detalhada a estas confusões se encontra em Serrano (1999b).

tar muito[18]. Em segundo lugar, as autoridades americanas e do FMI deram diversas declarações oficiais (cujos argumentos foram repetidos em seguida pela equipe econômica brasileira) de que os Estados Unidos não darão apoio oficial a essa ideia[19].

Felizmente, ao contrário de economias muito pequenas e sem uma base industrial integrada e completa, a economia brasileira, com seu grande mercado interno, é perfeitamente capaz de crescer "para dentro", com "baixa capacidade de importar" (em vez de estagnar "para fora", com abundância de capital externo). Assim, não parecem existir obstáculos técnicos à possibilidade de retomar algum crescimento, à medida que, em conjunto com políticas de promoção de exportações e racionalização da nova substituição de importações, fossem controladas ao menos as entradas de capital e não fosse permitida a volta da sobrevalorização cambial. Podemos afirmar com alguma certeza que algum movimento nessa direção, ainda que provavelmente parcial, relutante e insuficiente, será imposto pelos fatos.

6 Observações finais

Procuramos neste trabalho apresentar uma primeira versão de um esquema analítico que nos permite mostrar como em diferentes regimes monetários, os problemas da balança de pagamentos desafiaram e condicionaram os padrões e estratégias de desenvolvimento dos países que não emitem a moeda internacional. Como vimos acima, no padrão ouro-libra a conquista de mercados externos via industrialização tardia de um lado e via crescimento "para fora" de outro foram estratégias que, a despeito de profundas diferenças estruturais, visavam contornar as restrições e aproveitar as oportunidades impostas pela forma de agir do país que emitia a moeda internacional (que Prebisch chama de "centro cíclico principal"). Na crise deste padrão no entre-guerras, algumas economias agrário-exportadoras foram forçadas pela Grande Depressão a entrar em um processo de industrialização, via substituição de importações, pela escassez crônica de divisas. No período posterior à Segunda Guerra, o acesso ao mercado americano e a ajuda externa viabilizaram estratégias de industrialização acelerada

---

[18] O mini-*boom* pós-estabilização argentino, financiado por capitais externos, já se esgotava em 1994, quando o Brasil, liberalizando o comércio do Mercosul e valorizando sua moeda, ressuscitou as exportações e o crescimento argentino.

[19] Note-se que de nada adianta tentar associar à questão da Alca o apoio americano ao *currency board*, pois o México está no Nafta há anos e não foi criado, por conta disso, nenhum *currency board* ligando o peso ao dólar.

em áreas geopolíticas importantes. Na ausência de um padrão ordenado e definido como nos anos 1970, a abundância de liquidez internacional foi importante para a diferenciação da periferia quando se completa a industrialização de países como o Brasil e Coreia. A partir de 79, e sobretudo com os Estados Unidos livres das condicionalidades geopolíticas após o colapso da URSS, os problemas de balanço de pagamentos da periferia e as condições de sua superação são fortemente alterados. Com muito mais graus de liberdade do que a Inglaterra do século XIX e do período de Bretton Woods, os Estados Unidos se libertam de qualquer restrição externa, enquanto esta acaba se impondo aos demais países. Isto ocorre porque, ao contrário da Inglaterra do século XIX não há "déficit de atenção" nem complementaridade estrutural com a periferia e, ao contrário do pós-guerra, não há mais "convidados". Assim, a liberalização comercial e financeira proposta a todos e aceita com entusiasmo pelas elites locais leva ao resultado paradoxal de que a multiplicação de fontes e formas de financiamento externo, em vez de afrouxar a restrição externa ao crescimento, acaba por provocar forte expansão dos passivos externos brutos (e depois líquidos), movida primordialmente não pelas necessidades de financiamento das importações necessárias ao desenvolvimento, mas sim por ganhos de especulação e arbitragem financeira possibilitados por políticas de sustentação de diferenciais excessivos de juros externos e internos associados a taxas de câmbio completamente descoladas das condições de competitividade.

REFERÊNCIAS

ARRIGHI, G. (1996). *O longo século XX*. Rio de Janeiro/São Paulo/Contraponto: Editora Unesp.

BAGCHI, A.K. (1987). East Asian Capitalism: An Introduction. *Political Economy*, vol. 3, number 2, Roma.

BARRO, R. & SALA-Y-MARTIN (1995). *Economic Growth*. McGrawHill.

BIASCO, S. (1979). *L'inflazione nei paese capitalistici industrializati*. [s.l.]: Feltrinelli, 1979.

CARDOSO DE MELLO, J.M. (1997). Prólogo. In: TAVARES, M.C. & FIORI, J.L. (org.). *Poder e dinheiro* – Uma economia política da globalização. Petrópolis: Vozes.

CRUZ, P.D. (1995). "Endividamento externo e transferência de recursos reais ao exterior". *Nova economia*, vol. 5, n. 1, agosto.

DE CECCO, M. (1987). Gold Standard. In: EATWELL, MILGATE & NEWMAN (orgs.). *The New Palgrave Dictionary of Economics.*

_____ (1984). *Money and Empire.* Oxford: Basil Blackwell.

_____ (1979). "The Origins of the Post-War Payments System". *Cambridge Journal of Economics.*

DELFIM NETTO (1998). *Crônica do debate interditado.* [s.l.]: Topbooks.

FURTADO, C. (1970). *Formação econômica do Brasil.* São Paulo: Companhia Edit. Nacional.

HICKS, J. (1989). *A Market Theory of Money.* Oxford.

HILFERDING, R. (1973). *El Capital Financiero.* Madri: Tecnos.

HIRSCHMAN, A. (1945). "El Poder Nacional y la Estructura del Comercio Exterior. In: *De La Economia a la Política y mas Allá.* México: Fondo de Cultura.

HOBSBAWM, E. (1978). *Da revolução industrial inglesa ao imperialismo.* Rio de Janeiro: Forense.

KALECKI, M. (1972). Formas de ajuda externa: Uma análise econômica. In: *Economias em desenvolvimento.* São Paulo: Edições Vértice.

KENWOOD, A.G. & LOUGHEED, A.L. (1982). *The Growth of the International Economy 1820-1980.* Londres: George Allen & Unwin.

KREGEL, J. (1996). "Riscos e implicações da globalização financeira para a autonomia de políticas nacionais". *Economia e sociedade,* 7, dezembro.

HALEVI, J. (1998). L'accumulazione in Giappone e nell'Asia Orientale, differenze e parallelismi rispetto al ruolo delia Germania Federale nella Accumulazione post-bellica in Europa. In: BELLOFIORE, R. (org.). *II Lavoro di Domani.* [s.l.]: Biblioteca Franco Serantini.

MEDEIROS, CA. (1997). Globalização e a inserção internacional diferenciada da Ásia e da América Latina. In: TAVARES, M.C. & FIORI, J.L. (org.). *Poder e dinheiro* – Uma economia política da globalização. Petrópolis: Vozes.

MEDEIROS, C. (1999). "Inserção externa e desenvolvimento do mercado interno na China", neste volume.

_____ (1998). "Raízes estruturais da crise asiática e o enquadramento da Coreia" [mimeo., IE-UFRJ].

PARBONI, R. (1981). *The Dollar and Its Rivais.* [s.l.]: Verso.

PREBISCH, R. (1964). *A dinâmica do desenvolvimento latino-americano.* Fundo de Cultura.

PADRÕES MONETÁRIOS INTERNACIONAIS E CRESCIMENTO

_____ (1949). "O desenvolvimento econômico da América Latina e alguns dos seus principais problemas". *Revista brasileira de economia.*

ROWTHORN, R. (1996). "East Asian Development: The Flying Geese Paradigm Reconsidered". *Unctad Studies,* Unctad, n. 8.

SHAFAEDDIN, M. (1998). "How Did Developed Countries Industrialize? The History of Trade and Industrial Policy: The Cases of Great Britain and the USA". Unctad, *Discussions Papers,* n. 139.

SERRANO, F. (1999a). "Do ouro imóvel ao dólar flexível", mimeo., IE-UFRJ.

_____ (1999b). "A soma das poupanças determina o investimento?", mimeo., IE-UFRJ.

_____ (1998). "Tequila ou Tortilla? Notas sobre a economia brasileira nos 90". *Archetypon,* ano 6, n. 18, set./dez.

SOLOMON, R. (1982). *The International Monetary System, 1945-1981.* Nova York: Harper & Row Publishers.

TAVARES, M.C. (1993a). Ajuste e reestruturação nos países centrais: a modernização conservadora. In: TAVARES, M.C. & FIORI, J.L. *Desajuste global e modernização conservadora.* São Paulo: Paz e Terra.

_____ (1993b). As políticas de ajuste no Brasil: os limites da resistência". In: TAVARES, M.C. & FIORI, J.L. *Desajuste global e modernização conservadora.* São Paulo: Paz e Terra.

_____ (1985). A retomada da hegemonia norte-americana. In: TAVARES, M.C. & FIORI, J.L. (org.). *Poder e dinheiro* – Uma economia política da globalização. Petrópolis: Vozes.

_____ (1972). "Auge de declínio do processo de substituição de importações no Brasil". In: *Da substituição de importações ao capitalismo financeiro.* Zahar, 1972.

TORRES FILHO, E .T. (1997). A crise da economia japonesa nos anos 90 e a retomada da hegemonia americana. In: TAVARES, M.C. & FIORI, J.L. (org.). *Poder e dinheiro* – Uma economia política da globalização. Petrópolis: Vozes.

TRIFFIN, R. (1972). *O sistema monetário internacional.* Rio de Janeiro: Editora Expressão e Cultura.

TSURU, S. (1992). *Japan's Capitalism:* Creative Defeat and Beyond. Cambridge University Press.

"OS CAPITALISMOS TARDIOS"
E SUA PROJEÇÃO GLOBAL

Aloisio Teixeira

Estados Unidos: a "curta marcha" para a hegemonia

> "O século vinte será americano. O pensamento americano o dominará. O progresso americano lhe dará cor e direção. As conquistas americanas o tornarão ilustre."
> (Senador Albert J. Beveridge, em 1900, ao responder ao brinde "Ao século XX!")[1]

1 As perguntas

Em ciência, a pergunta é tudo. Não pode haver boa resposta para uma má pergunta. No caso dos Estados Unidos, então – quando o que se propõe examinar é o "milagre econômico" que realizaram no século XIX e sua projeção no século XX – essa observação torna-se mais verdadeira ainda. Particularmente porque o desenvolvimento norte-americano encerra um instigante desafio e suscita várias curiosidades.

Comecemos pelas curiosidades. Muitas vezes o caso americano tem sido apresentado como expressivo do "capitalismo liberal", em oposição ao padrão social-democrático de países europeus; outras vezes, na intenção de destacar as virtudes do "capitalismo organizado", é mostrado como representativo de alguma forma de "capitalismo maduro". Em qualquer caso, os Estados Unidos são vistos como um paradigma. Será isso verdade (entendendo-se paradigma em seu sentido literal de modelo, padrão, algo que pode ser imitado, repetido ou seguido)?

A segunda curiosidade relaciona-se com a tentativa de enquadrar o desenvolvimento dos Estados Unidos nos casos clássicos de capitalismo tardio, estudados por Gerschenkron (1962)[2]. A meu ver, a não ser em um sentido puramente cronológico, qualquer tentativa nesse sentido implicaria perder de vista a riqueza e a originalidade da industrialização americana.

---

[1] A frase é atribuída ao Senador Beveridge por John Dos Passos, em seu romance *Paralelo 42* (cf. DOS PASSOS, 1930: 17).

[2] O próprio Gerschenkron não inclui o caso americano entre os que estuda.

Finalmente, uma terceira curiosidade seria procurar saber como se deu a inserção do país nos dois padrões estáveis que a história do capitalismo conheceu – o padrão-ouro e o padrão-dólar. Cabe aqui uma observação: em relação ao padrão-ouro, os Estados Unidos passam, entre meados do século XVIII e meados do século XIX, de colônia a nação independente, permanecendo, no entanto, na divisão internacional do trabalho, como produtor e principal exportador da matéria-prima básica da revolução industrial originária, o algodão; só a partir da segunda metade do século XIX, sua posição começa a se modificar. Com isso, e dada a fragilidade de seu sistema bancário, o modo como se articulou ao padrão monetário internacional foi instável, como instável foi seu padrão monetário interno. Já em relação ao padrão-dólar, é a potência hegemônica, emissora da moeda internacional.

O desafio, por sua vez, consiste em saber:

• que permitiu que um país que, em meados do século XVIII ainda era uma colônia, se tornasse, ao final do século XIX, a maior potência industrial do globo?

• e, ainda nos anos 1920, o centro cíclico principal da economia mundial, para usar a expressão de Prebisch (1949)?

• e, desde a Segunda Guerra Mundial, polo hegemônico e *imperial core* do sistema mundial?

E que assim se tornasse de forma tão profunda e duradoura que um eventual enfraquecimento de sua posição não aponta para a constituição de uma nova ordem mundial[3], nem para a formação de um novo polo hegemônico, mas sim para um quadro geral de instabilidade e crise hegemônica.

A tentativa de responder a essa que considero a questão central pode ser também o caminho para satisfazer as curiosidades antes apontadas.

2 Antecipando as respostas

Nossa hipótese é de que a fantástica trajetória dos Estados Unidos em direção à hegemonia mundial tem a ver com a forma específica como surgiu, em seu espaço nacional, o *modern capitalism* (cf. HOBSON, 1894). E que, nesse caso, como em tantos outros, a "parteira da história" foi a violên-

---

[3] "O estabelecimento de uma ordem internacional pressupõe [...] a existência de uma potência economicamente dominante e que seja ao mesmo tempo polo hegemônico, cabeça de império e centro cíclico principal [...]" (TEIXEIRA, 1994: 16). Nesse texto, são discutidas as relações entre esses conceitos.

cia[4]. Através de três guerras – a Guerra Civil e as Primeira e Segunda Guerras Mundiais – o país foi transpondo os obstáculos que o separavam de seu destino. Na primeira delas, resolveu a questão do poder interno e do tipo de capitalismo que adotaria, abrindo caminho para tornar-se a maior potência industrial do globo; na Primeira Grande Guerra, modificou sua inserção na economia mundial, assumindo o papel de centro cíclico principal; e na Segunda Guerra Mundial supera sua tradicional introversão, construindo uma ordem mundial sob sua hegemonia.

Trata-se de um movimento histórico tão específico que o torna um caso único, irrepetível e impossível de se tomar como modelo. São essas especificidades que permitiram que se construísse uma nação, baseada no conceito de indivíduo e de federação, e uma economia que já nasce grande. Foi nos Estados Unidos, e não em qualquer outro país, que nasceu o *modern capitalism*. Ao mesmo tempo, foram a pátria dos *robber barons;* a expressão "capitalismo selvagem" (tantas vezes usada em relação ao Brasil) foi cunhada lá, para designar a brutalidade com que foi implantado o modo de produção capitalista.

Como observa Maria da Conceição Tavares (TAVARES, 1983), o capitalismo norte-americano:

• não pode ser visto como um prolongamento do capitalismo europeu;

• a sua natureza necessariamente monopolista não corresponde a uma "etapa superior", desenvolvida a partir de uma etapa anterior, de natureza concorrencial;

• não pode ser associado a aventuras imperialistas, que é um traço característico do capitalismo inglês, em particular, e europeu, em geral (a expansão internacional da economia americana, quando ocorre, é de outra natureza);

• consolida-se bem antes da "mudança dos centros", de que falam Prebisch e Nurkse (sendo, em certa medida, a sua causa).

O *modern capitalism* surgiu nos Estados Unidos, na segunda metade do século XIX, como resultado de um processo endógeno de formação e consolidação de um capital industrial e financeiro novo, sem necessidade de apoios externos relevantes do capital inglês (que se dirigiu principalmente para a parte mais atrasada do capitalismo americano, produtora de matérias-primas). Foi um processo de monopolização peculiar, em que a grande indústria, a grande agricultura de alimentos, o grande comércio, as grandes ferro-

---

[4] Poder-se-ia dizer também que uma certa dose de "keynesianismo bélico" nunca esteve ausente dos processos de crescimento e mudança da economia americana.

vias e os grandes bancos nascem em um intervalo de tempo extremamente breve, utilizando-se de um espaço continental que vai sendo criado, estruturado e unificado pela força da organização empresarial americana. O ponto de partida para esse processo – tanto no que respeita à unificação do espaço econômico de dimensões continentais quanto à monopolização da agricultura e do comércio – foi a expansão das ferrovias (cf. HOBSON, 1894 e CHANDLER, 1965). E os três juntos – ferrovias, agricultura e comércio – foram os fatores decisivos na constituição do grande capital americano.

O surgimento da grande empresa nos Estados Unidos, bem como a forma que assumiu, não decorreu de uma invenção nem de uma imposição de uma elite esclarecida, mas do próprio desenvolvimento histórico e social do país, a partir da segunda metade do século XIX. E muito da evolução posterior, tanto da organização industrial quanto do padrão manufatureiro, tanto do desenvolvimento interno quanto das condições que permitiram sua expansão para fora e sua afirmação hegemônica, está inscrito, desde o início, em suas características essenciais. É o que permitiu, por exemplo, a passagem, como fator dinâmico de expansão, da ferrovia ao automóvel, com base no monopólio do petróleo, e a internacionalização do capital após a Segunda Guerra Mundial (cf. TAVARES, 1983).

A verdadeira natureza do grande capital americano, no entanto, reside no fato de ter-se apoiado na fusão entre o capital industrial e o capital bancário, sob a égide de uma "classe financeira geral", que promoveu a conglomeração e a diversificação das atividades produtivas fundamentais (cf. TAVARES, 1983). A força expansiva do grande capital americano durante um século decorre assim, em última instância, não de uma pretensa superioridade tecnológica originária de seu sistema manufatureiro (que não era tão grande no início), nem da morfologia mais flexível da grande corporação americana (que todos acabaram copiando), nem, muito menos, de eventuais políticas agressivas (de corte imperialista clássico) de seu capital financeiro (que, quando existiram, não tiveram significado relevante), mas em seu gigantesco potencial de acumulação e em sua capacidade invulgar de unificar os mercados (internamente, primeiro, externamente, depois), resultantes ambos do poder do grande capital e de sua classe financeira.

3 O primeiro passo – a guerra civil

Os anos 1860, ou mais precisamente a Guerra Civil, são o momento da arrancada dos Estados Unidos em direção ao modo de produção especificamente capitalista. As precondições para a guerra já vinham-se formando há algum tempo. A primeira metade do século XIX fora um período de inten-

ESTADOS UNIDOS: A "CURTA MARCHA" PARA A HEGEMONIA

so desenvolvimento econômico do país, particularmente devido ao crescimento da cultura do algodão na *plantation:* até 1786, o algodão não era produzido comercialmente nos Estados Unidos, enquanto que, na primeira metade do século seguinte, o país já era o maior exportador mundial. A razão para isso residiu na Revolução Industrial na Inglaterra, elevando exponencialmente a demanda por sua matéria-prima básica. As condições de solo e clima e a organização econômica da *plantation* tornavam o sul dos Estados Unidos especialmente capacitado a se inserir vantajosamente nesse processo.

Para atender à demanda ampliada, uma verdadeira revolução no processo produtivo veio a ocorrer, com a introdução da descaroçadora de algodão (*cotton gin*), patenteada em 1793, por Ely Whitney. A expansão da cultura algodoeira foi também empurrando a *plantation* para Oeste (a partir do Sul), abrindo um mercado para os *farmers*, que para lá também se dirigiram; esse mercado novo estava centrado nos produtos da agricultura de alimentos e da pecuária, seja para alimento, seja para tração. Esse avanço para o Oeste, a partir do Leste, foi alimentado pela imigração europeia, tendo ingressado no país, entre 1787 e 1850, cerca de cinco milhões de pessoas, que, após um estágio nas manufaturas do Norte, estabeleciam-se na fronteira agrícola como agricultores independentes. Com isso, foi-se constituindo o potencial de conflito entre as duas correntes migratórias pela posse das novas terras a Oeste. Quanto ao Norte, este também se desenvolveu no período, basicamente industrial, e principalmente ligado à têxtil algodoeira, embora a maior parte da demanda interna por manufaturados, principalmente no Sul, fosse atendida por importação de produtos ingleses.

Em meados do século, portanto, configurou-se claramente a diferenciação de interesses. Do ponto de vista político, o aguçamento das contradições intensificou a campanha abolicionista; o predomínio do Partido Democrata havia levado ao governo dois sulistas, em virtude de uma frágil aliança entre o Sul e o Oeste, impedindo que os setores não agrários pudessem usar o governo federal para promover seus interesses. Nesse quadro, a fundação do novo Partido Republicano, em 1854, constituiu-se em fato político relevante, abrir caminho para a aliança entre a burguesia industrial do Norte e os agricultores independentes do Oeste. Em seu programa, o novo partido incluía a distribuição gratuita das terras a Oeste para os colonos sem terra e a abolição da escravatura. Criaram-se assim condições para uma alteração na balança de poder, que se materializou na eleição de Lincoln, pública e notoriamente contrário à escravidão, para a presidência em 1860. A retirada das bancadas sulistas do Congresso – gesto simbólico que marcou o início da secessão – não apenas revelava o temor da região em relação a um possível novo curso, como precipitou esse novo curso, con-

159

centrando o poder político nas mãos dos republicanos, mesmo antes que o primeiro tiro fosse disparado.

A aprovação de nova lei tarifária, em 1861, foi um indício claro de que as prioridades da política federal haviam-se deslocado das áreas agrícolas tradicionais do Sul para o Norte industrial. O desenrolar da guerra foi obrigando o governo republicano a tomar medidas avançadas, como a Lei Homestead (1862) e a abolição da escravatura no Norte (1863). E, a pretexto de financiar as despesas de guerras, começou rapidamente a fazer uso dos instrumentos de que dispunha, não só com o manejo das tarifas, mas com doações de terras do domínio público às ferrovias, a organização de um sistema bancário nacional e a intensificação da imigração.

A capitulação do Sul e a aprovação da 13ª Emenda foram seguidas pelo assassinato de Lincoln e a ascensão de um governo moderado, cujo objetivo era trazer de volta à União os Estados confederados. Isso descontentou profundamente a ala radical do Partido Republicano, vitoriosa nas eleições parlamentares de 1866, que passou a exigir que se desse aos estados do Sul tratamento de povo conquistado, inclusive confiscando propriedades para doá-las aos antigos escravos, e concedendo o direito de voto aos negros. A radicalização republicana, em um quadro em que o movimento operário e sindical ensaiava seus primeiros passos, gerou uma reação conservadora, que consolidou a pacificação e a reintegração do Sul, só que sob hegemonia dos capitalistas do Norte.

Esse processo de transformação é analisado por Barrington Moore em sua obra clássica (cf. BARRINGTON MOORE Jr., 1967), na qual inclui o caso americano em um dos paradigmas de passagem do mundo antigo ao moderno e seus desdobramentos no plano político. Esse paradigma

> leva às revoluções burguesas [...] designação necessária para determinadas alterações violentas que se verificaram nas sociedades inglesa, francesa e americana [...] que os historiadores ligam à Revolução Puritana (ou Guerra Civil Inglesa...), à Revolução Francesa e à Guerra Civil Americana. Uma característica-chave dessas revoluções é o desenvolvimento de um grupo na sociedade com uma base econômica independente, o qual ataca os obstáculos a uma versão democrática do capitalismo herdados do passado. Embora muito do ímpeto tenha vindo das classes comerciantes e fabricantes das cidades, isso está muito longe da totalidade da história. Os aliados que este ímpeto burguês encontrou, os inimigos que defrontou, variam de caso para caso (BARRINGTON MOORE, 1967: 13-14).

Alguns aspectos tornam particular o caso dos Estados Unidos em relação aos demais que compõem esse primeiro caminho:

– o papel da classe de senhores de terra, oposta a esse movimento, que a levou a ser "varrida pelas convulsões da guerra civil";

– a inexistência de um "verdadeiro campesinato".

E conclui: "O primeiro caminho, e o mais antigo, por meio das grandes revoluções e guerras civis, levou à combinação do capitalismo e da democracia ocidental" (p. 13-14).

A hipótese de Barrington Moore é que, apesar de não ter sido um levante popular contra a opressão, apesar de não ter destruído violentamente instituições políticas para imprimir um novo curso à história, apesar de não ter feito nenhuma contribuição excepcional à causa da liberdade humana, exceto pela abolição da escravatura, a guerra civil, pela extensão e profundidade da modificação política que produziu, pode ser considerada uma revolução. Contribuíram para isso:

• o reforço do poder central e da União, o que foi particularmente importante, em vista da definição das políticas de conquista do Oeste;

• a proteção aduaneira, que proporcionou ao país uma das tarifas mais altas do mundo na segunda metade do século XIX;

• a reorganização do sistema monetário e a criação do sistema bancário nacional;

• a utilização da Lei *Homestead*, de 1862, para realizar concessões de terras aos capitalistas para a construção de ferrovias;

• o estabelecimento de maiores facilidades para a imigração, para dar uma compensação à indústria pela mão de obra perdida para as ferrovias.

Se compararmos esse desfecho com o programa dos Estados Confederados da América – manutenção da escravatura, redução da proteção aduaneira, fim dos subsídios à indústria e à ocupação do Oeste, redução dos impostos e liberdade para os sistemas monetário e bancário regional – não pode haver nenhuma dúvida sobre quem (e o que) ganhou com a Guerra.

Barrington Moore, ao discutir as causas da guerra, mostra que, no século XIX, opuseram-se dois tipos de sociedade capitalista nos Estados Unidos: no Sul, uma sociedade capitalista agrária, fundada na *plantation* e no trabalho escravo, e inserida na divisão internacional do trabalho inglesa; ao Norte, uma sociedade capitalista industrial, que acabou por se articular com a agricultura de alimentos do Oeste, baseada na mão de obra familiar.

Essa fragmentação deu margem não apenas a estruturas sociais, mas a padrões culturais radicalmente antagônicos, em que a questão central, do ponto de vista formal, era a escravatura, mas que, do ponto de vista real, era o poder; ou seja, o uso dos instrumentos de poder para favorecer uma ou outra das duas sociedades, em particular no que se refere às tarifas alfandegárias e à escravatura nos territórios do Oeste. Teria sido necessária a guerra (e uma guerra com a violência da guerra civil americana) para resolver essa diferença? É o que pergunta Barrington Moore. E sua resposta é afirmativa, pois os conflitos essenciais que opunham o Norte e o Oeste ao Sul tornavam impossível constituir uma institucionalidade jurídica, política e econômica que desse conta dos interesses de ambos os lados. Esse conflito, ademais, se desenvolvia em um quadro em que não havia nem contestação operária significativa ao capital nem inimigo externo, e em que os elementos de coesão nacional eram débeis; o comércio, por exemplo, importante fator de unificação do espaço nacional, agravava o problema, pois o Sul tinha como grande parceiro a Inglaterra.

Para Barrington Moore, em resumo, o desenvolvimento de sistemas econômicos que haviam produzido civilizações diferentes, ainda que ambas capitalistas, e a debilidade das forças de coesão entre um lado e outro, tornaram desnecessária, a partir da ligação entre o Norte (industrial) e o Oeste (agricultura familiar de alimentos), a via prussiana e exigiram a solução do conflito. Posteriormente à Guerra Civil, no entanto, "quando os *junkers* do Sul já não eram escravagistas e tinham adquirido um maior matiz de negócio urbano, e quando os capitalistas do Norte tiveram de enfrentar os radicais perturbadores, a clássica coligação conservadora tornou-se possível. Assim chegou o Thermidor para liquidar a 'Segunda Revolução Americana'"(p. 183).

Só que o Thermidor foi também o Dezoito Brumário, na medida em que marca o momento da fantástica aceleração do desenvolvimento capitalista nos Estados Unidos, como se pode depreender dos seguintes fatos:

• crescimento demográfico, com a população evoluindo de 40 milhões de habitantes em 1870 para 90 milhões em 1910;

• quadruplicação do PNB entre 1876 e 1906, ampliação do sistema ferroviário, que atinge 300 mil km de trilhos colocados nesse último ano, e reestruturação da indústria, com a formação de *trusts*, cartéis e *holdings* e introdução dos métodos de estandardização, taylorismo e *dumping*;

• desabamento do mundo rural, com o fim da escravatura, tentativa frustrada de assalariamento e introdução do sistema de parceria.

A chave para o entendimento do "milagre econômico" norte-americano após 1860, milagre esse que permitiu o salto de qualidade e a transformação do país na maior potência industrial do globo, reside na ferrovia. Com ela nasce o *modern capitalism*. Os Estados Unidos haviam chegado à metade do século XIX com uma estrutura econômica em que a empresa típica era pequena e familiar. Apenas duas exceções coloriam esse quadro: as *plantations* no Sul e as fábricas têxteis no Norte, podendo estas ser consideradas como precursoras da empresa moderna; em ambas, no entanto, os re-

ESTADOS UNIDOS: A "CURTA MARCHA" PARA A HEGEMONIA

querimentos tecnológicos e administrativos eram baixos, sendo que, nas fábricas têxteis, igualmente baixos eram os requerimentos financeiros.

O efetivo surgimento do *modern capitalism* exigia uma revolução no modo de produção, com a constituição das forças produtivas especificamente capitalistas – o que pressupunha o uso do vapor em larga escala e de ferro e carvão a baixo custo. Os avanços que haviam ocorrido na indústria têxtil, e que permitiram antecipar algumas das características da empresa moderna, fundavam-se em razões muito peculiares:

• tecnológicas – decorrentes da utilização de máquinas de madeira e de mecanismos de transmissão construídos com correias de couro;

• de mercado – pelo fato de seus produtos serem baratos e de uso generalizado;

• de transporte – em função da facilidade de deslocamento, em rios e canais, dos meios de produção e dos produtos finais;

• financeiras – as dimensões mínimas do capital exigido não eram muito grandes.

Mesmo assim, o fantástico desenvolvimento do algodão na primeira metade do século, causando forte impacto no conjunto das atividades econômicas, havia permitido que alguns desses aspectos aparecessem. Pela primeira vez, manifestara-se a vocação do sistema empresarial norte-americano para a expansão e a integração dos mercados.

Foi sobre essa base que explodiu a ferrovia. Modificando radicalmente a escala de produção e de distribuição e o tamanho da firma, seus efeitos encadeados para trás e para a frente foram de uma ordem até então desconhecida. Ela permitiu o encontro entre o vapor, o carvão mineral, o ferro, a construção civil (pela exigência de obras de infraestrutura, como pontes e terminais urbanos) e o Estado (como vetor de demanda); ela pressupõe um novo sistema de comunicações, que viria a surgir com o telégrafo; ela impulsiona o sistema fabril, não apenas pela demanda que exerce, mas oferecendo segurança e rapidez nos transportes e comunicações, e, acima de tudo, um modelo de organização empresarial que iria revolucionar o velho sistema produtivo.

A velocidade do *boom* ferroviário norte-americano é impressionante, não apenas quantitativa, mas qualitativamente. As empresas ferroviárias exigiam mais dinheiro, mais gente – e gente qualificada – e mais equipamento que qualquer outro ramo de negócios. Com elas, surgem as escolas técnicas e de engenharia; com elas, vêm à luz algumas das maiores empresas do mundo até então. A operação dessas empresas apresentava requerimentos financeiros maciços, o que levou ao surgimento dos bancos de investimento, bem como à centralização e institucionalização do mercado financeiro em Nova York, diversificando-se as modalidades operacionais; sociedades por ações, títulos hipotecários, lançamento de debêntures, tudo passou a fazer parte do cardápio das novas instituições.

A função financeira dentro da empresa também se especializou, com o surgimento do *comptroller*, tornando mais complexa a divisão do trabalho no seu interior. As empresas ferroviárias trabalhavam com imensas massas monetárias descentralizadas, exigindo portanto modernos métodos de administração. As próprias características da empresa ferroviária levaram-na assim a modificar o desenho organizacional, criando o conceito de estrutura, definindo funções de *staff* e de linha, estabelecendo canais de autoridade, responsabilidade e comunicação, elaborando organogramas, desenvolvendo a contabilidade de custos, exigida tanto pelo volume de gastos correntes como pelos elevados investimentos em capital fixo, que necessitavam de provisão realística para depreciação e de otimização da receita em termos de tráfego/trem.

Mas não foram apenas flores o que se encontrou no caminho das estradas de ferro. Essa foi a época dos grandes negócios e das grandes manobras financeiras[5]. E a história dos heróis do capitalismo triunfante apresenta passagens bem pouco edificantes, nas quais sempre o apoio do Estado é decisivo: seja na doação das terras do domínio público, seja na oferta de créditos e recursos a taxas favorecidas. E mais: no plano jurídico-institucional, as empresas ferroviárias não eram objeto de qualquer regulamentação, nem mesmo consideradas concessionárias de um serviço público. Os capitalistas que empreenderam a sua construção tornaram-se proprietários definitivos, como se houvessem construído fábricas ou edifícios.

Também o processo de concentração e centralização do capital no setor apresentou características peculiares, pois passou menos pela cartelização do que por estratégias de busca do domínio sobre sistemas completos, por meio da compra, aluguel e construção de redes. Com isso, as necessidades de financiamento cresciam e, com elas, o papel dos financistas, em particular os banqueiros de investimento, que passaram a ocupar papel de destaque nos *boards* de administração das ferrovias. O resultado desse processo é que, ao se aproximar o final do século, apenas 25 grandes companhias controlavam dois terços do tráfego e da rede instalada. Completava-se assim o modelo organizacional que haveria de servir de paradigma à *Corporation* americana no século XX.

---

[5] Para uma descrição detalhada da forma como operavam os *"robber barons"*, cf. Debouzy (1972).

ESTADOS UNIDOS: A "CURTA MARCHA" PARA A HEGEMONIA

Processos semelhantes ocorreram com as operadoras dos novos sistemas de comunicação: o telégrafo e o telefone. O telégrafo acompanhou a ferrovia na conquista do Oeste: no final dos anos 1850, uma década depois de tornar-se comercial, havia seis sistemas regionais operando nos Estados Unidos; em 1866, apenas uma única companhia operava o sistema – a *Western Union*. O mesmo aconteceu com o telefone: nos anos 1880, surgiram as primeiras companhias usando a patente de Bell; na década seguinte, quando as patentes expiraram, as companhias locais se interligaram e surgiu a *American Telephone & Telegraph Company*.

Todas essas empresas eram multiunidades, pioneiras, portanto, da empresa moderna; todas operavam com um nível até então desconhecido de rapidez, regularidade e volume de transações, nos setores de transporte e comunicações. Em seu movimento expansivo, não só ampliaram como criaram um novo mercado de bens e serviços, abrindo caminho para o advento da grande empresa industrial, capaz de integrar produção e distribuição em massa.

A revolução nos meios de comunicação e de transporte impulsionou a revolução no comércio, permitindo o surgimento de grandes empresas comerciais, comprando diretamente dos *farmers* e da indústria para revender aos varejistas ou ao consumidor; apareceram os *dealers*, para comercializar as colheitas agrícolas, comprando milho, trigo, algodão, nos entrepostos dos terminais ferroviários, armazenando, transportando e vendendo esses produtos aos processadores. E para financiar esse movimento, nasceram as bolsas de mercadorias, viabilizadas pela expansão do telégrafo. Também são dessa época as lojas de departamento, voltadas para os mercados urbanos em crescimento, as firmas especializadas em vendas pelo reembolso postal, destinadas aos mercados rurais, e as primeiras cadeias de lojas. Enfim, organizações extensivas para compra e venda, com equipes de venda permanentes e escritórios nas principais cidades. O aumento da escala permitia uma redução de custos, inclusive financeiros, e de preços, o que levou, inclusive, os pequenos comerciantes, incapazes de competir com as novas estruturas, a pedir proteção ao governo.

A transformação no setor industrial, entretanto, exigia não só aperfeiçoamentos organizacionais, mas mecanização e completa reestruturação do processo produtivo, para permitir um rápido processamento na fábrica, reduzindo os custos unitários e elevando a taxa de lucro. O pressuposto da produção contínua eram mais e melhores máquinas, maior velocidade de operação, mais energia, reestruturação na linha de produção e na administração para permitir entrada mais rápida das matérias-primas, saída mais rápida dos produtos acabados, passagens mais rápidas de uma fase a outra do processo produtivo. Tudo isso significava aumento da relação entre os

165

meios de produção e a força de trabalho, ou seja, da composição técnica e orgânica do capital.

A empresa moderna no setor industrial entrou em cena em 1868 no refino do petróleo, uma década apenas depois da perfuração do primeiro poço comercial. As instalações passaram a ser totalmente mecanizadas, de tal forma que, em 1883, a *Standard Oil Trust* pôde concentrar 40% da produção americana em três imensas refinarias, fazendo com que o custo unitário caísse de 1,5 *cent* por barril para 0,5 *cent* por barril (cf. CHANDLER, 1965: 101).

Essas inovações propagaram-se a outros ramos que podiam usar processos semelhantes, como no refino de açúcar e de óleo de sementes de algodão, na fermentação de cerveja, na destilação de uísque, álcool industrial, ácido sulfúrico e outros produtos químicos. Todos ampliaram o tamanho de suas plantas, beneficiando-se de economias de escala, e elevaram a composição técnica e orgânica do capital, tornando-se altamente "capital-intensivas", "matérias-primas-intensivas", "energia-intensivas" e "administração-intensivas". O mesmo ocorreu nos ramos que podiam introduzir máquinas de processo contínuo e que redesenharam suas plantas para essa finalidade. É o caso, em particular, do beneficiamento de produtos agrícolas. No final da década de 1870, isso pode ser observado na produção de cigarros e aveia, na moagem de farinha e outros grãos, na produção de filmes fotográficos.

Nesses setores, no entanto, uma vez introduzidas as inovações, o potencial para novos avanços ficava limitado. Na metal-mecânica, não. O exemplo da metalurgia norte-americana é ilustrativo: com a integração entre os altos-fornos, as usinas de laminação e as usinas de acabamento, para produzir trilhos, fios, chapas e estruturas metálicas, com a adoção do sistema de Bessemer e dos processos de forno aberto e com o redesenho interno das usinas, o aumento de produtividade alcançado foi espetacular e a indústria americana ultrapassou a inglesa. A indústria mecânica, por sua vez, apresenta o exemplo mais conspícuo de como a reestruturação levou a aumentos continuados de produtividade. Foi ela que forneceu, entre os anos 1850 e os 1880, as principais inovações, em termos de equipamentos siderúrgicos, para as mudanças nos processos produtivos da laminação e da fabricação de chapas metálicas (cf. CHANDLER, 1965: 103).

Essas inovações trouxeram consigo a necessidade de repensar a organização do processo de trabalho. Em 1895, Frederick Taylor publicou os *Princípios da administração científica*, onde apresenta seus estudos de tempo e movimento. Sobre essa base, já no início do século XX, entre 1908 e 1913, Henry Ford cria e aperfeiçoa a linha de montagem, reduzindo, em 1914, o tempo necessário à montagem de um automóvel de doze horas e oito minutos para uma hora e trinta e três minutos. Com ela, Ford pôde vender o carro mais barato do mundo, pagar os salários mais altos do mundo e tornar-se um dos homens mais ricos e poderosos do mundo. Ford, Rockfeller, Carnegie, Duke, Eastman, Swift, Armour, McCormick, Westinghouse, du Ponts – os *robbers barons* – foram os pioneiros da produção em massa e da distribuição em massa, tornando-se as maiores fortunas da nação; com eles, a partir da década de 1880, surgiu a moderna empresa industrial nos Estados Unidos – a *corporation* – capaz de integrar produção em massa com distribuição em massa.

A partir dos anos 1880, o processo de concentração e centralização do capital acelera-se nos Estados Unidos, por meio de dois caminhos básicos:

• organização, a partir da empresa industrial, de firmas comerciais em escala nacional e, às vezes, internacional;

• fusão de empresas industriais com cadeias de comércio previamente existentes.

O primeiro caminho constituiu, desde o início, oligopólios ou monopólios, não tendo sido nunca "competitivo", no sentido vulgar da expressão. Algumas dessas empresas tornaram-se as primeiras "multinacionais". Além disso, todas combinavam processamento rápido com alta rotação de estoques, sendo por isso autofinanciadas e não precisando, a não ser raramente, recorrer ao mercado de capitais (preferiam tomar empréstimos a curto prazo nos bancos comerciais); eram, em consequência, empresas fechadas (e quase familiares).

O segundo caminho, o das fusões de empresas industriais com redes comerciais já existentes, começou com colusões informais, passando depois pelas etapas de cartelização formal, formação de *trusts* ou *holdings*, centralização sem comando único, até chegar à integração para trás e para frente. Nos anos 1890, ocorreu nova onda de fusões, motivadas pela depressão (diante da qual os cartéis mostravam-se inoperantes), pela aplicação da Lei Sherman[6] e pelo efeito-demonstração dos casos bem-sucedidos da década anterior. Cabe, no entanto, observar que quando a fusão apenas disfarçava o cartel, mantendo intacta a estrutura produtiva original, o resultado foi a falência. Deram certo apenas aquelas que promoveram uma efetiva integração e otimizaram suas escalas de produção. Já nos setores intensivos em trabalho, os processos de concentração e centralização do capital não ocorreram, ou, se ocorreram, não resultaram em mudanças estruturais significativas.

---

[6] A Lei Sherman, de 1890, conhecida como lei antitruste, considerava como ilegais os cartéis, mas permitia a existência de empresas *holding*.

Finalmente, cabe observar que, apesar da estrutura resultante desses dois caminhos ser bem semelhante, há pelo menos duas diferenças importantes: a primeira, e mais essencial, dá-se no plano financeiro, pelo fato de as fusões não serem autofinanciáveis, exigindo o recurso ao mercado de capitais e promovendo, dessa forma, a fusão do capital bancário com o capital industrial; a segunda, que é uma decorrência da primeira, é que essas empresas adotaram administrações profissionais em sua organização (cf. CHANDLER, 1965).

Esse processo, que marca o surgimento e o triunfo do *modern capitalism* nos Estados Unidos, impressiona pela rapidez com que ocorreu. Em 1860, os Estados Unidos estavam muito longe, em termos geográficos, populacionais, políticos, sociais e econômicos, do que viriam a ser no início do século XX. Menos de cinquenta anos foram suficientes para que alcançassem e ultrapassassem as principais nações industriais da velha Europa.

4 O segundo passo – a Primeira Guerra Mundial

Se a guerra civil registra o momento em que os Estados Unidos realizam sua "arrancada" para se tornarem a maior potência industrial do globo, a Primeira Guerra marca o surgimento das condições que lhes permitem ascender à posição de "centro cíclico principal". A expressão é usada aqui na acepção que lhe deu Prebisch (1949), em seu famoso artigo sobre o desenvolvimento econômico da América Latina; aceita-se também a hipótese ali avançada, relativa à mudança dos centros, pela qual a substituição da Inglaterra pelos Estados Unidos como centro cíclico principal iniciou-se no princípio do século XX e concluiu-se na década de 1920.

Para entendermos esse percurso, temos que recuperar alguns fatos que marcaram a trajetória do país no período que antecedeu a Primeira Guerra. Em primeiro lugar, cabe registrar que o intenso processo de urbanização, e de "megalopolização", ocorrido na segunda metade do século XIX, tornara exageradamente grandes as cidades e, nelas, milhões de pessoas viviam na miséria ou em péssimas condições de emprego, moradia, saúde – de vida, enfim.

Mas não só nas cidades havia problemas. A agricultura também se transformara na segunda metade do século XIX, com o declínio da agricultura familiar de subsistência (*farmers*) e a ascensão da grande agricultura de alimentos, voltada para os mercados interno e externo, e movida pela abertura da fronteira e a conquista do Oeste, pela melhoria dos transportes e a introdução de máquinas agrícolas. Ocorre que, durante a guerra, o governo federal havia emitido cerca de US$ 450 milhões em papel-moeda (*greenacks*), sem lastro, para financiar seu esforço militar. Após a guerra, o recolhimento *dos greenbacks* e o retorno ao padrão-ouro (1879) enseja-ram uma contração brutal do meio circulante, da ordem de 50%, e uma deflação de preços que atingiu principalmente os produtos agrícolas. Os agricultores, que se haviam endividado pesadamente no período de pros-peridade anterior, hipotecando suas terras, viram-se em extremas dificul-dades para honrar suas dívidas.

Os *farmers* foram assim levados a assumir posições cada vez mais agressivas, em defesa de seus interesses. Organizaram-se em associações, na década de 1890, e ingressaram na política com muita energia, tendo al-cançado posições majoritárias em vários estados do Sul e do Oeste e envia-do seus representantes às assembleias estaduais e ao Congresso. Sua plata-forma incluía modificações radicais, como abandono das práticas liberais e adoção de um programa de intervenção do Estado, particularmente no que respeita à moeda e ao crédito, e à regulamentação das ferrovias. Esse movimento – denominado "progressista" – chegou ao auge com a criação do Partido Populista em 1892, que lançou candidatura própria nas elei-ções presidenciais de 1892. Em seu programa, constavam os pontos capa-zes de unir os agricultores:

* cunhagem livre de prata[7];

* criação de um sistema federal de crédito, garantido pelas colheitas fu-turas;

* imposto de renda federal progressivo;

* estatização das ferrovias e dos sistemas de telecomunicações (telégra-fo e telefone);

* proibição a estrangeiros de deterem a posse de terras no território norte-americano;

* retomada das terras ilegalmente em poder das ferrovias;

* restrições à imigração;

* jornada de trabalho de oito horas nas indústrias;

* proibição de uso de polícias particulares contra movimentos gre-vistas;

* medidas para restabelecer o voto popular, tais como: eleição direta para o Senado, iniciativa popular para apresentação de leis, referendo e voto secreto.

---

[7] A questão da prata funcionava como uma espécie de solução mágica para os agricultores, que viam em sua cunhagem livre a possibilidade de recuperar os preços da economia.

Foi por um acaso, no entanto – quando o presidente McKinley foi assassinado em 1901 – que o país ingressou na assim chamada "era progressista", pelas mãos de Theodore Roosevelt, vice-presidente na ocasião. Apesar de possuir uma visão política extremamente conservadora, Roosevelt foi o grande líder desse período, tendo contribuído, mais que qualquer outro presidente até então, para o fortalecimento do Executivo. Impôs sua vontade ao Congresso, tornando-se o porta-voz das aspirações populares do país, e construiu um discurso fundado no interesse público, colocado acima dos interesses do grande capital. Revitalizou a Lei Sherman e deu início a mudanças na cultura política americana que viriam, anos mais tarde, a desaguar no *New Deal*.

Candidato à reeleição, Roosevelt obteve em 1904 a mais ampla vitória jamais alcançada por qualquer outro candidato a presidente. Com isso, obteve uma série de êxitos no Congresso: regulamentou as ferrovias, estabeleceu o controle sobre a qualidade dos alimentos e dos medicamentos, defendeu as reivindicações do Centro-oeste quanto à redução das tarifas, iniciou um ataque contra os *trusts*, movendo várias ações de dissolução e determinando várias investigações pelos órgãos do governo federal.

Desistindo de concorrer a novo mandato em 1908, Roosevelt retirou do Partido Republicano a liderança efetiva do "movimento progressista", que só recobraria ímpeto em 1912. Nesse ano, Roosevelt, que se afastara de seu sucessor, decidiu criar um terceiro partido, para tentar unificar todos os progressistas em uma mesma legenda. Nas fileiras democratas, entretanto, havia surgido um líder progressista próprio, Woodrow Wilson, o que acabou por frustrar o projeto de Roosevelt. A campanha de 1912 expôs o confronto entre duas modalidades de "progressismo": a do Partido Democrata, para quem a luta deveria cingir-se exclusivamente ao plano jurídico, com a aplicação das leis antitrustes e a aprovação de uma legislação de direitos civis e sociais mais avançada; e a do Partido Progressista, que pregava um programa efetivo de intervenção do Estado nas questões econômicas e sociais.

A plataforma democrata de 1912 incluía uma revisão das leis de controle dos *trusts*, a descentralização do sistema bancário, para colocá-lo fora da dominação de Wall Street, independência para os filipinos, imposto de renda progressivo, eleição direta para o Senado, liberdade de ação para os sindicatos; enfim, a revogação do sistema de privilégios especiais que os republicanos haviam instituído desde 1861. A plataforma "progressista", intitulada "Contrato com o Povo", englobava, por sua vez, não só todos os pontos defendidos pelos reformadores sociais – salário mínimo feminino, legislação sobre trabalho infantil, indenização aos trabalhadores por demissão imotivada, seguro social – como os que estavam incluídos na plataforma democrática – iniciativa popular para legislar, referendo, eleições

ESTADOS UNIDOS: A "CURTA MARCHA" PARA A HEGEMONIA

primárias para indicação de candidatos à presidência da república e sufrágio feminino – além de exigir a criação de novos e poderosos instrumentos de regulação da vida econômica.

O resultado das eleições, facilmente previsível, dada a incapacidade de Roosevelt de dividir o Partido Democrata, deu a vitória a Wilson. Uma vez empossado, o novo presidente começou a implementar seu programa de governo, denominado *Nova Liberdade*. A primeira batalha foi em relação às barreiras protecionistas, ganha com a intervenção pessoal do presidente nos debates do Congresso, conseguindo a revisão das tarifas de importação: todos os produtos fabricados pelos *trusts* (ferro, aço, máquinas agrícolas etc.), bem como a maioria das matérias-primas, produtos têxteis, alimentos, sapatos etc., foram colocados na lista de produtos isentos. Em média, as tarifas baixaram de quase 40% para cerca de 29%. Para compensar a queda prevista na receita, foi aprovado um ainda tímido imposto de renda progressivo.

A segunda batalha travou-se em torno à questão da reforma bancária. Todos – republicanos e democratas, conservadores e progressistas – estavam convencidos da vulnerabilidade do sistema bancário norte-americano e da necessidade de reformá-lo; a partir daí, no entanto, só havia divergências. Um projeto do Partido Republicano, apoiado pela comunidade financeira de Wall Street, em andamento desde 1908, propunha a criação de um banco central, controlado pelos grandes bancos. Democratas e progressistas denunciaram esse projeto, mas enquanto a ala mais radical defendia um banco central estatal, com poder emissor exclusivo, a ala moderada propunha um sistema descentralizado de reservas, livre de Wall Street, mas de propriedade do setor privado e controlado por ele.

O projeto final, para cuja aprovação Wilson também contribuiu pessoalmente, consubstanciou-se no *Federal Reserve Act*. Essa lei, que ficou no "justo meio", criava doze bancos regionais da Reserva Federal, de propriedade dos bancos que dela faziam parte e controlados por juntas de diretores, escolhidas pelos próprios bancos; na qualidade de bancos centrais de suas regiões, seriam depositários das reservas dos bancos membros. Na cúpula do sistema, unificando-o, coordenando-o e controlando-o, ficava a Junta da Reserva Federal, composta por sete membros, todos nomeados pelo presidente da República, após aprovação do Senado, e detentores de longos mandatos (não coincidentes com o do Poder Executivo). O *Federal Reserve Act* criava também uma nova moeda, emitida pelos bancos da reserva para os bancos membros, à base de garantias pignoratícias (em títulos comerciais e agrícolas) e de uma reserva em ouro, na proporção de 40%. Tornava assim mais flexível a oferta monetária, que poderia expandir-se ou contrair-se, de acordo com as necessidades da circulação.

O *Federal Reserve Act* significou, sem dúvida, um avanço para o extenso, fragmentado e vulnerável sistema bancário americano, permitindo a centralização e mobilização das reservas bancárias, regional e nacionalmente, e criando uma moeda forte e flexível. Eliminou, ademais, a concentração dos recursos creditícios em poucas praças financeiras, criando centros emissores regionais sob controle nacional. Os progressistas mais radicais, no entanto, denunciaram a nova lei, acusando-a de não garantir o controle público absoluto sobre a emissão monetária e o funcionamento do sistema bancário.

A "era progressista", portanto, que antecede a guerra, é um período de modificações políticas e sociais internas, de rearranjos na estrutura de poder e de mudanças da atitude externa dos Estados Unidos – a partir do que, se convencionou chamar de corolário rooseveltiano a doutrina Monroe[8], ou, mais popularmente, de política do *big stick*. Sobre esse ponto, valem ainda algumas observações. A combinação de políticas internas e externas que caracterizou a "era progressista" provoca a suspeita de que, por parte de uma camada significativa da elite dominante do país, despertava a consciência do novo papel a que estavam destinados os Estados Unidos, como maior potência econômica e industrial do mundo. A forma "imperialista" que essa consciência assumia não pode causar estranheza, em uma época que se caracterizou exatamente pela formação, expansão e consolidação de extensos impérios coloniais por parte das principais potências europeias.

O que chama a atenção é o caráter limitado e a inutilidade das aventuras imperialistas norte-americanas. Na verdade, elas só se explicam pela necessidade, que alguns grupos de poder começavam a sentir, de marcar uma posição de força no cenário internacional. No entanto, apenas o deflagrar da Primeira Guerra Mundial veio a dar um novo curso aos acontecimentos, permitindo aos Estados Unidos mudar a natureza introvertida de sua política externa. Dois aspectos que contribuíram para isso devem ser ressaltados: um, relativo ao desenvolvimento interno; outro, às modificações ocorridas no plano internacional.

No início do conflito, os Estados Unidos reafirmaram sua tradicional posição de neutralidade[9], anunciada pelo presidente Wilson, em agosto

---

[8] A doutrina Monroe tinha um claro vetor hegemônico, em termos continentais, mas apresentava como elemento retórico central a defesa do isolamento da América.

[9] A legislação americana estabelecia a neutralidade do país para conflitos fora do continente, impondo proibição de venda de armas, suspensão de créditos aos países beligerantes e restrição ao movimento de navios e pessoas nesses países.

de 1914, com um discurso em que pediu aos americanos que permanecessem imparciais, tanto na ação como no *pensamento*. Isso correspondia certamente ao sentimento da maioria da nação – e provavelmente também de sua elite dominante – que acreditava ser possível aos Estados Unidos manter-se distante dos conflitos europeus, preservando apenas a Doutrina Monroe.

Os Estados Unidos retardaram ao máximo sua entrada na guerra. Wilson, nos primeiros meses do conflito, dispôs-se a manter relações comerciais com todos os países beligerantes. Cedo, no entanto, começou a enfrentar dificuldades, à medida que se consolidava a superioridade britânica nos mares: as exportações americanas diretas para a Alemanha e a Áustria caíram de US$ 170 milhões, em 1914, para pouco mais de um milhão, em 1916, embora as exportações para os Aliados tenham aumentado de quase US$ 825 milhões para mais de três bilhões, no mesmo período.

O início da guerra submarina pelos alemães ameaçou mudar o curso dos combates no Atlântico e poderia ter posto em xeque a "neutralidade" americana – dada a decisão dos governos francês e inglês de opor uma interdição total ao comércio com as potências centrais – não fosse a tática alemã de incluir, em seus ataques, os navios de países neutros. Wilson viu-se obrigado a enrijecer sua posição, pois a morte de cidadãos americanos em navios afundados pelos alemães começou a modificar o sentimento do povo americano em relação à neutralidade.

Essa evolução, no entanto, foi interrompida com a aproximação das eleições presidenciais de 1916. A divisão de forças que se estabeleceu levou em conta tanto questões internas quanto externas. E Wilson assumiu não só a defesa do "progressismo" como da neutralidade americana. O Partido Republicano, por sua vez, defendia posições ambíguas em relação à guerra. Com isso, Wilson conseguiu unir em torno de si não apenas o partido democrata, mas a ala esquerda do movimento "progressista", alguns socialistas, a maioria da intelectualidade e do movimento sindical, inclusive a Federação Americana do Trabalho. O resultado do pleito deu a Wilson a vitória por estreita margem.

Terminado o pleito, Wilson pôde novamente voltar-se para as questões externas, modificando sua posição assumida na campanha e rompendo relações diplomáticas com a Alemanha em fevereiro de 1917. No entanto, nem as forças armadas nem a indústria norte-americana estavam suficientemente preparadas para o esforço de guerra empreendido. Foi no plano político que a ação dos Estados Unidos se fez mais presente no final do conflito, tendo o governo anunciado, em janeiro de 1918, seu programa de paz, no qual se falou, pela primeira vez, na criação da Liga das Nações. Embora esse programa jamais fosse oficialmente aceito pelos Aliados, tornou-se um poderoso instrumento de propaganda. E permitiu ao presidente americano ter um papel destacado nas negociações que precederam o armistício.

O quadro, no entanto, modificou-se quando os chefes de Estado reuniram-se em Versalhes para elaborar o tratado de paz definitivo. Na ocasião, Wilson não conseguiu fazer prevalecer sua proposta, chegando, no máximo, a um meio-termo com os Aliados. O tratado assinado continha cláusulas muito rigorosas em relação à segurança europeia, em face de uma futura ameaça alemã, à questão colonial e à questão das indenizações de guerra, cujas consequências dariam a tônica da política europeia nas próximas duas décadas. O único ponto em que sua vitória foi completa disse respeito à criação da Liga das Nações.

De volta a seu país, Wilson iniciou a luta para aprovar o tratado no Congresso. Com rigorosa consciência das mudanças ocorridas, pronunciou as seguintes palavras, quando de sua apresentação ao Senado: "Nosso isolamento terminou há vinte anos [...] Não pode haver dúvida de que não deixaremos de ser uma potência mundial. A única dúvida é se podemos recusar a liderança moral que nos é oferecida, ou se aceitamos ou recusamos a confiança do mundo" (LINK, 1955: 364). As condições internas, no entanto, ainda não estavam maduras para o exercício da hegemonia e Wilson foi derrotado, não na questão geral da aprovação do tratado de paz, mas na questão que, para ele, havia-se tornado principal – a participação dos Estados Unidos na Liga das Nações. E, sem essa participação, a Liga estaria, desde o início, fadada ao insucesso.

O fim da guerra, na verdade, marca uma profunda alteração no quadro político, com a emergência de tendências regressivas, tais como a Ku Klux Klan, a histeria anticomunista e o episódio Sacco e Vanzetti. Esse quadro refletiu-se nas eleições presidenciais de 1920, que resultaram em uma derrota esmagadora dos "progressistas" e uma vitória da coalizão conservadora, liderada pelos republicanos, que haveria de predominar pelo resto da década.

De qualquer forma, não há como deixar de observar que, no plano interno, os Estados Unidos só tiraram vantagens da guerra. Seu custo foi relativamente baixo para o país: perdas humanas pequenas, perdas materiais inexistentes. Por outro lado, a guerra deu um ímpeto renovado à industria e à agricultura, produzindo uma situação de pleno emprego, e até mesmo de escassez de força de trabalho, que contribuiu para aumentos de produtividade e incentivou investimentos intensivos em capital. As exportações experimentaram um crescimento espetacular (principalmente as de alimentos), alcançando, no biênio 1919-1920, uma proporção de 11% da renda nacional (o que significa um valor quatro vezes superior à média 1910-1914). Além disso, houve um arrefecimento na utilização da legislação antitruste, passando os grandes industriais a ser considerados como exemplos de cooperação patriótica; essa tendência continuou no pós-guerra, chegando a seu auge em 1920, quando a Suprema Corte absolveu a *United States Steel Corporation* das acusações de práticas de violação da concorrência[10].

Apesar da tradicional posição introvertida da política externa não ter sido invertida e das correntes isolacionistas terem conseguido impor uma derrota ao presidente no final do conflito, mesmo assim alguma coisa havia mudado: a Primeira Guerra Mundial permitiu que o Estado desempenhasse novas e ampliadas funções, organizando a economia de guerra, planejando centralizadamente a mobilização de recursos em escala nacional, articulando-se de forma orgânica ao grande capital e levando, dessa forma, a economia americana a operar a plena carga.

Tanto assim que, após uma breve contração em 1921, o país experimentou, entre 1922 e 1929, um dos mais longos e intensos períodos de expansão e prosperidade do século. Por ocasião do fim da guerra, a estrutura econômica do país pode ser conhecida pelos seguintes dados:

• população: 105,7 milhões de habitantes, dos quais 51% habitavam em cidades de mais de 2.500 habitantes, sendo que 10 milhões em apenas três cidades – Nova York, Chicago e Filadélfia;

• distribuição da força de trabalho: 30,4% no setor primário (agricultura e mineração), 31,4% no setor secundário (indústria de transformação e construção civil) e 38,2% no setor terciário;

• dois terços dos assalariados empregados em apenas seis indústrias – têxtil (um milhão e meio de trabalhadores), ferro e aço (um milhão), madeira (675 mil), alimentos (570 mil), papel e gráfica (470 mil) e oficinas de reparos ferroviários (420 mil);

• seis indústrias apresentavam valor agregado superior a um milhão de dólares: têxteis (US$ 3,2 milhões), ferro e aço (US$ 2,6 milhões), alimentos (US$ 1,9 milhão), papel e gráfica (US$ 1,8 milhão), química (US$ 1,5 milhão) e madeira (US$ 1,2 milhão).

A têxtil ainda era, portanto, a principal indústria. O setor industrial, como um todo, já era, no entanto, plenamente eletrificado: 80% das fábricas com valor da produção superior a quinhentos dólares já usavam energia elétrica. Estava, portanto, constituída a base – pelas carências e pelas disponibilidades – para o período de intensas transformações que viriam a ocor-

---

[10] Esta decisão contrariou a tendência anterior, que havia levado, por decisão da Suprema Corte, à dissolução da *American Tobacco* e da *Standard Oil*, em 1911.

rer entre 1922 e 1929, os chamados *roaring twenties*. Dois aspectos principais desse período devem ser aqui destacados:

- a constituição do padrão manufatureiro norte-americano;
- a passagem do país a centro cíclico principal da economia mundial.

Em relação às mudanças internas, vale lembrar que os termos de troca se moveram contra os produtos primários, o que beneficiou extremamente a indústria americana, propiciando-lhe matérias-primas e alimentos baratos e acicatando os processos de mecanização da agricultura, de diversificação de áreas e produtos agrícolas e de utilização intensiva de adubos e defensivos químicos. A agricultura acelerou sua transformação em "setor industrial".

Acima de tudo, no entanto, foi nesses anos que surgiu uma indústria nova, com produtos novos, nunca imaginados até então, produzidos a partir de novas matérias-primas: o automóvel, o rádio, a geladeira, o telefone, o cinema – bens de consumo, mas duráveis, introduzindo profundas mudanças no padrão de consumo da sociedade. O investimento desses setores – que assumem a liderança na nova estrutura industrial – gera poderosos efeitos encadeados, para frente e para trás.

As novas indústrias se caracterizavam pelo uso intensivo de métodos de produção em massa, integrando-se, portanto, ao circuito das grandes *corporations*. Seu peso crescente na estrutura industrial do país acarretou ganhos de produtividade global cada vez maiores. Assim é que o produto por trabalhador nos Estados Unidos cresceu 45% entre 1921 e 1929. Também a estrutura do emprego modificou-se no período, observando-se estabilidade da participação da indústria e crescimento do terciário, enquanto que a população empregada na agricultura cai, tanto em termos relativos quanto absolutos; mesmo assim, a produção de alimentos elevou-se significativamente. O salário médio real sobe nesse período, beneficiado pela estabilidade de preços, para a qual contribuiu a queda dos preços dos novos bens de consumo duráveis, cujo uso começa a se difundir no período.

Do ponto de vista externo, também há que se registrar não só a mudança radical da inserção americana na economia mundial, passando o país a ocupar a posição de centro cíclico principal da economia mundial, como o fato de que a Inglaterra revela-se incapaz de retomar seu papel hegemônico nas relações internacionais. No meio século anterior à guerra, quando o domínio financeiro da *City* londrina consolidou-se em todo o mundo, os Estados Unidos foram o maior receptor dos investimentos britânicos no exterior. Nas palavras de Arrighi, "entre 1850 e 1914, o investimento externo e os empréstimos de longo prazo aos Estados Unidos somaram um total de US$ 3 bilhões. Mas, durante esse mesmo período, os Estados Unidos fizeram pagamentos líquidos de juros e dividendos, em sua maior parte à

Grã-Bretanha, num total de US$ 5,8 bilhões. A consequência foi um aumento da dívida externa norte-americana de US$ 200 milhões, em 1843, para US$ 3,7 bilhões em 1914" (ARRIGHI, 1994: 278).

As necessidades de financiamento da Inglaterra para fazer face ao esforço de guerra, no entanto, levaram-na a liquidar, já nos primeiros anos da conflagração, seus ativos americanos na Bolsa de Valores de Nova York, com pesados descontos; e, quando os Estados Unidos entraram no conflito e suspenderam as restrições aos empréstimos à Inglaterra, a Inglaterra tornou-se a principal tomadora de créditos junto a seu antigo devedor.

Mais importante do que uma fotografia da relação de forças no imediato pós-guerra é a constatação da impossibilidade, vivida pela Inglaterra, de retomar o papel que havia desempenhado até as vésperas da guerra nas relações financeiras internacionais. O fundamento da hegemonia inglesa, nesse plano, durante todo o século XIX e até 1914, residiu menos nas virtudes do padrão-ouro que na posição verdadeiramente monopolista exercida pelo sistema bancário inglês em relação aos fluxos de mercadorias e de capitais ao longo de todo o período. Foi isso que permitiu que o verdadeiro meio de pagamento internacional no longo século XIX fosse não o ouro, mas as letras de câmbio emitidas contra as *acceptance houses* londrinas e descontadas pelas *discount houses*. Na *City* londrina, ademais, estavam concentrados o mercado de ouro e os mercados das principais matérias-primas. Apoiando-se na primeira economia industrial do mundo e na eficácia (à época) da política de taxa de juros do banco da Inglaterra, o sistema financeiro inglês atraía os capitais de curto prazo e as reservas internacionais. Somente a libra esterlina era, simultaneamente, moeda nacional e internacional.

A Primeira Grande Guerra, ao obrigar a Inglaterra a suspender a conversibilidade da libra e a paralisar boa parte das operações internacionais de seu sistema financeiro, alterou esse quadro profunda e definitivamente. Ademais, o temor (e a dificuldade) de manter reservas em libras levara os países a buscar no dólar um refúgio. Com isso, rompeu-se o monopólio inglês e o dólar passou a servir como reserva internacional.

As condições da guerra, portanto, permitiram aos Estados Unidos inverter sua posição externa, passando de receptor líquido de capitais a investidor líquido no exterior e de devedor a credor. Com isso, completavam-se as condições para que o país passasse a desempenhar novo papel no fluxo de mercadorias e capital no mercado mundial.

5 O terceiro passo – a Segunda Guerra Mundial

A Segunda Guerra Mundial constitui o ponto de inflexão decisivo. A guerra civil, ao definir a questão interna do poder e a natureza do capitalismo americano, permitira ao país emergir, ao final do século XIX, como a maior potência industrial do globo; a Primeira Guerra Mundial, ao modificar radicalmente sua inserção internacional e retirar à Inglaterra qualquer possibilidade de restaurar sua hegemonia, levara-o a ocupar o papel de centro cíclico principal. É somente na Segunda Guerra que se criam as condições, internas e externas, para que os Estados Unidos tornem-se polo hegemônico da economia capitalista mundial, estabelecendo uma nova ordem econômica no planeta[11].

Em relação às transformações internas – primeiro aspecto indispensável ao entendimento do processo de afirmação da hegemonia americana – cabe ressaltar que a guerra permitiu aos Estados Unidos superar o quadro recessivo em que ainda se encontrava ao final da década de 1930, como decorrência da crise de 1929. Apesar de todos os esforços da administração Roosevelt (1933-1945), com o New Deal, o fato é que, em 1940, a recuperação não era total; ainda havia oito milhões de desempregados no país, o que equivalia a 15% de sua força de trabalho. A guerra começou na Europa em setembro de 1939 e rapidamente acelerou-se a recuperação econômica: as exportações elevaram-se de US$ 3,1 bilhões em 1939 para US$ 5,2 bilhões em 1941; o gasto público passou de US$ 6 bilhões em 1940 para US$ 17 bilhões em 1941; a recordação da Primeira Guerra Mundial, ainda muito viva na lembrança de todos, fez com que se antecipassem os gastos de consumo; e o efeito multiplicador do aumento da demanda agregada elevou o PNB de US$ 90 bilhões em 1939 para US$ 124 bilhões em 1941. Essa aceleração do crescimento manteve-se, depois de dezembro de 1942, quando os Estados Unidos entraram na guerra. O gasto público, em particular, continuou a crescer, chegando a quase US $ 90 bilhões em 1944 e permitindo a continuidade da expansão, mesmo quando a capacidade ociosa já se havia esgotado e a economia americana operava próxima ao pleno emprego.

O esforço de guerra exigiu, ademais, um planejamento extensivo, muito maior que na Primeira Guerra Mundial, o que levou a um reforço do papel do Estado e a uma coesão até então desconhecida entre os blocos de capital (cf. CAMARA NETO, 1985), superando as tendências centrífugas que as dimensões do mercado americano sempre acarretaram. Também no plano político (e cultural) a situação interna modifica-se radicalmente, com a derrota definitiva dos "isolacionistas".

Esse conjunto de mudanças – nos planos econômico, político e cultural – irá permitir que os Estados Unidos – como nação – rompam com sua arraigada introversão em relação aos problemas externos e assumam, de modo

---

[11] O tema da constituição da hegemonia norte-americana no período que se segue à Segunda Guerra Mundial está tratado em Teixeira, 1983, p. 130-131.

ESTADOS UNIDOS: A "CURTA MARCHA" PARA A HEGEMONIA

afirmativo, sua ideologia e seus valores, tão bem-expressos no *american way of life*. Por outro lado, as sequelas do conflito, em seus diversos planos, tanto na Europa quanto na Ásia, garantiam aos Estados Unidos, logo após o restabelecimento da paz, absoluta supremacia comercial, industrial e de reservas internacionais. Ou seja, no imediato pós-guerra, os Estados Unidos detinham as condições básicas e a capacidade econômica, política e militar para propor e viabilizar um ordenamento mundial sob seu comando.

É exatamente essa superioridade que explica o conjunto de políticas desenvolvidas pelos Estados Unidos, tanto internas quanto externas, tanto em relação aos países derrotados quanto a seus aliados de véspera, bem como as instituições por eles criadas ao final da guerra e no imediato pós-guerra. O objetivo claro – ainda que não declarado – da política americana é o de promover a "deseuropeização" do mundo, tanto em termos políticos quanto econômicos, pois o predomínio do "eurocentrismo" só havia produzido guerras e crises. Esse objetivo constitui o cerne da estratégia de Roosevelt e corresponde ao que se convencionou chamar de "espírito de Ialta". A estratégia rooseveltiana se desdobraria em três linhas de ação principais, a saber (cf. TEIXEIRA, 1983: 141s.):

• acordos e convivência com a União Soviética;

• restrições políticas, militares e econômicas aos países derrotados;

• livre-comércio, com vistas a romper a coesão da *Commonwealth* e acabar com a discriminação antiamericana no comércio mundial.

Tudo em nome das boas intenções de se construir uma paz duradoura e um mundo sem guerras.

Quando se examinam os movimentos principais da política internacional do fim do conflito em meados de 1947, não se pode deixar de concluir que estes eram baseados nessa visão. Assim ocorreu com a constituição da ONU e a forma como se estabeleceu o poder decisório na instituição, assim com a criação do FMI, e da mesma forma com a definição das políticas americanas em relação à Alemanha e ao Japão. Em particular, as "regras do jogo" estabelecidas em Bretton Woods – com o estabelecimento de um padrão-ouro-divisas baseado no dólar e de um sistema de taxas de câmbio fixas, sem possibilidade de grandes variações na relação entre as moedas (ou entre essas e o ouro) – teriam sido fatais para qualquer projeto de reconstrução e retomada do crescimento nas economias europeias e japonesa, destruídas pela guerra.

O curso dos acontecimentos, no entanto, não confirmou a visão de Roosevelt, e, após a sua morte, diante dos avanços do comunismo na Europa, tanto no Leste como no Ocidente, os Estados Unidos alteram sua política. A divisão do mundo em dois blocos e a Guerra Fria passam a ser os parâme-

179

tros determinantes da política americana. A proclamação da doutrina Truman, a exclusão dos comunistas dos governos de coalizão na França e na Itália e o anúncio do Plano Marshall – tudo em um espaço de tempo que vai de março a junho de 1947 – são as manifestações mais claras dessa reorientação. E com ela, a revisão dos papéis destinados à Alemanha e ao Japão, os incentivos à integração europeia, a permissão para a desvalorização maciça das moedas europeias e japonesa e a aceitação da prioridade do comércio intraeuropeu, em detrimento da importação de produtos americanos.

O segundo plano em que se apoia o processo de constituição da hegemonia americana diz respeito à generalização do padrão manufatureiro americano, o qual tem a ver com as características da grande empresa americana, cujo poder monopolista se assenta sobre o caráter intrinsecamente financeiro da associação capitalista que lhe deu origem. É dessa dimensão, mais do que da base técnica, que deriva a capacidade de crescimento e o gigantismo de sua organização capitalista.

O processo que leva à consolidação da hegemonia americana desenvolve-se, portanto, a partir desses dois apoios – construção de uma institucionalidade e de um padrão monetário internacionais que expressam a superioridade dos Estados Unidos sobre o mundo capitalista, por um lado, e, por outro, vocação de suas grandes *corporations* para transcender as fronteiras de seu próprio espaço nacional, promovendo a difusão dos padrões norte-americanos de produção, consumo e financiamento, bem como de seu modelo de organização empresarial. O entendimento desse processo passa, portanto, pela observação de que ele está relacionado com o potencial de acumulação e a vocação para promover a unificação dos mercados do grande capital americano, que não pode permanecer contido nos limites das fronteiras nacionais de seu país, por maior que este seja. E são essas características que estarão na base do movimento expansivo da economia mundial no pós-guerra.

Só que o mundo reorganizado pelo poder do Estado e das empresas americanas trazia em si, desde o início, as sementes de sua própria vulnerabilidade. E não apenas pelas razões apontadas, no plano produtivo, por Prebisch (1949: 63s.) – que via nos Estados Unidos um centro desestabilizador, pois, ao contrário da Inglaterra, a economia americana era competidora de sua própria periferia – nem somente pelas apontadas por Triffin (1964: 356s.) no plano monetário-financeiro – para quem o poder monopolista de emissão de moeda internacional afetava as possibilidades de coordenação macroeconômica do sistema, fazendo a liquidez internacional repousar exclusivamente nos déficits externos da economia americana.

As razões que se deve aduzir a essas dizem respeito, no plano produtivo, ao modo particular como se deu o movimento de expansão do sistema in-

ESTADOS UNIDOS: A "CURTA MARCHA" PARA A HEGEMONIA

dustrial, promovido a partir do espaço nacional americano, que tende a gerar uma competição generalizada em todos os mercados, acabando por transbordar para a periferia, que se industrializa. E, no plano monetário-financeiro, pela forma específica como se deu a integração dos mercados, não a partir de políticas de coordenação institucionais, mas por meio do investimento direto das grandes empresas internacionais e dos movimentos de capital, sob forma estritamente financeira, realizados pelos grandes bancos privados, que também se internacionalizaram.

Essas características da evolução da ordem mundial devem ser melhor examinadas. O processo de internacionalização se processa por meio de modificações que se dão no interior do sistema capitalista, mediante um realinhamento, primeiro comercial, depois manufatureiro e tecnológico, finalmente financeiro, das posições relativas dos principais capitalismos nacionais desenvolvidos – ou seja, um realinhamento dos centros.

A natureza complexa desse processo, bem como sua dinâmica diferenciada, explica o movimento ao longo do qual os Estados Unidos passam de uma posição de indiscutível dominância nas esferas comercial, industrial, financeira e também militar e ideológico-moral para uma posição em que se veem constrangidos a conceder às duas nações estrategicamente colocadas no plano da Guerra Fria – Alemanha e Japão – crescente autonomia em relação ao seu papel hegemônico. É isso também que permite entender como (e por que) os blocos de capital se "descolam" de sua base nacional e transnacionalizam a economia mundial. Paralelamente, verifica-se um progressivo debilitamento da hegemonia americana, pelo menos em alguns de seus aspectos, culminando em uma crise que se generaliza por todo o sistema.

Esse movimento geral e contraditório pode ser resumido em seus elementos constitutivos do seguinte modo:

1) A vocação internacionalizante está inscrita na estrutura da grande *corporation* americana, não pelo gigantismo de suas dimensões produtiva e tecnológica, mas pela força de suas características enquanto capital financeiro. A acumulação contínua de lucros excedentes, nos marcos da monopolização, excede os limites do mercado nacional americano, ainda que continental, e impõe a busca de mercados externos para suas mercadorias, investimentos diretos e exportação de capital sob forma estritamente financeira.

2) As formas e a dinâmica da concorrência, no plano internacional e em cada mercado local, delimitam o caráter das respostas nacionais. Papel destacado desempenha o Estado nacional, como agente capaz de operar a articulação, em cada espaço nacional de acumulação, entre as necessidades de expansão do capital local e o capital internacional. Esta ação do poder público se dá não somente no sentido da preservação dos interesses do capital

181

nacional, tanto no mercado doméstico quanto facilitando-lhe o acesso aos mercados externos, promovendo a concentração e a centralização, mas de assegurar a reprodução do capital internacional, garantindo o funcionamento dos mecanismos de concorrência, sobretudo em cada espaço nacional. No espaço mundial, a lógica de expansão da grande empresa ultrapassa as fronteiras demarcadas pelas políticas nacionais de qualquer Estado, mesmo o da potência hegemônica.

Alguns traços marcantes da evolução da economia internacional ao longo dos anos 1950 e 1960 merecem ser aqui destacados. Em primeiro lugar, foi só a partir de meados da década de 1950 que se iniciou a intensificação da concorrência intercapitalista sob hegemonia americana, com a expansão das filiais das grandes corporações manufatureiras, após a etapa prévia de exportação de mercadorias e de endividamento financeiro do resto do mundo contra os Estados Unidos. Algumas mudanças institucionais importantes no âmbito europeu permitiram essa elevação do investimento direto por parte das grandes empresas americanas, as mais importantes das quais dizendo respeito ao fim das restrições ao movimento de capitais e à conversibilidade das moedas. Esse movimento ensejou, no âmbito de cada espaço nacional europeu, a emergência de respostas industriais fortemente dinâmicas dos capitais nacionais, tanto privados como estatais.

Exatamente por essa razão, há que se observar, em segundo lugar, que os padrões de industrialização na década de 1960 foram extremamente semelhantes em todos os países do mundo (cf. TEIXEIRA, 1983: 72s. e TEIXEIRA & MIRANDA, 1992: 26s.). Cabe ressaltar aqui não apenas os milagres europeus (os casos alemão, francês e italiano), mas sobretudo o japonês, que generalizaram uma forma particular de consumo, que é o de bens duráveis, recurso dinâmico de expansão do mercado interno que a economia americana já tinha saturado desde o imediato pós-guerra. A característica principal dessa fase reside, portanto, na generalização do padrão de produção e consumo dos Estados Unidos aos demais países centrais, em um movimento que acabaria por se difundir aos países da periferia semi-industrializada. Essas novas estruturas de mercado, porém, moviam-se com grande dinamismo, em contraste com a maturidade americana.

A questão monetária e financeira é outro aspecto importante na caracterização do período, pois nela se expressou a contradição entre o papel dos Estados Unidos como centro monetário, emissor de "moeda internacional", e os interesses do Estado nacional americano. O ponto merece atenção porque foi exatamente na virada entre os anos 1950 e 1960 que o sistema monetário internacional, estruturado em Bretton Woods, enfrentou o seu primeiro momento crítico, com manifestações de desconfiança em relação ao dólar. O fato colocava em xeque o poder conferido aos Estados Unidos de dispor de um padrão monetário que era simultaneamente moeda nacional e meio de pagamento internacional. Sua base residia em que o comércio e o investimento direto haviam suplantado o ritmo de criação de reservas, que, como não podia depender da "relíquia bárbara", apoiava-se crescentemente nos déficits americanos no balanço de pagamentos. Aí se revelava, em toda a sua extensão, a contradição entre o caráter nacional de uma economia fechada e o papel de cabeça do sistema internacional desempenhado pelos Estados Unidos.

Todos os esforços da política econômica americana a partir dessa primeira manifestação de desconfiança tentaram minimizar os efeitos dessa contradição, criando barreiras institucionais à tomada de recursos no mercado americano de capitais por não residentes e aos empréstimos dos bancos americanos ao exterior. Tais medidas, no entanto, não fizeram senão sancionar a expansão e a integração do capital em seu circuito internacionalizado. Na verdade, sua consequência foi a saída para o exterior dos bancos americanos – restabelecendo, à escala internacional, o circuito de reprodução do capital – e a formação de um mercado financeiro *offshore*, conhecido como mercado de eurodólares. Este mercado, ao se expandir, permitiu alimentar, por meio do sistema bancário privado, a transnacionalização do sistema capitalista, escapando paulatinamente ao controle dos instrumentos tradicionais de política econômica. Permitiu, em particular, a expansão da produção e do comércio europeus, independentemente da política monetária, em geral ortodoxa, de seus bancos centrais.

Ao final dos anos 1960, já estava explicitada a crise americana, em seus aspectos comercial, fiscal e mesmo militar, verificando-se um enfraquecimento progressivo de sua hegemonia: no plano militar, com o desfecho da guerra do Vietnã, que, mais do que uma derrota militar, foi uma derrota política e moral dos Estados Unidos; no aspecto comercial, com o desempenho do balanço comercial, cujo superávit veio minguando ao longo dos anos 1960, registrando em 1971 o primeiro déficit comercial no país no século XX; no plano produtivo, com a desaceleração do impulso dinâmico que havia presidido a expansão das economias capitalistas avançadas, revelando os primeiros sinais de esgotamento do padrão industrial.

No plano mais geral, pode-se observar também que, desde o final dos anos 1960, começam a se desfazer os mecanismos de regulação constituídos a partir da hegemonia americana. O aspecto financeiro é aqui essencial, pois, nesse período, a expansão do mercado financeiro, privado e internacionalizado, atingiu rapidamente dimensões gigantescas, tornando visíveis os riscos que implicava: modificando o caráter da atividade bancária, constituindo um mercado financeiro, unificado e privado, livre de regulamentações nacionais, transcendendo as fronteiras nacionais, ele tornava inefi-

183

cazes as políticas monetária, fiscal e cambial de qualquer país e criava as condições para a febre especulativa que viria a pôr abaixo o sistema de Bretton Woods, em um primeiro momento, e desestabilizar a própria economia mundial, posteriormente.

Esse quadro fornece o pano de fundo sobre o qual ocorreria o "choque do petróleo". Diante desse agravamento das condições estruturais de funcionamento do sistema, os Estados Unidos subestimaram a natureza da crise e não trilharam o caminho de um ajuste profundo. Ao contrário, enfrentaram o problema recorrendo simplesmente ao ajuste monetário do balanço de pagamentos, enquanto suas empresas oligopolizadas aumentavam preços e seus bancos empreendiam a reciclagem dos excedentes da Opep. Com isso, contribuíram decisivamente para o agravamento das condições de funcionamento da economia mundial. Em particular, cabe destacar a forma como foi feita a reciclagem dos superávits dos países da Opep, sob a inteira responsabilidade de instituições privadas, localizadas no chamado euromercado, que absorveram o aumento brutal da liquidez internacional e promoveram o endividamento de países, empresas e governos, particularmente no Terceiro Mundo e nos países socialistas. Esses empréstimos, realizados a riscos crescentes, taxas de juro reais negativas e prazos cada vez mais curtos, deram margem ao surgimento de uma dívida financeira global excessiva e desestabilizadora para a economia mundial.

A ruptura do sistema de Bretton Woods, no entanto, permitiu aos Estados Unidos atravessar os anos 1970 com a moeda desvalorizada, conseguindo minimizar um dos maiores inconvenientes da desvalorização cambial: a pressão inflacionária decorrente da elevação de preços dos produtos importados. Como os preços do petróleo e de boa parte das matérias-primas são denominados em dólar, o impacto da depreciação do câmbio nos preços foi pequeno, principalmente quando se leva em conta a ocorrência do "choque do petróleo". Como a depreciação foi, ademais, acompanhada por uma redução dos salários reais, acabou por contribuir para frear a exportação de capitais, tornando os investimentos no estrangeiro mais caros e, simetricamente, favorecendo os investimentos estrangeiros no espaço econômico americano. E, tendo se prolongado por vários anos, seus efeitos revestiram-se de um caráter estrutural, mais do que de paliativo, para remediar desequilíbrios conjunturais.

Mesmo assim, a década de 1970 não trouxe melhoras significativas da posição relativa dos Estados Unidos em face de seus competidores. Ao contrário, este foi um período em que houve uma quase unanimidade em relação à irreversibilidade do processo de perda de hegemonia americana. No plano interno, persistiam os fatores críticos. As políticas monetária e fiscal favoreciam a retomada do crescimento, ainda que acompanhada pelo au-

ESTADOS UNIDOS: A "CURTA MARCHA" PARA A HEGEMONIA

mento da inflação, particularmente desde fins de 1975. Por outro lado, a queda do preço relativo do petróleo levava as empresas a não mais economizar energia. Com isso, o balanço comercial tornou-se deficitário em 1976 e assim permaneceu até o fim da década, apesar do desempenho mais que favorável da conta de manufaturados.

Por outro lado, o quadro de declínio industrial persistia, embora a política do *benign neglect* em relação à taxa de câmbio tenha permitido uma melhoria da posição comercial americana. Mesmo esta, no entanto, permanecia em uma situação de precário equilíbrio. A persistência dessa política, portanto, poderia afetar a predominância financeira dos Estados Unidos, minando definitivamente as bases de sua hegemonia.

Para fazer face a essa situação, os Estados Unidos decidiram, em 1978, reverter sua política econômica, elevando a taxa de juros e forçando a apreciação do dólar. Os efeitos dessa decisão sobre a economia mundial foram dramáticos, particularmente porque a ela se somou o "segundo choque do petróleo". Depois de décadas em que alimentaram a liquidez mundial por meio de déficits em seu balanço de pagamentos, os Estados Unidos passariam agora a absorver liquidez, capitais e tecnologia do resto do mundo. Impor a supremacia do dólar foi, no entanto, a forma encontrada pela potência imperial para tentar restaurar sua hegemonia ameaçada.

6 Tentando concluir – haverá um quarto passo?

A pergunta é evidentemente provocativa. Para tentar, se não respondê-la, pelo menos alinhavar os pontos para o encaminhamento do debate, vale a pena recordar, primeiramente, algumas ideias. Em resposta às dificuldades por que passavam, tanto no plano interno quanto externo, e com o objetivo de restaurar sua hegemonia, os Estados Unidos, a partir do final dos anos 1970, não apenas mudaram sua política econômica, revalorizando o dólar, como adotaram, no plano estratégico-militar, programas armamentistas de alto conteúdo tecnológico. A natureza complementar dessa política será explicitada logo adiante, valendo desde já destacar o êxito do segundo movimento, que contribuiu para desgastar a capacidade financeira da União Soviética, levando-a ao destino terminal que todos conhecemos.

Também o primeiro movimento não deixou de ser bem-sucedido, já que a natureza necessariamente recessiva daquela decisão obrigou as demais economias capitalistas a realizar um ajuste forçado, submetendo-se ao domínio da política econômica americana. As consequências imediatas foram não só a recessão mundial e a crise da dívida, mas a ocorrência de forte instabilidade nos balanços de pagamento de praticamente todos os países, bem como de déficits fiscais de natureza financeira, ligados aos ajustes monetários dos balanços de pagamento (cf. TAVARES, 1985 e TAVARES & MELIN, 1997). Acicatadas por esse quadro, no entanto, as principais economias europeias e o Japão empreenderam, no início dos anos 1980, um esforço bem-sucedido de reestruturação industrial.

Essa conjuntura internacional – formada por dólar apreciado, juros elevados, alto preço dos insumos energéticos, ameaças de colapso financeiro e mudanças na base técnico-produtiva das indústrias de bens de capital, microeletrônica e de telecomunicações – acarretou profundas modificações nas vantagens competitivas estabelecidas entre países, indústrias e empresas. A conjugação dessas variáveis deprimiu os níveis de produção e investimento industriais, particularmente nos próprios Estados Unidos e em toda a periferia endividada do sistema. No período mais difícil do ajuste, entre os anos de 1980 e 1983, diminuíram a renda e o emprego disponíveis e ocorreram graves problemas no sistema bancário, particularmente nas instituições credoras de setores sem rentabilidade ou comprometidas com empréstimos à América Latina e ao Leste Europeu.

Superada essa fase, iniciou-se a recuperação da economia americana, já a partir do segundo semestre de 1983, por meio da ampliação de seus déficits fiscal e comercial e do aumento da liquidez interna. A partir de setembro de 1982, quando ocorreu o Setembro Negro, o *Federal Reserve* flexibilizou os controles quantitativos e sancionou a queda da taxa de juros, pressionada pela avalanche de capital financeiro de curto prazo que invadiu os Estados Unidos. A partir daí e até o fim da década, sua economia viria a experimentar um período de crescimento que só foi superado pelo da década seguinte, quando os Estados Unidos experimentam seu mais longo ciclo de crescimento desde o término da Segunda Guerra Mundial. O crescimento dos anos 1980, no entanto, contrariando a boa ortodoxia neoliberal, não só não reduziu como expandiu tanto o déficit público quanto o déficit comercial: as despesas militares e o serviço da dívida pública pressionaram o gasto federal; e o desequilíbrio externo também se ampliou, a despeito das tentativas de reduzi-lo. Na década de 1990 permanece o desequilíbrio externo em proporções sempre ampliadas, mas o déficit fiscal transformou-se em um superávit.

O crescimento desse período decorreu, assim, e mais uma vez, do "keynesianismo bélico", tendo-se apoiado não apenas nos fatores já vistos da sobrevalorização do dólar (que permitiu reequipar a indústria americana com importações baratas) e dos elevados patamares de taxas de juros (que tornaram os Estados Unidos polo de atração dos fluxos de capital de todo o mundo, permitindo-lhes fechar seu balanço de pagamentos). Além disso, deve se ressaltar a importância da "desregulação financeira", que forçou a concorrência entre bancos e instituições financeiras não bancárias na concessão de

ESTADOS UNIDOS: A "CURTA MARCHA" PARA A HEGEMONIA

financiamentos a riscos crescentes, bem como na transferência maciça de recursos da periferia, por meio do pagamento do serviço da dívida externa.

Tudo isso estava visto e bem-visto, com também visto e bem-visto estava o efeito da desregulação americana sobre o resto do mundo, obrigado que foi a acompanhar os Estados Unidos nesse movimento: a "globalização" financeira e suas sequelas. O que talvez não estivesse bem-visto foi o impacto na relação de forças em nível mundial, provocando um quadro de grandes assimetrias e instabilidade, do qual os principais parceiros e competidores dos Estados Unidos estão saindo esgotados, sem que isso no entanto aponte para a constituição de uma nova ordem mundial ou para a restauração da antiga (cf. TAVARES & MELIN, 1998).

Por certo, os Estados Unidos continuam, mais do que nunca, a exercer a função de *imperial core* do sistema, tanto pelo poder renovado do dólar quanto pelo papel que se atribui *de gendarme over-extended* de uma ordem mundial em crise. E as dificuldades para exercer esse papel, não só do ponto de vista moral, mas financeiro, permanecem, acentuando a contradição entre o papel de cabeça do sistema, de um lado, e os interesses nacionais e a capacidade do Tesouro americano, de outro. No que tange ao papel de centro cíclico principal, os Estados Unidos também continuam a desempenhá-lo, não sendo previsível, dado seu poderio industrial e financeiro e as dimensões de seu mercado interno, sua substituição por qualquer outro país.

É no que tange ao conceito de hegemonia que os elementos constitutivos da ordem internacional encontram-se mais problematizados. Tal conceito inclui a capacidade, explícita ou implícita, de regulação de políticas. E as políticas macroeconômicas adotadas pelos Estados Unidos desde 1978 tornaram as relações básicas de comércio e financiamento totalmente desequilibradas, ainda que o grau de interdependência entre os centros capitalistas mais importantes tenha aumentado em escala nunca vista.

Outro aspecto da maior gravidade em relação aos Estados Unidos é a crise social de seu espaço nacional, agora transnacionalizado. Dessa forma, se teve êxito em sua estratégia de dobrar a União Soviética e se nenhuma outra potência contesta sua posição de cabeça do sistema – fatos que poderiam ser indicadores da existência de uma relação hegemônica – não há como negar que sua capacidade de direção intelectual e moral encontra-se bastante desgastada. No fundo, e mais uma vez, é a crise de hegemonia que explica a persistência de um quadro de extrema instabilidade como o que vivemos atualmente e do qual a sucessão de crises financeiras, da Ásia ao Brasil, passando pela Rússia, dá testemunho.

Se, nos três momentos de ruptura anteriores, foi possível aos Estados Unidos dar um passo à frente, cabe finalmente a pergunta: haverá um quarto passo, que lhes permita reconstruir sua hegemonia? E aqui voltamos a

187

Barrington Moore e seu recente e sugestivo ensaio sobre os "legados do século XX ao século XXI" (BARRINGTON MOORE, 1998: 168s.).

Isso porque os três passos anteriores estiveram ligados a guerras – uma civil, as outras duas de âmbito mundial. Pensar um quarto passo poderia significar examinar a possibilidade de novos conflitos, internos ou globais. No entanto, a hipótese de uma guerra interna, nos Estados Unidos, parece, até onde a vista alcança, inteiramente improvável, mesmo quando se conhece o potencial diruptivo de algumas minorias, étnicas ou religiosas. Quanto à possibilidade de outra guerra mundial, parece tão remota quanto a hipótese de uma nova guerra civil americana.

Não sendo possível assim nem uma hipótese nem outra – nem havendo razão para crer que a supremacia dos Estados Unidos seja eterna – o mais provável é que o lento processo de estilhaçamento e desgaste de sua hegemonia e de instabilidade da economia internacional continue. A alternativa, desejada por muitos, residiria na reconstrução do sistema monetário internacional em bases mais estáveis e na restauração de um padrão de financiamento adequado a um novo ciclo longo de crescimento da economia mundial – o que pressupõe um elevado grau de coordenação macroeconômica entre os Estados nacionais dos principais países capitalistas e de autorregulação no interior do oligopólio de grandes empresas e grandes transnacionais. Esse grau de racionalidade global é, no entanto, inteiramente estranho à natureza essencial do sistema. A competição em todos os planos – a anarquia do mercado – é inerente ao modo capitalista de produção. É isso, afinal, que lhe permite ser o que sempre foi: um sistema capaz de superar suas crises e limitações, saltando para frente.

Quanto a nós, olhando para os Estados Unidos, podemos dizer, repetindo Barrington Moore mais uma vez, o que Péricles disse a seus críticos, na *História da Guerra do Peloponeso*:

> Nesse momento, o império que vocês mantêm é uma tirania; pode parecer errado agarrá-lo firmemente, mas será perigoso soltá-lo (BARRINGTON MOORE, 1998: 169).

REFERÊNCIAS

ARRIGHI, G. (1994). *O longo século XX*. Rio de Janeiro/São Paulo: Contraponto/Unesp.

BARRINGTON MOORE (1967). *As origens sociais da ditadura e da democracia* – Senhores e camponeses na construção do mundo moderno. Lisboa: Ed. Cosmos.

BARRINGTON MOORE (1998). *Moral Aspects of Economic Growth and Other Essays.* Ithaca: Cornell University Press.

CAMARA NETO, A.F. (1985). *Política econômica e mudanças estruturais na economia americana* – 1940/1960 [Tese de mestrado apresentada ao Instituto de Economia Industrial da UFRJ, mimeo., IEI/UFRJ].

CHANDLER JR., A.D. (1965). The United States – Evolution of Enterprise. In: HABAKKUK, H. J. & POSTAN, M. (org.). *The Cambrigde Economic History of Europe*, vol. VII. Londres: Cambridge University Press.

DEBOUZY, M. (1972). *Le Capitalisme "Sauvage" aux États-Unis (1860-1900).* Paris: Éditions du Seuil.

DOS PASSOS, J. (1930). *Paralelo 42.* Rio de Janeiro: Rocco.

GERSCHENKRON, A. (1962). *Atraso Económico y Industrialización.* 2. ed. Barcelona: Ed. Ariel.

HOBSON, J. A. (1894). *A evolução do capitalismo moderno* – Um estudo da produção mecanizada. Série "Os economistas". São Paulo: Abril Cultural.

LINK, A.S. (1955). *História moderna dos Estados Unidos.* 3 vols. Rio de Janeiro: Zahar Editores.

PREBISCH, R. (1949). "O desenvolvimento econômico da América Latina e seus principais problemas". *Revista brasileira de economia*, setembro de 1949 [republicado em: *El Trimestre Económico*, vol. LXIII (1), n. 249, enero-marzo de 1996].

TAVARES, M.C. (1985). A retomada da hegemonia norte-americana. In: TAVARES, M.C. & FIORI, J.L. *Poder e dinheiro* – Uma economia política da globalização. Petrópolis: Vozes.

_____ (1983). Apresentação. In: HOBSON, J.A. [1894].

TAVARES, M.C. & MELIN, L.E. (1998). Mitos globais e fatos regionais – a nova desordem internacional. In: FIORI, J.L., LOURENÇO, M.S. & NORONHA, J.C. *Globalização* – O fato e o mito. Rio de Janeiro: Eduerj.

_____ (1997). Pós-escrito 1997 – a reafirmação da hegemonia norte-americana. In: TAVARES, M.C. & FIORI, J.L. *Poder e dinheiro* – Uma economia política da globalização. Petrópolis: Vozes.

TEIXEIRA, A. (1994). *O ajuste impossível* – Um estudo sobre a reestruturação da ordem econômica mundial e seu impacto sobre o Brasil. Rio de Janeiro: Editora UFRJ.

_____ (1983). *O movimento da industrialização nas economias capitalistas centrais no pós-guerra.* Série "Textos para discussão", n. 25, Rio de Janeiro: IEI.

TEIXEIRA, A. & MIRANDA, J.C. (1992). A economia mundial no limiar do século XXI – o cenário mais provável. In: CANO, W. (org.). *São Paulo no limiar do século XXI*. Vol. 1 (Cenários e diagnósticos – A economia no Brasil e no mundo). São Paulo: Fundação Seade.

TRIFFIN, R. (1964). A evolução do sistema monetário internacional: reavaliação histórica e perspectivas futuras. In: SAVASINI, J.A.A.; MALAN, E.S. & BAER, W. (orgs.). *Economia internacional*. São Paulo: Saraiva.

José Carlos de Souza Braga

Alemanha: império, barbárie e capitalismo avançado*

> "Uma característica dos alemães é que para eles a pergunta: 'o que é alemão?', parece não acabar nunca".
> (Friedrich Nietzsche, *Além do bem e do mal*)

A Alemanha[1] chega ao final do século XX como o país avançado em que provavelmente existem as menores disparidades sociais, regionais e setoriais. Sua caminhada, entretanto, é marcada pelas criações e destruições extremas de que o capitalismo é capaz e, se quisermos entender o presente, temos que recorrer a uma, ainda que resumida, reconstituição dos seus principais elementos de formação histórica.

O posicionamento político-econômico da Alemanha caracterizou-se por elevada autonomia, tanto durante a hegemonia inglesa quanto na contemporânea hegemonia americana. Perseguiu, também, políticas monetárias e financeiras autônomas no âmbito dos sistemas monetários internacionais correspondentes às hegemonias inglesa e americana, isto é, quer o padrão libra-ouro, quer o padrão dólar-ouro. Primeiramente desfrutou da ascensão de seu imperialismo nacional-militarista, na busca de espaço vital, não escapando, entretanto, dos horrores do desastre deflagrado pelo nazismo. Nas décadas posteriores à Segunda Grande Guerra, foi capaz de converter esse imperialismo em projeto nacional de expansão, criando uma economia internacional liberal, e finalmente, no tempo presente, engaja-se como centro econômico do projeto União Europeia. Este último passo alemão pode ser um primeiro elemento para a "gestão" das seguintes disjuntivas: regionalização/globalização, neoliberalismo/regulação, federalismo interpaíses/estados nacionais.

---

* Este trabalho resulta de pesquisas que realizamos na Diretoria de Economia do Setor Público da Fundação do Desenvolvimento Administrativo – Fundap. Agradeço a meu assistente de pesquisa, André Aronchi, pelo competente trabalho de apoio. Agradeço também ao estímulo e à permanente troca de ideias com José Luís Fiori.

[1] Estaremos nos referindo à ex-Alemanha Ocidental, uma vez que a Alemanha unificada não é nosso objeto, merecendo apenas comentários marginais.

Na pesquisa das raízes desse processo deve-se remontar ao período que antecede a unificação alemã. Um passado em que a Prússia, origem da nação germânica, já era um estado central (*core-state*) (WALLERSTEIN, 1979) pelo menos desde o século XVIII e como tal ator relevante do poder no contexto europeu. Mesmo o "atraso" alemão frente à Inglaterra industrializada deve ser relativizado[2]. Nesse sentido, o surgimento da Alemanha como potência capitalista industrializada, na segunda metade do século XIX, não corresponde a uma transição do subdesenvolvimento para o desenvolvimento, com o que suas lições para os subdesenvolvidos do século XX estão longe de ser imediatas, ainda que seu capitalismo organizado possa inspirar políticas nos países periféricos[3]. Abordagens do tipo *catch-up* ou *closing the gap* são insuficientes, deve-se enfatizar, ainda que iluminem aspectos importantes do processo de desenvolvimento dos países periféricos no século XX.

Não há dúvida de que o desenvolvimento dos estados germânicos visava superar o seu atraso industrial relativo frente à economia inglesa. Contudo, o desenvolvimento das forças produtivas impulsionado pela Prússia desde o século XVIII a partir de um desígnio imperial não era desprezível e, como tal, relativiza o mencionado atraso. Nunca se deve esquecer que a Alemanha ocupava uma posição imperial na rede europeia de poder, o que correspondia, então, a sinônimo de poder "mundial".

É essa base que possibilita um salto, uma rápida "revolução industrial", capaz de surpreender, no seu tempo, os cálculos político-econômicos de franceses e ingleses. Esse salto, entretanto, não decorreu da existência de burguesias avançadas. Ao contrário, estas se comprometem somente a partir de um convite que parte do rei da Prússia em nome do império, de uma vontade política, portanto, e, finalmente, da guerra, objetivos nacionais que terminam por se inter-relacionar de forma virtuosa com a expansão dos negócios.

Não estamos pretendendo reanimar a tese da "via prussiana", acrescida da ideia de "modernização conservadora", ainda que ambas, inegavelmente, expliquem muito desse capitalismo e de sua política. Após mais de um

---

[2] O autor agradece a Conceição Tavares a discussão esclarecedora sobre esse ponto. Consideramos igualmente que passagens de David Landes no *The Unbound Prometheus* apontam na mesma direção.

[3] Ao tratar da "emulação continental" frente à Inglaterra, Landes (1972) refere-se assim aos países europeus desafiantes: "se eles fossem então 'subdesenvolvidos', a palavra deveria ser entendida muito diferentemente de como é compreendida hoje" (p. 125). As razões para sua posição: a oferta de capital e o padrão de vida eram substancialmente maiores que nos territórios "atrasados" de hoje; a existência de habilidade técnica próxima do ponto de sustentar uma revolução industrial; tais países eram parte da mesma ampla civilização a que pertencia a Grã-Bretanha.

ALEMANHA: IMPÉRIO, BARBÁRIE E CAPITALISMO AVANÇADO

século, é possível levantar a hipótese bem-sucedida de uma múltipla adaptabilidade desse capitalismo à competição internacional intercapitalista e interestatal. Assim, a ausência de liberalismo político – fundamental na Inglaterra industrializada – e de desenvolvimento social – peculiar à França burguesa – não se constitui em um obstáculo, antes pelo contrário, ao salto capitalista alemão. Este "atraso", identificado por Engels na compreensão da revolução e contrarrevolução alemãs de 1848, não afetaria o êxito econômico alemão, revelando um desenvolvimento das forças produtivas compatível com formas burguesas distintas das originárias. O capitalismo alemão podia até tomar a via prussiana, fazendo com que a exploração burguesa-*junker* substituísse, sem problemas para a economia, a exploração feudal do latifúndio (FIORI, 1995). A esse processo se acoplam instituições industrializantes (GERSCHENKRON, 1970) forjadas nas relações entre Estado e mercado, bancos e indústrias. Ao mesmo tempo, tal capitalismo dispensava o regime por excelência da burguesia, o liberalismo político, como forma de governo, quer monárquico, quer republicano, instaurando a chamada modernização conservadora (BARRINGTON MOORE Jr., 1967). Tal modernização conservadora se dá sob o comando autoritário do Estado, tendo como herança um regime democrático débil (República de Weimar), que acaba por sucumbir ao regime totalitário fascista no interregno entre as duas grandes guerras.

O projeto imperial promotor do capitalismo alemão sofre dois grandes reveses históricos mas consegue sobreviver a ambos. Após a primeira derrota, com o fim da guerra em 1918, rearticula-se, por meio do nacional-socialismo fascista, para desafiar militar e economicamente, outra vez, a "velha" hegemonia inglesa e a americana "emergente", na Segunda Grande Guerra. Da segunda derrota, em 1945, renasce com o projeto da assim chamada economia social de mercado, agora com o apoio do *hegemon* – os Estados Unidos – projeto conservador, porém distinto do anglo-saxão e nem tão liberal, com a marca de capitalismo organizado, destacando-se tanto na reconstrução dos anos 1950 quanto na performance das décadas seguintes.

As ideias enunciadas acima serão elaboradas em três partes no restante deste capítulo. A primeira – "Industrialização: o passado, as artes industriais da guerra e o Império" – corresponde à gênese e à consolidação da Alemanha como uma potência industrial. Na segunda – "Barbárie" – analisamos a ascensão e o declínio da interação entre fascismo e capitalismo, buscando, nos sucessos mas sobretudo nos desastres, ocorridos entre 1914 e 1948, a formação de um "caráter" econômico do capitalismo germânico, o qual responde por seu papel de destaque no cenário internacional há mais de meio século. O desenvolvimento desse "modelo alemão" contemporâneo e suas perspectivas no contexto da globalização, sob hegemonia americana,

193

é o que nos ocupa na terceira parte, na subseção denominada "O padrão alemão: capitalismo produtivista e socialmente abrangente".

1 Industrialização: o passado, as artes industriais da guerra e o Império

Antes de 1870 reinava absoluto o "atraso"?[4]

Veblen (1942) é categórico na resposta a esta pergunta:

> A Alemanha se encontrava em um situação anacrônica [...] Medida pela taxa de progresso que havia levado a comunidade inglesa ao ponto em que esta então se encontrava, o sistema industrial alemão estava dois e meio ou três séculos atrás, em algum lugar nos tempos elisabetanos. Seu sistema político era ainda mais arcaico [...] (p. 64-65).

Contudo, para que o salto posterior seja compreendido é necessário considerar que passado era este, em particular examiná-lo do ângulo do desenvolvimento das forças produtivas, da força estatal e de sua inserção internacional.

A Prússia, já no século XVIII, conduzia a partir de um Estado dinástico – cuja verdadeira natureza era a busca de poder – um processo significativo de expansão econômica, ainda que esta não se caracterizasse por uma verdadeira industrialização.

Esse processo baseava-se na teoria e na prática do Cameralismo[5], que, por sua vez, antecedeu a ideia de "Economia Nacional" (LIST, 1986), dominante entre os alemães no século XIX. Os Cameralistas desenvolveram, entre os fins do século XVI e o final do século XVIII, uma "concepção administrativa" do Estado: fusão articulada da ciência da administração, da economia, das finanças, das técnicas agrária e manufatureira, buscando transformar-se em uma nova ciência do Estado. O Cameralismo fez na Alemanha a transição da "arte de governar" para a "ciência do Estado" compa-

---

[4] Somente na parte II discutiremos o "atraso" das estruturas sociais alemães e suas repercussões para a difícil combinação entre democracia e capitalismo na primeira metade do século XX. A razão para isso é que, como veremos, aquelas estruturas não foram obstáculo ao surgimento da Alemanha industrializada.

[5] O termo "Cameralismo" provém de uma "instituição característica do Estado patrimonial e do período de luta do príncipe contra as forças intermediárias e locais na fase principal do Estado de castas: a 'Câmara', órgão privado do Governo, pelo qual o príncipe, coadjuvado por homens experientes que lhe eram subordinados e fiéis, administrava os próprios negócios... [Os negócios "camarários"] acentuavam a persistência de uma estrutura descentralizada e articulada do poder, baseada na participação das castas territoriais nos principais negócios do governo [...] [enquanto os negócios "tributários"] indicavam a preeminência da posição do príncipe, visando a construção do Gesamtstaat [Estado total]" (BOBBIO, 1995).

ALEMANHA: IMPÉRIO, BARBÁRIE E CAPITALISMO AVANÇADO

tível com o Estado total (*Gesamtstaat*). Dessa forma, inicia-se a ação centralizante e racionalizadora do Estado prussiano, por meio do seu aparelhamento institucional, que tem, em 1723, um momento relevante, com a criação, por Frederico Guilherme I, do General-Direktorium, órgão central que fundia diversas atividades estatais.

É dessa forma que da metade do século XVII ao final do século XVIII a Prússia ergue-se como um dos principais estados europeus calcada em uma forma particular de Estado – o Estado de polícia – cujas linhas mestras podem ser assim sintetizadas: "política de potência e de bem-estar". Promover o bem-estar implicava orientar a economia, praticar o mercantilismo, gerir eficientemente os impostos, intervir com os instrumentos apropriados, técnicos, administradores e *experts* setoriais.

Para os Cameralistas, enquanto antecessores dos economistas "nacionalistas" do século XIX, a construção do poder nacional implicava um Estado dinástico organizado, segundo Veblen, "[...] para defesa e ataque e proteção zelosa de suas fronteiras". Em suas próprias palavras:

> A diferença entre o típico Cameralista do século XVIII e o "Nacionalista", ou economista historicista do século XIX, não é tanto uma diferença de princípio e propósito quanto a gama mais ampla de meios e caminhos que deveriam ser considerados por estes últimos na sua preocupação com os fundamentos econômicos e uma agenda para o Estado (VEBLEN, 1942: 174-175).

Compreende-se, nessas circunstâncias, que os avanços econômicos tenham sido empreendidos a partir dos interesses materiais do Estado. Na segunda metade do século XVIII, o crescimento da Prússia fazia avançar as indústrias têxtil, de metais e de produtos de luxo, como as sedas e as porcelanas. A população prussiana mais que duplicou durante o reinado de Frederico o Grande, passando de 2,38 milhões para 5,75 milhões, enquanto Berlim saltava de 29 para 141 mil habitantes, já que camponeses oriundos de longínquos distritos e artesãos do exterior moviam-se para as regiões industriais (HENDERSON, 1975: 23).

Landes (1972) registra, durante os séculos XVII e XVIII, as iniciativas de governos da Europa continental – a França, a Áustria de Maria Teresa e a Prússia – na promoção de extensos e custosos programas de desenvolvimento industrial. Destes, e contrastando com o sucesso moderado nos demais, o mais abrangente e bem-sucedido foi o prussiano, praticamente imposto por ordem da sua realeza:

> Homens de negócios, e mesmo nobres e governos locais, eram incentivados a construir fábricas para a produção de têxteis, vidros, produtos químicos, não ferrosos e metais ferrosos. Esse *convite real* equivalia, usualmente, a uma ordem, particularmente àqueles comerciantes judeus e fornecedores da corte cuja condição, em um país fortemente antisse-

195

mita, era completamente dependente da vontade do poder político (p. 135-136).

Empresas estatais prussianas, por exemplo, envolviam-se na grande produção de ferro e carvão, chumbo, zinco e prata. Um exemplo concreto desse processo pelo qual se forjaram os traços do capitalismo organizado e que se consolidariam no século XIX, persistindo até hoje na economia alemã, é dado a seguir.

A empresa prussiana Seehandlung (Companhia Ultramarina) é fundada em 1772, exercendo o monopólio no comércio do sal nas províncias orientais da Prússia. Em fins do século XVIII suas atividades financeiras já sobrepujavam as comerciais. Entretanto, após dificuldades financeiras, em consequência da derrota prussiana para a França em 1810, os débitos da Seehandlung são incorporados à dívida nacional. A partir de 1820 o Estado prussiano já dava mostras de encaminhar-se para o salto industrial. Nesse ano, por meio de decreto real, reorganiza aquela empresa, com o objetivo de fazê-la assumir uma liderança financeira agressiva, "uma organização forte, capaz de apoiar financeiramente setores governamentais, fornecendo créditos, em um montante tal, que sua liberdade de ação não seja emperrada por alguma carência, temporária, de fundos. [...] Deve ser preparada para ajudar no levantamento de empréstimos para o Estado, se isso for necessário" (HENDERSON, 1975: 73). Christian von Rother, seu novo diretor, era defensor da ideia de que o Estado é tão apto quanto os empresários para gerir fábricas, coisa que propiciou, nas décadas de 1830 e 1840, que a Seehandlung estendesse sua atuação até a gestão de inúmeros estabelecimentos industriais[6]. Tal processo não ocorreu sem gerar certas fricções; porém, em 1845 o rei da Prússia proíbe novos empreendimentos, de sorte que, em 1848, quando o direito da Seehandlung se aposenta, as atividades da organização já estavam bastante reduzidas (p. 76).

Já em 1834 um passo importante para forjar o mercado nacional havia sido dado com a Zollverein[7] (União Aduaneira), convergente com as ideias de List. Este autor, já em 1819, propugnava a suspensão das alfândegas internas e o estabelecimento de uma tarifa geral para toda a Federação, com o

---

[6] Fábricas têxteis, oficinas laminadoras de zinco, fundição de ferro, construção de máquinas, fábricas de papel, serrarias, fabricação de óleo e de farinha. A empresa fazia também incursões no transporte de carga e passageiros: cinco navios mercantes, pequena frota de navios a vapor, rebocadores.

[7] Em 1º de janeiro de 1834, 18 estados dos 39 que compunham a federação alemã, criada após as guerras napoleônicas, assinam o tratado aduaneiro, que esteve sujeito a futuras rodadas de renovação. Neste tratado são abolidas inúmeras tarifas internas e os estados signatários adotam a tarifa da Prússia, a qual por sua vez representa a todos frente aos países estrangeiros. A administração de uma tarifa externa comum acabou levando à cooperação em outras áreas: taxa fixa entre as moedas da Prússia e dos estados do sul da Alemanha; código sobre letras de câmbio; administração ferroviária; acordos postais.

objetivo de impulsionar o comércio e a indústria nacional, bem como abrir oportunidades para a classe trabalhadora (HENDERSON, 1975: 32). É interessante notar que a Zollverein tinha a tarifa de importação liberal da Europa, o que levou List, seu inspirador teórico, a defender, em 1841, no seu *Sistema nacional de economia política*, a elevação de seu valor.

No plano monetário, 1846 é um ano de avanços na "centralização pró-capitalismo", com a transformação do Banco Real de Berlim no Banco da Prússia, que é então autorizado a emitir notas no valor de 21 milhões de táleres (moedas de prata), procedimento que configurava a manutenção pelo governo de uma moeda estável no padrão-prata (HENDERSON, 1975: 78).

Inscrevia-se nesse conjunto de iniciativas transformadoras a expansão ferroviária na década de 1840, em um ritmo mais veloz que em qualquer país do continente europeu (à exceção da Bélgica), produzindo a malha mais integrada deste continente. Em 1850, já estavam em operação 3.660 milhas ferroviárias, o dobro da existente na França. O dinamismo industrial que esse *boom* ferroviário proporciona em qualquer economia é conhecido: construção de locomotivas e equipamentos ferroviários; produção elevada de carvão e ferro; construção de estações, pontes e trilhos, e estabelecimento de empresas de engenharia.

Substituíam-se importações provenientes da Inglaterra e da Bélgica, enquanto emergiam pontos de indústria moderna na Renânia, Westphalia, Silésia e Saxônia. Na síntese de Henderson (1975: 179): "A Zollverein e as estradas de ferro, juntas, colocaram a Alemanha no caminho do sucesso industrial". Ainda que o país continuasse majoritariamente agrícola, já haviam sido plantadas as raízes da futura potência industrial.

Durante as décadas de 1850 e 1860 ocorreram importantes mudanças no continente europeu, aí incluindo a Alemanha, e que abriram novas perspectivas para o crescimento econômico desse país: melhoria das condições de transporte, liberação comercial, "simplificação" monetária (via eliminação da então existente profusão de moedas), ordenamento jurídico e inovações financeiras. Todas essas mudanças desatavam as forças propulsoras do capitalismo. Na perspectiva de um processo histórico de aproximação com o nível de desenvolvimento já alcançado pela Inglaterra (*closing the gap*), Landes (1972) considera aquelas décadas como "os anos que a Europa ocidental se aproximou da Inglaterra", uma vez que "conseguiu se livrar dos obstáculos institucionais ao crescimento" (p. 229).

A década de 1860 é também testemunha de um importante acontecimento no campo militar. Em 1866, a Prússia enfrenta e derrota a Áustria e outros estados da Confederação, expulsando os austríacos da Confederação Germânica do Norte, criada em substituição à Confederação Germânica.

Mas é na década seguinte que a Alemanha, unificada desde 1871, alcança a sua maturidade como potência, implicando uma mudança decisiva no equilíbrio de poder europeu e mundial. Em 1870, derrota a França, anexando os territórios de Alsácia e Lorena. Ao Império, unificado em 1871, se unem os estados sulinos da Bavária, Württemberg e Baden. A essa aceleração do crescimento do poderio político alemão segue-se a consolidação econômica nacional no campo monetário. A Lei Monetária de maio de 1873 criou o marco baseado no padrão-ouro, eliminando assim o táler e outras moedas. Em 1875, é criado o Reichsbank, o banco central nacional, que absorve o Banco da Prússia e adquire reservas de ouro por meio das indenizações de guerra pagas pela França.

O período iniciado em 1871-1873 e que se estende até 1914 pode ser compreendido como aquele em que se ergue o poder industrial germânico, com força suficiente para, tragicamente, vir a ser protagonista da primeira grande guerra de extensão mundial. A chamada Grande Depressão de 1873-1896, que afetou a Europa, especialmente a Grã-Bretanha, e o mundo inteiro, não chega a perturbar a *performance* alemã, que havia ingressado no auge de seu crescimento econômico exatamente na mesma época. Na intrigante avaliação de Landes (1972):

> Dessa forma, uma vez que os contratempos da metade da década de 1870 ficavam para trás, a Alemanha retomou sua alta taxa de crescimento. E ela ainda não havia esgotado esse impulso quando novas oportunidades no final do século propiciaram um outro impulso. Como resultado tem-se a impressão de um período de crescimento sem interrupções (p. 236).

Após 1870 afirma-se, também, a autossuficiência industrial alemã, impulsionada desde 1879 por uma política protecionista, e que atinge um desempenho[8] tal, que é mesmo capaz de concorrer em condições vantajosas com as manufaturas britânicas pelos mercados mundiais. Entre 1875 e 1895 as exportações crescem 30% em valor e ainda mais em volume; sendo que, se em 1872, 44% dessas exportações eram constituídas de produtos manufaturados, em 1900 tal montante alcança a marca de 62% (p. 328). Data de 1890 o livro *Made in Germany*, de FE. Williams, no qual, segundo Henderson (1975), é evidenciada a invasão pela Alemanha dos tradicionais mercados ultramarinos dominados pela Grã-Bretanha.

---

[8] Entre 1873 e 1914 a renda nacional vai de 15,1 milhões de marcos para 49,5 milhões; a renda nacional *per capita* crescia a 21,6% em cada década; sua participação no produto mundial manufatureiro passa de 13% em 1870 para 16% em 1900, enquanto a da Grã-Bretanha cai de 32% para 18% (HENDERSON, 1975: 173).

ALEMANHA: IMPÉRIO, BARBÁRIE E CAPITALISMO AVANÇADO

A base da superioridade industrial alemã consolidava-se por meio de inovações tecnológicas, as quais se nutriam de um enfoque pertinente quanto ao papel da educação[9]. A educação não era entendida como um fator regenerador e capaz de reverter eventuais condições de subsistência precárias por parte dos assalariados, em consequência da baixa qualificação, desemprego, ou mesmo, em um sentido mais amplo, em decorrência de situações político-econômicas adversas. Ao contrário, na Alemanha, desde então, e até hoje, a educação se apresenta como determinante originário da existência de uma classe trabalhadora altamente qualificada e promotora de uma elevada produtividade social do trabalho. A educação elementar, compulsória em partes da Alemanha já no século XVI, tal como o Landschulreglement de Frederico o Grande da Prússia em 1763, e o alto nível das escolas desde o começo do século XIX, são evidências que reforçam a opinião de Landes (1972: 348) de que os alemães desenvolveram suas instituições educacionais previamente, e como preparação para a industrialização.

Esse sistema educacional era parte do que hoje se designaria um "sistema nacional de inovações". Para a economia como um todo, assinala Landes (1972), "a manufatura mecanizada e de larga escala requer, não somente máquinas e prédios, mas investimento pesado em capital social: estradas, pontes, portos e sistemas de transportes; e escolas para a educação geral e técnica" (p. 335). Não por acaso se considera que de meados ao final do século XIX a Alemanha já detinha um capital social básico mais produtivo que o inglês. A prática de testar invenções e explorá-las, qualquer que fosse sua origem, a persistência de um fluxo contínuo de pequenos melhoramentos no interior da fábrica, propiciadores de verdadeiras revoluções tecnológicas, são fatores indicativos de que o "sistema alemão havia institucionalizado a inovação: a mudança era intrínseca ao sistema" (LANDES, 1972: 352), sendo essa uma importante causa, dentre outras, segundo o mesmo autor, por que a Alemanha jamais ficou tão "para trás" como os países atrasados de hoje.

Nos últimos vinte e cinco anos do século XIX desenvolvem-se as indústrias química e elétrica, as quais marcarão o sucesso alemão. Nos produtos "químicos pesados" surgem os álcalis para sabão e vidro; nos "químicos leves", os corantes sintéticos para aplicação na indústria têxtil; na farmacêutica, perfumes, cosméticos, materiais fotográficos, plásticos. Foi decisivo

---

[9] Entendida como a transmissão de quatro tipos de conhecimento, cada qual com sua contribuição ao desenvolvimento econômico: 1) a capacidade de ler, escrever e calcular; 2) as habilidades de trabalho do artesão e mecânico; 3) a combinação pelo engenheiro entre princípio científico e treinamento aplicado; 4) conhecimento científico de alto nível, teórico e aplicado.

199

para o desempenho da indústria química o estabelecimento de laboratórios de pesquisa pelas empresas, universidades e colégios técnicos, nos quais cientistas descobriram novos produtos, como as diferentes drogas e o corante sintético. A disponibilidade de certas matérias-primas é considerada também como favorável a esse desenvolvimento, a saber: sal-gema (para sódio), sais de potássio (para potassa), marcassita (para ácido sulfúrico), alcatrão de hulha (para os corantes de anilina) (cf. HENDERSON, 1975: 186).

As indústrias elétricas são unanimemente apontadas como o maior êxito da moderna Alemanha, tendo sido alcançado por meio da pesquisa científica e do suporte financeiro dos grandes bancos. Suas invenções mais destacadas foram o dínamo e a lâmpada elétrica de filamento branco. A produção do segmento elétrico "pesado" incluía geradores, acumuladores, transformadores e outros equipamentos para usinas elétricas, fábricas e ferrovias. No segmento "leve" apareciam: cabos, lâmpadas, equipamentos telefônicos e telegráficos e vários utensílios domésticos.

A indústria naval também apresenta papel de destaque no desenvolvimento alemão. Entre 1892 e 1907, a participação mundial da Alemanha na construção de navios muda de 7,3% para 13,8%. A tonelagem construída cresce de 240 mil, em 1899, para 390.991, em 1906, enquanto a capacidade de seus estaleiros já tinha alcançado, em 1914, o patamar de 400 mil toneladas de navios mercantes (HENDERSON, 1975: 198 e 201).

A razão para o sucesso desse capitalismo organizado era a articulação entre bancos e indústrias, que lhe ampliava o raio de manobra monetário-financeiro e creditício frente ao padrão-ouro gerido pelos ingleses, e ao qual a Alemanha estava formalmente vinculada. Dessa perspectiva, devemos indagar: havia uma subordinação alemã ao livre-cambismo e à ortodoxia monetária correspondente ao padrão-ouro?

Já apontamos anteriormente que, em 1879, firmou-se uma política protecionista ditada pela busca da construção de uma economia nacional que não poderia se tornar vulnerável aos ditames da hegemonia inglesa. O sistema bancário altamente concentrado movia-se a partir dos quatro grandes bancos líderes – Deutsche, Dresden, Discount, Darmstadt – seguido pelo Schaaffhausen, pela Companhia Comercial de Berlim, e por alguns bancos estatais federais. Por meio desse sistema bancário configurou-se o padrão dinheiro-de-crédito, que comandava a oferta monetária e o crédito sem a necessária obediência aos automatismos pressupostos no padrão-ouro, pelos quais a expansão monetário-creditícia só surgia em função da disponibilidade de reservas em ouro em cada nação.

ALEMANHA: IMPÉRIO, BARBÁRIE E CAPITALISMO AVANÇADO

Quanto à política industrial, ou, mais precisamente, à determinação da estrutura concorrencial alemã, o Reich e os estados federativos favoreciam o desenvolvimento de cartéis[10] no interesse da eficiência industrial. O primeiro cartel alemão é de 1828, a União Neckar do Sal, incluindo as estatizadas usinas de sal de Württemberg e Baden, assim como a mina de sal privada em Ludwigshalle. Após a recessão de 1872-1873, cartéis se consolidam em vários ramos, como vidro laminado, cimento e produtos químicos. Com o protecionismo assumido em 1879, os cartéis são ainda mais incentivados, dada a desvantagem dos competidores externos. O fato de possuírem os bancos volumes elevados de ações das empresas levava também a pressões, por parte dos banqueiros, para que se firmassem acordos de cartelização. Tão profunda é esta característica, que chegou a se tornar lei em 1910, quando o parlamento aprova legislação sobre "cartel compulsório" para as firmas de potassa, ameaçadas de competição autodestrutiva (HENDERSON, 1975: 179).

As políticas de Estado vão assumindo relevância crescente na poderosa Alemanha industrializada. Ferrovias, serviços postais e telegráficos eram considerados "simplesmente as seções civis do exército" (p. 212). Com marchas e contramarchas, desde a década de 1870, seguindo a política de Bismarck, o processo de estatização das estradas de ferro da Prússia avançava e às vésperas da Primeira Guerra Mundial 37.400 km já eram de propriedade estatal, sendo apenas 2.900 km privados.

O protecionismo constitui uma posição unânime na Alemanha, quando, diante da depressão de preços internacionais de grãos e portanto ameaçados pela competição externa, os próprios *junkers* decidiram, em 1877, apoiar a proteção do mercado interno, a qual se consolidou em 1879 com a aprovação pelo Reichstag (parlamento) de uma nova lei tarifária. Esses mesmos *junkers*, por outro lado, acabaram por garantir à Alemanha em expansão uma oferta flexível de mão de obra, dado que, como proprietários agrários, haviam reduzido, no passado, os camponeses livres à condição de servos no cultivo e exportação de cereais. Consequentemente a Alemanha dispunha de um abundante reservatório de camponeses disponíveis para as finalidades que as classes proprietárias desejassem (BARRINGTON MOORE Jr., 1967: 484, 491, 529).

A essas características e políticas econômicas se junta mais um componente crucial para compor o mosaico que caracteriza e individualiza o desenvolvimento socieconômico alemão: a "política de potência e bem-estar". Esta foi aperfeiçoada por Bismarck, que implementou o esquema de prote-

---

[10] Quatro tipos de cartéis devem ser mencionados: divisão de mercado, acordo de preços, fixação de volumes totais de produção, divisão de lucros.

201

ção social, seguindo o Código Prussiano de 1794, segundo o qual o Estado era responsável pelo alívio aos despossuídos, pela criação de emprego para os desocupados e pela execução de trabalho forçado àqueles que tentam escapar do trabalho.

Bismarck encaminhou para aprovação do Reichstag esquemas abrangentes de seguro estatal compulsório nos campos da saúde, dos acidentes e da velhice. A Lei de Seguro-Saúde data de 1883, beneficiando os trabalhadores fabris, mineiros, inclusive os de baixa remuneração, nas usinas de carvão, estendendo-se este benefício, por legislação posterior, aos trabalhadores agrícolas, artesãos, aprendizes e trabalhadores temporários. Em 1885, 10% da população (4,6 milhões de pessoas) era coberta por esse seguro, número que vai a 14 milhões de habitantes (21,5% da população) no ano de 1910. Os demais cidadãos eram cobertos por esquemas operados pelo Reich, estados federativos ou municipalidades.

De 1884 é a Lei de Seguro-Acidente, alcançando os mesmos trabalhadores antes mencionados e estabelecendo que os empregadores tinham de pagar o custo total do seguro. De pronto a Alemanha passou a ter, obviamente, as fábricas e minas o mais seguras possível. A lei de pensões por velhice e invalidez data de 1889, instituindo contribuições iguais de empregadores e empregados, a elas adicionando-se 50 marcos provenientes do tesouro do Reich, por ano para cada pessoa segurada. Esses esquemas pioneiros de proteção social foram integrados, em 1911, pela Lei de Consolidação de Seguro, que agrupou os três tipos de seguros acima referidos. A lacuna existente quanto ao seguro desemprego foi preenchida em 1926.

Semelhante "prodígio" de política social, principalmente frente às condições de operação do capitalismo mundial, pode ser entendido não apenas pelas influências oriundas do código prussiano, como também pela luta política que se travava então com os socialistas. Contra estes o Reichstag aprovou, em 1878, a Lei Excepcional contra o Empenho Universalmente Perigoso da Social-Democracia, pela qual o Partido Social-Democrata é empurrado para a clandestinidade. Mesmo assim não foi ele destruído, tanto que sua penetração nos sindicatos não arrefeceu, como prova o expressivo crescimento eleitoral que se seguiu ao seu reconhecimento legal posterior à Era Bismarck.

Esse passado alemão nos mostra que no início do século XX já havia se constituído o projeto de industrialização nacional-militarista. Potência e bem-estar revelavam-se claramente como resultantes da *práxis* baseada na convicção de que os interesses materiais da comunidade são mais facilmente alcançados pelas políticas que tenham como finalidade o "sucesso do Estado", "fazer do Império uma comunidade econômica autossuficiente... um todo autoequilibrado a ser utilizado na estratégia de política internacional", cuja base é "uma comunidade industrial autocontida" (VEBLEN, 1942: 176,178-179). Fica assegurado dessa maneira que o Império não es-

ALEMANHA: IMPÉRIO, BARBÁRIE E CAPITALISMO AVANÇADO

tará vulnerável em caso de conflito e que, ao mesmo tempo, as classes sociais não relutarão em ir para a guerra, quando a ocasião se apresentar. O mercantilismo correspondente a essa política teve importante contribuição no "crescente antagonismo entre a Alemanha e outras nações industriais... [Em meio] a um militarismo ostensivo [de diversas nações] no mesmo período [alcançava a Alemanha a meta de um] Estado imperial industrialmente autocontido" (p. 184).

Se, de acordo com Veblen (1942), na administração de Bismarck o objetivo parece ter sido "segurança bélica, mais do que expansão imperial", foi esta última que assumiu relevância no início do século XX. É, pois, certo que "por meio da Era Imperial a sorte material da nação foi constantemente implementada e conservada com a finalidade última de poderio bélico" (p. 241), como nos diz ele no seu *Imperial Germany and the Industrial Revolution*, publicado em 1915, em meio portanto à Primeira Guerra Mundial.

A potencialização técnico-econômica do poder, viabilizada pelo capitalismo, é logo implementada por aquele que viria a ser o país de maior sucesso na Europa ao longo do século XX:

> Desde que a moderna tecnologia caiu nas mãos dos alemães, eles assumiram a liderança na aplicação desse conhecimento tecnológico para, o que poderíamos chamar, as artes da indústria da guerra, não com menos zelo e efeito que sua utilização nas artes da paz. Na "paz armada" europeia, a Alemanha Imperial buscou consistentemente ser a mais preparada e pesadamente armada para qualquer eventual "brecha" nessa paz (VEBLEN, 1942: 256).

O êxito capitalista tornou-se, no caso alemão, indissociável da guerra no contexto "mundial" europeu. Guerra e capitalismo estimularam-se mutuamente, formando um todo em que não se podia distinguir o que determinava o quê. Não que isto se devesse a qualquer particularidade racial, cultural, seja lá o que for, do povo alemão. Afinal, os outros dois capitalismos mais bem-sucedidos do século XX, o americano e o japonês, não vieram a se mostrar igualmente bélicos, tanto no aspecto "defensivo-ofensivo" quanto no "ofensivo-ofensivo"?

2 Barbárie[11]

A combinação de conservadorismo, antirrevolução, capitalismo organizado e Estado nacional-imperial-militarista conduziu a sociedade alemã a

---

[11] Para Trotsky, a essência do nazismo era isto: "Tudo aquilo que a sociedade, se houvesse se desenvolvido normalmente (quer dizer, para o socialismo), haveria rechaçado [...] como excremento da cultura, brota agora por sua garganta. A civilização capitalista está vomitando a barbárie indigesta. Tal é a fisiologia do nacional-socialismo" (DEUTSCHER, vol. III: 149).

203

ser protagonista de grandes dramas político-econômicos entre 1914 e 1948. A Alemanha enfrentou nesse período três colapsos econômicos, sendo que dois deles marcados por hiperinflações que destruíram sua moeda. De que maneira o capitalismo sobreviveu e como as modalidades desse ressurgimento condicionaram sua história econômica posteriormente à Segunda Grande Guerra?

O primeiro e bem conhecido daqueles colapsos relaciona-se com a derrota na Primeira Guerra Mundial. O Estado alemão financiou sua ação bélica endividando-se junto ao público e ao Reichsbank, que por sua vez descontava os títulos do Tesouro para o governo, ao mesmo tempo em que os utilizava como lastro para emissão monetária. Com isso o dinheiro em circulação subiu o correspondente a seis vezes durante a guerra, proporção que evidentemente não se verificou no crescimento de seu produto nacional, criando uma condição propícia para a explosão inflacionária. Emergiu simultaneamente um grande déficit orçamentário que vulnerabilizou ainda mais a economia e deixou-a "preparada" para o colapso, que se tornou inexorável com as reparações de guerra exigidas do governo alemão.

Essas últimas podem ter seu potencial destrutivo avaliado, sinteticamente, por meio dos diagnósticos efetuados por Lord Keynes, personagem de destaque nas conversações que antecederam o acordo de reparação da Primeira Guerra, quando viu sua posição ser derrotada. Skidelsky (1983) relata palavras do próprio Keynes em uma carta de 4 de maio de 1919:

> Ele ficou horrorizado [...]. As cláusulas de reparação eram inaplicáveis e mostravam um alto grau de insensatez em quase todos os seus aspectos [...] O acordo é um acordo de papel, que mesmo sendo aceito não se espera, em nenhuma hipótese, que dure (p. 371).

Em carta a seu amigo Duncan Grant, de 14 de maio de 1919, ele é definitivo:

> Certamente se eu estivesse no lugar dos alemães preferiria morrer a assinar um acordo de paz como esse [...] Mas se eles assinarem, isso será, de fato, a pior coisa que pode ocorrer, uma vez que eles não podem cumprir alguns dos seus termos, resultando em grande desordem e insatisfação em todas as partes (p. 371).

Skidelsky aponta o quanto Keynes enfatizava a contradição entre reduzir a capacidade de pagamento da Alemanha, por meio de confiscos territoriais e outros, e ampliar simultaneamente suas dívidas. Por isso ele concluiu que a capacidade máxima de pagamento pelos alemães seria de 1.500 milhões de libras esterlinas (ou 30 bilhões de *gold marks*, pagáveis em 30 prestações anuais de 50 milhões de libras cada – 1.000 milhões de marcos), acrescentando ao seu argumento que a Alemanha já havia pago 500 mi-

ALEMANHA: IMPÉRIO, BARBÁRIE E CAPITALISMO AVANÇADO

lhões de libras, por meio de navios e propriedades. O acordo efetivamente fechado em abril de 1921 se distanciava em muito das magnitudes calculadas por Keynes: a Alemanha devia reparações em um total de 132 bilhões de *gold marks* (BERGHAHN, 1990: 77).

Os comentários de Skidelsky (1992), economista e biógrafo de Keynes, são bastante elucidativos a esse respeito:

> A vida de Keynes e de sua geração foi marcada pela incapacidade de superar as consequências da Primeira Guerra Mundial. Esse fracasso significava que não poderia haver uma sólida recuperação da economia e da política pelos efeitos gerados por ela. O frágil sistema internacional que foi restaurado desmorona na grande depressão de 1929 e na Segunda Guerra Mundial em 1939 [...] Qualquer possibilidade de retomar o mundo um equilíbrio político, econômico e moral, foi tragicamente minado pela incapacidade dos estadistas americanos e europeus de eliminar os problemas gêmeos relacionados aos débitos de guerra entre os aliados e as reparações alemãs [...] [essas questões] produziram uma atmosfera de permanente crise [...] afastando os Estados Unidos da Europa, quebrando a união anglo-francesa e quase destruindo a nascente República de Weimar. Esse último aspecto era particularmente importante; a contribuição das reparações de guerra para a ascensão de Hitler é conhecida de todos (p. 31).

As bases para o fascismo, é verdade, são dadas pelo passado autoritário alemão, conforme relembraremos em seguida; contudo, as contradições imperialistas do capitalismo e suas repercussões na sociedade alemã foram intensamente negativas. Em 1923 explode a hiperinflação, resultante tanto da política econômica do período bélico quanto das reparações extorsivas impostas ao alemães. Os déficits de balanço de pagamentos e a queda acentuada da taxa de câmbio indicavam o colapso monetário. Naquele ano, a poucos meses desse colapso, 300 fábricas de papel e 150 gráficas com 2 mil impressoras trabalhavam dia e noite para fazer face à demanda de notas bancárias. Um dólar, em junho de 1923, já valia 100 mil *rentenmarks* (RM), mas em novembro atingiu RM 4,2 trilhões ($4,2 \times 10^{12}$). A dívida nacional atingia 191,6 ($191,6 \times 10^{18}$) quintilhões de marcos em novembro. Em 1919, a inflação era de 70%, em 1923, de 1,9 bilhão % ($1,9 \times 10^{19}$) (SMITH, 1994: 4).

Essas astronômicas cifras "desaparecem" em novembro de 1923, quando se realizou uma reforma monetária com a emissão de uma nova moeda pela autoridade econômica recém-criada do Deutsche Rentenbank, reabilitando então a confiança no dinheiro nacional e inaugurando os *Golden Twenties* (1924-1929), com base na restauração virtuosa da produção e da renda assentada na tradicional relação entre bancos e indústrias.

Nesse breve auge o país recupera suas forças empreendedoras e reafirma-se, em 1929, como possuidor da mais moderna frota mercante, das mais rápidas ferrovias e de um adequado sistema de estradas. Cartéis e fu-

205

soes conduziam a dinamização das indústrias químicas, do aço, da eletricidade, da borracha e do cimento. Subsídios estatais financiavam um enorme programa de renovação urbana. Cidades competiam entre si na expansão da construção habitacional, *playgrounds*, piscinas, escolas e hospitais. Cabos de energia elétrica espalhavam-se pelo campo alemão. A infraestrutura era completamente renovada. O capitalismo organizado voltava a efetuar proezas com sua articulação particular entre Estado, mercado e, agora, financiamento externo e empresas estrangeiras[12].

Esse foi um período de celebrações na República de Weimar, que adiava mas não eliminava suas fragilidades, que residiam na sua própria constituição. Em 31 de julho de 1919, havia sido adotada a Constituição e surgido o sistema republicano parlamentar, como resultado do desgaste da guerra e do colapso da monarquia em 9 de novembro de 1918, ao qual se seguiu a assinatura do armistício em 11 de novembro. Entre 1919 e 1923, 10 gabinetes se sucederam no governo. As disputas político-ideológicas, quando submetidas à lei, mereciam um tratamento desigual: condescendente com a direita, muito longe disso com a esquerda[13]. As estruturas do poder socieconômico não haviam sido abaladas, a burocracia estatal, o poder judiciário, as instituições militares e educacionais permaneciam fiéis ao perfil conservador nacional-militarista, com a exceção de algumas áreas de governo na Prússia, que, inclusive, continuaram defendendo a República até os acontecimentos que conduziram Hitler ao poder. Os sentimentos antirrepublicanos vinham sendo acirrados pelo partido nazista, como os demais preconceitos de natureza semelhante: antissocialista, anticomunista, anti-Versailles, antissemita e anticapitalista.

Enquanto isso, no contexto internacional, a instabilidade inerente à dinâmica capitalista atingiria o mundo com uma virulência até então desconhecida. Com a Grande Depressão iniciada em 1929, um novo colapso se abate sobre a Alemanha, pondo fim ao período áureo da República de Weimar (*Golden Twenties*), e agora manifesto agudamente no desemprego. Entre 1929 e 1932 a taxa de desocupação atingiu 40% da população trabalha-

---

[12] Segundo Berghahn (1990: 100), após os planos Dawes e Young, que reduziram os encargos das reparações de guerra, enormes somas de capital fluíram para a Alemanha. Entre 1924 e 1930, 1.293 milhões de dólares foram levantados nos Estados Unidos como empréstimos longos e 1.560 milhões de curto prazo. Empresas americanas investiram 217 milhões de dólares; por volta de 1930, setenta e nove das gigantes lá se haviam estabelecido, entre elas General Motors, General Electric e Dupont.

[13] Hitler tentou um golpe em novembro de 1923, recebeu sentença de cinco anos, mas foi liberado em menos de 12 meses. Leviné e associados, que estabeleceram uma República Soviética em Munique, em abril de 1919, ou foram executados ou receberam longas sentenças de prisão (BERGHAHN, 1990: 76).

ALEMANHA: IMPÉRIO, BARBÁRIE E CAPITALISMO AVANÇADO

dora. Uma crise bancária é deflagrada, já que após o *crash* de Wall Street os fundos que haviam financiado a curto prazo o auge alemão dos anos 1920 são repatriados para os Estados Unidos.

Nessa conjuntura, propícia ao surgimento do fascismo, as tensões sociais em curso apresentam as marcas das estruturas sociais "arcaicas" e antirrevolucionárias do passado, em uma particular interação com as estruturas do capitalismo industrializado.

A "modernização capitalista conservadora", que desde a década de 1870 havia conduzido a industrialização alemã, apresenta, de forma violenta, o seu "acerto de contas". A inexistência de um verdadeiro processo revolucionário, tanto em 1848 – quando as elites econômicas preferiram trocar o direito de governar pelo direito de ganhar dinheiro (BARRINGTON MOORE Jr.: 503) – quanto em 1918, quando mesmo frente ao colapso da monarquia as elites permanecem antirrepublicanas, essa inexistência favorecia a cristalização de tendências totalitárias, por assim dizer ancestrais.

Embora esses condicionantes implicassem o surgimento de formas políticas reacionárias, não conduziriam por si sós, necessariamente, ao fascismo. No entanto, havia-se chegado a uma conjuntura histórica em que tais elementos encontravam as condições propícias para suscitar um desenlace totalitário. A base conservadora estava dada pela zona rural, desde o domínio dos *junkers* no século passado, conservadorismo esse que agora se fortalecia com a reação camponesa anticapitalista, da qual se valia a propaganda nazista no combate pseudorradical ao capitalismo. A pequena burguesia nas cidades servia igualmente aos propósitos do nacional-socialismo de levar as massas ao palco da história como agentes de um pretenso combate ao grande capital e ao poderio econômico externo. Como veremos, o "regime econômico nazista", pelo contrário, favoreceu a grande indústria e a grande agricultura.

Nunca é demais lembrar que esse viés conservador depois da Primeira Grande Guerra não era uma exclusividade das elites alemãs, e em boa medida refletia o temor instaurado pela revolução bolchevique. Antes da eclosão da Grande Depressão de 1929, acreditava-se na existência de um cenário em que as classes proprietárias europeias teriam superado os efeitos econômicos críticos da Primeira Guerra, e "aprendido" com a Revolução Russa, de tal sorte que passam a mobilizar todos seus recursos e estratégias com objetivos antirrevolucionários. O fascismo, dizia Trotsky em 1922, ano da marcha de Mussolini sobre Roma, era um sintoma dessa mobilização, e, segundo ele, "um Mussolini alemão" poderia surgir (DEUTSCHER, 1968: 68). No início da década de 1930, Trotsky atribuía uma importância decisiva à luta política na Alemanha para o rumo que a história mundial poderia então tomar: "Durante muitos anos por vir, não só a sorte da Alema-

207

nha [...] senão que os destinos da Europa e do mundo inteiro se decidirão na Alemanha [...] Quem vencerá na Alemanha no transcurso dos próximos meses? O comunismo ou o fascismo? (p. 150).

Não há dúvida de que aquela "bifurcação" histórica trazia como alternativa possível para a Alemanha ou a restauração capitalista, sob qualquer que fosse o regime político, ou o socialismo, baseado no internacionalismo proletário, possibilidade então real, dada a existência da União Soviética. Para Trotsky, uma Alemanha socialista significava a derradeira possibilidade de evitar a política de Stalin de "socialismo em um só país", política que, na prática, levou o líder soviético a ser permissivo com a própria ascensão de Hitler. O partido comunista alemão, seguindo orientação de Stalin, não fez aliança com os social-democratas e assim contribuiu para a ampliação do espaço político dos nazistas (BERGHAHN, 1990: 117)[14].

Considerando o peso que a polarização entre comunismo e fascismo teve nos destinos do capitalismo e da sociedade alemã, não só na década de 1940 mas até mesmo no fim do século XX, é oportuno recolher a avaliação de um comunista que sonhava com a criação dos "Estados Unidos Socialistas da Europa", de certa forma um precursor do ideal "federalista" que viria a concretizar-se com a União Europeia, ainda que sob o comando do capital global. Referindo-se às análises de Trotsky sobre o fracasso do comunismo na Alemanha em 1923, assim disserta Deutscher (1968):

> Seus temas principais nas "Lições de Outubro" eram o papel da direção em uma situação revolucionária e a estratégia e tática da insurreição. Nenhum Partido Comunista, argumentava, pode criar oportunidades revolucionárias à vontade, pois estas se apresentam somente como resultado da decomposição relativamente lenta de uma ordem social; mas um partido pode desperdiçar sua oportunidade por falta de uma direção decidida. Nos assuntos da revolução há também um fluxo que "deve ser aproveitado com a maré"; se se deixa passar é possível que não volte a apresentar-se durante décadas. Nenhuma sociedade pode viver muito tempo na tensão da crise social aguda. Se não se encontra alívio a essa tensão na revolução, ele virá com a contrarrevolução. Umas quantas semanas, e inclusive uns quantos dias, podem ser suficientes para inclinar a balança para um lado ou para outro (p. 149).

---

[14] Afirma Deutscher: "Os stalinistas tratavam de justificar-se, alegando que os social-democratas aplainavam o caminho para o nazismo. Isto era absolutamente certo, comentava Trotsky; mas se os social-democratas aplainavam o caminho para uma vitória nazista, os comunistas deveriam encurtá-lo? Às vezes ocorre que os partidos da revolução e da contrarrevolução atacam ao mesmo inimigo "moderado", a partir de polos opostos. Mas um partido marxista pode-se permitir-se tal coisa somente quando a maré cresce a seu favor, e não quando cresce, como sucedia na Alemanha, a favor da contrarrevolução" (vol. III: 148).

Entre 1929 e 1933 a Alemanha vivia na depressão econômica e as tensões sociais eram agudas. Em 30 de janeiro de 1933 Hitler assume o posto de chanceler e em 2 de agosto de 1934, com a morte de Hindenburg, acumula também a presidência do país, já absoluto em sua vitória política. Proclama-se a si mesmo como Führer e Chanceler do Império da Alemanha. Trotsky considerou que o movimento operário havia sofrido na Alemanha não apenas um revés temporário ou um contratempo tático; havia sofrido uma derrota estratégica decisiva, que deixaria a classe operária prostrada e paralisada durante toda uma época (DEUTSCHER, 1969: 190)

Nessas condições, qual foi a política econômica do nazismo? Qual o "regime econômico fascista"? Quais as suas consequências para o capitalismo alemão e europeu?

A ideia condutora do auge econômico, que se inicia em 1933/1934, era a de uma guerra de expansão e exploração. A economia foi dinamizada pela produção de armamentos e de bens de capital desde o começo da gestão nazista. O índice da produção industrial, com base 100 em 1928, havia caído para 66 em 1933. Já em 1934 vai a 83 e às vésperas da guerra atinge 132. A aliança do grande capital com o projeto nazista havia se consolidado. A Auto-Union Motor supostamente fabricava caminhões, mas na verdade produzia veículos militares. O programa de produção de tratores da Krupp era apenas um codinome para a produção de tanques, tendo início já em 1933, ainda que estivesse banida pelo Tratado de Versalhes, assim como banida estava a produção de aviões militares, que, no entanto, correspondia a 42% da produção aeronáutica. O fabricante principal de explosivos elevou de 2 mil para 5.200 homens sua força de trabalho na primeira metade de 1933. Novos navios no valor de 70 milhões de marcos foram encomendados pela marinha alemã (BERGHAHN, 1990: 147).

A recuperação econômica alemã dos anos 1930 foi a mais explícita demonstração histórica de que o capitalismo pode basear seu dinamismo na produção de máquinas que produzem máquinas e máquinas que produzem armamentos. O consumo da grande massa, em caso de baixo dinamismo, não implica necessariamente restrições macroeconômicas ao crescimento.

A pressão dos custos das matérias-primas que surge a partir da expansão da indústria foi enfrentada por meio de controle de preços e de salários, impedindo assim manifestações inflacionárias. As prioridades do tipo de acumulação de capital eram viabilizadas também por controles estritos da balança comercial e das transações cambiais.

Esta "marcha forçada" repercutiu de imediato sobre o nível de emprego, favorecendo a legitimação de Hitler pela população. Havia mais de 6 milhões de desempregados em 1933, número que foi reduzido após 12 meses de governo para 3,7 milhões e seguiu caindo aceleradamente, até que, no verão de 1939, a situação era de pleno emprego, levando a industria a ter dificuldade em preencher mais de 1 milhão de novos postos de trabalho. Por outro lado, os trabalhadores perderam direitos de organização e de barganha, tendo de submeter-se a trabalho mais árduo e jornadas mais longas (BERGHAHN, 1990: 138).

Créditos facilitados pelo Estado e débitos governamentais para garantir a demanda armamentista levavam as finanças públicas a uma posição de crescente insustentabilidade. A chave da estratégia econômico-financeira é retrospectivamente explicitada por Hitler, em 25 de março de 1943, em reunião com sua *entourage*:

> Desde a introdução do recrutamento, nossos armamentos têm tragado fantásticas somas que ainda estão a descoberto. Existem somente dois meios: ou esses débitos serão postos sobre os ombros dos *Volksgenossen* [camaradas germânicos] do Reich sob a forma de impostos ou esses débitos serão pagos pelos lucros potenciais provenientes dos territórios orientais ocupados. O último meio deve ser autoevidente (BERGHAHN, 1990: 149).

Era o reconhecimento oficial de que o regime econômico fascista sustentava uma guerra que, como na Antiguidade, tinha por objetivo a escravização de vizinhos, a aniquilação de cidades e pessoas e o confisco dos tesouros artísticos europeus. Tudo isso maquiado pelo "despertar estético", pela "preservação da raça", pela "beleza no trabalho", pela "cultura da beleza", enfim, pelo "embelezamento do mundo". Era, na verdade, uma "Arquitetura da Destruição" (tal como documentado em filme alemão excepcional com este título).

Caída a máscara, perdida a guerra, o terceiro colapso econômico alemão provocou um recuo a uma economia de escambo e detonou outra hiperinflação. Entre 1945 e 1948, ano de nova reforma monetária, o mercado negro correspondia a 10% do volume de trocas, mas respondia por 80% da circulação monetária, de maneira que a economia de escambo era a dominante (MENDERSHAUSEN, 1974: 37 apud SMITH, Owen, 1994).

A reconstrução tem início em março de 1948, quando os aliados ocidentais fundam o novo Banco Central, o qual emite, em junho, a nova moeda, o marco (*deutsche Mark*). É em 1957 que surge o Deutsche Bundesbank, o banco central que existe até hoje. Desde 1948 que a estabilidade de preços na Alemanha está firmemente "ancorada", como sugeriu Galbraith, no "simples" fato de que o passado inflacionário foi tenebroso.

Fundamental para esse processo foi que, ao contrário do ocorrido após a Primeira Guerra, agora a Alemanha permaneceria de posse de seu ouro e de suas reservas internacionais, o que se tornou possível pelo cancelamento (*write off*) de 2/3 da dívida contraída com os Estados Unidos após a guerra.

Essa perspectiva se definiu logo em 1951 e veio a ser confirmada em 27 de fevereiro de 1953, com o Tratado de Londres sobre a dívida.

Outro "segredo" do reerguimento alemão é que o ímpeto liberal americano acerca da organização capitalista foi tão derrotado neste país quanto no Japão. O capitalismo organizado seguiu de pé e reiniciou seu produtivismo civil com grande velocidade, uma vez que os danos dos bombardeios haviam sido superestimados e, como consequência, a produção industrial pôde responder rapidamente aos primeiros estímulos da demanda. Entre 1949 e 1959 o crescimento econômico médio anual foi mais do que o dobro do ocorrido entre 1871 e 1913 (GIERSCHE, 1971: 14 apud SMITH, O., 1994).

Além da obsessão anti-inflacionária, da retomada da dinâmica industrial multissetorial, da dispensa de reparações de guerra, a Alemanha pósnazismo é sobretudo marcada pelo surgimento da Economia Social de Mercado, estranha denominação para um projeto político-econômico[15] bem-sucedido, que desde o seu princípio se propunha distanciar-se tanto do intervencionismo fascista ou socialista quanto do liberalismo de mercado anglo-saxão, o mesmo que hoje, sob a batuta americana, espalha-se Europa adentro.

A despeito de não ter testemunhado a Segunda Guerra, foi Trotsky quem previu com bastante antecedência o papel que os Estados Unidos viriam a ter na Europa e no mundo. A propósito comenta Deutscher (1968):

> As tradições de isolacionismo e pacifismo americanos arraigadas em sua geografia e em sua história eram freios que continham sua expansão; mas estavam condenados a ceder ante a força dinâmica das novas realidades [...] O impulso expansivo era inerente a sua própria economia e o intensificava o fato do capitalismo europeu depender, para sua sobrevivência, da ajuda americana. Então Trotsky previu: [Os Estados Unidos] poriam a Europa a viver de rações americanas e logo lhe ditariam sua vontade [...] estamos entrando em uma época de desenvolvimento agressivo do militarismo americano (p. 203).

Na visão de Trotsky, além de substituir a Grã-Bretanha como fábrica e banco do mundo, os Estados Unidos começavam a ocupar o lugar de potência naval e imperial do planeta. Aos que discordavam, acrescenta Deutscher, Trotsky replicava que os Estados Unidos seguiriam as pegadas da Alemanha no que tange aos desígnios imperialistas.

---

[15] Ainda que sendo obviamente um projeto conservador do capitalismo trata-se, nos parece, muito mais abrangente socialmente do que não só o padrão anglo-saxão, como até mesmo o de capitalismos organizados como o japonês.

3 O padrão alemão contemporâneo: capitalismo produtivista e socialmente abrangente

O pensamento da Economia Social de Mercado (ESM) surgiu, inspirado nos economistas da Escola de Freiburg, pouco antes do golpe nazista, quando seus membros, como Eucken e Böhm, formavam uma corajosa resistência intelectual, propondo uma reflexão independente para enfrentar a "onda" nacional-socialista (SMITH, 1994: 16-17).

Seus princípios fundamentais estiveram presentes no padrão de desenvolvimento capitalista alemão vigente desde a reconstrução do pós-guerra até a presente transição no âmbito da União Europeia. Esses princípios eram: a "competição administrável"; um apropriado papel para a intervenção estatal; política de estabilização e medidas anticíclicas; ética e política contra o *laissez-faire*. Na dimensão competitiva havia uma clara rejeição dos modelos anglo-saxões, impondo-se a preocupação com a realidade de que "até mesmo uma economia de mercado requer uma estrutura [*frame-work*], na qual ela opere, e a criação desta estrutura é função do Estado" (HALLET, 1973: 19 apud SMITH, 1994: 17). Logo, o sentido da expressão "competição administrável" é que a concorrência intercapitalista não pode ter rédeas soltas, devendo ser "trabalhada" pelo Estado. Contrastando com a visão anglo-saxã, na qual as barreiras à competição são demonizadas pelos governos, para a ESM, em face da monopolização inerente ao capitalismo, a intervenção governamental é uma necessidade, sem o que "as firmas dominantes e o comportamento conluiado tornam-se problemas maiores de política" (SMITH, 1994: 17).

A ordem monetária estável era outro objetivo maior da política de estabilização, entendida como garantidora do funcionamento adequado do mecanismo de preço, incluindo compromissos dos cartéis e "competição administrável" no mercado de produtos. Propunham, finalmente, estreitas ligações entre economia e política social, o desenvolvimento da seguridade social, o reconhecimento imprescindível da representação sindical e um Estado democrático e social.

Baseados nesses elementos teóricos de fundo, podemos examinar a economia política alemã desde os anos 1950 até a presente transição e, mais especificamente, as principais características do seu padrão de desenvolvimento, responsável por um "milagre econômico" só comparável ao que se verificou no Japão.

Quanto à estrutura produtiva, esse padrão pode ser caracterizado como uma "coalizão" pela sustentabilidade do investimento com inovações, pela produtividade e pela competitividade internacional. Uma das bases dessa performance foram as relações industriais estáveis a partir de políti-

ALEMANHA: IMPÉRIO, BARBÁRIE E CAPITALISMO AVANÇADO

cas salariais pactuadas, da atuação sindical bloqueando a espiral preços-salários e da participação dos empregados tanto no âmbito do "chão-de-fábrica" quanto no nível mais decisório da corporação. Ainda que essa não fosse uma coalizão distributiva do tipo adotado no norte da Europa, era sem dúvida uma coalizão que soldava interesses de empresários e assalariados pela elevação contínua da produtividade e pela estabilidade de preços (ALTVATER, 1993: 8-9; TAVARES, 1993: 48). É justamente essa qualidade no mercado de trabalho, na qual a Alemanha seria exemplar, que os liberais consideram "euroesclerose" [sic.]. Já uma crítica da esquerda alemã oferece uma outra avaliação:

> A reforma da moeda em 1948 estabeleceu as condições monetárias para um regime de acumulação socialmente abrangente, para o desenrolar de uma "história de sucesso", de um "milagre econômico". Ao longo do seu desenvolvimento, disparidades de classe, regionais e setoriais foram, se não eliminadas, certamente mitigadas ao ponto de integrar a todos no modelo de acumulação – ainda que alguns fossem "mais iguais que outros", todo mundo podia participar do "milagre econômico" (ALTVATER, 1993: 22).

Nesse padrão capitalista há uma peculiar relação favorável entre salários reais elevados, proteção social ampla e aumentos sucessivos de produtividade. Quando ocorriam aumentos de impostos, para fazer frente a custos adicionais da política social e da proteção ambiental, a saída era "aumentar a produtividade ainda mais rapidamente do que a dos países competidores, dado que reduzir custos reduziria os padrões de vida [...] Até a unificação [com a Alemanha Oriental] uma contínua compensação frente aos altos custos por meio de uma correspondente elevação da produtividade era vista como vital" (SMITH, 1994: 526).

Para esse produtivismo contribuiu uma gestão das finanças das corporações baseada na acumulação interna de lucros e no acesso ao crédito de longo prazo, ambos promotores "ideais" dos investimentos elevados. Os lucros não operacionais tiveram apenas acréscimos marginais, o que é um comportamento "excepcional" em tempos de globalização financeira. A política pública industrial de subsídios esteve presente tanto no ajuste de setores declinantes (naval, mineração, ferro, aço, confecções, têxteis) quanto no estímulo a setores de alta tecnologia (aeroespacial, computadores e energia nuclear) (SMITH, 1994: 529). Considerando-se as transferências de capital e as isenções fiscais, os subsídios alcançaram seu valor máximo em 1979, quando chegaram a 7% do PIB, caindo em meados dos 1980 para 3,75% e, depois, no início dos anos 1990, para 3,25% do PIB (p. 499).

Os resultados obtidos pela políticas industriais alemãs apontam para significativos avanços em setores em que há muito a Alemanha já era líder – equipamentos, instrumentos de precisão, química fina – e iniciativas de

213

joint-ventures com empresas japonesas e americanas, em setores como tele-comunicações, eletrônica, aeroespacial, farmacêutica, tendo em vista a globalização dos negócios (TAVARES, 1993: 48).

A evolução das bases técnico-produtivas foi alcançada com uma "divisão de tarefas" entre setor privado e setor público que nos permitiria identificar uma situação de "economia mista" para o caso alemão. Em meados dos anos 1980, apenas a metade do total do valor agregado era produzida sob o regime de mercado "puro", sendo a outra metade sujeita a regulações governamentais ou produzida pelo próprio Estado, de acordo com dados de estudo realizado para a Comissão de Monopólios [*Monopolkommission*] pelo IfW – Institut für Weltwirtschaft, Kiel (SMITH, 1994: 458). A presença de empresas públicas destacou-se nos setores de transportes (ferrovias), serviços de comunicações, eletricidade, gás, água, aquecimento dos distritos, habitacional, bancos e seguradoras.

Esse poderoso setor público, sendo herança da Prússia, da República de Weimar e do III Reich, foi exposto ao debate da privatização logo nos anos 1950, muito antes da "onda Thatcher" e por isso mesmo o processo de sua revisão (e eventuais privatizações) tem, até os dias de hoje, sido levado a cabo sem os açodamentos dos "privativismos de moda". A primeira leva de privatizações data de 1959/1965, quando o governo alemão usou o discutível termo de "capitalismo popular" para denominar seu projeto de vender ações a grupos de baixa renda. A segunda leva começou com a vitória do chanceler Helmut Köhl em 1982. No entanto, devido a preceitos constitucionais e a resistências políticas provenientes das *Länder* e de autoridades locais, criaram-se sérios obstáculos a uma ampla e generalizada onda de privatizações[16]. O grau de concentração (ampliação das escalas de produção) e de centralização de capital privado (fusões e aquisições aglutinadoras de unidades empresariais) é elevado. Em termos de faturamento total (*turnover*), as cinquenta maiores empresas industriais detinham, em 1960, 34,6% do valor correspondente ao agregado industrial, ao passo que, em 1989, aquele percentual já era de 54,4%, resultado de um contínuo movimento de concentração que se estende aos anos 1990. Os conglomerados alemães, em cujo âmago está a figura do capital financeiro (HILFERDING, 1963), articulador do capital bancário com o capital industrial, têm liderado os desdobramentos desse padrão de desenvolvimento. Contudo, é na Alemanha também onde as pequenas e médias empresas revelam uma sobrevivência e expressão econômica especiais. Para termos uma ideia, essa camada intermédia heterogênea de pequenas e médias empresas (*Mittels-*

---

[16] Para um exame da privatização alemã, cf. Owen Smith (1994: 461-469).

ALEMANHA: IMPÉRIO, BARBÁRIE E CAPITALISMO AVANÇADO

tand), industriais, comerciais e de alguns outros serviços, espalhadas por todo o país, empregava, no início desta década, 12 milhões de pessoas, o equivalente a 2/3 do emprego total no setor privado e respondia por metade do PIB privado e 40% do investimento total (SMITH, 1994: 420).

O processo de expansão da economia alemã no pós-guerra também extravasa as suas fronteiras nacionais. Dotado dos fundamentos produtivistas destacados anteriormente, o capitalismo alemão se internacionaliza já em meados dos anos 1950, quando as trocas de bens já geravam 20% de seu Produto Nacional Bruto, chegando, em 1990, a corresponder a 1/3 do PNB alemão. Entre 1950 e 1990, a sua participação nas exportações mundiais cresce de 3,5% para 12,1%, comportamento que assegurou uma balança comercial permanentemente superavitária e que viabilizou investimentos externos das empresas alemãs nas áreas química, elétrica e de finanças (SMITH, 1994: 499-500).

Na dimensão monetário-financeira o destaque tradicionalmente dado à estabilidade da sua moeda, o *deutsche Mark*, deve ser lido de acordo com as "apropriadas determinações":

> A despeito da importância histórica da reforma monetária para a história da República Federal da Alemanha, a emissão de nova moeda deve ser interpretada como um ajustamento da esfera monetária às condições subjacentes, econômicas, políticas e sociais, potenciais no país nesse período. As condições efetivas para a nova moeda haviam sido estabelecidas muito antes de 20 de junho de 1948, com o crescimento do produto real já sendo então "sensacional" (ABELSHAUSER, 1983: 51).

Ou ainda, como nos diz Altvater (1993):

> [...] a despeito dos estragos da guerra e do desmonte de unidades produtivas (*Demontage*) depois da Segunda Guerra Mundial, o estoque de capital fixo era, em 1948, 11,1% superior ao de 1936. [...] A reforma monetária "corou" esse desenvolvimento, conduzindo-o através de canais monetários organizados [...] (p. 3).

De fato, os números da recuperação são notáveis: "o índice da produção industrial, em 1945, correspondia a apenas 25% do que era em 1936; já em 1948 ele alcançava 50% do volume de 1936" (SMITH, 1994: 8).

Além do Plano Marshall de ajuda financeira, ocorreu a "providencial" percepção dos Estados Unidos de que razões geopolíticas vinculadas à Guerra Fria impunham a reconstrução de um capitalismo vigoroso na Alemanha.

Uma implicação econômica imediata dessa estratégia foi a concordância implícita dos americanos com o estabelecimento de uma taxa de câmbio, subvalorizada, de 4,20 marcos alemães por dólar no quadro do regime de taxas de câmbio fixas, instaurado em Bretton Woods. A livre conversibilidade da moeda só veio a ser adotada em 1958, quando a estabilidade e o crescimento já estavam assegurados. Em 1961, a taxa foi a 4 marcos por dólar, o que não eliminou a subvalorização, que persistiria por toda a década de 1960, criando assim condições para a consolidação de saldos de balança comercial favoráveis e da consequente posição de credor mundial.

O *deutsche Mark*, nascido em junho de 1948, teve no Bundesbank[17], desde 1957 até hoje, o seu inexpugnável guardião, apoiado nas bases econômicas e na "coalizão produtivista" já mencionadas. Assim, não surpreende, e tampouco se deve a uma propalada independência [*sic.*] do banco central, a eficiência com que foi sendo removida a subvalorização do marco nos anos 1970, uma vez deflagrado o sistema de taxas de câmbio flutuantes, e o sucesso com que foram enfrentados dois choques de preços do petróleo, assegurando-se a estabilidade monetária sem comprometimento grave da trajetória de crescimento – exceção feita à sincronização com as severas recessões mundiais de 1974/1975 e 1979/1981.

Dentre os fatores que contribuem para essa "dinâmica virtuosa" é estratégico o papel do sistema financeiro público e privado na sustentação da taxa de investimento, na cobertura ao risco de inovações tecnológicas, na limitação da financeirização da riqueza e no apoio ao seu simétrico, a sustentação de finanças industrializantes (BRAGA, 1992; 1997 e 1998).

Os bancos comerciais, as instituições do setor de poupança e de cooperativas de crédito funcionam como bancos universais, que são os pilares desse sistema, complementados pelos bancos especializados, que são os bancos de hipoteca e as companhias imobiliárias. Os bancos comerciais – grandes bancos, bancos regionais, estrangeiros e particulares (pessoa jurídica indistinguível de seus proprietários) – formam o conjunto de bancos privados. As instituições do setor de poupança e de cooperativas de crédito são constituídas por bancos públicos. Os bancos de hipoteca podem ser privados ou públicos. Os bancos públicos eram responsáveis, em 1991, por 53,8% do total de operações bancárias, participação essa que teve a seguinte evolução: 1950, 45,6%; 1960, 55,7%; 1970, 57,1%. Tais percentuais dão a dimensão da importância histórica do Estado alemão na gestão creditícia desse país (NASSUNO, 1998: 339-341).

Além desse poder público, manifesta-se o poder privado por meio sobretudo dos grandes bancos, que têm propriedades e participação acionária em bancos regionais e em várias instituições financeiras, criando dessa forma potentes conglomerados que se articulam na gestão e no financiamento das empresas.

---

[17] Jacques Delors certa vez sentenciou: "Nem todos os alemães acreditam em Deus, mas todos eles acreditam no Bundesbank" (BALKHAUSEN, 1992: 87 apud ALTVATER, 1993: 6).

ALEMANHA: IMPÉRIO, BARBÁRIE E CAPITALISMO AVANÇADO

Embora participante da globalização financeira, esse sistema não tem apresentado, até o presente, pelo menos, práticas análogas às que criaram percalços nos Estados Unidos e no Japão, ainda que nesta virada de século já apresente sintomas de convergência na direção da financeirização. Essa relativa estabilidade se deve, em nosso entendimento, ao papel dos bancos públicos; à supervisão, controle e fiscalização das autoridades monetárias em moldes exemplares, a qual é facilitada pela centralidade do sistema nos bancos; ao fato de que a securitização tem-se processado por meio dos bancos universais, permitindo melhor gestão privada de risco e maior informação às autoridades; ao desestímulo à gestão financeira imediatista, com horizonte de curto ou curtíssimo prazo.

O futuro parece apontar para a Finanzplatz Deutschland, resultado da desregulamentação em curso desde meados dos anos 1980, cujo objetivo é fazer da Alemanha um centro financeiro mais proeminente. Confirmando-se esse cenário, estará posta à prova a capacidade de se manter a força regulatória já comentada, e que também se revelou na movimentação internacional de capitais, submetida a um processo duradouro de adaptação iniciado nos anos 1950. Nessa adaptação, em 1959, a entrada de capitais externos foi permitida, porém monitorada por medidas sucessivas e alternadas, de acordo com a conjuntura, que estabeleciam o quanto se podia lucrar, o custo da captação externa e, conforme fosse conveniente, a liberação ou a proibição da remuneração a depósitos estrangeiros. Nesse processo ocorreu entrada e saída de capitais; bancos estrangeiros ingressaram e bancos alemães se internacionalizaram, títulos em marco foram emitidos no exterior e dinamizou-se o mercado de capitais. Contudo, o governo, em nenhum momento, descartou sua prerrogativa de controlar riscos e minimizar fatores desequilibradores de suas variáveis macroeconômicas (BRAGA, 1998: 161).

Consequentemente, "ainda que se possa afirmar que as mudanças parecem sugerir uma tentativa de adequação aos movimentos internacionais, os eventos ocorridos a partir da década de 1980 mostram que o sistema financeiro alemão tem uma capacidade específica para regular sua inserção na dinâmica internacional" (NASSUNO, 1998: 392).

O padrão de desenvolvimento que analisamos conduziu a Alemanha até as portas do século XXI como potência econômica hegemônica no continente europeu e membro da tríade dominante mundial, ao lado dos Estados Unidos e do Japão, com a vantagem d̃ ̃ue não enfrenta uma recessão prolongada como este, nem apresenta as desigualdades sociais e especulações financeiras como aquele.

217

4 Conclusões

Nessa longa perspectiva temporal, descartando qualquer causalidade linear, examinamos várias dimensões que se combinam na explicação do êxito capitalista alemão. As raízes autoritárias da via prussiana, bem como a "política de potência e bem-estar", estão inequivocamente na gênese do salto industrializante, mas não explicam a potência imperialista industrial do início do século XX, se não forem associadas às dimensões institucionais de capitalismo organizado que surgem desde a unificação. Entretanto, ambas as hipóteses seguem insuficientes, se não estiverem inseridas no movimento pelo qual este capitalismo imperial-organizado foi capaz de afirmar-se frente ao *hegemon* de cada época, desafiá-lo, enfrentá-lo, e ressurgir das suas derrotas. Contemporaneamente, após a Segunda Guerra, o êxito só é sustentável por sua adaptabilidade, sem supressão da identidade nacional, tanto ao regulacionismo internacional da *Golden Age* quanto à globalização neoliberal das últimas décadas, capacidade essa alimentada pelo apoio e cumplicidade da hegemonia americana, pelo menos até o início da década de 1990.

Trata-se de um capitalismo que estabeleceu por muito tempo, e ainda o faz nesta década, uma relação ausente da maioria dos outros capitalismos, a saber, uma correspondência positiva entre elevados rendimentos reais do trabalho assalariado e substanciais ampliações da produtividade. Seu sucesso prova um ponto importante: altos salários reais podem ser responsáveis por constantes elevações da produtividade.

Compreensivelmente, dada a falácia de composição própria ao cálculo capitalista, pela qual o que parece adequado no plano microeconômico não o é no plano macroeconômico, vem-se impondo na Alemanha uma elite cosmopolita, liberalizante e desregulamentacionista, que pretende aniquilar o suposto anacronismo de seus "mercados", principalmente o mercado de trabalho. É sabido que esses *yuppies* teutônicos, juntamente com seus homólogos europeus e sob a égide americana, encaram a União Europeia animados pelo projeto exclusivo da globalização dos negócios – chegando até mesmo ao paroxismo de ejetar do poder, em nome desse projeto, um moderado ministro alemão social-democrata (Oskar Lafontaine), rotulado de "ministro-vermelho", por ousar propor uma "bem-comportada" agenda político-econômica keynesiana.

O capitalismo globalizado tem revelado ser um capitalismo para poucos, na medida em que tem concentrado riqueza e renda, agravando as disparidades entre as nações, eliminando drasticamente um sem-número de candidatos ao desenvolvimento e à superação do atraso. Os progressos que o capitalismo organizado alemão ainda representa diante de tais descalabros continuam a ser uma referência para as disputas sociopolíticas e econômicas que se travam atualmente no palco da União Europeia. Os dilemas da unificação das duas Alemanhas parecem estar sendo encaminhados de uma maneira que corrobora a determinação e a possibilidade de superação de que é dotada essa organização capitalista, tanto por suas estruturas socieconômicas quanto por sua estrutura política, o que tem pelo menos permitido negociações que viabilizam avanços nas formas de sociabilidade.

Em contrapartida, crescem como nunca, na Alemanha e na Europa continental, as forças que vão desmanchando suas organizações historicamente bem-sucedidas, reforçando assim as instabilidades características do capitalismo atual, que, a essa altura, já afetam tanto países periféricos quanto países centrais. Da possibilidade de resistência alemã a uma transição perversa em seu padrão de desenvolvimento – quem sabe, retornando à pergunta "o que é alemão?" – parece depender o surgimento de contraposições, na União Europeia, que abram novas perspectivas mundiais, superiores àquelas já conhecidas da hegemonia americana, ou melhor, do imperialismo americano.

REFERÊNCIAS

ACIOLI, S.L. (1998). A evolução recente do corporate finance das empresas alemães. In: MACEDO CINTRA, M.A. & PENIDO DE FREITAS, M.C. *Transformações institucionais dos sistemas financeiros* – Um estudo comparado. São Paulo: Fapesp/Fundap.

ALTVATER, E. (1993). *Continuities and Discontinuities in the German Economy after Unification* – Or the Difficulties of Monetary Integration into a Successful Currency Area. Free University of Berlin.

ABELHAUSER, W. (1983). *Wirstchaftsgeschichte der Bundesrepublik Deutschland 1945-1980*. Frankfurt a-Main: Suhrkamp.

BALKHAUSEN, D. (1992). *Gutes Geld und schlechte Politik*. Dusseldorf: [s.e.].

BARRINGTON MOORE Jr. (1967). *As origens sociais da ditadura e da democracia* – Senhores e camponeses na construção do mundo moderno. Lisboa: Liv. Martins Fontes.

BERGHAHN, Y.R. (1990). *Modern Germany* – Society, Economy and Politics in the Twentieth Century. Nova York: Cambridge University Press.

BOBBIO, N. et al. (1995). *Dicionário de política*. Brasília: Ed. UNB.

BRAGA, J.C.S. (1998). Produtivismo e especulação na gestão da riqueza – Um estudo sobre Estados Unidos, Japão e Alemanha. In: MACEDO CINTRA, M.A. & PENIDO DE FREITAS, M.C. *Transformações institucionais dos sistemas financeiros* – Um estudo comparado. São Paulo: Fapesp/Fundap.

_____ (1997). Financeirização global: o padrão sistêmico de riqueza do capitalismo contemporâneo. In: FIORI, J.L. & TAVARES, M.C. *Poder e dinheiro* – Uma economia política da globalização. Petrópolis: Vozes.

_____ (1992). *Finanças industrializantes para a estabilização e o desenvolvimento.* São Paulo: Instituto de Estudos para o Desenvolvimento Industrial – Iedi.

CALLEO, D. (1978). *The German Problem reconsidered* – Germany and the World Order, 1870 to the Present. Londres: Cambridge University Press.

DEUTSCHER, I. (1969). *Trotsky* – El profeta desterrado (1929-1940). México: Ed. Era.

_____ (1968). *Trotsky* – El profeta desarmado (1921-1929). México: Ed. Era.

FIORI, J.L. (1995). Sonhos prussianos e crises brasileiras. In: *Em busca do dissenso perdido.* Rio de Janeiro: Ed. Insight.

GERSCHENKRON, A. (1970). *Atraso económico e industrialización.* Barcelona: Ed. Ariel.

GIERSCHE, H (1970). *Growth, Cycles and Exchange Rates* – the Experience of the West Germany. Stockholm: Almqvist and Wiksell [A página referida é da edição alemã, *Kontroverse Fragen der Wirtschaftspolitik.* München: B. Piper and Co.Verlag, München, 1971].

HALLET, G. (1973). *The Social Economy of West Germany.* Londres: Macmillan.

HENDERSON, W.O. (1975). *The rise of German Industrial Power (1834-1914).* Londres: Temple Smith.

HILFERDING, R. (1963). *El Capital Financiero.* Madri: Ed. Tecnos.

LANDES, D. (1972). *The Unbound Prometheus.* Cambridge: Cambridge University Press, 1972.

LIST, G.F. (1986). *Sistema nacional de economia política.* São Paulo: Nova Cultural.

MARX, K. (1993). A *burguesia e a contrarrevolução.* São Paulo: Ed. Ensaio.

MENDERHAUSEN, H. (1974). *Two Postwar Recoveries of the German Economy.* Connnecticut: Greenwood Press.

NASSUNO, M. (1998). As transformações recentes na estrutura do sistema financeiro alemão e as implicações sobre a política monetária. In: MACEDO CINTRA, M.A. & PENIDO DE FREITAS, M.C. *Transformações institucionais dos sistemas financeiros* – Um estudo comparado. São Paulo: Fapesp/Fundap.

SKIDELSKY, R. (1992). *JMK* – The Economist as a Saviour (1920/1937). Londres: Macmillan.

_____ (1983). *John Maynard Keynes* – Hopes Betrayed (1883/1920). Londres: Macmillan.

SMITH, E.O. (1994). *The German Economy.* Londres/Nova York: Routledge.

TAVARES, M.C. & FIORI, J.L. (1993). *(Des)ajuste global e modernização conservadora.* São Paulo: Paz e Terra.

VEBLEN, T. (1942). *Imperial Germany and the Industrial Revolution.* Nova York: The Viking Press.

WALLERSTEIN, I. (1979). *The Capitalist World-Economy.* Nova York: [s.e.].

Ernani Teixeira Torres Filho

Japão: da industrialização tardia à globalização financeira

1 Introdução

Na literatura sobre desenvolvimento econômico, a experiência japonesa é celebrada como um dos casos mais brilhantes de industrialização tardia. De fato, em menos de duas gerações (1868-1914), o Japão, a partir de uma situação de flagrante atraso frente aos países ocidentais, tornou-se, já no início da Primeira Guerra Mundial, uma das grandes potências a disputar espaço na arena política internacional, particularmente na Ásia.

Esse processo foi conduzido por uma elite que havia tomado o poder na Restauração Meiji (1868) e que tinha como principal projeto impedir que o Japão se tornasse uma colônia estrangeira, à semelhança do que estava ocorrendo com impérios da tradição e do porte da Índia e da China. Para tanto, era condição necessária dotar o país não só de um exército nacional e de instituições modernas, mas também de uma indústria capaz de, sob controle de capitais nacionais, garantir o fornecimento dos meios necessários ao enfrentamento tanto dos exércitos ocidentais quanto dos países vizinhos. Ao longo do último quartel do século XIX, depois de várias guerras com os chineses, o Japão se afirmou definitivamente como potência internacional em 1905, com a vitória sobre os russos, seus inimigos históricos.

Na década seguinte, a despeito de um vigoroso processo de industrialização, a situação financeira externa e interna do país foi se fragilizando até eclodir em uma crise de graves proporções, só revertida graças à Primeira Guerra Mundial. Com o conflito, as empresas manufatureiras europeias ficaram impedidas de suprir os mercados asiáticos, sendo rapidamente substituídas por fornecedores japoneses. O *boom* exportador fez com que, ao final da guerra, o Japão acumulasse reservas internacionais em volume suficiente para se tornar um dos credores líquidos do mundo.

No período entre as duas grandes guerras, a situação política interna mudou substancialmente. O fim da ameaça colonial e a substituição da elite Meiji por gerações mais novas levaram a uma intensa luta pelo poder. De um lado, estavam grupos nacionalistas, vinculados às forças armadas, que reagiam à crescente ocidentalização do país. Para eles, os valores tradicionais estavam sendo destruídos pelo consumismo desenfreado, pela corrupção endêmica da classe política e pelo favorecimento dos interesses de grandes grupos econômicos (zaibatsu), enquanto a população mais humilde, particularmente na área rural, sofria com a pobreza crescente. De outro, estava uma elite ocidentalizada, que buscava intensificar a integração do país aos mercados e às finanças internacionais.

O episódio final desse embate foi o fracasso do retorno do Japão ao padrão-ouro, efetivado em janeiro de 1930, três meses depois do início do pânico financeiro na bolsa de Nova York. As consequências foram desastrosas. Entre 1929 e 1931, o nível de atividade caiu 18%, enquanto os preços agrícolas declinavam cerca de 30%. A crise levou à escalada dos militares ao poder, inclusive por meio do assassinato de lideranças políticas liberais. Seguiu-se a ação militar-colonial na China e em outros países asiáticos, que só foi detida pela derrota frente aos Estados Unidos, marcada pelas bombas atômicas lançadas sobre Hiroshima e Nagasaki.

A ocupação militar pelas forças americanas em 1945 representou a mais profunda ruptura da ordem política desde a Revolução Meiji. Inicialmente, os EUA pretenderam punir permanentemente a nação japonesa por sua "agressão militarista". Isso representava desmobilizar e reordenar a economia e a sociedade, prevenindo assim qualquer tentativa de recuperação da antiga posição de potência asiática. Este lugar estava, agora, reservado para o principal aliado dos americanos na "Guerra do Pacífico"[1], a China.

A partir de 1948, com o acirramento da Guerra Fria, os Estados Unidos reviram completamente sua política externa. Era urgente isolar os países sob domínio soviético e, ao mesmo tempo, incorporar os antigos inimigos fascistas ao bloco ocidental. Nesse contexto, o Japão tornava-se um aliado estratégico relevante na luta contra a expansão comunista na região, ameaçada pela Revolução Chinesa e pela Guerra da Coreia. Devia-se, portanto, promover a recuperação de sua economia e revitalizar as lideranças políticas locais, de forma a integrar o país, o mais rápido possível, à nova ordem internacional, que estava sendo constituída sob domínio dos Estados Unidos.

---

[1] "Guerra do Pacífico" é o nome dado na literatura japonesa à Segunda Guerra Mundial.

JAPÃO: DA INDUSTRIALIZAÇÃO TARDIA À GLOBALIZAÇÃO FINANCEIRA

A exemplo do que havia acontecido no final do século XIX, os japoneses surpreenderam o mundo com o sucesso de sua reinserção internacional. Entre 1953 e 1973, suas taxas de crescimento foram mantidas a níveis próximos a 10% ao ano. O déficit externo, de natureza estrutural, foi eliminado. A antiga estrutura industrial, baseada na têxtil, foi substituída por uma nova, centrada nos setores de equipamentos, insumos básicos e bens duráveis, capaz de competir com produtos americanos e europeus de alto valor e densidade tecnológica.

Foram as duas décadas do chamado "milagre econômico". O crescimento foi tão rápido que era difícil explicar, especialmente a partir do paradigma liberal, como um país pobre em recursos naturais, com elevado índice de desemprego, devastado pela Segunda Grande Guerra, atrasado tecnologicamente, protecionista comercialmente, avesso ao capital estrangeiro e com forte intervenção estatal, tinha conseguido, em menos de quinze anos, deixar definitivamente para trás o espectro da pobreza e do atraso, para se tornar, em 1968, a segunda economia do mundo capitalista (cf. TORRES, 1983).

A quadruplicação do preço do petróleo em 1973 marcou o fim do "milagre". Pressionada por vários choques externos, a economia entrou em recessão, enquanto a inflação e o déficit externo disparavam. Parecia, à época, que o Japão precisaria de muito tempo para colocar sua economia em ordem. Entretanto, a recuperação foi mais rápida do que o esperado. No restante da década, a taxa de crescimento do Produto Nacional Bruto foi de "apenas" 4%, nível muito inferior ao verificado nos anos anteriores mas, mesmo assim, mais elevado que o obtido pelos demais países desenvolvidos.

A reação aos choques de 1973 fez com que o interesse pelo Japão ganhasse novo impulso e enfoque distinto. Em um primeiro momento, as atenções estiveram centradas nas políticas e nas estratégias de ajuste econômico e restruturação industrial. Já na década de 1980, a questão básica passou a ser a nova inserção internacional e o crescimento das tensões com seus parceiros. Em um período curto, o país havia acumulado mega-superávits comerciais, transformando-se no principal credor líquido do mundo capitalista, posição tradicionalmente detida pelos Estados Unidos.

Diante de sua nova posição internacional, o Japão, no plano simbólico, se converteu, para alguns, em um paradigma a ser imitado. Sua experiência tornou-se exemplo da "modernidade", constituindo-se em citação obrigatória em qualquer debate sobre processo de trabalho, tecnologia e "terceira revolução industrial". Para outros, o país era de novo visto como um inimigo a ser temido, em uma reedição pós-moderna do antigo "perigo amarelo". Dentro dessa perspectiva, os que se preocupam com o problema do poder acreditavam que estavam assistindo ao nascimento de uma nova potência hegemônica, a exemplo do que havia ocorrido com a Inglaterra, no final do século XIX, e com os Estados Unidos, após a Segunda Guerra Mundial. O Japão estaria, assim, em uma trajetória que levaria à substituição total ou parcial, dos Estados Unidos, como *hegemon*. O mundo ocidental corria, assim, o risco de ver a condução de seus destinos subordinada aos desígnios de um povo culturalmente diferente e, segundo alguns, "desleal" (*unfair*) em suas práticas políticas e econômicas (VOGEL, 1986; GILPIN, 1987; OKIMOTO & INOGUSHI, 1988).

Os Estados Unidos, entretanto, não assistiram impassíveis a esses acontecimentos. No início dos anos 1980, já haviam conseguido reafirmar sua posição hegemônica por meio da diplomacia do dólar forte, submetendo seus parceiros ao projeto de recuperação de sua própria economia. A partir de 1985, usaram a valorização das moedas de seus concorrentes como instrumento para, no caso dos japoneses: gerar prejuízos em exportadores e investidores incautos; forçar a internacionalização de suas indústrias e capitais; e impor às autoridades locais políticas expansionistas que se contrapusessem ao caráter recessivo do choque externo. Em consequência, desencadeou-se um processo especulativo que levou o país, no início da década de 1990, à pior crise desde a Segunda Guerra Mundial. Desde 1992, a economia praticamente estagnou e, atualmente, o Japão é considerado um dos principais elos frágeis do sistema financeiro internacional.

Diante desse cenário, o presente trabalho busca fazer uma leitura da experiência japonesa de inserção internacional em dois momentos particularmente importantes. O primeiro é o da Restauração Meiji (1868-1914), quando o país transitou de uma situação de atraso relativo para a de uma potência industrial de porte internacional. O segundo período cobre as últimas quatro décadas, com ênfase nos anos que se seguiram à derrota na Segunda Guerra Mundial até meados de 1960, quando se verificou o "milagre econômico", e na fase mais recente, que engloba a chamada "economia da bolha especulativa".

2 Da Revolução Meiji ao imperialismo (1868-1913)

Em 1868, ano em que se iniciou a Revolução Meiji, o Japão era um país habitado por 33 milhões de pessoas, dotado de uma economia basicamente agrícola e com baixo nível de renda per capita, há muito isolado do exterior e dominado por um regime de tradição feudal – o shogunato Tokugawa – que estava sendo amplamente contestado internamente. Do ponto de vista externo, sua situação pode ser chamada de "semicolonial". Os tratados de amizade e comércio que o *shogun* havia sido obrigado a firmar com as po-

JAPÃO: DA INDUSTRIALIZAÇÃO TARDIA À GLOBALIZAÇÃO FINANCEIRA

tências ocidentais – conhecidos como "Tratados Infames" – comprometiam a autonomia nacional. O Estado japonês havia assegurado aos estrangeiros que o ouro e a prata teriam plena liberdade de circulação, que não imporiam taxas às exportações e importações em mais de 5% *ad valorem* e que poderiam comerciar livremente em qualquer porto. Depois de mais de dois séculos e meio de isolamento, o Japão fora obrigado, pela força das armas, a concordar com a abertura imediata e ampla de sua economia em condições desvantajosas.

O impacto imediato dos "Tratados Infames" foi provocar a desorganização da economia. O sistema de preços sofreu um "choque cambial", uma vez que a relação ouro – prata doméstica era de 1 para 5, enquanto a internacional era de 1 para 15. Verificou-se de imediato uma substancial saída de ouro para o exterior, que levou à desvalorização da moeda nacional – redução de seu conteúdo em metal – à inflação – muitos preços à vista e a futuro eram contratados em prata – e ao aumento de impostos.

Em consequência, a base política do regime Tokugawa tornou-se ainda mais restrita. Seus oponentes aproveitaram a oportunidade para obter adesões, questionando o regime como demasiado subserviente aos "bárbaros estrangeiros". A radicalização do processo político levou o país à beira de uma guerra civil. A luta aberta só foi evitada pelo temor de que a desorganização, que se seguiria, levasse à intervenção de forças estrangeiras, comprometendo definitivamente a independência nacional. As elites japonesas tinham pleno conhecimento de que as disputas internas tinham sido a principal "porta de entrada" para o colonialismo estrangeiro no restante da Ásia.

Diante desse consenso, o fim do regime foi negociado. O último Tokugawa concordou em formalmente devolver ao imperador o poder que havia sido transferido à sua família 250 anos antes. Na prática, o governo passava para o "Conselho de Pares do Imperador" (*Genro*), formado pelos principais líderes revoltosos. Essa transição sem sangue foi suficiente para deter, naquele momento, o risco imediato da colonização estrangeira, uma vez que as principais potências ocidentais estavam demasiado envolvidas em guerras – Crimeia, China, Secessão nos Estados Unidos e Franco-Prussiana – para se preocuparem diretamente com o remoto Japão.

O novo governo estava diante de um difícil dilema. Por um lado, não tinha condições de romper unilateralmente as amarras impostas pelos "Tratados Infames". O risco de uma reação militar das potências ocidentais era muito elevado. Por outro, sabia que, se a integração externa do país continuasse, apenas "pelas vias do mercado", o Japão se tornaria mais um miserável entreposto comercial asiático, baseado na exportação de produtos primários e na compra de manufaturados.

Diante desse quadro, os novos dirigentes lançaram um amplo programa de reformas que tinha o propósito de fortalecer o poder nacional. O *slogan* dos revolucionários era: "País rico, força armada forte" (apud SCOTT, 1980: 24). Estava claro para os japoneses que, para afirmar sua autonomia, não era suficiente importar equipamentos bélicos modernos. Poder militar, a seu ver, requeria um Estado moderno e administrativamente eficiente, capacidades industrial e comercial próprias, domínio sobre o conhecimento tecnológico, além de um exército capaz de enfrentar as potências inimigas.

O passo inicial foi promover a centralização política e financeira do Estado. Foram eliminados os direitos feudais das duas classes mais importantes: os *daymio*, senhores da terra, e os samurais, guerreiros. Os primeiros foram compelidos a doar suas terras ao imperador em troca de uma pensão anual, que posteriormente foi securitizada por meio da emissão de títulos públicos. Seus feudos foram transformados em prefeituras que passaram a ser governadas por burocratas nomeados pelo governo central, criando as condições para a centralização fiscal e administrativa do país. Os samurais também tornaram-se pensionistas do governo e perderam, não sem resistência[2], o monopólio das armas e das letras. O novo exército nacional passou a ser formado basicamente por filhos de camponeses, sujeitos ao serviço militar e a um mínimo de quatro anos de educação obrigatórios.

Outra iniciativa relevante foi a busca da unificação do espaço nacional por meio da modernização dos meios de transportes e das comunicações. Foram estabelecidas as primeiras linhas de telégrafo e de ferrovias. Promoveram-se a marinha de guerra e a mercante. A indústria e as companhias de comércio também foram estimuladas, particularmente nas atividades ligadas aos setores bélico e têxtil de algodão, para substituir importações, e da seda, para a exportação.

A reforma monetária completava o novo quadro institucional. A preocupação inicial era com o estabelecimento de uma moeda nacional única. O governo Meiji havia herdado um sistema desorganizado, formado por moedas de ouro, prata e cobre, com diferentes valores nominais, níveis de pureza c pesos, que, por sua vez, conviviam com 1.694 diferentes tipos de notas emitidas tanto por *daimyo* quanto por mercadores[3].

---

[2] Em 1877, as forças samurais que resistiam à modernização foram derrotadas pelo exército Meiji, formado por camponeses, de acordo com os mais modernos princípios militares europeus.

[3] Essa grande diversidade de moedas levou à formação de um importante e sofisticado mercado de câmbio, que operava taxas flutuantes de conversibilidade entre os vários meios de pagamento. O volume de recursos transacionados nesses mercados era de tal monta que várias dessas "corretoras de valores" deram origem, ainda no período Tokugawa, a importantes casas bancárias, entre as quais se destaca a Mitsui.

O iene foi estabelecido como único padrão monetário nacional e deveria, em princípio, ser conversível, caso contrário os detentores das antigas moedas metálicas do período Tokugawa não seriam estimulados a trocá-las pelas denominadas na nova unidade. Ademais, os "Tratados Infames" estabeleciam a livre circulação de metais, inclusive de moedas estrangeiras. Diante desse fato, o governo decidiu implantar um sistema primordialmente metálico, convivendo, no entanto, com papel-moeda inconversível. Inicialmente, a quantidade de moeda inconversível correspondia a 25% do meio circulante. Entretanto, como consequência do financiamento monetário do déficit público, a participação das notas inconversíveis chegou a atingir 80% na primeira metade dos anos 1880.

Após um período de indecisão, finalmente decidiu-se fixar os impostos e a paridade do iene com a prata, o lastro metálico mais utilizado na Ásia. Como o ouro tendeu ao longo do final do século XIX a se tornar o padrão internacional dominante e a se valorizar continuamente frente à prata, o iene sofreu uma longa desvalorização frente às principais moedas internacionais. Quando o Japão decidiu em 1897a realmente aderir ao padrão-ouro, a paridade foi fixada em um nível 50% inferior à vigente em 1871.

Em seguida à consolidação do novo padrão monetário, os reformistas fizeram várias tentativas de implantar um sistema bancário que garantisse uma oferta elástica de moeda, de acordo com as necessidades da atividade econômica. O primeiro modelo, adotado em 1872, era baseado no então vigente nos Estados Unidos e teve vida curta porque se apoiava em emissores privados de moeda conversível, os "banco nacionais". Em 1876, o governo reformou a lei bancária. Eliminou-se o requisito de plena conversibilidade das notas bancárias. Adicionalmente, autorizou-se que o capital dos bancos também pudesse ser composto pelos títulos usados pelo governo para indenizar os *daimyo* e os samurais em troca das pensões a que tinham direito. Era uma tentativa de criar condições para que a antiga classe dirigente pudesse ocupar um espaço econômico relevante no novo regime, o de proprietários de bancos, e simultaneamente manter o valor do seu patrimônio, agora na forma de dívida pública. A partir da nova legislação, o número de bancos nacionais aumentou de 5 para 151 entre 1876 e 1880. O valor da capitalização dessas instituições, por sua vez, multiplicou-se por 20. Alguns dos novos bancos foram formados por antigos senhores feudais, muitos dos quais passaram a ser financiadores privilegiados dos negócios públicos.

No mesmo ano em que reformou a lei dos "bancos nacionais", o governo também iniciou o reconhecimento, como bancos privados, das "casas mercantis-financeiras". A primeira a ter autorização para usar o nome de *ginko* – termo inventado para denominar "banco ao estilo ocidental" – foi a

Mitsui, grupo que havia se consolidado ainda no período Tokugawa. Graças a suas relações próximas com o governo e à riqueza acumulada ao longo de quase cem anos de existência, a Casa Mitsui, a partir de seu banco, começou a diversificar seus interesses, comprando inicialmente minas de carvão e, nos anos 1880, estabelecendo-se na indústria, a partir da têxtil do algodão. Era o início da montagem do primeiro e mais importante *zaibatsu*[4].

Essa estrutura, formada basicamente por bancos "nacionais" e comerciais privados, foi novamente alterada, no início dos anos 1880, como parte do programa de estabilização do novo ministro da Fazenda, o príncipe Matsukata. O governo decidiu eliminar o sistema de bancos nacionais, centralizando o poder de emissão em um banco central – o Banco do Japão (1882) – sob controle público. O novo banco central só deu início à emissão de notas conversíveis em 1886, em substituição ao papel-moeda inconversível do governo. Completava-se, assim, a montagem do sistema nacional de crédito. A partir da segunda metade da década de 1880, o Japão passava a dispor de um sistema bancário desenvolvido o suficiente para apoiar o primeiro grande surto de industrialização.

A despeito dos graus de liberdade obtidos com um sistema monetário basicamente inconversível, com uma taxa de câmbio deslizante, baseada na prata, e com um sistema de crédito moderno, os japoneses, na medida em que não tinham capacidade de controlar diretamente seu comércio exterior, foram obrigados a conviver com grandes déficits comerciais. Os "Tratados Infames" proibiam controles quantitativos ou aumento nos impostos sobre as importações. A pauta de exportações, por sua vez, era muito concentrada em apenas dois produtos, cujos preços eram determinados internacionalmente: o chá e a seda crua respondiam por 56% das vendas ao exterior. Inicialmente, o governo, para financiar os déficits externos, lançou mão dos estoques de ouro e prata que haviam sido liberados pelo processo de monetização. Em 1880-1881, a situação, no entanto, se agravou. As reservas metálicas estavam em níveis baixos e continuavam se esvaindo rapidamente[5].

Uma vez que o iene tinha uma paridade fixa com a prata, as únicas saídas possíveis para o governo, a curto prazo, eram a tomada de empréstimos

---

[4] O termo *zaibatsu* tem uma conotação depreciativa e poderia ser traduzido por grupo fechado de pessoas da área financeira ou "panelinha" financeira; o termo *keiretsu* significa um conjunto de empresas industriais e financeiras com fortes ligações entre si e é utilizado para denominar uma forma de conglomeração distinta do *zaibatsu* do pré-guerra; para uma análise das diferenças entre os *keiretsu* e os *zaibatsu*, cf. Torres (1983 e 1992, capítulo 5).

[5] Entre 1872 e 1881, a perda de reservas havia compensado um déficit acumulado da ordem de 10% do PIB naquele último ano.

JAPÃO: DA INDUSTRIALIZAÇÃO TARDIA À GLOBALIZAÇÃO FINANCEIRA

no exterior ou a redução no nível da atividade. A escolha da alternativa a ser seguida deixou o gabinete de ministros tão dividido que o problema foi levado à decisão do próprio imperador, que, ao final, manifestou-se contrariamente à tomada de financiamentos externos. Curiosamente, ao justificar sua decisão, o imperador usou como argumento o conselho que havia recebido poucos anos antes do presidente norte-americano Ulisses Grant, quando de sua visita ao Japão:

> Olhe o Egito, a Espanha e a Turquia e veja as condições miseráveis em que se encontram... Algumas nações gostam muito de emprestar dinheiro para os países mais pobres. Dessa forma, ostentam sua autoridade e bajulam a nação pobre. O propósito [dos países ricos] de emprestar dinheiro [para os mais pobres] é obter poder político para si mesmos (apud SCOTT, 1975: 37 – tradução livre).

Foi, então, adotada, sob comando do príncipe Matsukata, uma política econômica de cunho ortodoxo voltada para instaurar o equilíbrio interno e externo da economia. O objetivo central era provocar uma deflação para, com isso, obter o equilíbrio das contas externas. O governo aumentou impostos, particularmente sobre o consumo, reduziu despesas e vendeu empresas estatais, de modo a gerar um superávit de caixa. Esse excedente fiscal foi, por sua vez, utilizado para recomprar parte expressiva do estoque de notas inconversíveis e para recuperar as reservas externas do governo. Entre 1878 e 1885, o estoque de moeda foi reduzido em 32%.

O impacto da deflação Matsukata sobre o nível da atividade foi extremamente recessivo. Segundo estimativas de Ohkawa (1965), a renda nacional entre 1880 e 1884 contraiu-se 21%. O crescimento, pela primeira vez, era sacrificado em favor da estabilização e, principalmente, do fortalecimento da autonomia nacional, dentro das regras da ordem internacional vigente. Certamente, caso o governo tivesse poder para desvalorizar sua moeda, o caminho seguido teria sido diferente. O nível de preços poderia ser estabilizado aos valores nominais de 1881 e a taxa de câmbio se encarregaria do resto. Ao longo de toda sua história, os japoneses sempre atribuíram mais valor ao crescimento econômico que à estabilidade de preços por si mesma. O que sempre lhes foi caro foi a manutenção de condições de financiamento de suas contas externas em condições que não colocassem em jogo a autonomia decisória nacional[6].

A despeito da estabilização, a principal limitação ao crescimento econômico continuou sendo de origem externa. Houve momentos entre 1885

---

[6] Se o Japão pudesse desvalorizar sua moeda, o que feria os acordos internacionais, o governo poderia ter obtido o mesmo resultado, sem uma pressão deflacionista tão grande, reduzindo o valor metálico do iene.

231

e 1895 em que a situação cambial se mostrou profundamente adversa. O padrão-prata, apesar de flutuante, não era capaz de permitir ajustes automáticos da taxa de câmbio do iene às condições econômicas internas. O ano de 1890 é um exemplo. Acumularam-se vários fatores adversos. Houve a necessidade de grandes importações de arroz, por problemas decorrentes da frustração da colheita, ao mesmo tempo em que o preço da seda, principal produto de exportação, declinava quase à metade. Não bastando os problemas comerciais, a prata sofreu uma valorização de quase 20%, em consequência da política de compras do governo americano. O déficit comercial e a queda nas vendas afetaram as empresas e colocaram o sistema bancário diante de sua primeira crise capitalista. O Banco do Japão, neste como em outros episódios, atuou de forma compensatória, refinanciando os bancos privados. A menos que a situação externa fosse insustentável, o crescimento era o objetivo primordial do regime Meiji.

Com o processo de industrialização em marcha, o Japão se lançou abertamente na disputa do jogo imperial na Ásia. Em 1894, entrou em guerra com a China pelo domínio da península coreana. A vitória japonesa levou a algumas conquistas territoriais e, mais importante, garantiu uma indenização em moeda conversível em valor correspondente a 29% da renda nacional do Japão naquele ano e a duas vezes suas importações anuais (PATRICK, 1965: 206). Com esses recursos o governo, a despeito da oposição dos setores industriais e comerciais, adotou, em 1897, de fato o padrão-ouro, regime que havia sido introduzido legalmente há 26 anos. Os motivos básicos que levaram a essa decisão eram de natureza estratégica. Era uma forma de anunciar às demais potências que o Japão havia alcançado a "maioridade" e que já tinha condições de participar do mercado internacional e do jogo imperial em condições de igualdade. Para tanto, só restava renegociar os "Tratados Infames". Em 1899, a extraterritorialidade dos estrangeiros foi abolida e a autonomia tarifária reconquistada.

A adoção do padrão-ouro representava um passo importante na estratégia de integração do país no sistema financeiro internacional, agora mais líquido e internacionalizado. Uma vez que a ameaça de se tornar uma colônia estrangeira estava definitivamente afastada, o crédito externo passou a ser visto como instrumento capaz de acelerar o processo de crescimento. Para tornar-se um devedor confiável, era condição necessária que o iene fosse conversível em ouro em uma paridade fixa. Essa medida reduzia o risco de conversibilidade do país. Entretanto, a despeito de ter adotado o padrão-ouro, a primeira tentativa de securitizar em 1898 um empréstimo de 10 milhões de libras esterlinas na praça de Londres foi um fracasso. As instituições garantidoras (*underwriters*) do lançamento foram obrigadas a subscrever 90% da emissão.

Nos primeiros anos, o padrão-ouro impôs um grande constrangimento ao nível interno de preços e ao crescimento. Em um país que tendia a apresentar déficits externos estruturais, o Banco do Japão foi obrigado a aceitar as regras do jogo e a ajustar a economia à disponibilidade de divisas, inclusive lançando mão da elevação das taxas de juros. Os objetivos de rápido crescimento industrial e de equilíbrio externo a uma taxa fixa de câmbio mostravam-se na prática incompatíveis, se o país não dispusesse de uma fonte automática de financiamento de seus déficits externos.

Só a partir de 1902, como consequência da assinatura do Tratado de Aliança Militar Anglo-Japonesa, o mercado financeiro britânico se abriu definitivamente para os japoneses, que passaram a financiar com relativa facilidade tanto seus crescentes déficits externos quanto os de seu setor público. O apoio financeiro e militar da Inglaterra foi crucial para a afirmação japonesa na Ásia. Não fosse o acesso ao mercado londrino, teria enfrentado grandes dificuldades para financiar sua guerra contra a Rússia em 1905, bem como para realizar investimentos diretos no exterior, em particular em suas novas áreas coloniais.

O ambiente macroeconômico que se seguiu à vitória frente à Rússia também se mostrou muito propício ao desenvolvimento industrial. Os investimentos nos setores manufatureiros e nos sistemas de transporte se aceleraram. A indústria pesada, particularmente a voltada para finalidades bélicas, passou a comandar o crescimento. Entretanto, o modelo de crescimento com endividamento externo começou a mostrar claros sinais de esgotamento já nos primeiros anos da década de 1910. O déficit comercial crônico e o crescimento dos gastos com juros e amortizações da dívida externa comprometiam a credibilidade no país. Enquanto isso, a dívida pública quintuplicava, a inflação crescia mais rapidamente que nos Estados Unidos e na Inglaterra e o governo, a despeito do aumento dos impostos, continuava a acumular gigantescos déficits. Tudo indicava que o Japão seria obrigado a atravessar um novo processo de ajustamento ao estilo Matsukata. O início da Primeira Grande Guerra, que marca o fim do período Meiji, alterou radicalmente esta trajetória. Em pouco tempo, o Japão se tornaria um credor líquido internacional e o principal exportador de manufaturados para a Ásia, tomando posições perdidas por fornecedores europeus, afastados desse mercado pelo conflito militar.

3 Da ocupação americana à globalização financeira

O segundo período a ser analisado se inicia no imediato pós-guerra e vai até os dias de hoje. Tendo em vista sua extensão, será atribuída ênfase a duas fases relevantes. A primeira, a do "milagre econômico", reúne os anos em que o Japão transita de uma situação de derrotado na Segunda Guerra para a de potência industrial. A segunda, que se estende da valorização do dólar até os dias de hoje, compreende os momentos em que o Japão busca de diferentes maneiras se ajustar aos impactos negativos decorrentes da pronunciada valorização do iene e da globalização financeira de sua economia.

3.1 Da ocupação americana à liberalização comercial (1945-1964)

O imediato pós-guerra foi um período extremamente importante para a história recente das economias capitalistas. Ao longo dos oito anos que se seguiram ao final da Segunda Guerra, o mundo assistiu à implantação e à consolidação, sob a hegemonia dos Estados Unidos, das regras e das instituições que viriam, até os anos 1970/1980, nortear as relações econômicas e financeiras internacionais.

Nesse contexto, o Japão é um dos casos mais notáveis de adaptação ativa a essa nova ordem. Os japoneses se aproveitaram habilmente das oportunidades que lhes surgiram, enquanto transitavam da situação de inimigos derrotados (1945) para a de segunda potência industrial do mundo capitalista (1968). Para se entender o processo que levou à reintegração do Japão ao mundo ocidental em posição de tanto destaque é necessário dividir esse período de mais de duas décadas em duas fases. A primeira se estende pelos anos em que os japoneses estiveram diretamente submetidos a um governo de ocupação norte-americano (1945-1953). A segunda compreende o período do "milagre econômico", que se inicia com a recuperação da independência e vai até a segunda metade dos anos 1960, quando o Japão finalmente aceitou plenamente as regras comerciais que norteavam a concorrência entre os países desenvolvidos[7].

A fase da ocupação foi certamente o período mais difícil para a reinserção internacional do Japão. Ao final do primeiro semestre de 1945, a economia se encontrava em situação bastante precária. O esforço de guerra havia exaurido a indústria local, pela falta de estoques de reposição e, principalmente, pela ausência de investimentos de manutenção. As fontes tradicionais de matérias-primas e de alimentos baratos haviam secado com a perda do império colonial. As cidades e as redes de transporte haviam sido destruídas por bombardeios seletivos. A recessão e o desemprego se acentuavam, ao mesmo tempo em que seis milhões de repatriados re-

---

[7] Em 1963, o Japão aceitou o artigo 8º do Fundo Monetário Internacional e suspendeu o controle de suas importações por limites máximos de gasto. Em 1967, ainda persistiam limitações setoriais a investimentos estrangeiros na indústria (TORRES, 1983).

JAPÃO: DA INDUSTRIALIZAÇÃO TARDIA À GLOBALIZAÇÃO FINANCEIRA

tornavam à metrópole. A alta inflação corroía as dívidas e o poder de compra dos assalariados.

Em lugar de buscar remediar a situação, o governo militar norte-americano contribuiu para seu agravamento[8]. O objetivo inicial dos Estados Unidos era punir permanentemente o povo japonês por sua "aventura militarista", por meio da desmontagem de suas indústrias pesada e tecnologicamente de ponta, da desarticulação de seus grandes blocos de capital e da eliminação, de uma vez por todas, do poder econômico e político de suas classes dirigentes, particularmente o das famílias proprietárias dos grandes conglomerados, os *zaibatsu*, dos latifundiários e dos militares. Um relatório do governo americano de novembro de 1945 afirmava que "não devem (ser tomadas) atitudes no sentido de ajudar o Japão a manter um nível de vida superior ao dos países vizinhos prejudicados pela agressão japonesa... No balanço global das necessidades, o Japão deve ter a última prioridade" (apud TORRES, 1983: 16). Em suma, o projeto inicial dos americanos era impedir que o Japão tivesse uma inserção favorável na nova ordem internacional. Este lugar agora estava reservado para seu aliado na região, a China. Parecia, assim, definitivamente enterrado o sonho de autonomia e soberania nacional que havia sustentado, desde a Revolução Meiji em 1868, o projeto nacional-desenvolvimentista.

A partir de 1947, com o acirramento da Guerra Fria e, posteriormente, com a Revolução Chinesa de 1949 e com a Guerra da Coreia, houve uma mudança radical no contexto geopolítico e na estratégia americana frente ao Japão. O projeto punitivo deu lugar a uma nova orientação: os japoneses deveriam poder operar, por seus próprios meios, sua economia, de acordo com as diretrizes da nova ordem internacional. Para os Estados Unidos, tornava-se importante estabilizar o mais rápido possível as economias atingidas pela guerra, evitando o contágio do "perigo comunista" nas fronteiras de seu império, mesmo que esses países fossem inimigos recentemente derrotados.

Com esse intuito, os americanos, de um lado, relaxaram o aprofundamento das reformas antimonopolistas mas, de outro, passaram a exigir a imediata estabilização da economia japonesa, como forma de deter o processo inflacionário e os déficits comerciais externos, mesmo que essa ação tivesse um alto custo social. Era uma guinada de 180 graus na política de ocupação, que, até então, havia tolerado taxas de inflação superiores a 150% ao ano e déficits externos anuais de cerca de US$ 500 milhões. Diante da relutância do governo local em implementar suas ordens, as autorida-

---

[8] Entre 1944 e 1946, o nível de produção industrial se reduziu de um índice de 100 pontos para menos de 23 (TORRES, 1983).

235

des de ocupação decidiram impor um programa apoiado em um orçamento fiscal superavitário e, principalmente, no estabelecimento de uma paridade única e fixa entre o dólar e o iene.

O Japão se via assim inserido à força em um sistema comercial e cambial no qual não tinha condições estruturais de se ajustar de forma imediata. O programa de estabilização fez com que a inflação fosse rapidamente contida, ao mesmo tempo em que a estagnação tomava conta da economia. A abertura comercial, a despeito de a taxa de câmbio ter sido fixada de forma a garantir ampla margem de competitividade aos produtos locais, gerou, de imediato, elevados déficits, apesar de as exportações terem mais que triplicado sua participação na renda interna. Um clima pessimista tomou conta do país. Não fosse a maciça ajuda financeira americana, depois substituída por compras de suprimentos para as tropas envolvidas com a Guerra da Coréia, dificilmente o Japão teria escapado de um processo que levaria a uma pronunciada redução do nível de atividade interna e no aumento do desemprego e das falências.

Aproveitando-se da gravidade da situação, as autoridades japonesas conseguiram negociar com os americanos alguns pontos de extrema importância para o arranjo institucional que deu suporte ao crescimento acelerado dos anos 1950/1960. O câmbio seria monopólio do Estado. As importações e a entrada de capital estrangeiro seriam diretamente controladas pelo governo. Posteriormente, os Estados Unidos aceitaram que os japoneses realizassem um esforço de exportação direcionado para o mercado americano, baseado em políticas agressivas de subsídio. A partir desse marco institucional, a reinserção do Japão na economia internacional foi realizada em condições defensivas tais que permitiram que o país, ao longo dos dez anos seguintes, apresentasse taxas de crescimento da ordem de 10% ao ano, sem desacelerações relevantes, ou seja, uma trajetória sem precedentes na história do país e das nações industrializadas para um período tão longo.

Esse "milagre econômico" foi obtido a partir de um contexto institucional no qual foi inicialmente importante a permissão para que os antigos *zaibatsu* pudessem se rearticular em grandes conglomerados, que incluíam grandes empresas industriais, comerciais (*trading companies*) e financeiras. Essa reconcentração do capital nacional se deu, no entanto, em novas bases, formando os *keiretsu*. Estes grupos são caracterizados por um *network* estável e complexo de relações entre empresas, capaz de coordenar estratégias globais de concorrência, sem, no entanto, tolher a autonomia e a flexibilidade decisória de cada um de seus membros. Trata-se de uma forma específica de organização capitalista que se originou no Japão nas décadas de 1950 e de 1960 e que se diferencia das modernas corporações integradas americanas e europeias.

JAPÃO: DA INDUSTRIALIZAÇÃO TARDIA À GLOBALIZAÇÃO FINANCEIRA

Os *keiretsu*, mesmo quando possuem os mesmos nomes dos *zaibatsu*, não são controlados pelas famílias que os fundaram, uma vez que estas foram expropriadas pelo governo militar de ocupação. Sua origem é a rede de relações pessoais entre os gerentes das diversas empresas e, sobretudo, a concentração de débitos junto ao banco comercial dos antigos *zaibatsu*, os *city banks*. Foi a partir deste sistema informal de relações pessoais e, principalmente, da concentração de débitos de um determinado grupo de empresas em um mesmo banco, que se deu a formação dos modernos conglomerados. Como resultado, os bancos comerciais passaram a ter nos *keiretsu* importância ainda maior do que tinham nos *zaibatsu*. Tornaram-se líderes tanto pela melhor qualificação de seu corpo técnico como pelo fato de serem um canal privilegiado de acesso das empresas ao principal instrumento de efetivação de suas decisões de investimento, o crédito em condições favorecidas.

Os *keiretsu* decidiram seus investimentos no âmbito da política de "concorrência entre iguais", promovida pelo governo japonês. O Estado não discriminou o acesso de nenhum dos grandes grupos aos setores escolhidos como estratégicos nos programas nacionais de industrialização formulados pelo Ministério da Indústria e do Comércio Exterior (Miti). Tais planos tinham como objetivo substituir a antiga indústria, apoiada na têxtil, por uma nova estrutura, baseada em segmentos de bens de capital, insumos básicos e de consumo duráveis, controlados por empresas nacionais.

Devido às pressões concorrenciais, quando um determinado grupo se lançava em uma nova indústria, os demais o seguiam. No momento seguinte, as vendas cresciam, sancionando a capacidade de produção que havia sido instalada e criando novas possibilidades de investimentos em mercados internos dos conglomerados, situados a jusante e a montante da matriz interindustrial. Foi o chamado "princípio do controle global" (TORRES, 1983). Essa trajetória dos conglomerados foi assim analisada por um ex-presidente do grupo Mitsubishi:

> Não estamos fazendo isto seguindo qualquer princípio definido de controle global. Dentro de um mesmo grupo existe um grande número de empresas e se, por exemplo, surge a necessidade de entrarmos, digamos, na petroquímica, a Mitsubishi Rayon tem conexões com a petroquímica da mesma forma que a Mitsubishi Chemical Industries. Como resultado, as coisas aparecem como se seguissem um princípio geral de controle global sobre as indústrias. Penso que a verdade está, não que tenhamos a ideia de controlar tudo que existe, mas sim que estas coisas acontecem em decorrência da própria necessidade dos negócios (apud MYAZAKI, 1967).

A competição entre os grandes conglomerados tornou-se tão intensa e direta que foi chamada pela burocracia japonesa de "excessiva". Como consequência, a taxa de formação bruta de capital fixo, a preços de 1965, aumentou de 17,8% em 1955 para 30,6% em 1962 e chegou a mais de 37% nos primeiros anos da década de 1970, níveis muito elevados, mesmo quando comparados aos verificados em processos de acumulação "forçada" do tipo socialista.

A "competição excessiva" no mercado interno só foi possível porque o Estado decidiu limitar, apenas aos grupos nacionais, o acesso ao mercado interno. Por meio do controle direto das importações e do investimento estrangeiro, eliminou-se a ameaça da competição direta dos capitais externos, o que permitiu às empresas nacionais levarem adiante seus projetos de investimento, sem correrem o risco de ser surpreendidas, em seu próprio mercado, pela entrada imprevista de fortes concorrentes estrangeiros.

O caráter "xenófobo" da política industrial japonesa estava também associado à necessidade de o país administrar, em "sintonia fina", seu setor externo. O governo, até meados de 1960, atuou de modo a evitar o aparecimento de déficits comerciais expressivos ou crônicos. Sendo uma economia que tendia estruturalmente a importar mais do que a exportar, o país, na falta de uma administração centralizada do comércio externo que previnisse a efetivação de grandes déficits comerciais, poderia ficar sujeito a intervenções dos organismos internacionais, cuja visão liberal se chocaria com a política industrial japonesa, de cunho eminentemente nacionalista e intervencionista, no sentido oriental do termo.

A postura comercial defensiva, aliada à total impossibilidade de, objetivamente, se desenvolver uma base primário-exportadora, fez com que a indústria japonesa fosse, ela mesma, obrigada a se responsabilizar pelo financiamento externo de suas importações de bens e serviços, o que, por exemplo, contrasta marcadamente com as experiências de industrialização latino-americanas. O setor manufatureiro teve, assim, de se manter permanentemente preocupado com preços, qualidade e produtividade, além de esquemas agressivos de promoção de exportações, como subsídios e esforços de vendas. Defendidos por elevadas barreiras tarifárias e não tarifárias, coube aos setores primários, particularmente à agricultura, garantir a autossuficiência alimentar, mesmo ao custo de manter extremamente elevado, em termos internacionais, o custo de reprodução da força de trabalho.

Finalmente, tendo em vista a enorme relevância do crédito bancário corrente para o financiamento industrial de longo prazo, o governo, por meio do Banco do Japão (BoJ), ajustou sua política monetária de forma a subordiná-la aos interesses do crescimento industrial. O BoJ garantiu, durante todo o tempo, um nível de liquidez compatível com a necessidade de

JAPÃO: DA INDUSTRIALIZAÇÃO TARDIA À GLOBALIZAÇÃO FINANCEIRA

expansão das operações dos grandes bancos comerciais e da economia como um todo. Em meados da década de 1960, mais de 60% das operações ativas do banco central eram formadas por créditos ao setor privado, uma posição única entre os bancos centrais dos principais países desenvolvidos (MYAZAKI, 1967 e TORRES, 1983).

As relações privilegiadas mantidas pelos *city banks* com o Banco do Japão (BoJ) foram, em várias oportunidades, evidenciadas pelo fato de os grandes bancos comerciais se encontrarem em uma situação de *overloan*, ou seja, de endividamento líquido positivo junto ao BoJ. Esse indicador revela o caráter acomodatício que guiou a política monetária no pós-guerra. Medidas restritivas se limitaram a curtos períodos, quando eventuais desequilíbrios comerciais externos tendiam a se prolongar. Nesse caso, o principal instrumento usado para refrear o crescimento da demanda agregada e do processo especulativo era o contingenciamento linear dos créditos abertos aos principais bancos, sem que se verificassem aumentos na taxa de juros de redesconto. A atuação governamental no mercado bancário também era de apoio à competição excessiva, com base na "concorrência entre iguais".

Essa complexa política de estrutura industrial era vista como legítima aos olhos dos parlamentares, das empresas e dos assalariados. Os parlamentares, na prática, deixaram a gestão econômica nas mãos da burocracia, que negociava ou até mesmo impunha suas decisões aos capitais nacionais. O partido do governo era, até o início da década de 1970, dominado por ex-burocratas do setor público, que possuíam ampla penetração junto a seus pares, colocados em postos nos ministérios. Garantia-se, assim, uma perfeita sintonia entre os interesses dos ministérios e os atos legislativos.

As empresas, por sua vez, participavam ativamente das campanhas eleitorais, financiando seus candidatos e constituindo seus blocos de representação parlamentar. A condução econômica era tida como uma tarefa afeta aos burocratas em consulta com as empresas. A Dieta só intervinha como mecanismo de arbitragem de disputas abertas. Com o tempo, o sucesso da política industrial e econômica legitimou esse esquema de papéis decisórios, gerando um consenso quanto aos objetivos e aos métodos de implementação utilizados para o desenvolvimento do projeto de crescimento acelerado.

A classe trabalhadora organizada, a não ser no período da ocupação, sempre teve uma atitude extremamente cooperativa para com as empresas e o governo. Essa prática não foi resultado de nenhum pacto "welfarista" de estilo ocidental. O compromisso político do governo e das empresas com os sindicatos, até o início da década de 1970, se limitou à estabilidade do emprego, à ampliação dos postos de trabalho e ao aumento dos salários reais, objetivos que foram plenamente viabilizados pelo êxito do projeto de crescimento econômico acelerado. Os ganhos de produtividade eram, em parte, transferidos aos trabalhadores do setor formal por meio de salários extras (*bônus*), vinculados aos resultados obtidos pelas empresas. Cerca de um terço da renda anual dos empregados japoneses era, e ainda é hoje, proveniente dessa forma de "participação nos lucros".

A despeito de a "concorrência excessiva" entre os grandes conglomerados ter sido isoladamente o elemento mais importante para o sucesso do "milagre japonês", as elevadas taxas de crescimento alcançadas pelo Japão até 1973 – em um país carente em matérias-primas básicas e que, em meados da década de 1950, possuía uma indústria obsoleta e desgastada – não poderiam ser obtidas sem que sua economia atravessasse um profundo desequilíbrio industrial (cf. TORRES, 1983). De fato, a estrutura do setor manufatureiro foi, nas décadas de 1950 e de 1960, profundamente alterada, gerando novas relações inter e intraindustriais, ao mesmo tempo em que, nos conglomerados e nas empresas, se verificaram transformações nas formas dominantes de organização do capital. Em menos de vinte anos, o Japão deixou de ser um país ainda muito dependente da indústria têxtil e da agricultura para se tornar um produtor e exportador de porte internacional nos segmentos de insumos industriais e de máquinas e equipamentos. O *drive* exportador foi, nessas décadas, muito relevante para garantir a liquidez externa da economia, mas pouco relevante do ponto de vista da dinâmica macroeconômica. A indústria foi mercado para si mesma, criando condições endógenas de realização para uma produção manufatureira ascendente.

É verdade que o processo de rápido crescimento, associado à intensificação da produção industrial a partir dos setores de máquinas e equipamentos e insumos industriais básicos, não foi um fenômeno exclusivo da experiência japonesa, nem é capaz, por si só, de dar conta da explicação de seu milagre econômico. No pós-guerra, todos os países que, de alguma forma, conseguiram mudar sua estrutura industrial, tomando por base o *sistema manufatureiro americano* (TAVARES & TEIXEIRA, 1981), apresentaram altas taxas de crescimento, aumento da produtividade e redução do hiato tecnológico em relação aos Estados Unidos. A particularidade japonesa não está, portanto, na trajetória industrial que foi adotada, mas deve ser buscada, principalmente, nos condicionantes endógenos de seu processo de acumulação de capital.

Ao longo de todo o período, a única variável restritiva do processo de crescimento econômico foi o desequilíbrio das contas externas. A exemplo do imperador Meiji no século XIX, o governo japonês também acreditava que não poderia depender do sistema financeiro internacional – no caso, dos organismos multilaterais como Fundo Monetário e Banco Mundial –

sob o perigo de colocar em risco o espaço conquistado de autonomia decisória nacional e, por conseguinte, comprometer seu processo de desenvolvimento econômico. A partir do final da Guerra da Coreia, a economia japonesa foi, assim, obrigada a gerar por seus próprios meios a disponibilidade de moeda conversível necessária a fazer frente aos requerimentos de seu processo de reindustrialização. Somente em meados da década de 1960, quando a balança comercial passou a ser estruturalmente superavitária e por pressão dos Estados Unidos, o governo aceitou iniciar um processo de eliminação das barreiras formais à entrada de mercadorias e de capitais estrangeiros, bem como dos mecanismos de promoção às exportações que não fossem aceitos pelas regras da "boa convivência entre nações responsáveis". Nesse momento, os grupos econômicos nacionais já tinham acumulado porte e experiência suficientes para fazer frente diretamente a seus competidores estrangeiros.

3.2 A retomada da hegemonia americana e a crise dos anos 1990

A despeito dos choques do petróleo e da introdução de inovações organizacionais e de base eletrônica, as condições de inserção da economia japonesa no sistema internacional não se alteraram substancialmente até o início dos anos 1980. Diante do aumento da inflação e do crescente descrédito internacional com relação ao valor da sua moeda, os Estados Unidos decidiram valorizar o dólar e, ao mesmo tempo, estimular o crescimento de seu mercado interno. Essas medidas levaram as exportações japonesas a se acelerarem. O resultado foi a acumulação de mega-superávits comerciais, particularmente com os Estados Unidos, o que, em curto espaço de tempo, conduziu o Japão à posição de principal credor líquido do mundo.

A resposta dos Estados Unidos ao "novo desafio japonês" não tardou a se materializar. Para os americanos, a baixa competitividade de sua indústria era de natureza cambial. O dólar estava demasiado valorizado frente às moedas de seus parceiros comerciais e a correção desses desequilíbrios deveria ser feita por meio de uma ampla valorização das taxas de câmbio. De fato, entre 1985 e 1987, a moeda americana, que era cotada a 240 ienes, chegou a atingir 120 ienes. A magnitude da valorização do iene foi tão elevada que superou em muito as taxas que seriam consideradas de equilíbrio – 190 a 200 ienes (TORRES, 1992). Mesmo assim, os mega-superávits continuaram por toda a década de 1980, demonstrando que a competitividade japonesa era de origem estrutural e não cambial.

A valorização do iene ou *endaka*, se, por um lado, não foi capaz de corrigir desequilíbrios nas contas correntes, por outro, produziu impactos profundos sobre a economia interna, abrindo um novo capítulo na história da sua internacionalização. Nunca antes havia ocorrido a acumulação de volumes tão elevados de dólares em um prazo tão curto. Era uma situação que, por sua dimensão, praticamente não tinha precedentes na histórica econômica internacional. A despeito de ser a segunda economia do mundo, a capacidade de absorção dessa massa de capital estava aquém das possibilidades do mercado japonês.

Com o intuito de evitar que o excesso de moeda estrangeira provocasse uma valorização ainda maior da taxa de câmbio e, ao mesmo tempo, de atender à pressão política de seus parceiros comerciais, os japoneses decidiram intensificar a globalização de sua economia. Para tanto, foram sendo gradualmente eliminados os controles sobre os movimentos de capital. As taxas de juros sobre os depósitos foram desregulamentadas e novos produtos financeiros foram introduzidos. Complementando essa estratégia, o Banco do Japão (BoJ) reduziu a taxa de redesconto, ampliando o diferencial favorável aos títulos denominados em outras moedas. Em janeiro de 1986, a taxa básica, que estava em 5% ao ano, foi sendo reduzida paulatinamente até alcançar 2,5% em fevereiro do ano seguinte. Esperava-se, com isso, que os investidores, inclusive os institucionais, se sentissem atraídos pela maior rentabilidade dos ativos estrangeiros, particularmente pelas maiores taxas de juros oferecidas pelos títulos públicos americanos.

De fato, a partir de então, os investimentos diretos japoneses foram acelerados. Várias empresas industriais, afetadas negativamente pelo câmbio, redirecionaram para o exterior, particularmente para o sudeste da Ásia, a produção de bens de menor valor agregado. Outras buscaram garantir posições ameaçadas por barreiras não tarifárias, comprando ou instalando montadoras nos EUA e na Europa. Entretanto, diferentemente do passado recente, as motivações de caráter produtivista foram menos importantes nesse novo ciclo de investimento direto. Na década de 1980, a internacionalização das empresas japonesas passou a ser comandada por investimentos de porta-fólio nos mercados de capital e imobiliário.

Esse redirecionamento das carteiras de residentes japoneses para ativos denominados em moeda estrangeira deve, no entanto, ser visto como parte de um amplo processo especulativo que se desenvolveu nos mercados domésticos, ao longo da segunda metade dos anos 1980. Alimentados pela elevada liquidez interna, os preços das ações e da terra entraram em rota ascendente. Nesse cenário, as empresas faziam uso do aumento do valor de seu patrimônio para aumentarem sua alavancagem financeira, carreando mais recursos para as bolsas e para o mercado imobiliário, ampliando ainda mais o valor destes ativos. Graças à liberalização financeira, parte dos novos investimentos direcionou-se para o exterior, atraídos por expectativas de retorno substancialmente maiores que as encontradas no Japão e pela redução do preço em iene dos ativos denominados em moeda estrangeira, em decorrência da valorização cambial.

JAPÃO: DA INDUSTRIALIZAÇÃO TARDIA À GLOBALIZAÇÃO FINANCEIRA

A liberalização financeira, além de acelerar a reciclagem de divisas, teve outra consequência importante. Provocou a fragilização do relacionamento que historicamente havia permitido que grandes empresas e bancos agissem articuladamente dentro dos *keiretsu*. As primeiras, diante do impacto negativo do choque de câmbio, redirecionaram para os mercados de capitais, doméstico e externo, parte da demanda de crédito que tradicionalmente era suprida pelos grandes bancos. Em cenário de crise, tornava-se legítimo que as empresas buscassem instituições financeiras de fora de seu conglomerado, já que com isso acessavam fundos mais baratos, de forma mais rápida, e ficavam menos sujeitas à interferência estratégica do grupo. Os grandes bancos, por sua vez, para fazerem frente à perda de seus principais clientes, ampliaram seus créditos para as pequenas e médias empresas e para o setor imobiliário, adotando uma trajetória de risco crescente.

Em 1989, os níveis de valorização dos mercados de ativos japoneses eram estratosfericamente elevados. O índice Nikkey, que mede a valorização das ações na bolsa de Tóquio, havia saltado de 13.113 no último dia útil de 1985 para 26 mil em outubro de 1987, chegando a 30 mil no início de 1988. Nessa data, a bolsa de valores japonesa representava 41,7% da capitalização mundial. O nível máximo de todos os tempos do Nikkey, 38.915, foi alcançado em dezembro de 1989.

No mercado imobiliário, o processo especulativo, apesar de apresentar a mesma tendência das bolsas de valores, teve início alguns meses antes do *boom* das bolsas. Em 1983, os terrenos no centro de Tóquio já davam os primeiros sinais de valorização. O processo se estendeu posteriormente às áreas urbanas de Osaka e Nagoia para chegar, em seguida, às zonas rurais. A partir do final de 1985, o processo acelerou-se, fazendo com que o valor imobiliário de todos os terrenos do Japão, que era então estimado em US$ 4,2 trilhões, atingisse US$ 18,4 trilhões em 1990 (cf. TORRES, 1992). Esse valor, teoricamente, era suficiente para comprar quatro vezes todo o território dos Estados Unidos, uma área 28 vezes maior que o Japão. Muito provavelmente, o preço de venda de todo o território do Japão naquela data corresponderia ao valor do restante das terras emersas do planeta.

Em 1989, o Banco do Japão finalmente decidiu "estourar a bolha especulativa", adotando uma política restritiva de crédito. A taxa de desconto foi continuamente aumentada, partindo de um mínimo de 2,5%, no primeiro trimestre de 1989, até atingir 6%, no terceiro trimestre de 1990. Entretanto, como o processo especulativo, tanto na bolsa de valores quanto no mercado imobiliário, não demonstrasse sinais de arrefecimento, o Ministério das Finanças decidiu agir mais duramente, determinando aos bancos, no início de 1990, que limitassem seus empréstimos destinados a imóveis. Só então a "bolha especulativa" cedeu.

243

Deu-se o início de uma queda sistemática e pronunciada nas bolsas de valores. No dia 2 de abril de 1990, quatro meses após atingir seu nível máximo de 38.915 pontos, o índice Nikkey havia se reduzido a 28.002, chegando a 20.221 no dia 1º de outubro. Neste espaço de tempo de pouco mais de 10 meses, 50% do valor total das ações de empresas japonesas havia simplesmente desaparecido. A rapidez da crise deixou em situação ilíquida as empresas e as famílias que haviam se endividado para investir em ações, na expectativa de o mercado continuar sua tendência altista.

A despeito do pânico ter se instalado nas bolsas de valores, a terra continuou se valorizando. Parecia que o "mito da terra" era uma realidade. No Japão existia, até então, um axioma de que os preços dos terrenos não podiam cair. De fato, as estatísticas mostravam que um lote residencial em uma grande cidade teve seu valor multiplicado 135 vezes entre 1955 e 1985, contra 7 vezes no caso de um depósito a prazo. O preço da terra só começou a declinar no começo de 1991 e desde então vem decrescendo ininterruptamente. O valor médio da terra urbana nas principais cidades japonesas, ao final de 1997, era apenas 40% do que havia sido no pico, em 1990.

A rápida deflação nos mercados de ativos afetou negativamente a economia japonesa, lançando o país na pior recessão de seus últimos quarenta anos. Entre 1990 e 1997, a economia cresceu a 1,5% ao ano quando na década anterior a taxa havia sido de 4%. A perspectiva para 1998/1999 era de contração no nível de atividade. A redução nas taxas de crescimento vem associada a graves problemas no setor bancário, ao aumento do déficit fiscal e da dívida pública, à dificuldade na recuperação nos preços dos ativos e a uma crescente falta de confiança entre consumidores e empresas.

Um segundo impacto da recessão foi o aumento do superávit externo japonês, tanto em termos comerciais quanto em conta corrente. Com a retração da economia doméstica, os superávits voltaram a seus limites históricos máximos, no que toca aos Estados Unidos, e atingiram níveis sem precedentes, frente aos países do sudeste da Ásia, até a reversão decorrente da recente crise financeira que se abateu sobre a região.

A terceira consequência importante da deflação nos mercados de ativos foi transformar a massa de capital especulativo criada durante a "bolha" em um pesadelo que ainda coloca em risco não só o sistema financeiro japonês mas também o internacional. Como resultado da desvalorização dos imóveis e das ações, as empresas que estavam em posições especulativas sofreram elevados prejuízos patrimoniais. As garantias dadas aos empréstimos bancários perderam valor de mercado, gerando um volume crescente de créditos insolventes. Os bancos começaram, então, a ser negativamente afetados pela crise financeira, assim como as grandes *securities companies*, muitas das quais haviam, como era de praxe, dado a seus clientes garantia

JAPÃO: DA INDUSTRIALIZAÇÃO TARDIA À GLOBALIZAÇÃO FINANCEIRA

firme contra perdas frente a eventuais prejuízos. Segundo o Ministério das Finanças, os créditos improdutivos ou sujeitos a reestruturação montavam a US$ 400 bilhões em março de 1995, o que representava 80% do PIB brasileiro no mesmo ano. Fontes não oficiais admitiam, no entanto, que os valores efetivos poderiam atingir o dobro do que foi informado, ou seja, US$ 800 bilhões, valor que, posteriormente, foi reconhecido pelo governo.

A estratégia para enfrentar a crise seguiu claramente um receituário keynesiano. Tentou-se relançar a economia, por meio do aumento dos investimentos públicos, ao mesmo tempo em que se reduzia a taxa de juros a níveis mínimos, como forma de conter as despesas financeiras das empresas e sobre a dívida pública. Simultaneamente, foram adotadas medidas que buscavam sanear o sistema bancário.

Essa estratégia, que vinha obtendo relativo sucesso, foi abortada por dois choques. O primeiro foi um novo *endaka*. A moeda japonesa, depois de se manter em uma média pouco superior a 135 unidades por dólar entre 1987 e 1993, chegou a atingir um mínimo de 85 em maio de 1995, uma valorização de mais de 35%. Com isso, o valor em ienes dos ativos de empresas japonesas no exterior minguaram. A crise foi superada por meio de um acordo no qual o governo americano, em conjunto com o japonês, realizaria maciças intervenções no mercado de câmbio com o objetivo de sustentar a paridade em torno de 100 ienes por dólar. Como resultado da ação concertada entre as duas potências, a tendência de valorização do iene foi revertida por uma recuperação sustentada do dólar. A partir de 1997, a paridade voltou a se estabilizar entre 115 e 140 ienes.

O segundo choque foi de natureza fiscal. O governo aproveitou a retomada do crescimento para reduzir o déficit público. Com a recessão, sua credibilidade foi gravemente afetada. Posteriormente, já a partir do segundo semestre de 1997, a crise dos países asiáticos e a falência de grandes instituições financeiras, como a Yamaichi Securities e o Long Term Credit Bank, eliminaram qualquer esperança de recuperação. Uma grave crise de confiança se instaurou no Japão, manifestando-se por meio da retirada de depósitos, que precisaram ser compensados por substanciais injeções de liquidez do Banco do Japão, da redução dos volumes absolutos de crédito bancário, da redução dos investimentos do setor privado e do aumento da poupança.

4 Conclusões

Os períodos que se estendem da Restauração Meiji (1868) até a Primeira Guerra (1914) e do pós-Segunda Guerra (1945) até a crise dos anos 1990 reúnem as passagens mais relevantes da experiência do Japão, quer como país industrialmente tardio, buscando se inserir em um mundo dominado por rivalidades imperiais, quer como potência emergente, disputando espaço em uma economia globalizada, mas sob hegemonia americana.

Em ambos, está presente um contexto inicial de grave ameaça à soberania nacional. O pós-guerra reeditou, entre os japoneses, o temor do risco da colonização estrangeira, que havia sido uma das principais causas da Revolução Meiji. A esse quadro se somava o fato de que, como qualquer país que dispõe de parcos recursos naturais, havia, por parte de seus dirigentes, uma redobrada preocupação com o acesso a fontes externas de alimentos e matérias-primas essenciais.

Nos dois momentos, a reação inicial à ameaça externa foi de natureza defensiva. Era necessário criar condições mínimas para o país enfrentar os desafios da internacionalização. Um Estado forte, nessas circunstâncias, não podia prescindir da existência de blocos de capitais nacionais que fizessem frente à concorrência estrangeira, tanto no mercado interno quanto e, principalmente, no mercado internacional. Indústrias, empresas e bancos nacionais precisavam, em cada período, ser instituídos ou reestruturados em conglomerados, por meio de um conjunto de ações protecionistas que se coadunassem com a ordem monetária e financeira em que o Japão estava inserido.

Há, entretanto, uma diferença básica entre o período Meiji e o pós-Segunda Guerra. No final do século XIX, a rivalidade entre as nações industrializadas pressupunha exércitos capazes de enfrentar ameaças externas ou de submeter colonialmente outros povos. Com a derrota frente aos EUA em 1945, o antigo sonho de montar um império pelas armas foi definitivamente enterrado. O Japão estava agora submetido à hegemonia americana e precisava responder rapidamente a esta nova situação. Nesse contexto, importar bens e serviços estratégicos, mantendo o crescimento do nível de renda e emprego de sua população, requeria, mais do que nunca, a conquista e, posteriormente, a manutenção de uma constante vantagem concorrencial da indústria nacional.

Ambos os projetos nacional-desenvolvimentistas foram muito bem-sucedidos em seu propósito inicial. No prazo de 15 a 20 anos, o quadro de "ameaça colonial" foi inteiramente superado. Como consequência, foram se acumulando pressões internas e externas para se alterarem os rumos do processo de internacionalização. O Japão, por sua nova dimensão internacional, passava a ser visto como um possível par entre as demais potências, mesmo quando não possuía mais poder militar. Nesse novo contexto, o país devia se subordinar plenamente às "regras do jogo" comercial e financeiro internacional tanto para preservar alianças externas quanto para atender às expectativas de parte das elites dirigentes. Isto requeria a elimi-

JAPÃO: DA INDUSTRIALIZAÇÃO TARDIA À GLOBALIZAÇÃO FINANCEIRA

nação dos instrumentos de controle ou de amortecimento da exposição externa de seu mercado, de suas empresas e de seus bancos.

A despeito de o impacto da maior internacionalização ter sido inicialmente positivo, a pressão decorrente da maior exposição externa levou o país, quer na condição de devedor, quer na de credor líquido internacional, a crises econômicas e à instabilização do pacto de poder que havia dado sustentação ao projeto nacional-desenvolvimentista.

No período Meiji, a crise foi provisoriamente contornada pelo crescimento das exportações em decorrência da Primeira Guerra Mundial. Posteriormente, o fracasso do retorno ao padrão-ouro desembocou em uma aventura militarista e na derrota frente às forças americanas.

Nos anos 1980, o ajuste aos mega-superávits externos foi feito por meio da valorização dos mercados domésticos de ativos e da liberalização financeira, uma vez que a taxa de câmbio estava fora de controle e em processo de valorização. Pensava-se que a massa de capital que estava sendo criada no Japão levaria a uma contestação da hegemonia americana. De fato, o mundo se viu, em pouco tempo, invadido por capitais e turistas japoneses. Entretanto, o descontrole do processo especulativo conduziu a uma recessão e a um recuo do capital japonês de volta à sua economia de origem, fustigado pelos prejuízos acumulados interna e externamente. Dependente do mercado americano para suas exportações, do dólar para sua internacionalização e frente à impossibilidade de formar uma área monetária própria, a exemplo do que fizeram os europeus, o Japão está hoje diante de um quadro de estagnação que pode ainda perdurar.

Diante desse quadro, a experiência japonesa ilustra alguns dos principais desafios, perigos e oportunidades com que se defrontam as nações de industrialização tardia em sua trajetória de internacionalização. Os sistemas monetários internacionais lhes impõem limites, que, para serem superados, requerem políticas defensivas, respaldadas pela tolerância da potência hegemônica e pela legitimidade interna. O maior acesso ao mercado financeiro internacional abre, no curto prazo, novas perspectivas de inserção, na medida em que reduz a pressão por divisas. Ao mesmo tempo, permite que atores domésticos venham a se engajar nas finanças internacionais, mesmo que em posição subordinada. Entretanto, a internacionalização financeira também pode ser geradora de crises, se os fluxos de capital estrangeiro não forem capazes de garantir compensatoriamente a solvência das contas correntes do país, o que reduz alguns graus de liberdade na política interna.

A posição inversa de credor líquido internacional, sem dúvida, altera substancialmente esse quadro de constrangimento externo, mas, em contrapartida, introduz outras dificuldades. O aumento da liquidez interna, em decorrência dos superávits externos, reduz a autonomia da política monetária. A crescente exposição de empresas e instituições financeiras domésticas a ativos denominados em moeda estrangeira aumenta a fragilidade financeira de bancos e empresas, particularmente as fortes oscilações na taxa de câmbio. A internacionalização, por si só, reduz a capacidade de coordenação do governo e torna as estratégias das empresas menos convergentes com o objetivo comum de crescimento estável a longo prazo. O acúmulo de reservas na moeda hegemônica, em lugar de aumentar o poder nacional, como sugere o sonho dos mercantilistas, não reduz a capacidade de a potência hegemônica, emissora da moeda internacional, fazer valer os seus desígnios. Os meios para tanto é que se tornam diferentes.

REFERÊNCIAS

FUNDO MONETÁRIO INTERNACIONAL (FMI) (1998). *World Economic Outlook and International Capital Markets:* Interim Assessment, dezembro.

GILPIN, R. (1987). *The Political Economy of International Relations.* Nova Jersey: Princeton University Press.

HAIASHI, T. (1979). "Introduction". *The Developing Economies*, vol. XVII, n. 4, dezembro.

KOJIMA, K. (1965). "Japan's Trade Policy". *The Economic Record,* março.

LANDES, B.S. (1998). *A riqueza e a pobreza das nações.* Rio de Janeiro: Editora Campus.

LOCKWOOD, W. (1968). *The Economic Development of Japan.* Nova Jersey: Princeton University Press.

MADDISON, A. (1995). *L'Économie Mondiale*: 1820-1992. [s.l.]: OECD.

MIYAZAKI, Y. (1967). "Rapid economic growth in postwar Japan". *The Developing Economies*, junho.

OHKAWA, K. & ROSOVSKY, H. (1965). A century of economic growth. In: LOCKWOOD, W. (org.). *The State and Economic Enterprise in Japan.* Nova Jersey: Princeton University Press.

OKIMOTO, D. & INOGUSHI, T. (1988). Introduction. In: OKIMOTO, D. & INOGUSHI, T. (orgs.). *The Political Economy of Japan*: The Changing International Context. Stanford University Press.

PATRICK, H. (1965). "External equilibrium and internal convertibility: financial policy in Meiji Japan". *The Journal of Economic History*, junho.

_____ (1966). Japan: 1868-1914. In: CAMERON, R. *Banking in the Early Stages of Industrialization* [s.l.].

SCOTT, B., ROSEMBLUM, J.W. & SPROAT, A.T. (1980). *Case Studies in Political Economy*: Japan 1854-1977. Harvard Business School.

TAKAFUSA, N. (1994). *Lectures on Modem Japanese Economic History, 1926-1994*. [s.l.]: LTCB International Library Foundation.

TAVARES, M.C. & TEIXEIRA, A. (1981). "La internacionalización del capital y las transnacionales en la industria brasileña". *Revista de la Cepal*, agosto.

TORRES FILHO, E. (1983). "O mito do sucesso: Uma análise da economia japonesa no pós-guerra, 1945-1973". *Textos para discussão*, n. 37, Instituto de Economia Industrial – UFRJ, Rio de Janeiro.

_____ (1992). "A economia política do Japão: Reestruturação econômica e seus impactos sobre as relações nipo-brasileiras (1973-1990)". [Tese de doutoramento defendida junto ao Instituto de Economia da UFRJ].

_____ (1997). A crise da economia japonesa nos anos 90 e a retomada da hegemonia americana. In: TAVARES, M.C. & FIORI, J. (orgs.). *Poder e dinheiro* – Uma economia política da globalização. Petrópolis: Vozes.

VOGEL, E. (1986). "Pax Nipponica?". *Foreign Affairs*, primavera.

Luís Manuel Fernandes

Rússia: do capitalismo tardio ao socialismo real

O advento de variados processos de "industrialização tardia" conformou e consolidou, no século XX, um sistema internacional marcadamente assimétrico, dominado por um número reduzido de grandes potências (justamente as que tiveram maior sucesso na transição "tardia" para o capitalismo). Este capítulo examina a gênese de uma experiência alternativa de desenvolvimento que marcou profundamente este século: a via soviética de industrialização socialista. A singularidade desta via reside, precisamente, na sua natureza não capitalista (i.e., sua não subordinação às "leis gerais do movimento do capital") e no fato de ter servido ela de base para a constituição de uma ordem política e econômica internacional alternativa à do capitalismo no mundo.

No processo de gênese, consolidação e crise do "modelo" soviético, a Rússia passou da condição de "sócia tardia e menor" do núcleo central do capitalismo mundial (no formato imperial) para a de polo articulador de um sistema mundial antagônico (no formato soviético), para acabar na de país neodependente com desenvolvimento bloqueado (no formato atual). Este capítulo analisa as características centrais assumidas pelo desenvolvimento russo e soviético ao longo desse processo, a partir da dinâmica da sua articulação/desarticulação com as estruturas de poder político e econômico do mundo capitalista. Ele examina, em particular, como as condições geopolíticas geradas por essas estruturas bloquearam e inviabilizaram seguidas tentativas de promoção do desenvolvimento russo/soviético, via uma maior integração na ordem capitalista.

1 Do capitalismo tardio à Primeira Guerra Mundial

A dimensão geopolítica teve uma importância crucial na industrialização russa desde os seus primórdios. Foi sob o impulso direto da política modernizadora de Pedro, o Grande, que as primeiras indústrias foram montadas na Rússia no século XVIII, tanto na forma de empresas estatais quanto de concessões a grupos privados (em geral, estrangeiros). Esta política, por sua vez, se articulava com o esforço para erguer uma máquina militar moderna (frota e exército) que permitisse consolidar o Império Russo, sobretudo contra a ameaça da Suécia no Báltico. Como parte desse esforço, a região dos Urais se tornou um importante centro de mineração de ferro e base de uma indústria siderúrgica primitiva. Em meados desse século, a produção de ferro na Rússia era mesmo várias vezes maior do que a da Inglaterra (DOBB, 1966: 56). Essa indústria nascente, no entanto, se baseava no trabalho compulsório de servos especialmente designados para esse fim. O processo de industrialização se manteve, assim, em escala bastante restrita e limitada, dependendo da nobreza rural para a provisão de mão de obra. Este primeiro impulso de industrialização dirigida acabou se dissipando após a morte do seu tzar mentor, dando lugar a um considerável reforço da servidão e da propriedade senhorial (apesar da manutenção de uma máquina militar que podia ser considerada moderna para os padrões da época).

O segundo grande impulso modernizador na Rússia foi deflagrado em meados do século XIX, sob o impacto da derrota militar para as forças combinadas da Inglaterra e da França na Guerra da Crimeia em 1854-1855. Esta havia revelado de forma trágica o quão vulnerável havia se tornado o Império Russo, do ponto de vista político e militar, diante da superioridade econômica alcançada pelo capitalismo industrial inglês. O esforço para tentar reverter este quadro começou com a abolição oficial da servidão em 1861. Esta emancipação não chegou, no entanto, a alterar significativamente a estrutura fundiária russa, marcada pelo predomínio da grande propriedade aristocrática. Mecanismos de endividamento preservaram a dependência econômica do grosso do campesinato em relação à aristocracia rural, gerando um processo de reconcentração da propriedade fundiária. Às vésperas da revolução de 1905, as próprias estatísticas oficiais russas indicavam que 30 mil grandes proprietários concentravam nas suas mãos uma extensão de terra equivalente a de 10 milhões de famílias camponesas (TRAPEZNIKOV, 1979: 224). Após a revolução, o regime tzarista passou a promover ativamente a dissolução da propriedade comunal da terra (via reformas de Stolypin, de 1906 e 1910), buscando, com isso, fomentar o desenvolvimento do capitalismo na agricultura (sem tocar na grande propriedade senhorial) e consolidar a incipiente burguesia rural que se formava na camada mais rica do campesinato (os *kulaks*). O resultado foi uma nova onda de concentração fundiária, agora via diferenciação social do próprio campesinato que se retirava das terras comunais.

A verdadeira ponta-de-lança do impulso de modernização lançado na Rússia na segunda metade do século passado estava situada em outra dimensão: o esforço concentrado para construir – a partir de investimentos estatais – uma ampla rede de estradas de ferro no vasto território do Império. A deficiência do sistema de transportes havia se revelado fatal para a Rússia na Guerra da Crimeia, já que os suprimentos das suas tropas (e as próprias tropas) só podiam ser transportados por carroça por meio de estradas de barro ou por barcos à vela, ao passo que as marinhas da Inglaterra e da França já contavam com uma ampla frota de navios de guerra e de transporte movidos a vapor. Quando a guerra da Crimeia irrompeu, o Império Russo contava com uma única ferrovia completa, ligando as cidades de Moscou e São Petersburgo (que, como se sabe, são relativamente próximas uma da outra). O regime tzarista implementou, a partir de então, uma política de construção acelerada de ferrovias. Fruto desse esforço, a Rússia já contava, às vésperas da Primeira Guerra Mundial, com mais de 70 mil quilômetros de vias férreas no interior das suas fronteiras, dois terços dos quais operados por empresas estatais (WESTWOOD, 1994: 307). O maior destaque dessa malha era a famosa Ferrovia Transiberiana, completada em 1904, que passou a ligar Moscou à costa do Pacífico.

O grande surto de industrialização do novo impulso modernizador russo só tomou corpo, de fato, após a adoção de uma política agressiva de substituição de importações na última década do século passado. O principal arquiteto desta política foi o Conde Sergei Witte, que exerceu o cargo de ministro das Finanças e do Comércio da Rússia entre 1892 e 1903. Na sequência do surgimento de novos conflitos e tensões nas relações externas da Rússia – com destaque para a guerra com a Turquia em 1877-1878 e a crise na Bulgária em 1886 – considerações de ordem geopolítica foram, uma vez mais, determinantes. Segundo o próprio Conde Witte, nas condições internacionais geradas pelos processos de industrialização, "a força política das grandes potências chamadas a cumprir grandes tarefas históricas no mundo" passara a depender diretamente do seu poderio industrial relativo (apud VON LAUE, 1963: 2-3). Se a Rússia quisesse preservar um papel de liderança mundial, portanto, não lhe restaria outra alternativa a não ser montar, em curto espaço de tempo, um amplo parque industrial próprio.

Um marco fundamental na implementação da nova política de industrialização via substituição de importações foi a introdução, em 1896, de elevadas tarifas para proteger a produção industrial em setores considerados chaves para a contínua expansão da malha ferroviária e para a modernização militar, como o ferro e o aço. Estas tarifas para a importação de produtos industriais vieram se somar às tarifas proibitivas já vigentes para gêneros alimentícios. Sua adoção significou uma importante alteração na política anterior de promoção da importação de equipamentos e materiais industriais via intensificação das exportações agrícolas. A política de promoção de superávits comerciais continuou, mas acompanhada, agora, de elevado investimento estatal na montagem de indústrias consideradas estratégicas, quer via ampliação do esforço anterior de construção e operação de ferrovias, quer via concessão de subsídios, serviços e/ou infraestrutura para a instalação de grupos empresariais privados.

O novo esforço de industrialização alcançou, em pouco tempo, resultados significativos. A produção industrial russa cresceu a uma taxa de 8% ao ano na última década do século XIX (SKOCPOL, 1979: 91). Após uma interrupção provocada pela crise financeira mundial de 1899-1900, a guerra com o Japão em 1904 e a subsequente revolução em 1905, a produção industrial russa voltou a crescer a uma taxa de 6% ao ano entre 1906 e 1913 (p. 91). Esses surtos de crescimento foram sustentados pela montagem de empresas gigantes, empregando a tecnologia europeia mais avançada em setores estratégicos da indústria pesada (sobretudo mineração, ferro, aço e petróleo). No setor siderúrgico, por exemplo, foram erguidas unidades agrupando mais de 10 mil trabalhadores (DOBB, 1966: 58). A indústria russa já nasceu, assim, sob o signo de uma espécie de "monopolização precoce", com elevadíssimo grau de concentração e centralização da produção e da propriedade. Antes da Primeira Guerra Mundial, um único cartel (o *Prodamet*) controlava 80% da produção de ferro e aço, enquanto sete empresas controlavam 90% da produção de trilhos para as ferrovias. No mesmo período, seis firmas dominavam dois terços da produção petrolífera concentrada na região de Baku, e sete bancos de São Petersburgo eram responsáveis por mais da metade dos créditos estendidos a rodo à indústria russa (p. 34 e 58). Para se ter uma ideia de quão concentrada era a produção industrial russa para a época, basta ver que, em 1914, as empresas com mais de mil operários ocupavam 17,8% do efetivo total de operários na indústria dos Estados Unidos, ao passo que na Rússia essa cifra chegava a 41,4% (nas principais regiões industriais ela era ainda mais elevada: 44,4% em São Petersburgo e 57,3% em Moscou) (TROTSKY, 1978: 28-29).

A caracterização do surto de industrialização promovido pelo regime tzarista tem sido objeto de muita polêmica teórica desde o início do século. Na tradição do pensamento marxista, o próprio Lenin (1980) interpretou a experiência russa como uma versão singular da chamada "via prussiana", em que o desenvolvimento do capitalismo se processa sem uma ruptura com a grande propriedade latifundiária. Em veio parecido, Barrington Moore destacou a subordinação dos interesses urbanos às elites agrárias na Alemanha e na Rússia como o fator fundamental que determinou que ambos trilhassem caminhos de modernização distintos da via "liberal-burguesa", que teria caracterizado as experiências inglesa, francesa e norte-americana. Já o estudo clássico de Gerschenkron (1973) identificou no desenvolvimento econômico russo as características básicas de um padrão de industrialização das sociedades mais atrasadas. Quanto mais atrasado fosse um país ao iniciar o seu processo de industrialização, mais este tenderia a reproduzir seis traços fundamentais que marcaram o capitalismo tardio na Rússia:

1) sua industrialização começaria de forma descontínua e assumiria a forma de um grande surto, com ritmos elevados de crescimento;

2) seria dada prioridade, no esforço de industrialização, às fábricas e empresas de grande porte;

3) a produção de bens de produção seria privilegiada no processo industrial, em detrimento dos bens de consumo;

4) seria exercida uma forte pressão para conter o nível de consumo da população;

5) fatores institucionais especiais (como a intervenção ativa do Estado) desempenhariam papel decisivo na oferta de capital para as novas indústrias; e

6) a agricultura não desempenharia papel ativo no processo de industrialização, seja como mercado para a produção industrial, seja como zona para a elevação da produtividade do trabalho.

Segundo Gerschenkron, estas características marcariam o período inicial de arranque dos processos de industrialização nos países mais atrasados. O que distinguiria, nessa visão, a experiência inicial da industrialização tardia russa da sua congênere alemã era o fato de ter o Estado (e não os bancos) assumido a função de fonte principal de capital para a primeira arrancada. Essa diferença institucional, por sua vez, decorreria do maior atraso da economia russa em relação à alemã, que se materializava em uma maior insuficiência na acumulação de capital doméstico. Segundo o autor, à medida que o surto inicial de industrialização começasse a dar frutos, a Rússia (ou qualquer outro país mais atrasado que embarcasse em processo análogo) tenderia para um padrão de desenvolvimento cada vez mais "ocidental", com os bancos substituindo o Estado como fonte principal do financiamento (como na experiência do capitalismo tardio alemão) e, em seguida, as próprias empresas industriais substituindo os bancos como fonte principal do estoque de capital (como na experiência originária do capitalismo inglês). Gerschenkron avaliava que a industrialização russa já havia transitado para um padrão mais "alemão" na década que precedeu a Primeira Guerra Mundial.

Não há dúvida de que a sistematização de Gerschenkron conseguiu captar características fundamentais e relevantes da experiência russa. Por isso mesmo, não deixa de ser curioso que, ao trazer para o centro da sua abordagem um problema clássico do desenvolvimento – o das fontes de financiamento do esforço de industrialização –, ele tenha virtualmente ignorado o papel desempenhado pelo capital externo no desenvolvimento russo. Na verdade, para além da taxação indireta (e altamente regressiva) dos artigos de consumo de massa, a contração de empréstimos junto a bancos dos países capitalistas centrais também constituiu uma fonte crucial dos investimentos e gastos efetuados pelo Estado tzarista no esforço de industrialização acelerada. A estes se somaram, ainda, os investimentos diretos de empresas estrangeiras, que passaram a ser ativamente promovidos pela nova política de industrialização. Foi para viabilizar a intensificação desse fluxo de créditos e investimentos estrangeiros que a Rússia aderiu ao padrão-ouro em 1897 e estabeleceu uma cotação fixa para o rublo no sistema monetário internacional, então dominado pela libra inglesa.

Com base nessa política, o volume total de capital estrangeiro investido na Rússia passou de 215 milhões de rublos em 1890 para 911 milhões em 1900 e mais de 2 bilhões em 1914 (SONTAG, 1968: 530-531). A Rússia já detinha, em 1913, a segunda maior dívida externa do mundo (CARSON, 1959: 130-131). Com os gastos da mobilização militar na Primeira Guerra Mundial, essa dívida alcançou, no início de 1917, o valor de 10 bilhões e 800 milhões de rublos-ouro (cerca de 5,5 bilhões de dólares nos valores da época)[1]. No que concerne aos investimentos diretos, estima-se que, às vésperas da Primeira Guerra, investidores estrangeiros detinham 33% de todo o capital das empresas privadas instaladas na Rússia (NOVE, 1984: 12-13). Cabe lembrar, ainda, que o próprio capital privado russo estava pesadamente endividado com bancos estrangeiros, sobretudo da Inglaterra e da França.

Esses dados – já por si indicativos de uma participação importante do capital externo no desenvolvimento russo – podem não dar uma dimensão completa do seu real impacto. Os investimentos estrangeiros se concentraram nos setores mais dinâmicos e estratégicos da economia russa. A maior parte da indústria metalúrgica e da mineração da Rússia se encontrava sob controle de grupos estrangeiros – com destaque para empresas de capital francês e belga instaladas no sul – enquanto o capital alemão tinha participação decisiva na indústria química e na engenharia elétrica (SETON-WATSON, 1952: 531).

---

[1] Em outubro de 1917, só as dívidas de guerra da Rússia com as nações aliadas alcançavam 7,8 bilhões de rublos-ouro. Desse total, 70,4% era devido a bancos ingleses e 19,3% a bancos franceses (CONDOIDE, 1951: 10).

Metade dos poços de petróleo pertencia a capital anglo-francês (PC[b] da URSS, 1974: 260-261). No setor financeiro, grupos estrangeiros (principalmente franceses) controlavam 42% do capital básico dos 18 principais bancos privados da Rússia (DOBB, 1966: 38).

A intensificação do fluxo de créditos e investimentos estrangeiros gerou sérias dificuldades na balança de pagamentos da Rússia. Entre 1900 e 1913, o valor das suas importações não excedeu 75% do valor das exportações (seu principal mercado de exportação era a Alemanha, que absorvia 30% das exportações russas) (LEWIS, 1994: 200). Mas o valor combinado do pagamento do serviço da dívida, da repatriação de lucros das empresas estrangeiras e dos gastos de cidadãos russos (sobretudo nobres) no exterior excedia em muito o valor dos superávits comerciais. A Rússia dependia cada vez mais de novos financiamentos externos para cobrir o déficit da sua balança de pagamentos, financiamentos esses que agravavam o próprio déficit. O regime tzarista se via preso, assim, à clássica armadilha do endividamento.

Mais graves ainda, entretanto, eram as consequências geopolíticas da armadilha do endividamento. Não há dúvida de que os padrões de financiamento adotados no esforço de industrialização acelerada estreitaram os laços da Rússia com os centros dominantes do capitalismo na Europa Ocidental. Sua própria entrada na Primeira Guerra se deveu, em grande parte, à sua dependência financeira dos países que encabeçavam a *Entente* (Inglaterra e França). O regime tzarista não tinha como fugir aos compromissos firmados nos "acordos secretos" com seus aliados e teve de abrir uma frente de luta contra a Alemanha, quando as tropas desta já marchavam sobre Paris em 1914, dando início à sua trágica e suicida participação no conflito[2].

Às vésperas da revolução soviética, a Rússia ocupava, assim, uma posição singular no mundo unificado pelo capitalismo. Em certas dimensões – como a dependência financeira e tecnológica e a concentração na exportação de produtos primários – ela ocupava uma posição quase semicolonial nas suas relações com o Ocidente. Apesar do forte surto de industrialização deflagrado no final do século passado, a economia russa mantinha um acentuado atraso em relação aos centros dominantes do mundo capitalista. Sua renda real *per capita*, por exemplo, não chegava a um terço das da Inglaterra e dos Estados Unidos (GOLDSMITH, 1961: 443). Mais significa-

---

[2] É verdade que a recém-constituída burguesia russa também tinha os seus próprios interesses na guerra. Esta lhe oferecia a possibilidade de conquistar mercados dominados pelo capital alemão na Europa Central e do Leste, sobretudo na região dos Balcãs. Ao mesmo tempo, a mobilização militar abria novas possibilidades de acumulação, via incremento da demanda por encomendas militares e fornecimentos aos exércitos.

tivo ainda é que, visto pelo ângulo de indicadores-chave de poderio industrial (como a produção de ferro, a construção de ferrovias e a utilização de energia a vapor), sua distância em relação aos polos mais dinâmicos do mundo capitalista (sobretudo Estados Unidos, Alemanha e Inglaterra) não só se mantinha, como se ampliava (NOVE, 1984: 15). Ou seja, o programa de industrialização acelerada fracassava no seu principal objetivo estratégico: a paridade com as potências líderes do novo sistema internacional.

Por outro lado, a mesma Rússia alimentava ambições imperialistas em relação a regiões situadas ao sul, sudeste e leste das suas fronteiras, para as quais exportava capitais e produtos industrializados. Internamente, como vimos, sua economia mesclava um capitalismo relativamente desenvolvido nas cidades com uma agricultura atrasada no campo, onde ainda predominava uma estrutura fundiária de origem feudal. A própria população urbana não passava de 21% do total, enquanto 80% da população economicamente ativa ainda se dedicava à agricultura. Segundo o próprio Lenin, esta "dualidade" do desenvolvimento da Rússia a situava a "meio caminho" entre o Ocidente e o Oriente, isto tanto do ponto de vista geográfico como político e econômico-social. Essa posição iria condicionar fortemente o desenvolvimento soviético após a revolução de 1917.

2 Do capitalismo controlado ao comunismo de guerra

O triunfo da revolução soviética se deu na sequência do agravamento das contradições do desenvolvimento capitalista tardio na Rússia, em meio à destruição humana e material causada pelo seu envolvimento na Primeira Guerra Mundial. A "dualidade" do desenvolvimento anterior determinou uma natureza igualmente "dual" para a própria Revolução de Outubro: do ponto de vista das suas bases sociais, esta havia assumido um caráter eminentemente socialista nas cidades (sustentada pelo forte movimento operário que se formou nos grandes centros industriais) e essencialmente democrático no campo (sustentada pelos setores camponeses mais radicalizados na luta pela terra)[3]. Isto ajuda a explicar por que uma das primeiras medidas tomadas pelo poder soviético, por iniciativa de Lenin, foi, precisamente, a aprovação do programa de reforma agrária do Partido Socialista Revolucionário, contra o qual ele havia polemizado duramente até então.

---

[3] Esta base social se revelou claramente nos resultados das eleições para a Assembleia Nacional Constituinte, realizadas em novembro de 1917. Cf., a este respeito, o interessante estudo de Oliver Radkey (1990).

RÚSSIA: DO CAPITALISMO TARDIO AO SOCIALISMO REAL

Mas como proceder, a partir dessa base, para a realização da dimensão socialista da revolução soviética?

O fato é que as condições históricas da Rússia no período da revolução soviética diferiam enormemente das previsões originais de Marx e Engels. Estes, ao analisar as contradições fundamentais do desenvolvimento capitalista, indicavam que as primeiras rupturas revolucionárias com esse sistema tenderiam a surgir nos países em que ele estivesse mais desenvolvido, porque a contradição entre a "burguesia" e o "proletariado", ali, estaria mais aguçada. Nesta base, eles depositavam grandes esperanças na evolução dos processos revolucionários na Inglaterra, França e Alemanha (sobretudo nesta, ao final do século passado). Justamente por se tratar dos países mais desenvolvidos do sistema, em pouco tempo o processo revolucionário tenderia a se desenvolver pelo resto do mundo, culminando na substituição relativamente rápida do sistema capitalista mundial por um sistema socialista mundial.

Como vimos, no entanto, a Rússia mantinha, em 1917, um acentuado atraso econômico, cultural e político em relação às principais potências capitalistas. Como se posicionar diante desse quadro? O debate em torno dessa questão provocou profundas fissuras no movimento marxista russo e internacional. A opinião dominante dos partidos agrupados na II Internacional e entre os grupos *mencheviques* russos era que os socialistas ainda teriam de aguardar um período relativamente longo de desenvolvimento capitalista e consolidação democrática para poder colocar na ordem do dia a questão da tomada do poder e da transformação socialista da Rússia. Já os bolcheviques chegaram a uma compreensão distinta do problema, sobretudo a partir da elaboração das célebres "Teses de Abril" por Lenin em 1917 (LENIN, 1978a e 1978b).

Ao tomar o poder em outubro desse ano, os *bolcheviques* concebiam a sua revolução como uma "ponte" para o triunfo de revoluções mais ou menos imediatas nos países capitalistas mais adiantados. Esperava-se, em particular, que a crise social provocada pela Primeira Guerra desembocasse em uma onda de crises revolucionárias na Europa. Havia grandes expectativas em torno de um desfecho favorável da crise revolucionária na Alemanha. O auxílio estatal de nações socialistas mais desenvolvidas poderia, então, compensar o atraso da Rússia e garantir sua transição ao socialismo. Dessa forma, a perspectiva *bolchevique* combinava a disposição política de aproveitar a situação revolucionária criada na Rússia com a preservação de uma orientação estratégica centrada nas expectativas do marxismo clássico quanto ao rápido desenvolvimento do sistema socialista no mundo a partir do seu triunfo nos países capitalistas centrais. Esta formulação estratégica se assentava sobre uma compreensão geopolítica tornada pública por Lenin no VIII Congresso do Partido Bolchevique, em março de 1919: "Vivemos em um sistema de Estados e não em um único Estado. É inconcebível que o poder soviético possa existir ao lado de Estados imperialistas por um tempo longo. No final, um ou outro tem de triunfar" (LENIN, s.d.: 64).

Mas o que fazer na Rússia enquanto esse "final" e a ajuda material de Estados socialistas mais avançados não chegavam? Do ponto de vista das suas relações econômicas com o mundo capitalista, o jovem poder soviético adotou, no início de 1918, duas medidas fundamentais, as quais viriam a marcar profundamente toda a evolução posterior da URSS e do bloco socialista. A primeira destas medidas foi o cancelamento de todas as dívidas da Rússia com os bancos dos países capitalistas centrais. A "Declaração dos Direitos do Povo Trabalhador" encaminhada pelo governo revolucionário à Assembleia Constituinte em janeiro de 1918 caracterizou essa medida como "um primeiro golpe no capital bancário, financeiro internacional, exprimindo a certeza de que o poder soviético continuará firmemente nesse caminho, até a vitória da insurreição internacional contra o jugo do capital" (LENIN, 1978c: 449). A segunda medida fundamental, adotada em abril do mesmo ano, foi a decretação do monopólio estatal sobre as relações econômicas com o exterior. Todas as operações econômicas externas – seja de importação, exportação ou fluxo de pagamentos – passaram a ser conduzidas por organismos estatais especialmente montados para esse fim, vinculados ao Comissariado do Povo para o Comércio Externo. Esse monopólio passou a ser encarado pelo poder soviético como sua principal arma para proteger a economia russa das relações de "troca desigual" predominantes no mercado mundial.

O tom virulento que caracterizou a anulação da dívida externa russa na Declaração encaminhada à Assembleia Constituinte encobria uma compreensão muito mais complexa e matizada sobre as relações que o poder soviético deveria desenvolver com o mundo capitalista na ausência de um triunfo socialista em algum país mais adiantado[4]. Esta compreensão foi explicitada por Lenin em um texto publicado no *Pravda* em maio de 1918, seis meses após a revolução e dois meses depois de haver perdido um terço do território do antigo Império Russo para assegurar a paz com a Alemanha no Tratado de Brest-Litovsk (LENIN, 1978d). Em dura polêmica com os chamados "comunistas de esquerda", na época encabeçados por Bukharin, o líder bolchevique caracterizou a Rússia soviética de então como uma for-

---

[4] O próprio encaminhamento da declaração à Assembleia Constituinte, por sinal, nunca visou a sua aprovação, e sim a criação (com a recusa) de um pretexto para a sua dissolução como de fato ocorreu.

RÚSSIA: DO CAPITALISMO TARDIO AO SOCIALISMO REAL

mação social "em transição", na qual conviviam cinco tipos diferentes de estruturas econômico-sociais: 1) a economia camponesa natural, descolada do mercado; 2) a pequena produção mercantil; 3) o capitalismo privado; 4) o capitalismo de Estado; e 5) o socialismo. Cada uma destas estruturas seria caracterizada pela prevalência de determinadas formas de propriedade e relações de produção. Deste ponto de vista, a denominação de "República Socialista Soviética", conferida à Rússia na época, não significava que ela já se assentasse sobre uma nova ordem econômica efetivamente socialista, e sim que o poder soviético dominante estava determinado a realizar, no futuro, a transição para o socialismo (p. 599).

O que predominava na Rússia de então, segundo Lenin, era justamente a dispersão da pequena produção. Contra esta, ele defendeu, inclusive, o fortalecimento do "capitalismo de Estado", de forma a criar, progressivamente, as condições para uma socialização efetiva da sociedade russa mais adiante[5]. Os textos do dirigente soviético nesse período estão repletos de referências elogiosas à experiência do "capitalismo de Estado" alemão, considerado "a 'última palavra' da grande técnica capitalista moderna e da organização planificada" (p. 602-603). Nas condições soviéticas, isto implicava a predominância de uma política de controle "pelo alto e por baixo" do capitalismo privado (nacional e estrangeiro), em vez de nacionalizações extensivas. Nos primeiros meses do poder soviético, as nacionalizações ficaram restritas aos bancos (que foram fundidos em um único Banco do Estado), a empresas-chave da indústria armamentista e a empresas abandonadas por seus proprietários em represália ao triunfo da revolução. Para as demais, foram montadas agências reguladoras integradas por representantes dos sindicatos, dos proprietários privados e do governo. No caso das empresas com participação de capital externo, foram iniciadas negociações, visando a criação de empresas mistas, associando esse capital ao estado soviético, além de concessões especiais reservadas para investidores estrangeiros.

Esta política de controle do capitalismo pelo poder soviético foi uma das primeiras vítimas da escalada de hostilidades que arrastou a Rússia para a guerra civil no verão de 1918, com o levante de diferentes tropas russas comandadas por "generais brancos" e a intervenção de treze exércitos estrangeiros. Os próprios capitalistas privados cortaram suas relações com o

---

[5] Esta era a base da divergência entre Lenin e Bukharin, e não propriamente a definição do socialismo. Quanto a esta, Bukharin estava de acordo com Lenin, ao identificar a propriedade comum (por meio do Estado) dos meios de produção e de troca como fundamento da primeira fase da sociedade comunista (BUKHARIN, 1980: 46 e 54; 1979).

governo, aguardando a sua possível derrota militar. A maior parte destes abandonou suas empresas, procurando refúgio em áreas dominadas pelas forças "brancas" ou no exterior. Já as potências aliadas trataram de estabelecer um bloqueio econômico para estrangular o combalido poder soviético. Nesse contexto, toda a ação do governo revolucionário foi subordinada à mobilização militar para derrotar a contrarrevolução. Isto incluiu uma escalada de nacionalizações, que acabou atingindo toda a indústria russa, além da generalização das práticas da requisição compulsória e da distribuição centralizada de produtos e suprimentos, que levou a uma drástica redução das relações monetário-mercantis. Como seria de se esperar, as relações econômicas da Rússia com o exterior entraram em colapso nesse período de "comunismo de guerra". O valor total do comércio externo realizado entre 1918 e 1920 não chegou a representar nem 1% do comércio realizado em 1913 (SMITH, 1973: 12-13).

3 Da NEP à industrialização socialista acelerada

No auge da mobilização militar durante a guerra civil, alguns dirigentes soviéticos chegaram mesmo a pensar que as medidas adotadas nos marcos do "comunismo de guerra" poderiam servir de atalho para uma transição mais rápida para o socialismo e até para o comunismo na Rússia. Quando a poeira do conflito se assentou em 1921, no entanto, já estava claro para Lenin que a situação exigia uma nova virada na política interna e externa do poder soviético. Dois fatores básicos contribuíram para isso: a própria destruição causada pela guerra civil e o isolamento internacional ocasionado pelo fracasso dos levantes revolucionários que haviam se espalhado pela Europa no rescaldo da Primeira Guerra Mundial. Isto recolocou para a liderança soviética o debate sobre a viabilidade da construção do socialismo sem o apoio de Estados socialistas mais adiantados.

Como se sabe, o debate em torno dessas questões voltou a produzir profundas fissuras no movimento marxista (agora, comunista) russo e mundial. Trotsky e outros dirigentes bolcheviques continuaram insistindo na impossibilidade da construção isolada do socialismo na Rússia soviética. A posição majoritária, no entanto, entendeu que as particularidades das condições russas (seu tamanho, a dimensão das suas riquezas naturais, a existência de indústrias altamente concentradas e desenvolvidas nas cidades etc.) permitiam a construção do socialismo sem o apoio de outros Estados, desde que fosse consolidada – por meio do poder soviético – a aliança entre os trabalhadores das cidades e a grande massa de camponeses no campo.

RÚSSIA: DO CAPITALISMO TARDIO AO SOCIALISMO REAL

Essa era a posição defendida pelo próprio Lenin no período final da sua vida (LENIN, 1979a: 657-658; 1979b: 665)[6].

Com base nessa compreensão, Lenin retomou e ampliou, em 1921, a política econômica esboçada nos primeiros meses do poder soviético, agora com o nome de Nova Política Econômica (NEP). Um pilar básico da nova política foi o resgate das relações monetário-mercantis na economia soviética (sobretudo nas relações entre a indústria e a agricultura). O primeiro passo, para tal, foi a substituição da política de requisição compulsória de produtos agrícolas pela cobrança de um imposto em espécie sobre a produção excedente dos camponeses, que passaram a gozar de liberdade para comercializar os seus produtos. A isto se seguiu uma ousada política de recuperação e estabilização monetária, que, partindo de um sistema bimonetário entre 1922 e 1924, restabeleceu a conversibilidade parcial da moeda russa em ouro.

O sucesso da política de estabilização monetária facilitou a normalização das relações comerciais da URSS[7] com os países capitalistas. Do ponto de vista político, esta era uma realização fundamental, já que o restabelecimento de relações comerciais era um passo decisivo para o reconhecimento diplomático da União Soviética no sistema internacional, como já havia sido evidenciado com a suspensão, em 1920, do bloqueio econômico das potências aliadas contra a Rússia. O comércio externo do poder soviético, no entanto, era desenvolvido em bases bem distintas das que haviam sido adotadas pelo regime tzarista. O controle sobre o comércio não era exercido via montagem de barreiras tarifárias em um sistema de mercado relativamente aberto, e sim por meio das estruturas do monopólio estatal decretado em 1918. Com a eliminação dos principais fatores responsáveis pelos problemas na balança de pagamentos da Rússia tzarista (o pagamento do serviço da dívida externa, a repatriação de lucros das empresas estrangeiras e os gastos com turismo de elite), já não havia mais necessidade de produzir grandes superávits comerciais. Por isso mesmo, o valor do comércio externo soviético durante a NEP nunca ultrapassou a metade do valor registrado pela Rússia em 1913 (SMITH, 1973: 12 e 18).

---

[6] Na verdade, essa posição remonta a reflexões do próprio Marx (1977: 561) sobre a necessidade do proletariado, na sua revolução, de estabelecer uma sólida aliança com a massa de camponeses. Segundo ele, isto implicava a incorporação (e encaminhamento), pelo proletariado, das principais reivindicações do campesinato, sobretudo nos países em que este formasse a maioria da população.

[7] A União das Repúblicas Socialistas Soviéticas (URSS) foi formada em 1923, agrupando, em torno da Rússia, distintas repúblicas soviéticas nascidas em territórios do antigo Império Russo.

Ao lançar a sua nova política, Lenin (1979) resgatou a análise que havia desenvolvido anteriormente sobre as cinco estruturas econômico-sociais fundamentais existentes na Rússia e voltou a defender a necessidade do alargamento do capitalismo de Estado:

> Voltamos frequentemente a cair ainda neste raciocínio: "o capitalismo é um mal, o socialismo é um bem". Mas este raciocínio é errado, porque esquece todo o conjunto de estruturas econômico-sociais existentes, abarcando apenas duas delas. O capitalismo é um mal em relação ao socialismo. O capitalismo é um bem em relação ao medievalismo, em relação à pequena produção, em relação ao burocratismo ligado à dispersão dos pequenos produtores. Uma vez que ainda não temos forças para realizar a passagem direta da pequena produção ao socialismo, o capitalismo é em certa medida inevitável, como o produto espontâneo da pequena produção e da troca, e portanto devemos aproveitar o capitalismo (principalmente dirigindo-o para a via do capitalismo de Estado) como elo intermédio entre a pequena produção e o socialismo, como meio, via, processo ou método de elevação das forças produtivas (p. 508-509).

Em diferentes trabalhos deste período, Lenin identificou cinco componentes básicos deste capitalismo de Estado a ser desenvolvido pelo poder soviético:

1) o estabelecimento de concessões, nas quais forças produtivas eram alocadas a grupos capitalistas privados russos ou estrangeiros por um prazo determinado;

2) o arrendamento (aluguel) de forças produtivas a grupos capitalistas privados, também por prazo determinado;

3) a montagem de empresas mistas, associando empresas capitalistas estrangeiras e empresas estatais soviéticas;

4) o pagamento de comissões do Estado a comerciantes privados para comercializar mercadorias; e

5) o desenvolvimento de relações comerciais regulares entre o poder soviético e cooperativas agrícolas privadas.

Lenin considerava tratar-se de um "capitalismo de Estado" original e diferente do praticado nos países ocidentais, precisamente por se tratar de um capitalismo controlado e regulado pelo Estado operário. Isto permitiria ao poder soviético controlar as concessões, mantendo o capitalismo de Estado dentro de determinados limites. Apesar disso, houve muita polêmica na direção do Partido Bolchevique em relação à caracterização desses componentes[8]. A questão foi discutida após a morte de Lenin no XIV Con-

---

[8] Para um panorama geral dessa polêmica, cf. Gerratana (1987).

gresso do Partido em 1925, e concluiu-se que o conceito de capitalismo de Estado era aplicável à realidade então vivida pela URSS, mas apenas para as relações estabelecidas entre o poder soviético e os setores não socialistas, com base nos cinco componentes indicados acima.

O fato é que relações estabelecidas com grupos capitalistas privados não chegaram a alcançar maiores proporções na sociedade soviética no decorrer dos anos 1920. Já no início da aplicação da NEP, isso provocou o comentário bem-humorado de Lenin de que, em relação ao capitalismo de Estado, "as discussões são abundantes, mas as concessões poucas" (apud TROTSKY, 1987: 297). No que concerne ao capital externo, poucos investimentos fluíram para a União Soviética nos marcos da NEP. A produção total das empresas concessionárias não passou de 1% da produção industrial da URSS em 1926/1927 (LEWIS, 1994: 205). Em 1928, essa proporção já havia caído para 0,6% (NOVE, 1984: 89). O setor da pequena produção cooperativizada, por sua vez, acabou estabelecendo relações principalmente com o setor socialista, e não com os demais componentes identificados como pertencentes ao capitalismo de Estado. A maior parte desse setor cooperativizado não empregava trabalho assalariado alheio (não era, portanto, em si capitalista)[9]. O peso efetivo do capitalismo de Estado se manteve, assim, bastante limitado na URSS, não correspondendo às expectativas iniciais do próprio Lenin.

No tocante à obtenção de créditos bancários dos países capitalistas, os resultados também foram bastante magros. A Rússia se limitou a receber alguns créditos comercias de curto prazo. A negociação de créditos adicionais para financiar a importação de bens pelo governo soviético sempre enfrentou fortes obstáculos nos centros financeiros internacionais, quando não um boicote aberto. Para além das motivações diretamente políticas, esta "má vontade" era, também, uma reação ao cancelamento unilateral da dívida russa, decretado pelas autoridades soviéticas no início da revolução.

Diferentemente do regime tzarista, portanto, o poder soviético não contava com um fluxo significativo de investimentos estrangeiros para financiar o seu desenvolvimento econômico. Esses recursos tinham de ser gerados internamente. Quando a economia soviética recuperou, em 1925/1926, os níveis de produção alcançados pela Rússia antes da Primeira Guerra, o problema da geração de recursos para sustentar um novo ciclo de industrialização entrou na ordem do dia. Este problema já havia sido antecipado na chamada "crise da tesoura" em 1923/1924. Na época, tanto Sta-

---

[9] Apesar de ter a NEP acentuado, uma vez mais, a diferenciação social do campesinato, levando, inclusive a um *revival* dos *kulaks* no campo.

lin quanto Bukharin haviam criticado duramente a "oposição de esquerda" por querer forçar artificialmente a elevação dos índices de crescimento da economia soviética, colocando em risco a recém-conquistada estabilidade monetária e financeira. Poucos anos depois, o primeiro já via a questão com outros olhos.

O dilema fundamental da liderança soviética era se deveria insistir na política de industrialização mais gradual que vinha sendo desenvolvida nos marcos da NEP, financiando o desenvolvimento por meio de superávits comerciais gerados no setor agrícola, ou partir para uma política mais agressiva e acelerada de industrialização a partir de investimentos estatais altamente concentrados. A primeira alternativa era a preferida por Bukharin (que agora se situava mais "à direita" no espectro político-ideológico dos bolcheviques), mas Stalin e o núcleo central da liderança soviética, após intensa luta interna, acabaram optando pela segunda em 1927/1928, abrindo caminho para a progressiva restrição das concessões feitas ao capitalismo no âmbito da NEP. A nova orientação materializou-se no lançamento do 1º Plano Quinquenal em 1928. Este plano foi concebido pelo Conselho de Comissários do Povo (i.e., ministros) ainda em 1927, com o objetivo expresso de fomentar "o máximo de desenvolvimento das regiões econômicas com base na especialização", de forma a garantir "a utilização máxima dos seus recursos na industrialização do país" (apud NOVE, 1984: 144).

A nova política de industrialização socialista da URSS deu prioridade absoluta para a montagem de novas empresas estatais em setores estratégicos da indústria pesada, em detrimento da indústria leve e, sobretudo, da pequena produção artesanal e da agricultura privada. Os setores privilegiados foram os da produção de máquinas-ferramentas, tratores, caminhões, carros, usinas hidroelétricas, ferro e aço, além da mineração do carvão e da exploração do petróleo. A justificativa para a nova política já havia sido esboçada na resolução do XIV Congresso do Partido Bolchevique, realizado em dezembro de 1925, que indicou a necessidade de transformar a União Soviética de um país "importador de máquinas" em um país "produtor de máquinas", de forma a evitar que, nos marcos do cerco capitalista, "a URSS fosse transformada em mero apêndice da economia mundial capitalista, em vez de uma unidade econômica independente que constrói o socialismo" (apud em DOBB, 1966: 192).

O trecho citado acima revela, uma vez mais, como considerações geopolíticas foram determinantes para a flexão na posição da liderança soviética. De fato, a situação internacional voltara a se agravar no final dos anos 1920, com a intensificação das tensões entre os países "vencedores" e "perdedores" da Primeira Guerra Mundial. Na Alemanha, o partido nazista já havia iniciado a sua trajetória de ascensão ao poder, com base em um programa violentamente anticomunista. Na Itália, o governo já havia passado para as mãos dos fascistas liderados por Mussolini. A Inglaterra, por sua vez, rompeu relações com a URSS em 1927; e o poder soviético considerava iminente uma nova intervenção estrangeira comandada pelos ingleses. Estes desenvolvimentos deram um sentido especial de urgência ao problema da industrialização na União Soviética. Sem uma base industrial que pudesse ser rapidamente convertida na produção bélica em grande escala, a URSS não teria como sobreviver a um novo conflito militar com as potências capitalistas centrais[10].

A opção por uma versão socialista da política de industrialização acelerada via substituição de importações repôs, na URSS, o problema clássico das fontes de financiamento. Enfrentando uma espécie de "bloqueio financeiro" dos países capitalistas (pelo menos no que dizia respeito aos créditos de longo prazo), a União Soviética teve de se valer, fundamentalmente, de fontes internas para financiar seu esforço de industrialização. A primeira destas foi o lançamento, em 1927, de "títulos de industrialização" resgatáveis em dez anos, com um rendimento de 12% ao ano (uma taxa extremamente elevada para a prática soviética no período). Diante da insuficiência de recursos gerados por esta fonte, o poder soviético partiu para a taxação especial dos *kulaks* no campo e dos comerciantes privados (os *nepmen*) na economia em geral. Ainda enfrentando um quadro de escassez de fundos, o governo adotou, em 1930, uma reforma fiscal que iria constituir a principal fonte de financiamento da industrialização socialista na URSS: um imposto diferenciado sobre a circulação de mercadorias, que recaía muito fortemente sobre os produtos agrícolas. Esse imposto se articulava com o retorno à prática das requisições centralizadas de produtos agrícolas a preços baixos. Em meados dos anos 1930, quase metade da arrecadação do Estado soviético tinha origem nas organizações responsáveis por essas requisições (NOVE, 1984: 212).

Nos marcos, ainda, da sobrevivência de estruturas da NEP – sobretudo no comércio e na agricultura – a reação "natural" dos produtores agrícolas com maiores excedentes (sobretudo os *kulaks* e camponeses mais abastados) foi a de fugir às requisições do Estado e vender o máximo possível da sua produção a comerciantes privados (que pagavam preços mais altos) ou simplesmente não comercializar sua produção. O resultado foi uma grave crise de abastecimento das zonas urbanas. O poder central reagiu a isto explorando as tensões sociais geradas no campo pela política da NEP, insu-

---

[10] No entender da liderança soviética, isso só não teria ocorrido em 1918 porque as potências capitalistas ainda estavam em guerra entre si.

flando os camponeses mais pobres a tomar as terras dos produtores mais abastados e agrupá-las em fazendas coletivas. A própria liderança soviética batizou este movimento de "revolução pelo alto". A Tabela 1 nos dá uma dimensão da escala e velocidade deste processo, no que concerne à principal produção agrícola da URSS (o cultivo de cereais):

TABELA 1

Participação dos diferentes tipos de fazenda na exploração da superfície de cultivo de cereais na URSS, de 1929 a 1933 (em porcentagem do total)

	1929	1930	1931	1932	1933
Fazendas Estatais	2%	3%	8%	9%	11%
Fazendas Coletivas	4%	29%	58%	69%	74%
Fazendas Individuais e/ou Privadas	94%	68%	34%	22%	15%
TOTAL	100%	100%	100%	100%	100%

FONTE: Informe do XVII Congresso do PC(b) da URSS.

Esse processo de coletivização acelerada da agricultura marcou, para todos os efeitos, o fim da NEP. Ele foi o último degrau de um processo mais amplo de restrição progressiva e virtual eliminação das concessões feitas anteriormente ao capitalismo, que resultaram na drástica redução da participação do setor privado na renda nacional da URSS, como pode ser visto na Tabela 2.

TABELA 2

Participação do setor socializado e do setor privado na renda nacional da URSS, de 1928 a 1932 (em porcentagem do total)

	1928	1929	1930	1931	1932
Setor Privado	53%	61%	72%	82%	91%
Setor Socializado	47%	39%	28%	18%	9%
TOTAL	100%	100%	100%	100%	100%

FONTE: Nove, 1984: 137.

RÚSSIA: DO CAPITALISMO TARDIO AO SOCIALISMO REAL

A URSS ainda contou, ao longo do 1º Plano Quinquenal, com um incremento de créditos bancários dos países capitalistas para complementar as suas fontes internas de financiamento. A maior parte destes empréstimos era composto, uma vez mais, por créditos comerciais de curto prazo destinados a financiar a compra de equipamentos para o esforço de industrialização. Apesar disto, seu volume foi significativamente mais elevado do que no período da NEP. O endividamento da URSS junto a bancos capitalistas passou de 392 milhões de rublos-ouro em outubro de 1927 para 615 milhões em outubro de 1929; até chegar ao pico de um bilhão e 400 milhões em 1931 (que equivaliam a cerca de 720 milhões de dólares na época) (LEWIS, 1994: 313). O mais interessante é que este aumento da dívida externa russa se deu na sequência da decretação, em 1928, da não conversibilidade do rublo nos mercados monetários internacionais – uma medida que os dirigentes soviéticos consideravam crucial para, junto com o monopólio estatal do comércio externo, preservar a independência econômica da URSS. Esses créditos de bancos capitalistas, no entanto, desempenharam papel apenas marginal no financiamento da industrialização soviética. Com o colapso dos mercados do mundo capitalista a partir da Grande Depressão de 1929, mesmo este fluxo relativamente limitado foi sendo progressivamente interrompido, reduzindo a dívida externa da URSS a insignificantes 85 milhões de rublos-ouro em 1936 (p. 313).

Mais relevantes para o programa soviético de industrialização foram os acordos de assistência técnica firmados com empresas capitalistas no âmbito do 1º Plano Quinquenal. O primeiro destes contratos foi firmado com uma empresa francesa em 1928. No final de 1929, havia sessenta e quatro acordos de assistência técnica em operação. No final de 1931, esse número já alcançava 124. Alguns dos acordos mais conhecidos foram os estabelecidos com as empresas Siemens, AEC e Telefunken, para organizar a produção de geradores e outros equipamentos elétricos e telefônicos; com a empresa norte-americana Cooper, para construir a represa de Dnieper; e com a Ford, para montar uma fábrica de automóveis em Novogorod (SKOROV, 1980: 41). Sob o impacto, uma vez mais, da retração dos mercados do mundo capitalista – e com a crescente capacitação tecnológica da própria economia soviética –, esse tipo de contrato de assistência técnica e transferência de tecnologia também foi sendo progressivamente limitado. Em 1933, sobravam só quarenta e seis contratos em operação; e em meados dos anos 1930, praticamente todos já haviam sido cancelados (p. 41).

As profundas transformações vividas pela sociedade soviética nos marcos do 1º Plano Quinquenal marcam a gênese do que Janos Kornai (1992) chamou de "sistema socialista clássico" (o modelo soviético de socialismo), que se reproduziu nos planos quinquenais subsequentes. Suas características centrais eram a estatização quase integral das forças produtivas; a planificação centralizada de todo o desenvolvimento econômico e social; e a concentração de todo poder político efetivo nas estruturas verticais de autoridade do partido dirigente. Nos marcos da constituição deste sistema, a liderança soviética tratou de intensificar cada vez mais os ritmos da industrialização, elevando a taxa de investimento em relação ao produto nacional de 7% em 1928 para 21% em 1937 (BETTELHEIM, s.d.: 268). Ao defender, em 1931, esta intensificação contra os dirigentes que insistiam no seu abrandamento, Stalin relacionou os desafios enfrentados, então, pelo poder soviético aos entraves geopolíticos que marcaram a evolução anterior da Rússia:

> Amortecer o ritmo significa ficar para trás. E os que ficam para trás são batidos... [A velha Rússia] era constantemente batida por seu atraso. Bateram-na os kans mongóis. Bateram-na os beis turcos. Bateram-na os senhores feudais suecos. Bateram os panis polacos e lituanos. Bateram-na os capitalistas ingleses e franceses. Bateram-na os barões japoneses. Bateram-na todos, graças ao atraso dela. Graças ao seu atraso militar, ao seu atraso cultural, ao seu atraso estatal, ao seu atraso industrial, e ao seu atraso agrícola. Quereis que nossa pátria socialista seja derrotada e que perca sua independência? Se não o quereis, deveis acabar com seu atraso no prazo mais curto possível e desenvolver um verdadeiro ritmo bolchevique na edificação da sua economia socialista... Marchamos com um atraso de 50 ou 100 anos em relação aos países mais adiantados. Temos de superar essa distância em dez anos. Ou o fazemos, ou nos esmagam (STALIN, 1977a: 532-533).

Os resultados alcançados pelo esforço de industrialização socialista dos primeiros planos quinquenais foram, de fato, impressionantes. A média anual de crescimento econômico da URSS foi de 13,2% no 1º Plano e 16,1% no 2º. O 3º Plano foi interrompido pela invasão nazista em 1941 e registrava, até então, um crescimento médio anual de 12,5%. Esse crescimento da produção se baseava, fundamentalmente, na entrada em operação de novas máquinas ou unidades de produção, que incorporavam a base técnica mais avançada dos países capitalistas na época. Por considerações estratégicas, as novas indústrias foram espalhadas por oito ou nove regiões industriais principais, estendendo o desenvolvimento econômico soviético para o Leste (em contraposição à experiência tzarista anterior, em que esse desenvolvimento ficou confinado às regiões ocidentais) (DOBB, 1966, cap. 16).

Com base nessas transformações, a direção do PCUS e do Estado Soviético anunciou haver completado a construção da "base econômica do socialismo" na URSS em meados de 1930. Referenciado na análise de Lenin sobre as cinco estruturas econômico-sociais principais existentes na Rússia após a revolução, o informe apresentado ao XVII Congresso do Partido em 1934 indicava que "a primeira, a terceira e a quarta (a economia camponesa comu-

RÚSSIA: DO CAPITALISMO TARDIO AO SOCIALISMO REAL

nal, o capitalismo privado e o capitalismo de Estado) já não existiam mais; a segunda (a pequena produção mercantil) fora deslocada a posições de segunda ordem; ao passo que a quinta (a socialista) havia se tornado a única força regente de toda a economia nacional" (STALIN, 1977b). O socialismo, assim, teria deixado de ser uma "perspectiva" de Estado para se tornar um novo "modo de produção" efetivamente dominante na sociedade soviética.

O interessante aqui é comparar as características assumidas por essa experiência de industrialização socialista com as do seu predecessor tzarista, segundo a sistematização feita por Gerschenkron. Há, certamente, importantes semelhanças entre os dois processos. A industrialização assumiu, em ambos, a forma de um grande surto, com elevados índices de crescimento industrial. Ambos buscaram explorar as "vantagens do atraso", dando prioridade à montagem de empresas de grande porte com as bases técnicas mais avançadas das suas respectivas épocas. Ambos priorizaram, igualmente, a indústria pesada (produção de bens de produção), em detrimento da indústria leve (produção de bens de consumo); e tiveram de conter (pelo menos temporariamente) o nível de consumo da população para financiar o esforço de industrialização. Em ambos, por fim, a intervenção ativa do Estado desempenhou um papel decisivo no processo de industrialização e o desenvolvimento da agricultura manteve um acentuado descompasso em relação à indústria[11].

Essas semelhanças, no entanto, encobrem diferenças muito mais significativas. A principal, entre estas, é que, na URSS, o papel ativo desempenhado pelo Estado no desenvolvimento econômico não era concebido como um expediente temporário, destinado a preparar as condições para o predomínio futuro de capitalistas privados, e sim como a ponta-de-lança de um processo de transição socialista, destinado a eliminar a própria acumulação privada. O peso do capital estrangeiro nos dois processos também foi inteiramente distinto: absolutamente crucial na industrialização tzarista e insignificante no desenvolvimento soviético. Os mecanismos adotados para proteger as respectivas economias nacionais foram totalmente diferentes: a Rússia tzarista optou por tarifas nos marcos de uma economia de mercado relativamente aberta, ao passo que a União Soviética adotou mecanismos de desengate muito mais efetivos (como o monopólio estatal do comércio exterior e a inconversibilidade da sua moeda nos mercados interna-

---

[11] Embora as razões para isso fossem opostas nos dois casos. Na experiência tzarista, o problema era o contínuo atraso do campo, em função do predomínio da grande propriedade latifundiária. Na experiência soviética, o problema era a geração de excedentes agrícolas crescentes nos marcos da coletivização da terra para financiar o desenvolvimento acelerado das regiões industriais (antigas e novas).

cionais). Por fim, os resultados alcançados pelos respectivos processos de industrialização também foram diversos: enquanto a industrialização capitalista tardia fomentada pelo regime tzarista foi incapaz de alterar a posição relativa da Rússia no sistema internacional, a industrialização socialista soviética logrou dobrar a participação da URSS na produção industrial mundial entre 1929 e 1938 (BOLÓTIN, 1989: 27) e sustentar um processo de desenvolvimento prolongado, que viria a transformá-la na segunda potência do mundo[12].

4 Da aliança contra o nazismo à formação do sistema socialista mundial

As considerações geopolíticas que orientaram a industrialização acelerada da União Soviética logo seriam colocadas à prova com a irrupção da Segunda Guerra Mundial e a trágica confirmação da invasão, prevista, de tropas estrangeiras (no caso, nazistas) em 1941. A invasão alemã interrompeu o 3º Plano Quinquenal bem no meio. A guerra que seguiu acarretou uma destruição colossal da economia e da sociedade soviéticas. A URSS acabou se tornando o palco decisivo e a força determinante da Segunda Guerra. As tropas nazistas chegaram a ocupar um terço do território soviético, restaurando a propriedade privada nas regiões sob seu domínio. Ao final de 1941, a URSS já havia perdido territórios responsáveis por 63% da sua produção de carvão, 68% da de ferro, 58% da de aço, 60% da de alumínio, além de 41% das suas linhas férreas, 84% da área de cultivo de açúcar e 38% da área de cultivo de grãos (NOVE, 1984: 271). À medida que recuavam, as forças soviéticas praticavam uma política de "terra arrasada", destruindo tudo o que pudesse vir a ser utilizado como fonte de abastecimento das tropas alemãs. Isso sem falar no brutal custo humano da luta contra o nazismo – cerca de 20 milhões de cidadãos soviéticos pereceram no conflito, o que equivale a dois de cada cinco pessoas mortas na Segunda Guerra Mundial.

Nos marcos da aliança militar contra o nazismo, a URSS recebeu um volume sem precedente de créditos dos países capitalistas centrais. O volume total de créditos recebidos pela União Soviética durante o conflito chegou a 10 bilhões de dólares (HARRISON, 1994: 250). A maior parte desses créditos foi fornecida pelos Estados Unidos – nos marcos do *Master Lend Lease*

---

[12] Este desempenho, por sinal, contraria a compreensão do desenvolvimento econômico soviético sustentada pelo próprio Gerschenkron, que a interpretou como um retorno a formas mais primitivas de industrialização tardia, nos moldes da experiência inicial de Pedro, o Grande. Por isso mesmo, ele previu (erradamente) que a URSS seria incapaz de romper a "maldição do surto" e sustentar índices elevados de crescimento por um período mais prolongado (GERSCHENKRON, 1973, cap. 10).

Agreement, firmado entre a URSS e os Estados Unidos em julho de 1942 – e destinada à compra de equipamento militar e matéria-prima de empresas norte-americanas. O grosso desse montante só foi entregue aos soviéticos entre meados de 1943 e o final de 1944 – depois, portanto, da Batalha de Stalingrado, evento que se tornou o ponto de virada da Segunda Guerra Mundial.

Apesar do volume substancial desses créditos externos, o armamento importado dos Estados Unidos e da Inglaterra com base nos créditos mencionados acima não representou mais do que 2% das armas, 14% dos aviões de combate e 11% dos tanques e canhões autopropulsados usados pela União Soviética na guerra[13]. O grosso do armamento e do equipamento militar usado pela URSS no conflito, portanto, foi produzido pelo parque industrial montado nos primeiros planos quinquenais, convertido integralmente no esforço de defesa desde a invasão nazista. A decisão estratégica de espalhar esse parque por todo o território soviético também se revelou crucial, já que as regiões ocidentais da URSS (onde se concentrara a produção industrial russa na experiência de industrialização tzarista) foram as primeiras a ser ocupadas pelas tropas alemãs.

Visto por esse ângulo geopolítico, apesar da alta cota de sacrifícios que impôs à população, a opção estratégica pela aceleração do ritmo da industrialização soviética, tomada em 1928, pode ter sido crucial para a derrota da máquina de guerra nazista e a própria sobrevivência da União Soviética. O próprio desfecho da Segunda Guerra redefiniu a inserção global da URSS, conferindo-lhe o papel de nova liderança (ou "superpotência") mundial. Nesse processo, várias características da sua evolução, que haviam surgido como resposta a condições históricas particulares, foram erigidas, pela liderança soviética, em "princípios únicos", que deveriam reger todas as experiências socialistas futuras, como veremos mais adiante.

Do ponto de vista das suas relações econômicas internacionais, a liderança soviética chegou a cogitar, na fase final da Segunda Guerra, a continuar recorrendo a créditos volumosos dos países capitalistas para ajudar no financiamento da sua reconstrução econômica. Nesses termos, a URSS chegou mesmo a participar das negociações na Conferência de Bretton Woods em 1944, que desenharam um novo arranjo financeiro e monetário para a economia mundial do pós-guerra, baseado na liberalização comercial e na adoção do padrão dólar-ouro. Ao término do conflito, no entanto, já estava claro para os soviéticos que esse arranjo – e as instituições a ele associadas – configurava, na verdade, instrumentos de afirmação da nova hegemonia norte-americana no mundo capitalista. Ademais, os termos do acordo gera-

---

[13] Calculado com base em dados fornecidos por Alec Nove (1984: 275)

do na Conferência determinavam o desmantelamento de dois componentes do sistema socialista soviético, considerados cruciais para preservar a sua independência econômica: o monopólio estatal das relações econômicas com o exterior e a inconversibilidade do rublo nos mercados monetários do mundo capitalista. Por essas razões, a URSS se recusou a ratificar os acordos de Bretton Woods em 1946 e tampouco se associou aos recém-criados FMI e Banco Mundial (Bird).

Como o governo norte-americano condicionava a liberação de créditos à aceitação dos termos do "programa de Bretton Woods", a liderança soviética declinou, igualmente, as ofertas de crédito-condicionado feitas por aquele, inclusive o convite para participar do Plano Marshall em 1947. Para agravar essa escalada de tensões nas relações econômicas entre as duas potências, a URSS também se negou a reconhecer a "dívida pendente" com os Estados Unidos em função do *Master Lend Lease Agreement* de 1942, alegando tratar-se de parte integrante da mobilização militar comum para derrotar a Alemanha nazista na Segunda Guerra. Abria-se, assim, mais um contencioso entre a União Soviética e o capital financeiro internacional (agora sob hegemonia norte-americana).

Após a "lua de mel" da aliança contra o nazismo, os Estados Unidos partiram, em 1947, para uma política deliberada de "contenção" do socialismo soviético, dando início à confrontação bipolar da Guerra Fria, a qual viria a dominar (com intensidade variada) toda a evolução mundial nas quatro décadas seguintes. A nova política norte-americana tomou corpo com o lançamento oficial da "Doutrina Truman" em março de 1947. O "tom" ideológico do novo discurso ocidental já havia sido fixado anteriormente por Churchill, ao denunciar, em 1946, a formação de uma "cortina de ferro" em torno das áreas de influência da URSS na Europa. A lógica estratégica que orientou a política de "contenção" foi explicitada em um famoso artigo do chefe do Gabinete de Planejamento Político do Departamento de Estado norte-americano, George Kennan, publicado (sob pseudônimo) na revista *Foreign Affairs*, ainda em 1947 (KENNAN, 1947). Segundo este, os Estados Unidos deveriam adotar uma política de "contenção paciente, mas firme e vigilante, das tendências expansionistas russas". Isto implicava "confrontar os russos com um constante contrapoder em todos os pontos em que dão sinais de invasão dos interesses de um mundo estável e pacífico" para, a longo prazo, "quebrar a unidade e a eficácia do partido como instrumento político", o que poderia mudar a Rússia soviética, "de um dia para o outro, de uma das mais fortes para uma das mais fracas e mais deploráveis sociedades".

Os desdobramentos políticos e econômicos da nova política de "contenção" não fizeram por esperar. Os partidos comunistas foram excluídos

RÚSSIA: DO CAPITALISMO TARDIO AO SOCIALISMO REAL

dos governos de coalizão na França e na Itália em 1947, e a Inglaterra e os Estados Unidos interviram pesadamente na guerra civil da Grécia no mesmo ano. No âmbito da criação da Otan em 1949, foi montado um Comitê Coordenador para o Controle das Exportações Multilaterais (Cocom), visando conter e reduzir o intercâmbio comercial entre os países capitalistas centrais e os integrantes do "bloco soviético" (sob alegação de "razões de segurança")[14]. Pouco depois da sua criação, os Estados Unidos determinaram ao Cocom a inclusão de mais de duas mil categorias de artigos na lista de bens e serviços proibidos de serem comercializados com a URSS e seus aliados. Isto abarcava quase a metade dos artigos disponíveis no mercado mundial da época.

A URSS reagiu à política da "contenção", usando a sua influência política, militar e econômica para respaldar a rápida transição ao socialismo dos países da Europa Central e do Leste que haviam se libertado da ocupação nazista por meio da intervenção direta do Exército Vermelho ou de movimentos guerrilheiros dirigidos por forças comunistas (Iugoslávia e Albânia). A estes se somaram, ainda, as Repúblicas Populares da Coreia e da China na Ásia, após o triunfo das suas respectivas revoluções. Segundo a liderança soviética da época, a integração sistêmica desses países teria levado à desagregação do mercado mundial único do capitalismo em dois mercados mundiais opostos, estruturados sobre sistemas mundiais antagônicos (STALIN, 1975: 85-86).

Esta compreensão levava a URSS a adotar políticas econômicas externas distintas com os países capitalistas e os países socialistas. Com estes, a política oficial era desenvolver ao máximo relações de "cooperação" e "assistência econômica mútua" que auxiliassem a rápida industrialização dos parceiros socialistas. Para tal, foi fundado, em 1949, o Conselho de Assistência Econômica Mútua (Came), integrado, inicialmente, pela própria União Soviética, a Bulgária, a Tchecoslováquia, a Hungria, a Polônia e a Romênia – e reforçado, em seguida, pela Albânia e pela República Democrática Alemã (Alemanha Oriental). Todos estes países, além da China e da Coreia do Norte, passaram a se referenciar no "modelo soviético" como paradigma para os seus próprios processos de industrialização socialista, embora as condições internas e externas enfrentadas por estes fossem bem diferentes das enfrentadas pela URSS nos anos 1920 e 1930 (a começar pelo fato de não se tratarem de experiências socialistas nacionais isoladas, como havia sido a soviética).

---

[14] Para uma visão geral da criação e evolução do Cocom, cf. Mastanduno (1992).

275

Nos marcos da integração sistêmica do novo "campo socialista", foram estendidos para o conjunto dos países membros os mecanismos de "desengate" da economia capitalista mundial adotados anteriormente pela União Soviética (o monopólio estatal das relações econômicas com o exterior e a inconversibilidade da moeda nacional nos mercados monetários capitalistas). O intercâmbio comercial entre os países socialistas passou a ser regido pela compatibilização negociada das metas dos respectivos planos quinquenais nacionais. Os preços adotados nesse intercâmbio também passaram a ser fixados por meio de negociações bilaterais entre os países envolvidos, e não pela incorporação automática dos termos de troca do mercado mundial. A justificativa oficial para isso era a necessidade de romper com as relações de "troca desigual" que predominavam nesse mercado. Caberia ao Came, assim, a função de órgão coordenador do novo "mercado socialista mundial". Sua política inicial voltava-se para a construção de uma base econômica e industrial diversificada em cada país-membro, reproduzindo (em escala menor) o esforço de industrialização efetuado pela URSS duas décadas antes.

Como decorrência dos desenvolvimentos descritos acima, os fluxos de capital entre os países capitalistas e os países socialistas foram drasticamente reduzidos. Estes acompanharam a URSS, igualmente, na recusa da adesão ao "sistema de Bretton Woods". A União Soviética logrou êxito, ainda, na sua pressão para evitar que países do "campo socialista" aderissem ao Plano Marshall. Um caso notório, aqui, foi o da Tchecoslováquia, cujo governo, após a visita de uma delegação a Moscou em 1947, foi "convencido" a declinar créditos oferecidos pela Inglaterra e pela França (nos marcos do plano norte-americano) que já havia aceito (FEJTÖ, 1975: 165-166).

O desdobramento mais importante da Segunda Guerra para o desenvolvimento da URSS foi, portanto, a formação de um sistema mundial de países socialistas, que acabou com seu isolamento anterior diante do mercado mundial unificado pelo capitalismo. Em vez de um Estado socialista único, o poder soviético encabeçava, agora, uma comunidade de Estados socialistas, que, abarcando um terço da população do globo e mais de um quinto do seu território, se empenhava na constituição de uma ordem econômica e política mundial alternativa à que havia sido desenhada em Bretton Woods, sob hegemonia do capitalismo norte-americano.

5 Do "milagre" à "miragem"

Este capítulo analisou a gênese do modelo soviético de industrialização socialista na Rússia e a sua transformação em fundamento de um sistema

RÚSSIA: DO CAPITALISMO TARDIO AO SOCIALISMO REAL

mundial alternativo na segunda metade do século XX. Vimos como as características assumidas pelas experiências do capitalismo tardio e do socialismo real na Rússia foram, em grande parte, moldadas pelas condições geopolíticas geradas com o advento do capitalismo industrial e financeiro. Vimos, igualmente, como, ao romper com as "leis gerais do movimento do capital", a experiência soviética teve muito mais sucesso do que a tzarista em sustentar um ciclo prolongado de desenvolvimento e redefinir sua inserção no sistema internacional.

Ao longo de todo o seu desenvolvimento, a URSS teve de deparar um sistema internacional que, além de incomparavelmente mais forte, estava estruturado sobre princípios econômicos, políticos e sociais antagônicos aos seus. Esse sistema internacional reagiu à "ameaça" soviética de forma análoga à que, em outros tempos, havia reagido à Revolução Francesa: buscando conter, isolar, minar e, por fim, derruir o foco que ameaçava a continuidade das suas normas dominantes. Essa reação, no caso soviético, assumiu diversas formas: a intervenção estrangeira na guerra civil; a exclusão inicial da Liga das Nações; a prolongada recusa ao reconhecimento diplomático; a tolerância conivente para com o "Pacto Anti-Comintern" nos anos 1930; a demora estratégica em abrir uma segunda frente de luta contra o exército nazista na Segunda Guerra; a busca do enquadramento via instituições multilaterais na reorganização liberal da ordem mundial do pós-guerra; a restrição deliberada do intercâmbio econômico via mecanismos punitivos do Cocom; a escalada da corrida armamentista; etc. Apesar de toda essa pressão contrária, a URSS, como vimos, logrou sustentar um ciclo prolongado de crescimento e romper seu isolamento sistêmico inicial.

A formação do "campo socialista" polarizou o sistema internacional entre duas ordens universalizantes que operavam com lógicas e princípios antagônicos. O século XX se encerra – política e cronologicamente – sob o impacto do colapso da ordem mais recente e fraca (a socialista, sob liderança da URSS) e o triunfo da mais antiga e forte (a capitalista, sob liderança dos Estados Unidos). A estratégia norte-americana de contenção e estrangulamento a longo prazo do sistema socialista soviético, desenhada por George Kennan, parece ter alcançado plenamente os seus objetivos (o que não quer dizer que ela tenha resolvido ou superado as contradições da própria ordem que comanda). Na sequência desse colapso, os antigos países socialistas – e a Rússia em particular – enfrentaram (e alguns ainda enfrentam) uma prolongada crise, que causou mais retrocesso e destruição do que a própria ocupação nazista na Segunda Guerra.

Como explicar esta transformação do "milagre" socialista em "miragem" (neo)liberal? Analisar a evolução do campo socialista e as razões para o seu colapso foge ao escopo do presente artigo[15]. Não poderia, no entanto, encerrar a presente análise da gênese do modelo de industrialização sem desenvolver alguns breves comentários a respeito dessa questão.

Diante do colapso do antigo mundo socialista, tornou-se quase um senso comum a crítica liberal clássica ao modelo soviético, que afirma a existência de um suposto "antagonismo genético" entre o socialismo e a eficiência econômica ou a alta produtividade[16]. A verdade, no entanto, é que a URSS sustentou durante um longo período índices de desenvolvimento econômico muito significativos com base no seu "modelo". O crescimento da produção industrial da União Soviética entre 1913 (ainda no formato da Rússia imperial) até 1950 foi mais elevado do que a de qualquer país capitalista (BOLÓTIN, 1989)[17]. Esse desempenho foi sustentado por uma elevação mais rápida da produtividade do trabalho na URSS (nos marcos do seu esforço de industrialização socialista acelerada) do que nos países capitalistas[18].

É verdade, no entanto, que nas décadas que se seguiram à reconstrução econômica do pós-guerra – quando a URSS concluiu, no fundamental, a industrialização da sua economia e entrou em uma nova fase de desenvolvimento, na qual o desafio central passou a ser o da elevação da produtividade do trabalho nas unidades já montadas, em vez da construção de novas unidades – o "modelo soviético" foi perdendo a dianteira na "corrida" com as potências capitalistas. Assim, enquanto a produção industrial na URSS era 10,1 vezes maior em 1987 do que em 1950, a do Japão era 21,1 vezes maior (ou seja, o crescimento da produção industrial japonesa foi duas vezes maior do que a soviética no período). Para os demais países capitalistas centrais, o crescimento da produção industrial nesse período foi ainda mais

---

[15] Para um exame mais detido dessas questões, remeto o leitor a um livro que escrevi pouco após a desagregação do campo socialista e da própria URSS (FERNANDES, 1991).

[16] Essa linha de argumentação remonta, é claro, a Von Mises (1935 e 1981). Um exemplo da sua reafirmação contemporânea, à luz do colapso do bloco socialista, pode ser vista em Sorman (1991).

[17] Segundo levantamento do economista russo B. Bolótin, a produção industrial da URSS em 1950 era 4,5 vezes maior do que a de 1913 (contra 3,5 vezes no mesmo período para o Japão; 2,9 para os Estados Unidos; 2,4 para a Itália; 1,5 para a Inglaterra e 1,4 para a Alemanha). Se analisarmos apenas o desempenho relativo ao período dos dois primeiros planos quinquenais, os resultados soviéticos são ainda mais positivos: crescimento da produção industrial de 117% entre 1929 e 1938 (contra 73% do Japão; 22% dos Estados Unidos, que haviam sido atingidos em cheio por duas depressões seguidas; 30% da Alemanha, 15% da Inglaterra; e 85% para a Itália – no mesmo período). Os dados compilados no estudo de Bolótin têm a vantagem de "deflacionar" os dados oficiais soviéticos, incorporando críticas metodológicas feitas por autores ocidentais.

[18] A produtividade social do trabalho na União Soviética era 3,2 mais elevada em 1950 do que em 1913 (contra 2,5 vezes nos Estados Unidos; 1,55 no Japão e na Itália; e 1,25 na Inglaterra e na Alemanha – no mesmo período).

baixo: 6 vezes para a Itália; 3,9 para a Alemanha, 2,5 vezes para os Estados Unidos e 1,94 para a Inglaterra. Do ponto de vista do crescimento da produtividade do trabalho social entre 1950 e 1987, a União Soviética (com uma elevação de 359% no período) ficou atrás não só do Japão (com 968%), como também da Itália (com 452%) e da Alemanha (com 388%). Continuou, no entanto, à frente dos Estados Unidos (com 210%) e da Inglaterra (com 272%). O desempenho soviético nos anos 1970 e 1980 é pior do que os índices acima deixam transparecer. O fato é que, nos anos 1950 e parcialmente nos 1960, a URSS ainda sustentou índices bastante elevados de crescimento industrial, embora inferiores aos do Japão. A partir de meados dos anos 1970, no entanto, as suas taxas de crescimento declinaram acentuadamente. Ainda assim, elas se situavam na mesma faixa das taxas de crescimento dos países capitalistas centrais nos anos 1980.

Para os dirigentes soviéticos, esta desaceleração dos índices de crescimento da economia e da produtividade do trabalho na URSS a partir dos anos 1970 refletiu a transição de uma fase em que esse crescimento se dava em bases "extensivas" para outro, em que teriam de predominar bases "intensivas". A nomenclatura usada na literatura soviética a este respeito é um tanto confusa, já que o período considerado como típico do crescimento "extensivo" (o da industrialização acelerada dos primeiros planos quinquenais) é, precisamente, aquele em que a URSS assumiu a liderança mundial em termos de crescimento "intensivo" relativo (i.e., a produtividade social do trabalho na sua economia aumentou mais rapidamente do que a dos seus concorrentes capitalistas). A ideia básica que sustenta o diagnóstico, no entanto, me parece válida: a de que características centrais do modelo soviético que haviam se revelado eficazes e mesmo historicamente necessárias em uma fase anterior (como a direção econômica baseada em métodos administrativos altamente centralizados e a estatização integral das forças produtivas) haviam se tornado, em função das condições geradas pelo seu próprio sucesso, um "freio" para a continuidade do seu desenvolvimento.

Do ponto de vista econômico, o problema básico enfrentado pelo modelo soviético era a ausência de um mecanismo que levasse as empresas já constituídas a procurar, de forma permanente, modernizar as (ou superar os limites das) bases tecnológicas já instaladas (i.e., um equivalente socialista para o papel dinamizador da difusão do progresso técnico assumido pela concorrência nas economias capitalistas). Nos anos 1980, por exemplo, enquanto a taxa anual de substituição de bens de capital (para renovação) nos Estados Unidos era de 5% e no Japão de 10%, na URSS ela não passava de 2% (*Economist*, 18/1189: 21). Apesar disso, explorando outras vantagens do seu sistema (como a alocação planificada de recursos e metas), a União Soviética conseguiu manter, no período, índices de crescimento eco-

Luís Manuel Fernandes

nômico equivalentes aos dos países capitalistas centrais. Ela não se encontrava, portanto, em um quadro de "estagnação". As razões para o colapso, portanto, devem ser buscadas em outras dimensões.

Voltamos, uma vez mais, à dimensão política (ou melhor, geopolítica) da crise do socialismo. A perda da dianteira na "corrida" com as potências capitalistas passou a minar a autoridade dos governos socialistas, já que a alegada superioridade do seu sistema era a sua principal base de legitimação interna (dado o "economicismo" predominante no discurso oficial). Isto era agravado pela exposição crescente das populações dos Estados socialistas (em função do avanço das telecomunicações) a imagens (em geral, ilusórias) de "fartura", no Ocidente, de bens de consumo tecnologicamente sofisticados, escassos ou inexistentes nos seus próprios países. Há que se destacar, ainda, o custo mais elevado que a corrida armamentista impunha aos países socialistas, em função da necessidade de manter a paridade bélica com o mundo capitalista, partindo de posições econômicas mais fracas. Ou seja, a competição intersistêmica havia se deslocado para um terreno particularmente desfavorável para os governantes socialistas.

Mais importante ainda, porém, foi o impacto político-ideológico sobre os dirigentes dos Estados socialistas da constatação do fracasso do seu objetivo estratégico de alcançar paridade global com o mundo capitalista. Dado o antagonismo entre os dois sistemas mundiais – e a desigualdade de forças entre eles – tal fracasso apontava, a médio ou longo prazo, para a inviabilização do próprio mundo socialista. Após fracassadas tentativas de reforma, isto gerou uma crise de autoconfiança da própria liderança soviética, que resultou, com Gorbachev, no abandono da concepção que havia presidido a montagem do sistema socialista soviético anterior, a favor de um realinhamento estratégico com as potências líderes do mundo capitalista (em nome de "valores humanos universais"). Este "novo pensamento" da política externa soviética se materializou, muito concretamente, no apoio aos Estados Unidos na Guerra do Golfo, na aceitação da reunificação alemã e na adesão, por fim, aos organismos econômicos e financeiros gestados nos acordos de Bretton Woods. Em vez de uma sobrevida do mundo socialista, o resultado foi o que Fred Halliday classificou de "colapso singular": a desagregação rápida e inequívoca de um sistema socieconômico e político mundial diante do seu rival, sem um conflito militar aberto (HALLIDAY, 1994: 191).

Para a teoria socialista, assim, os problemas suscitados pelo colapso do modelo socialista soviético e do sistema mundial que ele estruturava apresentam-se como uma versão contemporânea do "enigma da esfinge" da mitologia grega – se o pensamento socialista não os decifrar, será "devorado" pela pior das danações: a de se tornar historicamente irrelevante. Quem sabe o "milagre" da China no final do século XX, discutido neste mesmo livro, não forneça algumas pistas para essa resposta?

280

REFERÊNCIAS

BETTELHEIM, C. (s.d.). *A luta de classes na URSS* – 3 Período: 1930-19141 (Os dominados). Sintra: Publicações Europa – América.

BOLÓTIN, B. (1989). "A União Soviética na economia mundial (renda nacional, produção industrial e agrícola segundo os cálculos da Academia de Ciências da URSS)". *Economias socialistas*, vol. 2, n. 8.

BUKHARIN, N. (1980). *ABC do comunismo.* São Paulo: Global.

CARSON, G.B. (1959). The State and Economic Development: Rússia, 1890-1939. In: AITKEN H. (org.). *The State and Economic Growth.* Nova York: Social Science Research Council.

CONDOIDE, M. (1951). *The Soviet Financial System.* Ohio: Ohio University Press.

DOBB, M. (1966). *Soviet Economic Development since 1917.* Londres: Routledge & Kegan Paul.

FEJTÖ, F. (1975). As *Democracias populares*: 1. A era de estaline. Sintra: Publicações Europa – América.

FERNANDES, L. (1991). *URSS* – ascensão e queda. São Paulo: Editora Anita Garibaldi.

GERRATANA, V. (1987). Estado socialista e capitalismo de Estado. In: BERTELLI, A. (org.). *A nova política econômica (NEP).* São Paulo: Global.

GERSCHENKRON, A. (1973). *El Atraso Económico en su Perspectiva Histórica.* Barcelona: Editora Ariel.

GOLDSMITH, R. (1961). "The Economic Growth of Tzarist Russia, 1860-1913". *Economic Development and Cultural Change*, vol. 9, n. 3.

HALLIDAY, F. (1994). *Rethinking International Relations.* Londres: Macmillan.

HARRISON, M. (1994). The Second World War. In: DAVIES, R.W. et al. (orgs.). *The Economic Transformation of the Soviet Union*, 1913-1945. Cambridge: Cambridge University Press.

KENNAN, G. (1947). "The Sources of Soviet Conduct". *Foreign Affairs*, vol. 25, n. 4.

KORNAI, J. (1992). *The Socialist System.* (ꜛrd: Clarendon Press.

LENIN, V.I. (1980). *O programa agrário da social-democracia na primeira Revolução Russa de 1905-1907.* São Paulo: Ciências Humanas.

_____ (1979a). Sobre a cooperação. In: LENIN, V.I. *Obras escolhidas* – vol. 3. Lisboa: Edições Avante!

_____ (1979b). Sobre a nossa revolução. In: LENIN, V.I. *Obras escolhidas* – vol. 3. Lisboa: Edições Avante!

_____ (1979c). Sobre o imposto em espécie. In: LENIN, V.I. *Obras escolhidas* – vol. 3. Lisboa: Edições Avante!

_____ (1978a). Sobre as tarefas do proletariado na presente revolução. In: *Obras escolhidas* – vol. 2. Lisboa: Edições Avante!

_____ (1978b). As tarefas do proletariado na presente revolução (Projeto de plataforma do Partido Proletário). In: LENIN, V.I. *Obras escolhidas* – vol. 2. Lisboa: Edições Avante!

_____ (1978c). Declaração dos direitos do povo trabalhador e explorado. In: LENIN, V.I. *Obras escolhidas* – vol. 2. Lisboa: Edições Avante!

_____ (1978d). O infantilismo "de esquerda" e o espírito pequeno-burguês. In: LENIN, V.I. *Obras escolhidas* – vol. 2. Lisboa: Edições Avante!

_____ (s.d.). Report to the 8th Congress of the R.C.P. (b). In: LENIN, V.I. *On the Defence of the Socialist Motherland*. Moscou: Editora da Agência Nóvosti.

LEWIS, R. (1994). Foreign Economic Relations. In: DAVIES, R.W. et al (orgs.). *The Economic Transformation of the Soviet Union, 1913-1945*. Cambridge: Cambridge University Press.

MARX, K. (1977). On Bakunin's State and Anarchy. In: MCLELLAN, D. (org.). *Karl Marx* – Selected Writings. Oxford: Oxford University Press.

MASTANDUNO, M. (1992). *Economic Containment*: Cocom and the Politics of East-West Trade. Ithaca: Cornell University Press.

NOVE, A. (1984). *An Economic History of the USSR*. Harmondsworth: Penguin Books.

PC(B) DA URSS (1974). *História do Partido Comunista (bolchevique) da URSS*. Lisboa: Edições Povo e Cultura.

RADKEY, O. (1990). *Russia Goes to the Polls*: The Election of the All-Russian Constituent Assembly, 1917. Ithaca: Cornell University Pres.

SETON-WATSON, H. (1952). *The Decline of Imperial Russia, 1855-1914*. Nova York: Praeger Publishers.

SKOCPOL, T. (1979). *States and Social Revolutions*. Cambridge: Cambridge University Press.

SKOROV G.E. (1980). Experience of the USSR. In: Building Up Technological Capacity. Genebra: Unctad.

SMITH, G.A. (1973). *Soviet Foreign Trade*: Organization, Operations and Policy 1918-1971. Nova York: Praeger Publishers.

SONTAG, J. (1968). "Tsarist Debts and Tsarist Foreign Policy". *Slavic Review*, vol. 27, n. 4.

SORMAN, G. (1991). *Sair do socialismo*. Rio de Janeiro: Instituto Liberal.

STALIN, J.V. (1975). *Problemas econômicos do socialismo na URSS*. Lisboa: Edições Pensamento e Ação.

_____ (1977a). Nueva Situación, Nuevas Tareas para la Organización de la Economía. In: STALIN, J.V. *Cuestiones del Leninismo*. Beijing: Ediciones en Lenguas Extranjeras.

_____ (1977b). Informe ante el XVII Congreso del Partido acerca del Labor del CC del PC(b) de la URSS. In: STALIN, J.V. *Cuestiones del Leninismo*. Beijing: Ediciones en Lenguas Extranjeras.

TRAPEZNIKOV, S. (1979). *El Leninismo y el Problema Agrario Campesino*. Moscou: Editorial Progreso.

TROTSKY, L. (1978). *História da Revolução Russa*. Rio de Janeiro: Editora Paz e Terra.

_____ (1977b). Informe sobre a Nova Política Econômica. In: BERTELLI (org.). *A nova política econômica (NEP)*. São Paulo: Global.

VON MISES, L. (1935). Economic Calculation in the Socialist Commonwealth. In: HAYEK, F. (org.). *Collectivist Economic Planning*. Londres: Routledge & Kegan Paul.

_____ (1981). *Socialism*: an Economic and Sociological Analysis. Indianópolis: Liberty Press.

VON LAUE, T. (1963). *Sergei Witte and the Industrialization of Russia*. Nova York: Columbia University Press.

WESTWOOD, J.N. (1994). Transport. In: DAVIES, R.W. et al. (orgs.). *The Economic Transformation of the Soviet Union, 1913-1945*. Cambridge: Cambridge University Press.

"MILAGRES" E "MIRAGENS" NO SÉCULO XX

Wilson Cano

América Latina: do desenvolvimentismo ao neoliberalismo*

As diferenças históricas entre os seus países – de natureza econômica, cultural e política – dificultam falar da América Latina como se fosse uma unidade homogênea. Mas, em que pesem suas especificidades internas, a forma em que se deu sua colonização, independência, escravidão e formação dos Estados nacionais, esteve condicionada todo o tempo pela forma como se deu sua inserção econômica e política internacional durante o período colonial, sendo que, quando ocorre a Primeira Revolução Industrial, suas principais metrópoles já não eram potências mundiais. E depois da sua Independência, a América Latina esteve sempre subordinada aos interesses do imperialismo inglês, e depois norte-americano[1]. Até 1914, o capital inglês era dominante, concentrado no comércio, finanças, infraestrutura e dívida pública. O norte-americano, embora de menor monta, estava concentrado em setores produtivos – basicamente na mineração – onde aplicava 2/3 de seus investimentos. Suas aplicações produtivas eram nove vezes maiores do que as inglesas, gerando assim uma precoce desnacionalização, ou o controle externo sobre alguns segmentos produtivos dos seus países. Essa forma de inserção explica o crescimento do comércio registrado na região: em 1914 os Estados Unidos eram o destino de 10% das exportações latino-americanas, cifra que atinge 38% em 1929. Por outro lado, o impe-

---

* Este texto é versão resumida do capítulo inicial de meu livro e que contém oito outros capítulos sobre Argentina, Brasil, Chile, Colômbia, Cuba, México, Peru e Venezuela.

[1] Sobre nossos processos históricos de formação e nossa inserção econômica internacional, cf. Dongui (1986), Carmagnani (1984) e Furtado (1969).

rialismo norte-americano estava, desde o início do século, ultrapassando o britânico: o capital norte-americano (empréstimos e investimentos), que em 1914 perfazia apenas 10% do total de capitais forâneos aplicados na América Latina, em 1929 já atingia os 38%, com presença proporcionalmente maior nos países mineradores. Suas aplicações na América Latina, que ao final do século passado somavam 0,3 bilhão de dólares, subiriam para 2,4 em 1919 e para 5,4 em 1929. Contudo, com a vinda da crise, a fuga foi generalizada: aquele total de mais de cinco bilhões em 1929 cairia para 3,8 em 1940; a fuga também atingiu seus investimentos diretos, que, de 2,6 bilhões de dólares em 1929, caem para 1,6 em 1940 (CARMAGNANI, 1984, cap. 3).

Esse mesmo tipo de inserção internacional de suas principais economias, a despeito das especificidades de cada país, é o que nos permite, nesse ensaio, propor uma mesma periodização geral para a América Latina, embora nossa pesquisa e a maior parte da informação apresentada refiram-se aos casos da Argentina, Brasil, Chile, Colômbia, México, Peru e Venezuela.

Esse texto tem dois objetivos centrais. O primeiro é discutir a hipótese de que no período 1929-1979 uma parte da América Latina gozou de um maior grau de soberania na condução da política econômica de "desenvolvimento"[2]. E de que, após 1979, os Estados Unidos, secundados pelos demais países centrais, retomaram as ações ofensivas por meio das quais nos impuseram o chamado "Consenso de Washington", focado na dominação da finança internacional. Isto reduziu fortemente nossa soberania e impôs – com a aceitação de nossas elites – uma ressurreição liberal-conservadora[3]. E o segundo será mostrar como, a partir da "crise da dívida", a coordenação exercida pela hegemonia americana, com o respaldo de boa parte das elites nacionais, vem induzindo à adoção de políticas econômicas subordinadas. O respaldo interno, dentro da América Latina, não foi uniforme, nem no tempo, nem no espaço, desde o início de sua experiência pioneira no Chile em 1973 e na Argentina em 1975. Mas na década de 1980 ocorre uma convergência crescente. Observa-se em toda a América Latina: um debilitamento fiscal, financeiro e da capacidade de arbitramento da política pelo Estado nacional; aumento do poder dos novos grupos econômicos emer-

---

[2] O sentido dessa excepcionalidade não colide com o utilizado por Cardoso de Mello (1997) para o período que vai, *grosso modo*, do imediato pós-Guerra ao início da década de 1970, os chamados *golden years*, que mostram a grande e longa expansão e diversificação econômica dos Estados Unidos e, em seguida, do Japão e da Europa Ocidental, da qual os países subdesenvolvidos também receberam efeitos positivos.

[3] Sobre essa "contrarrevolução liberal-conservadora" cf., para o caso do Brasil, Cardoso de Mello (1997) e sobre a Colômbia, Giraldo (1995).

AMÉRICA LATINA: DO DESENVOLVIMENTISMO AO NEOLIBERALISMO

gentes ligados à finança internacional; o enfraquecimento político das associações de classe tradicionais e, por fim, a consolidação do poder de uma nova tecnocracia internacionalizada, que hoje rege em conjunto as políticas econômicas da região movida pelo mesmo *commitment* liberal.

1 1929-1979: um longo período excepcional

A "crise de 29" constitui uma ruptura no padrão de acumulação (o primário-exportador). A profundidade da crise e sua longa duração não mais permitiam a "volta ao passado", isto é, a manutenção do antigo padrão de consumo e de investimento, e formas de ajustamento passivo para enfrentar a depressão. Onde as elites e o Estado – pressionados ou não por uma potência estrangeira – não tiveram uma atitude ativa em defesa da economia, ocorreu maior regressão da renda e do emprego, e, em alguns casos, da própria diversificação produtiva alcançada antes da crise[4].

No período 1929-1937, apesar da profundidade da depressão, e da enorme fuga do capital internacional, pudemos contar com maiores graus de liberdade em termos externos. As economias centrais estavam deprimidas, o comércio e as finanças internacionais desmantelados, sem quaisquer possibilidades de articulação interimperialista[5]. Em geral, a maioria dos países latino-americanos havia instalado nesse período unidades de transformação industrial. Os menores países praticamente não ultrapassaram as atividades industriais de beneficiamento agroindustrial, ao passo que os de maior porte haviam consolidado a instalação de outros compartimentos industriais de bens de consumo, como têxtil, calçados, vestuário e mobiliário, além de uma química e metalúrgica incipientes e de uma indústria de materiais de construção. Poucos haviam ingressado na produção de cimento e na siderurgia. Obviamente, quanto maior e mais diversificado fosse o parque industrial do país, melhores seriam as condições para internalizar e potencializar os efeitos de uma política de defesa da economia.

Analisando os processos inflacionários e a industrialização latino-americana a partir da "crise de 29", Seers agregou os países examinados em dois grupos: um, constituído por onze países (Venezuela, Equador, os seis centro-americanos, Cuba, Haiti e República Dominicana), que, diferentemen-

---

[4] Sobre as políticas econômicas dos países desenvolvidos durante a depressão, cf. Bleaney (1985) e Kindleberger (1973).

[5] Sobre as políticas econômicas dos países latino-americanos durante o período, cf. os clássicos trabalhos de Seers (1962a e b), Diaz (1980) e Maddison (1988), que fazem uma resumida e interessante comparação das ações desenvolvidas por vários países latino-americanos e asiáticos nas crises de 1929 e de 1973.

te do outro (México e os demais países sul-americanos, exceção de Bolívia e Paraguai, não discutidos no trabalho), não praticou políticas econômicas mais amplas contra a depressão ("crise de 29") e em defesa do setor produtivo interno. Assim, as medidas praticadas pelo primeiro grupo foram nulas ou modestas, se comparadas com as do segundo grupo, que logo desvalorizaram fortemente o câmbio, suspenderam o pagamento do serviço da dívida externa, instituíram controles cambiais drásticos e elevaram suas tarifas de importação. Somente quando já eram decorridos vários anos da passagem da depressão é que países do primeiro grupo também passaram a instituir políticas desse tipo[6].

A desarticulação internacional, ao inibir a feitura de políticas agressivas de exportações, terminava por agravar a situação das nossas contas externas. Isto induzia (ou obrigava) os países do segundo grupo a uma postura mais ousada em termos de acordos internacionais, de administração inteligente do câmbio, das divisas e dos pagamentos internacionais, o que tanto lhes possibilitou a priorização e seleção de determinadas importações quanto inclusive os levou, por vezes, à prática da moratória.

A necessidade de readequação tarifária, em muitos casos, estimulou não só o protecionismo necessário, mas também trouxe alguma racionalização ao sistema. Por outro lado, como a carga tributária tinha por base os impostos de importação e exportação – como objetivo unicamente fiscal – a contração das importações quebrou financeiramente o Estado, que se viu obrigado a alterar a estrutura tributária, agora mais centrada nos impostos sobre a produção, vendas, circulação ou consumo, ainda que tão regressiva quanto antes. As políticas de defesa da economia e o novo manejo da política econômica foram também gerando o aprendizado de uma futura burocracia planejadora e de um Estado intervencionista, em contraste com o até então dominante Estado liberal.

No caso do Brasil, embora a Segunda Guerra nos tenha imposto inúmeros sacrifícios, o período 1937-1945 possibilitou a ampliação e um certo aperfeiçoamento desse processo, aumentando, inclusive, a percepção nacional da possibilidade real de avanços na industrialização. Antes mesmo de se recuperarem da depressão, os países centrais se envolveram, direta ou indiretamente, no processo da guerra, o que nos deixou "com as mãos mais livres".

---

[6] Esse atraso na instituição de políticas de defesa da renda e do emprego se deveu a vários fatores, como o próprio atraso do parque produtivo desses países, estruturas de comércio exterior fortemente atreladas aos Estados Unidos e por estarem monetariamente vinculados ao dólar ("padrão ouro-dólar"), fazendo parte junto com os Estados Unidos da "área do dólar", seguindo inclusive o comportamento dos preços norte-americanos, o que lhes impossibilitava ou dificultava a prática de uma desvalorização cambial. Cf. Seers (1962 a e b).

AMÉRICA LATINA: DO DESENVOLVIMENTISMO AO NEOLIBERALISMO

A partir desse segundo período, ficava mais clara a percepção da "nova era". A indústria leve havia se consolidado em alguns países e quase todos os médios e os grandes já contavam com alguns segmentos industriais mais avançados da química e da metalurgia. Por falta de abastecimento regular do exterior, fomos obrigados a diversificar nossas fontes internas de suprimento e a produzir não só peças de reposição, mas também máquinas que antes não fabricávamos. Siderurgia e química avançaram, algumas vezes inclusive com apoio da potência líder, dado seu objetivo de criar bases logísticas na América Latina, que pudessem complementar seu esforço de guerra. Tivemos, assim, quinze anos de expansão e diversificação.

Paralelamente a essa transformação industrial, nossos países enveredaram por uma precoce urbanização, incorporando grandes levas de trabalhadores, que passaram a constituir importante apoio político ao processo de industrialização. Contudo, a velha máquina da administração pública, o sistema tributário e o financeiro receberam apenas "adaptações", acumulando para o futuro uma série de problemas que teriam forte repercussão não só econômica, mas principalmente política.

Nossas velhas preocupações voltariam no período 1945-1955. Nele, o imperialismo sentia-se seriamente ameaçado pela consolidação da União Soviética e pelas conquistas socialistas no Leste e no Centro europeus. Em 1949, a vitória de Mao na China e a Guerra da Coreia (1951-1952) abalariam ainda mais as relações "Leste-Oeste". É a partir de 1946-1947 que o desenvolvimento desses fatos redundaria na chamada Guerra Fria, alterando profundamente o comportamento norte-americano com relação à América Latina. Os Estados Unidos passaram, então, a fomentar e apoiar ações repressivas ao nacionalismo e às forças políticas progressistas em geral. É um período de rupturas e descontinuidades, de golpes político-militares para "restaurar a democracia".

Contudo, são esses mesmos fatos que obrigarão os Estados Unidos a alterar sua política de aniquilamento do Japão e da Alemanha: já ao final de 1946 fariam mudança radical, incorporando esses países na política de reconstrução da Europa ocidental. Perceberam, rapidamente, que a não reconstrução daqueles países os converteria em uma perigosa e permanente ameaça geopolítica.

As pressões externas tiveram certo respaldo interno, seja na negativa de conceder ao Estado as reformas necessárias, seja nas várias tentativas de instituir políticas econômicas ortodoxas. Mas a volta ao passado era uma ilusão. Não só ao passado político, mas principalmente ao passado econômico, em que nossa "vocação agrícola" era indiscutível; em que a industrialização, quando muito, era tolerada, mas não estimulada; e em que intervenção, controle cambial e de comércio deviam ceder lugar ao modelo liberal pré-1929, ou, no máximo, a um regime que não enfrentasse os interesses norte-americanos[7].

Como bem mostrou Furtado (1961, cap. 34), as investidas conservadoras, internas e externas, não poderiam frutificar, pois, entre a crise e o início da década de 1950, nossa participação nas exportações mundiais caíra, enquanto o PIB duplicara. Assim, não haveria como recompor o coeficiente de importações de 1929. Não haveria, portanto, como liberalizar importações sem ter a anterior capacidade geradora de divisas.

É por isso que em vários países da região surgem (principalmente entre as décadas de 1930 e de 1950) várias lideranças nacionalistas e industrialistas, que enfrentam aquelas pressões internas e externas, como Perón na Argentina, Paz Estensoro na Bolívia, Vargas no Brasil, Ibañez no Chile, Cárdenas no México, Alvarado em 1968 no Peru e Caldera em 1971 na Venezuela. As pressões norte-americanas na década de 1950 aumentaram: no início, por sua necessidade de unificar a América Latina em torno de si, em face do conflito da Coreia; no fim, porque, à medida que se esgotava o Plano Marshall, os mercados latino-americanos protegidos se tornavam uma necessidade maior para os EUA.

Por outro lado, as pressões liberais, antes de significarem um freio ao processo, aguçaram a resistência interna. Avançamos ainda mais na industrialização, até onde pudemos. O Estado supriu a debilidade do capital privado nacional e o desinteresse do capital forâneo: fez petróleo, aço, produtos químicos básicos, infraestrutura, bancos, transporte, energia e telecomunicações[8]. Mais que isso: nesse momento a luta pela industrialização na América Latina passa a constituir uma bandeira progressista em todos os países.

Progressista, em termos, dado que urbanização e industrialização constituíam a via principal de amortecimento (até o início da década de 1960) das tensões sociais geradas pelo crescente êxodo rural, que, se de um lado representava, para o migrante, a oportunidade de obter melhor emprego, de outro significava a tentativa de fugir ao completo abandono social em

---

[7] Sobre o debate dos anos 1950 no Brasil, cf. Gudin (1953), Prebisch (1953) e Ipea (1978). Essa polêmica mostra os dois lados da questão: o liberal, que apela para a "vocação agrícola, a ineficiência da industrialização e a má interferência do planejamento", e o desenvolvimentista, que, ao contrário, postulava a industrialização e a necessidade da intervenção estatal no mercado.

[8] Uma análise pormenorizada desse processo de industrialização está em Cepal (1965), Furtado (1969) e Fajnzylber (1983).

que vivia no campo. Para as elites, isto também evitava, de forma permanente, o enfrentamento da questão agrária e da exclusão social[9].

Os anos de 1955 a 1973 representariam o auge e o esgotamento de um dos períodos mais longos de excepcional crescimento e transformação para os países desenvolvidos, com a assimilação, pela Europa Ocidental e Japão, do "sistema industrial americano". Já no início da década de 1960, os Estados Unidos davam mostras de ter ultrapassado seu longo ciclo de expansão, com diminuição de sua taxa de crescimento, debilitamento de seu comércio exterior e de suas contas fiscais, ao contrário da Europa e Japão, que iniciavam sua fase de auge.

Esses dois movimentos contraditórios aceleraram a saída para o exterior de capitais produtivos e financeiros: em um primeiro momento, das filiais norte-americanas em direção ao resto do mundo (notadamente para a Europa) e, em seguida, dos próprios capitais europeus e japoneses. Tivemos assim um período de cerca de quinze anos em que tanto os países centrais tinham interesse em conquistar ou expandir suas posições também em certas partes da periferia quanto estas desejavam esses investimentos, para poder prosseguir seus processos de industrialização, agora com a implantação de setores de maior complexidade, como material de transporte, equipamentos, aparelhos elétricos, petroquímica etc.

Por outro lado, o desequilíbrio financeiro e comercial dos Estados Unidos[10], sua ajuda externa à Europa e ao Japão e os fluxos de seus investimentos no exterior geraram o movimento inicial de acentuada acumulação de excedentes financeiros e de créditos em dólares, principalmente na Europa, constituindo o chamado euromercado de dólares, ponto de partida para o desenvolvimento da extraordinária "bola de neve" em que se constituiria o sistema financeiro internacional[11].

Enquanto isso na América Latina a administração pública ia passando por novas reformulações, com o aprimoramento de técnicas de gestão, planejamento e projetos, melhoria dos instrumentos de política econômica etc. Não obstante, as crescentes dificuldades e obstáculos para a continui-

---

[9] A outra via, não menos importante em termos quantitativos, foi a ampliação da "fronteira agrícola", até onde isto foi possível. O México foi uma exceção, com o extenso programa de reforma agrária feito por Cárdenas.

[10] Cabe lembrar que os Estados Unidos, além de seus problemas econômicos específicos, se viam, durante todo esse período, envolvidos em delicadas situações internas e externas, que punham em questão a sobrevivência deste país como poder hegemônico mundial. Um dos raros economistas a não se iludir com essas aparências foi Tavares (1985).

[11] Sobre a crise e o atual sistema financeiro internacional, cf. Belluzzo (1997) e Braga (1997).

dade do processo de industrialização acabaram gerando crescentes tensões políticas internas. Daí nascem as reivindicações e lutas políticas pelas chamadas Reformas de Base (Agrária, Urbana, Regional, Tributária, Financeira, Administrativa, Judiciária e Política), que muitas vezes redundaram em repressão e golpes militares, como o que derrubou, com apoio aberto dos EUA, o governo, democraticamente eleito, do Chile.

Durante os anos 1973-1979, o processo de industrialização avançou de forma desigual e mais lentamente. Não no Chile, que havia sofrido o golpe de Estado em 1973; nem na Argentina, também vítima de golpe militar em 1975; tampouco no Peru, a partir de 1975, com a mudança radical na sua política econômica. Nos demais países o avanço entre 1974 e 1979 deu-se de forma desacelerada, com a economia (de todos os países pesquisados) sendo corroída por alta inflação e elevados déficits em transações correntes no balanço de pagamentos[12].

Olhemos para alguns dados que ilustram as tendências gerais descritas nos últimos parágrafos. O PIB latino-americano teve crescimento médio anual de 5,5% na década de 1960 e de 5,6% na de 1970, mas nossa participação no comércio mundial caiu de 7,7% em 1960 para 5,5% em 1970 e 1980, embora nossas exportações tivessem crescido 3,6 vezes mais do que o PIB na década de 1970. A pauta exportadora já mostrava uma presença mais significativa de manufaturados, notadamente a dos principais países.

No cômputo geral da década de 1970, os principais países da América Latina, ressalvadas as observações anteriores, aproveitaram as brechas que as duas crises internacionais (a produtiva e a financeira) lhes proporcionavam, fosse pela vinda de investimentos diretos ou, principalmente, pela via dos financiamentos. A América Latina usou largamente a via do endividamento desde o início da década de 1970.

Descontados os desperdícios (e a corrupção), o endividamento externo pôde bancar parte dos projetos nacionais de então (agroindústria, petróleo, insumos básicos, indústria pesada, infraestrutura etc.), alterando as estruturas produtivas de vários países, bem como sua pauta exportadora, com uma participação crescente de produtos industrializados. A rigor, o Brasil foi o país que melhor utilizou as chances desse momento, ao fim do qual mostrava a indústria mais integrada da América Latina.

Entretanto, o recrudescimento inflacionário, o déficit estrutural do balanço de pagamentos e o alto comprometimento do débito externo (juros e amortizações) em relação às reservas ou às exportações significava um

---

[12] A Cepal estima que, entre 1977 e 1981 o déficit latino-americano em transações correntes, como porcentagem do PIB, foi de 4,3% (cf. HELD & SZALACHMAN, 1997).

AMÉRICA LATINA: DO DESENVOLVIMENTISMO AO NEOLIBERALISMO

enorme saque contra o futuro, bem como a possibilidade do surgimento, a qualquer momento, de uma crise de enormes proporções.

2 Reestruturação econômica e ajuste na periferia

2.1 Os ajustes dos anos 1980 nos países latinos

As elevadas taxas de crescimento do PIB na América Latina na década de 1960 e no início da seguinte, apesar do financiamento externo mais amplo, pressionaram crescentemente os balanços de pagamentos (com a pressão adicional dos choques do petróleo, para os países importadores líquidos), as contas públicas e os sistemas financeiros nacionais, observando-se também, a partir de 1973-1975, um recrudescimento do processo inflacionário.

A partir de meados de 1978, com o início da subida dos juros nos Estados Unidos, aumento da inflação e das desvalorizações cambiais, muitas empresas e bancos privados que haviam contraído dívida externa e que tinham liquidez em moeda nacional, entre 1978 e 1979, resgataram suas dívidas em moeda estrangeira, pagando-as com moeda nacional a seus governos, que, por sua vez, assumiram aquelas obrigações externas. Nos casos em que o Estado não assumiu os passivos do setor externo privado houve quebra de empresas e instituições financeiras. Ao processo de passagem de passivos externos do setor privado para o público deu-se o nome de "estatização da dívida externa"[13].

Quando os juros sobem vertiginosamente entre 1979 e 1982, as quebras financeiras dos Estados foram inevitáveis: Polônia, México, Argentina e Brasil foram os casos mais destacados. Os mecanismos descritos acima de estatização da dívida externa, tendo como contrapartida o surgimento de uma significativa dívida pública interna (com destaque para o caso brasileiro), acabaram por criar um novo problema, com um dinâmica interna própria: dado o risco e a baixa credibilidade no Estado, essa dívida interna era negociada a altos juros e com vencimentos efetivos diários na rede bancária, o que a convertia em quase moeda. Com isso, a ampliação da dívida pública interna inflacionava ainda mais o gasto público, agora com mais juros e correções monetárias aos credores nacionais. Estava criada, assim, uma "ligação gêmea" financeira entre as duas dívidas, aumentando ainda mais

---

[13] Isto não ocorreu em todos os países latino-americanos e onde ocorreu não teve a mesma intensidade. Obviamente, onde essa transação não ocorreu (ou representou pequena fração do endividamento externo privado), foi maior a quebra de muitas instituições privadas (financeiras ou não), que detinham dívidas dolarizadas.

Wilson Cano

as pressões altistas no sistema de preços[14]. Mesmo para os que não haviam expandido em demasia a dívida interna, a recessão encarregava-se de conter a receita fiscal, também agravando, dessa forma, o déficit.

Nos anos 1980, como consequência da reestruturação nos países centrais, observa-se uma preocupação com a salvaguarda do sistema financeiro internacional e, no que diz respeito à América Latina, a pressão pelo pagamento, ao menos de parte, dos juros do endividamento dos anos anteriores. A banca internacional cortou o crédito externo e os Estados Unidos, percebendo que dessa forma seria impossível o cumprimento, ainda que parcial, do serviço da dívida, prestaram alguns "socorros" emergenciais (o do México foi o mais volumoso), com empréstimos de duração não superior a um ano. Adicionalmente, sob a égide do FMI, eram concedidas algumas ajudas oficiais, cujo principal objetivo, na verdade, era contrair drasticamente todos os segmentos da demanda interna, para permitir a geração de excedentes exportáveis que pudessem, de alguma forma, pagar parte do débito.

É oportuno fazer aqui um parêntese, para que se entenda melhor o destino diferente que teriam os tigres asiáticos (Coreia, Formosa, Hong Kong e Cingapura)[15]. Em primeiro lugar, lembremos que eles constituíram, junto com o Japão, pontos de apoio geopolítico para a política dos EUA, que não só lhes abriram o mercado como também induziram uma política de cooperação entre eles e o Japão. Quando chega o período de reestruturação (1983- 1989), seus credores, ao contrário do que fizeram com a América Latina, não lhes cortaram o crédito. Com efeito, a participação conjunta dos tigres no fluxo internacional de inversões estrangeiras passa de 10% em 1981-1985 para 9% em 1986-1990, enquanto a América Latina mostrava uma queda de 12% para 5%; porém, enquanto os valores correntes desse fluxo passam, em bilhões de dólares, de 5 para 14 para os asiáticos, naqueles períodos os da América Latina passam de 6 para apenas 8 (CEPAL, 1995). Adicione-se a isso o movimento de investimentos produtivos japoneses nos futuros tigres em consequência da valorização do iene em 1985, criando um elevado grau de interdependência produtiva e comercial entre os países asiáticos[16].

---

[14] No caso dos países onde a dívida externa se estatizou mas a receita de exportações era proveniente das atividades exportadoras do setor privado observa-se também um crescimento de dívida interna, como a contraface interna do desequilíbrio externo.

[15] Este resumo foi extraído do excelente texto sobre o tema feito por Medeiros (1997). Ugarteche (1997) faz interessante e detalhado confronto entre a industrialização asiática (dos "tigres") e a latino-americana.

[16] Quando os custos de trabalho nessa área cresceram, eliminando aquela vantagem, os investimentos (dos tigres e do Japão) se deslocam para os "novos tigres" (ou *gansos*, Tailândia, Indonésia, Filipinas e Malásia), ampliando ainda mais as relações econômicas da área (MEDEIROS, 1997).

AMÉRICA LATINA: DO DESENVOLVIMENTISMO AO NEOLIBERALISMO

Vejamos os principais pontos que constituíram as propostas "negociadas" para a América Latina do ajuste dos anos 1980[17].

1) política fiscal: cortes radicais nos gastos correntes (notadamente em salários, gastos sociais e subsídios diversos) e no investimento público; houve poucas alterações, entretanto, na estrutura tributária;

2) política monetária: contenção drástica da expansão dos meios de pagamento, do crédito interno, e elevação das taxas de juros reais;

3) política salarial: contenção dos reajustamentos e queda do salário real;

4) política cambial e de comércio exterior: desvalorização do câmbio, incentivos às exportações e restrições às importações.

Não é difícil entender o sentido de cada política: a 1ª, a 2ª e a 3ª atuariam na redução do consumo e do investimento (público e privado), o que significava também redução de parte da demanda por importações; a 2ª e a 3ª teriam efeitos sobre a contenção inflacionária; a 3ª geraria efeito específico de redução de custos e melhoria da relação "câmbio/salários"; e a 4ª atuaria na reversão do déficit comercial.

Vejamos alguns de seus resultados. A recessão inicial fez com que a taxa média anual de crescimento do PIB fosse de 0,6% entre 1980 e 1985 e, na "recuperação" (1985-1990), subisse para um medíocre 1,9%, enquanto a taxa de inversão bruta caía, ao longo da década, de 27,6% para 18,8%. Por isso, o emprego e a receita fiscal não poderiam ter melhor sorte do que tiveram.

No primeiro período, as importações se reduziram à média anual de 8,1%, mas as exportações tiveram fraco desempenho (crescimento de 0,8% anual), dado que estávamos atrelados ao dólar, agora valorizado, e, com a crise internacional, o índice dos preços médios de nossas principais *commodities* cai 20% em termos nominais (30%, se excluirmos o petróleo).

Entre 1985 e 1990, contudo, as importações voltariam a crescer (9,7% anual), estimuladas pela desvalorização do dólar, por alguns programas de liberalização comercial e de renegociação da dívida externa, que se iniciam já nesse período. Embora os preços do petróleo tenham caído 30% (nominais) entre 1985 e 1990, as exportações cresceram à média anual de 5,8% (mantendo a situação superavitária do saldo comercial), graças à melhoria dos demais preços (13% nominais) e à continuidade da diversificação da

---

[17] Lembro que a periodização para o Chile é diferente: passa por programa de ajuste liberal em 1973 e de outros ajustes em 1982 e 1985. O exame desses ajustes na América Latina pode ser visto em Ground (1984), Massad e Zahler (1984), Tokman (1984) e Rebolledo (1994).

pauta exportadora dos principais países, com a inclusão de novas *commodities* industriais, autopeças, veículos e produtos químicos. Contudo, nossa participação nas exportações mundiais continuou caindo, dos 5,5% em 1980 para 3,9% em 1990.

O bom desempenho da balança comercial, contudo, não evitou a enorme sangria de recursos ocorrida: entre 1980 e 1990 a transferência líquida de recursos da América Latina somou US$ 198,3 bilhões, ao passo que o montante da dívida, salta de US$ 166,6 bilhões em 1979 para US$ 443 em 1990.

As políticas de combate à inflação tiveram um efeito contrário ao esperado. Pioraram sensivelmente: a taxa média anual de aumento dos preços, que de 84,4% entre 1980 e 1984 sobe para 229,8% entre 1984 e 1989, com alguns países ingressando em um processo de hiperinflação. Os juros elevados e as desvalorizações cambiais aumentavam os custos e os preços; a expansão da dívida pública (que criava a moeda endógena) superava largamente a restrição da política monetária convencional; a correção monetária repunha, no presente, a inflação passada, trazendo novas expectativas inflacionárias para o futuro.

Com o debilitamento fiscal, o socorro financeiro (e em muitos casos a estatização "a pedidos") a instituições privadas, o elevado número de subsídios e incentivos ao setor privado, o Estado nacional desenvolvimentista foi, gradativamente, perdendo sua eficácia e seu poder de árbitro dos interesses públicos e privados. Devemos lembrar que a restrição de créditos voluntários a partir do fim da década de 1970 forçou governos central, locais e, principalmente, empresas estatais a tomar recursos externos para finalidades de financiamento do balanço de pagamentos e não de suas estratégias empresariais (no caso das empresas públicas) específicas. Com isso, o debilitamento fiscal e financeiro se estendeu a todos os níveis de governo.

Durante toda essa década, a maioria dos economistas do governo, da academia e do setor privado não mais discutiam o longo prazo ou o crescimento, mas tão somente a conjuntura, o juro, os preços, o câmbio e o salário. Mas, infelizmente, não foram só essas as perdas. O desemprego aberto urbano subiu de 6,7% em 1980 para 8,3% em 1985 e sua queda em 1990 para 6,2% se deve muito mais à informalização do emprego (cuja taxa passa de 40% para 52%) do que à geração líquida de empregos formais. As políticas salariais encarregaram-se de reduzir os salários, entre 1980 e 1990, em 33% para o salário mínimo, 13% para o industrial, 14% para o da construção civil e 28% para o rural. Com isso, a piora na distribuição de renda foi grande, com o número de pobres, no mesmo período, passando de 136 milhões para 197 milhões e o de indigentes de 62 milhões para 92 milhões (ABRAMO, 1997 e CEPAL, 1997a).

2.2 Os ajustes dos anos 1990

Feita a reestruturação nos países centrais (ainda que incompleta), as ETs necessitavam agora reestruturar seus sistemas na periferia, mas, para isso, defrontavam Estados nacionais soberanos, que poderiam obstaculizar seus intentos. Entretanto, contavam com um poder maior, o de seus próprios Estados nacionais ou blocos, como a CEE, por exemplo. Por outro lado, tanto elas quanto principalmente os bancos credores necessitavam uma "reordenação" financeira junto aos devedores, o que já vinha sendo feito por meio das renegociações da dívida externa e de algumas liberalizações no sistema financeiro de alguns países.

Para atingir plenamente seus objetivos, os países centrais impuseram aos países devedores as chamadas políticas neoliberais, transplantando para a periferia um conjunto de mudanças institucionais, produtivas, comerciais e financeiras, do tipo que já haviam implantado em seus próprios países, que consistiam, resumidamente, em diminuição do papel do Estado, privatizações, desregulamentações e abertura comercial[18].

O discurso ideológico utilizado foi que agora chegara a hora da periferia se modernizar, igualando-se ao Primeiro Mundo. Para isso, necessitava daquele conjunto de reformulações, das quais a peça-chave seria expor à concorrência internacional o aparelho produtivo nacional, para que ele ganhasse maior eficiência, produtividade e competitividade. Explicavam também que isso era uma tarefa inevitável, necessária e inadiável, diante da globalização dos mercados internacionais. Ou seja, o imperialismo voltava a atuar de forma mais dura, travestido de nova "modernidade"[19].

A "inevitabilidade" dessa globalização constituiu assim um (falso) lastro político com que muitos governos e elites periféricas aceitaram as novas regras do jogo. Examinaremos agora, à luz do quadro político-econômico internacional, o ajuste dos anos 1990 na América Latina.

2.3 Ajuste e reformas estruturais

A partir de 1989-1990 a situação internacional mudara de novo: em termos "conjunturais", a implosão do mundo socialista, a forte desaceleração da economia dos principais países desenvolvidos e a substancial queda das taxas de juros; em termos "estruturais", a necessidade de completar as renegociações das dívidas externas, das ETs efetuarem sua reestruturação

---

[18] Sobre os efeitos da reestruturação e das políticas neoliberais nos países subdesenvolvidos, cf. Tavares e Fiori (1993) e Cano (1995).

[19] Sobre as formas de sua atuação hoje, cf. Cano (1996).

periférica, da busca de um mercado exterior para os novos excedentes exportáveis norte-americanos e, como a economia não havia engendrado um processo firme e contínuo de acumulação produtiva (ao contrário, voltava à recessão), era necessário, de novo, buscar emprego para o capital ocioso.

Para tanto, era necessário "arrumar" o quintal:

– concluir as renegociações de dívidas, para equacionar melhor a situação dos credores e nos possibilitar um novo período de reendividamento;

– debelar a crônica inflação, para dar melhor estabilidade e menor risco ao capital estrangeiro;

– introduzir as reformas liberalizantes, principalmente abrir os mercados de bens, serviços e capitais e flexibilizar as relações trabalho/capital.

A periodização das reformas e dos ajustes não é igual para todos os países. Por exemplo, o Chile se antecipa e o faz entre 1973 e 1979, demonstrando seu fracasso em 1981-1983, como a Argentina, que também fizera sua tentativa neoliberal entre 1976 e 1979. A crise da dívida postergou esses e outros intentos. Reformas parciais, como a financeira, e a renegociação das dívidas, já se iniciam, em vários países, antes de 1990. Mas é a partir de 1989-1990, que a maior parte dos países latino-americanos desencadeia seus processos de reforma e ajuste.

Examinemos brevemente os dois principais conjuntos em que se articulam essas medidas e seus instrumentos.

Os programas de estabilização apresentavam, na aparência, grande similaridade com os anteriores: política de contenção salarial; restrição monetária e creditícia e juros elevados; ajuste fiscal para eliminação do déficit público (corte em gastos correntes e investimentos). Na essência, porém, é que se vê a distinção: a política cambial, ao contrário da anterior (desvalorizações para estimular exportações), se orientou para a valorização, constituindo-se em alavanca para estimular as importações. O corte do gasto público, na verdade, teve como mira principal a acomodação subsequente da massa crescente de juros internos e externos.

A política de combate à inflação se completaria com outra viga mestra: a liberalização do comércio exterior, com acentuada diminuição de barreiras administrativas, tarifárias e não tarifárias, barateando duplamente as importações (pelo câmbio e pela tarifa) e, com isso, pressionando para baixo os preços dos produtos similares nacionais (os comercializáveis). Assim, a maioria dos novos ajustes dispensou o congelamento ou o controle dos preços.

Desta vez o ajuste não visava conter a demanda interna e assim produzir excedentes exportáveis. A questão era mais complexa. A demanda pública era contida mais para compatibilizar o propósito de diminuição do tamanho e da ação do Estado, com o aumento do pagamento de juros sobre a dívida pública; a contenção salarial, muito mais para diminuir pres-

AMÉRICA LATINA: DO DESENVOLVIMENTISMO AO NEOLIBERALISMO

sões nos custos públicos e empresariais; a brutal elevação dos juros internos, não tanto para conter o investimento privado e sim para atrair a entrada do capital forâneo, sumamente necessário para financiar o violento aumento das importações de bens e de serviços (notadamente do turismo) e o pagamento do serviço da dívida externa, agora compulsório pelos acordos de renegociação.

Contudo, o receituário neoliberal prometia não só estabilidade, mas também crescimento. Só que, para isso, eram necessárias novas medidas "modernizantes", que trariam maior eficácia ao setor público e ao privado.

Vejamos esse conjunto de reformas complementares[20]. As reformas comerciais e cambiais foram as que mais se generalizaram e que mais cedo começaram a ser implantadas: desde 1973 e 1976, respectivamente no Chile e Argentina; no México e na Bolívia em 1985 e, a partir de 1988, nos demais países. Consistiram em drásticas reduções de tarifas e barreiras às importações (e às exportações), simplificações dos sistemas tarifários, liberalização e unificação de mercados de câmbio, com taxas fixas administradas ou com sua oscilação reduzida a "bandas de variação"[21]. Ainda que a redução tarifária tenha sido acentuada, alguns países introduziram (em leis ou acordos internacionais) dispositivos protecionistas para a agropecuária, como o Chile, México e Argentina (esta, para o açúcar de cana). Contudo, a cada crise mais severa (Chile e Argentina em 1981-1983, Venezuela em 1994, Argentina e México em 1995, Brasil em 1995-1996, por exemplo) as liberalizações sofreram suspensões ou retrocessos temporários.

As reformas financeiras também vinham se iniciando há algum tempo (a partir de 1985 no Uruguai, de 1988 no Brasil, Costa Rica e Paraguai, e de 1989-1990 nos demais). Consistiram basicamente em trazer para os mercados latinos as principais modificações ocorridas no mercado financeiro internacional (como mercados a termo, futuros, securitização etc.); reformular as instituições internas (Banco Central, instituições financeiras, bolsas de valores etc.), com o objetivo de agilizar as operações financeiras internas e externas; diminuir os encaixes sobre depósitos, liberalizar os juros, reduzir o crédito "dirigido" e o subsidiado, e, fundamentalmente, promover a internacionalização dos sistemas financeiros nacionais. Só após várias quebras, ocorridas a cada crise, as reformas incluíram, tardiamente, medidas de reforço e aprimoramento da fiscalização. A propósito, as crises recentes tiveram alto custo em termos de recursos governamentais alocados em so-

---

[20] Para um balanço e discussão das reformas cf. Cárdenas (1997), Cepal (1996-97), Held & Szalachman (1997), Ilpes (1995), ONU (1997) e Uthoff (1995).

[21] A Argentina, a partir de 1991, constitui o caso mais radical de taxa fixa.

301

corro a essas instituições: como porcentagem do PIB, as do Brasil, Bolívia e Paraguai custaram em torno de 5%, a do México em torno de 10% e a da Venezuela 13%.

As demais reformas, embora uma ou outra tenha sido introduzida previamente em alguns países, generalizaram-se a partir de 1990. As reformas tributárias limitaram-se mais a processos de simplificação fiscal, de redução de gravames ao comércio exterior e de redução de impostos diretos para empresas e pessoas. É clara, aqui, a intenção em diminuir a taxação para atrair investimentos externos diretos e de carteira e manter a regressividade fiscal.

Uma das peças fundamentais para a reestruturação das ETs foi a liberalização para ingresso de capital forâneo, para o que foram funcionais, além das reformas financeiras e de mercado de valores, medidas complementares, como a assinatura de Leis de Patentes, Leis sobre a Propriedade Intelectual e vários Acordos de Garantia de Investimentos, além da eliminação (total ou parcial) de restrições setoriais de alocação de investimentos, e outros, assinados por vários países. As exceções ficaram por conta do Chile e da Colômbia, que acabaram criando alguns dispositivos de controle para a movimentação desses capitais. Mais recentemente, os Estados Unidos propuseram o Acordo Multilateral de Investimentos, agendado para ser submetido à OCDE em abril de 1998. Esse acordo significará, para o país que o assinar, a abdicação de qualquer controle sobre os investimentos externos, concedendo às empresas que realizarem esse investimento direitos absolutos e privilegiados, não intervenção em seus desígnios e – absurdo maior – sustentação jurídica pelas instituições do país investidor (TAVARES, 1998).

Nas reformas da administração pública as propostas têm como alvo um redimensionamento do Estado, via privatizações, fim dos monopólios públicos, descentralização fiscal e de serviços, desregulamentações, desburocratização, transformação, fusão ou eliminação de órgãos públicos, dispensas de funcionários e diminuição de seus direitos. O discurso por trás de tais medidas é o da procura de "eficácia", passando ao mercado várias atribuições públicas. Contudo, esta talvez seja a mais complexa de todas as reformas, e seu avanço tem sido apenas parcial.

A reforma patrimonial do Estado, pelas privatizações de ativos públicos, cresce após 1989, mas suas metas foram contidas, por várias razões: estratégicas, como no caso do cobre chileno, que por gerar 50% das divisas do país e uma receita parafiscal importante, só foi parcialmente privatizado; ou também político-institucionais, como no caso do petróleo mexicano, por exigir reforma constitucional e depois pelo momento político por que passava o México em 1994. A mais radical reforma do Estado foi até agora levada a cabo na Argentina. O acesso a ativos públicos também tem ocorrido via concessões para exploração de serviços públicos, como

AMÉRICA LATINA: DO DESENVOLVIMENTISMO AO NEOLIBERALISMO

correios, aeroportos, rodovias, ferrovias, telecomunicações etc. Uma área de interesse crescente tem sido a dos bancos e instituições financeiras, principalmente durante este tormentoso período de crises financeiras, em crescimento desde 1994.

Um dos problemas sérios que resultam das privatizações é a questão das regulamentações que deveriam ser feitas previamente para reger esses monopólios agora privatizados. As regulamentações *ex-post* não raro sofrem a forte influência dos novos donos e, em geral, chegam depois de a porta ter sido "arrombada". Essas transações, por outro lado, constituem importantes mecanismos de ganho patrimonial (variável, de país a país) para o investidor privado, pelo uso de títulos de dívida externa desvalorizados no mercado internacional, aceitos pelo valor de face (ou com algum desconto), o que já por si representa considerável ganho para o comprador.

Por outro lado, essas transferências patrimoniais têm sido feitas a "preços de ocasião", desmentindo o discurso ideológico de que o Estado necessita desses recursos para saldar suas dívidas. Não raro, o Estado tem aumentado tarifas e preços públicos dessas empresas, antes de formalizar a privatização, antecipando-lhes o potencial de lucros futuros maiores. Muitas privatizações e concessões, mesmo assim, pioraram o serviço e algumas tiveram que ser reincorporadas ao acervo público (como as rodovias mexicanas, por exemplo).

O valor médio apurado com as privatizações entre 1990 e 1997 atingiu, em média, pouco menos de 1% do PIB do período, estando muito aquém do volume dos juros da dívida pública (interna e externa), coisa que tira portanto a sustentação do argumento que relaciona a venda do patrimônio público como forma de minorar a carga exercida sobre o Estado pelo pagamento de juros sobre a dívida pública. Por outro lado, esse processo representa hoje parcela importante do investimento direto estrangeiro, tendo atingido, no total acumulado entre 1988 e 1995, a proporção de 45%, 80% e 31%, na Argentina, Peru e Venezuela, respectivamente. No período de 1990 a 1997 o total das privatizações e concessões na América Latina atingiu o valor equivalente a US$ 97,2 bilhões (CEPAL, 1997: 50; e 1997-1998).

Por último vamos analisar as reformas pertinentes à questão do trabalho. A reforma da Previdência, já concluída em sete países e em tramitação em outros seis, tem como base o pressuposto de que os sistemas preexistentes (de repartição) tornaram-se inviáveis, apresentando déficits crescentes, onerando o orçamento público e aumentando a incerteza sobre a capacidade de pagamento dos beneficiários a longo prazo. Também está no campo dessas reformas as recentes instituições (ou alterações) do seguro desemprego.

Assim, as propostas (quanto a pensões e benefício por invalidez) caminham na direção da substituição do sistema de repartição para um baseado exclusivamente na capitalização de contas individuais (Chile) ou um misto (Argentina e Colômbia, por exemplo). Evidentemente, entre seus objetivos, encontram-se também os de "homogeneização" de benefícios e de critérios, além de sua privatização, embora com tutela do Estado.

A despeito da legião de entusiastas pelo sistema de capitalização, esta se reveste de alta complexidade e risco. Para o seu sucesso, é necessário, de um lado, uma boa dinâmica de crescimento de longo prazo da economia, para que – em tese – as empresas nas quais os chamados Fundos de Pensão investam tenham rentabilidade "normal" a longo prazo e que os títulos públicos por eles adquiridos tenham também liquidez e rentabilidade. Isto entretanto não basta, uma vez que esse sistema também exige uma crescente incorporação de novos contribuintes – isso é, novos trabalhadores formais.

Por outro lado, para que o trabalhador, ao final de sua vida contributiva, tenha uma pensão com valor igual ao seu salário de contribuição, este salário, ao longo de sua contribuição, terá que crescer em termos reais. Ora, essas condições não estão presentes no horizonte latino-americano, que tem tido crescimento modesto, altas taxas de desemprego, e que padece de crescente precarização e informalização do trabalho, além da queda do salário real. A relativamente curta experiência chilena não permite que se tirem conclusões definitivas. Ou seja: tomem-se aqueles anos de alta rentabilidade dos Fundos (períodos de alto crescimento e de alta rentabilidade privada) ou os anos maus (crise, recessão etc.), em que são observados – como nos sistemas públicos – déficits vultosos, como um sinal definitivo de fracasso ou sucesso[22].

As reformas das relações de trabalho têm como fundamento o rebaixamento dos custos laborais com a redução de jornada acompanhada de redução de salário, redução de encargos trabalhistas, redução do custo de dispensa (a que foi realizada no maior número de países), quebra de estabilidade e flexibilização do mercado de trabalho com a legalização de contratos

---

[22] O citado trabalho de Uthoff (1995) mostra, por meio de dados e de simulações, a necessidade objetiva e inequívoca do atendimento daquelas condições. Suas simulações, considerando o aumento mais que proporcional de maiores de 65 anos na estrutura etária latino-americana e a alta taxa de informalização do mercado de trabalho (55% em 1993), sugerem a necessidade de um aumento anual do salário médio real em 1,5% e um aumento do emprego formal de 1,7% (resultando no crescimento da renda em 3,3%), para que o atual sistema de repartição pudesse manter constante a relação pensão/taxa de contribuição. O exame da realidade latino-americana nega essa possibilidade. Por outro lado, sua análise do sistema de capitalização chileno mostra que se o Fundo de Pensão mantiver uma rentabilidade líquida anual inferior a 5% é praticamente impossível pagar uma pensão igual à sua renda mensal real. Ora, uma renda líquida de capitalização que cresça anualmente 5% em termos reais, durante 35 anos, na América Latina, é algo de difícil credibilidade.

AMÉRICA LATINA: DO DESENVOLVIMENTISMO AO NEOLIBERALISMO

temporários. Estas reformas praticamente se iniciam a partir de 1990 (salvo o Chile, onde foram iniciadas em 1981) e poucos países as realizaram. A realidade, como se verá adiante, é que essas mudanças não resultam em um aumento do emprego e sim em uma precarização ainda maior no mercado de trabalho, com salários menores, perdas de direitos e diminuição do tempo de trabalho.

2.4 Principais resultados

As políticas de estabilização, se examinadas pela movimentação dos preços, foram bem-sucedidas. Os preços ao consumidor atingiram crescimento médio anual de 364% em 1988, passando a 1.680% em 1990 e, a partir daí, caem, para 758% em 1993, 26% em 1995, e estima-se em 11% para 1997 e 1998, tendo aumentado, no ano de 1999, na maioria dos países. Foi decisivo, para esta queda, o êxito dos programas argentino (1991) e brasileiro (1994). Contudo, a maioria dos atuais processos de estabilização padece da armadilha que é a sua sustentação na valorização cambial. Essa valorização vem sendo posta à prova, diante das crises de balanço de pagamentos ou ataques especulativos. Essa forte instabilidade implícita pode aflorar, como sucedeu nos casos mais recentes do México (1995-1997), Venezuela (1993-1996 e 1997-1998) e Equador (1995-1998), que tiveram retornos de fortes altas de preços em suas recentes crises[23].

Os mecanismos que compõem o núcleo dessas políticas foram (e muitos ainda seguem sendo) intensamente utilizados:

– juros reais elevados, praticados bastante acima do mercado internacional; depois de uma pequena baixa entre 1991 e 1994, as crises imprimiram novo movimento de alta entre 1994, 1997 e 1998;

– drástico controle da expansão dos meios de pagamento e do crédito; entretanto, o grande aumento da entrada de capital estrangeiro implicou grande aumento da liquidez real, impulsionando o crédito privado, anulando parte substancial dos efeitos da política monetária;

– câmbio valorizado: tomada a média 1987-1990 = 100, teríamos taxas de câmbio reais efetivas (para exportação), em 1998, de 51 para o Peru, 56 para o Brasil, 68 para a Argentina, 74 para a Colômbia, 85

---

[23] Já é relativamente extensa a bibliografia que trata da crise latino-americana, seus processos, manifestações e principalmente a instabilidade macroeconômica resultante de suas políticas de ajuste e reformas. Entre as que examinei, cito Damil, Fanelli e Frenkel (1996), Frenkel (1995), Ffrench-Davis (1997) e Tavares (1993), cujo texto, embora esteja centrado no caso do Brasil, examina também os casos argentino, chileno e mexicano.

para o Chile e 84 para o México (graças à desvalorização de 1995, com a crise)[24];

– orçamento fiscal: poucos países aumentaram as receitas em proporção ao PIB e vários cortaram o gasto (notadamente em pessoal, gasto social e investimentos), resultando em diminuição acentuada dos déficits. Comparando os déficits observados durante a década de 1980 e os primeiros anos da de 1990, eles diminuem fortemente. Contudo, a partir de 1994-1995, de dezenove países que informaram suas contas, doze voltaram a aumentar seus déficits, e o Chile diminuiu seu superávit; o Brasil, entre os principais países, é o que ostenta os maiores déficits.

O efeito conjugado dessas medidas atingiu seus objetivos: juros elevados atraíram o capital externo e o câmbio valorizado estimulou fortemente as importações, ancorando os preços internos.

Essas políticas, como já vimos, reduziram nossa participação mundial no PIB e nas exportações. Por outro lado, com a abertura, a participação nas importações mundiais, que fora de 5,5% em 1980 e caíra para 4,5% em 1990 sobe para 5% em 1996. Por decorrência de crises (em alguns países) e melhoria de preços de exportação (em quase todos), o valor das exportações cresceu, entre 1990 e 1998, à taxa média anual de 9,3%, ao passo que o das importações se deu à taxa de 14,6%, alterando radicalmente o sinal da balança comercial de praticamente toda a região. A principal fonte dessa reversão latino-americana origina-se no colossal aumento das exportações dos EUA para a América Latina, que passaram de US$ 35 bilhões em 1987 para US$ 107 bilhões em 1995.

Obviamente o câmbio barato e o maior volume importado aumentaram também a conta de serviços: turismo, frete, seguros, remessa de lucros e juros da dívida, dado que agora, renegociada que fora, seu serviço tinha que ser cumprido. É também preocupante o aumento da relação remessa de lucros sobre exportações de bens e serviços, que passa de 4,1% em 1991 para 7,5% em 1998, justamente em um momento em que se apregoa a vinda de imensos investimentos, uma vez que o comportamento do investimento estrangeiro sempre foi de só remeter quando o horizonte estava cinza ou escuro e reinvestir sempre que ele estava claro e promissor.

Contudo, embora a relação juros da dívida externa sobre exportações de bens e serviços tenha, em termos médios, baixado de 21,6% em 1991 para 14,4% em 1997, para Argentina, Brasil, Nicarágua e Peru, ela tem se

---

[24] Cf. Uthoff, Ffrench-Davis e Titelman (1997: 51) para 1986-1995. Os dados para 1997 (média janeiro-setembro) foram encadeados com os dados de Cepal (1997).

AMÉRICA LATINA: DO DESENVOLVIMENTISMO AO NEOLIBERALISMO

situado em torno de 25%. O mesmo ocorre com a relação remessa de lucros sobre exportações de bens e serviços: a média caiu, mas, para Argentina, Brasil, Chile e Colômbia, ela se situa entre 8,3% e 13% (CEPAL, 1997).

Assim, o déficit do balanço em transações correntes passa de US$ 9 bilhões em 1989 para, em 1994, fantásticos US$ 47,7 bilhões, ocasionando a quebra do México, que participou com 62% daquele valor, e abalo na Argentina (com cerca de 20% daquele valor). Em 1995 e 1996, com a retração econômica temporária mexicana e argentina e com a valorização do real brasileiro (que atua como uma desvalorização da moeda argentina frente ao câmbio brasileiro), aquele valor recuou (para US$ bilhões 32,2 e 35,5 nesses anos). Entretanto, nesse período, surge um novo país "quebrado", o Brasil, cujo saldo passa, de um valor positivo de US$ 1,6 bilhão em 1989, para os negativos de 18,0 em 1995, 24,3 em 1996 e 32,5 em 1998.

Contudo, a "melhoria" latino-americana de 1995-1996 é enganosa, pois é fruto da seguinte soma algébrica: da redução drástica e temporária dos déficits argentino e mexicano devido às suas crises, do brutal aumento do déficit brasileiro e do superávit da Venezuela, causado pela grave crise interna. Em 1997 e 1998, no entanto, e como dita a dinâmica do modelo atual, a recorrência dos déficits é violenta: em bilhões de dólares, respectivamente, o argentino sobe a 9,5 e 12,2; o chileno, a 4,1 e 5,2; o mexicano, a 7,4 e 15,5; e o brasileiro, a 33,5 e 32,5, fazendo com que a soma do déficit em conta corrente dos sete países capitalistas pesquisados passasse, de 28,3 em 1995, para 58,9 em 1997 e 77,2 em 1998, desnudando uma situação muito mais grave do que a de 1994.

Por outro lado, o aumento de nosso comércio entre 1990 e 1998 precisa ser melhor detalhado: no período, as exportações para o conjunto da América Latina aumentaram 104%, mas as do México cresceram 188% (efeito da crise de 1994-1995 e do "beneplácito" dos Estados Unidos); as importações, no conjunto, cresceram 197% e no México 199%. Portanto, se excluirmos o México do cômputo geral, a situação do restante dos países, em média, é ainda pior, pois suas exportações cresceram muito menos do que suas importações. Com as exportações de manufaturados, ocorre o mesmo: as exportações mexicanas cresceram quase o dobro do aumento verificado no restante dos países.

É desnecessário dizer que quando observamos as relações "de risco" (dívida sobre exportações) e constatamos uma "substancial" melhora para a América Latina, também aqui temos de separar esse conjunto: para o México, ela passa de 2,5 em 1993 para 1,3 em 1998, mas, para a média dos demais, as cifras são 3,9 e 3,3. Mais adiante examinaremos os efeitos da abertura sobre a agricultura e a indústria.

A propósito, o exame do comércio no Mercosul mostra cifras elevadas e crescentes, com 24,7% de suas vendas totais indo para o próprio mercado. Contudo, essa instituição padece de vários problemas sérios para a continuidade e aprofundamento de sua integração. A heterogeneidade existente entre seus membros atuais (e futuros), em termos estruturais (produção, renda, estrutura fiscal, salários etc.), não permite, a bem da verdade, uma integração tipo mercado comum, como pretenderam atribuir-lhe. Seus apressados condutores nem mesmo se deram conta da profunda diversidade que existe em termos de competitividade agrícola entre países tropicais e de clima temperado. Não esqueçamos que a CEE está tentando completar sua integração há mais de quarenta anos e ainda defronta problemas bastante sérios.

Contudo, sua constituição se deu em um momento complicado para os dois principais sócios: a Argentina estava iniciando seu programa de estabilização, que culminaria com o congelamento do câmbio e sua posterior valorização, e o Brasil continuaria, ainda por mais quatro anos, com sua inflação e sua política de desvalorizações cambiais periódicas. Isto propiciou ao Brasil elevados superávits entre 1991 e 1994. Contudo, nesse ano, foi o Brasil que adotou uma política de valorização cambial, alterando o preço relativo entre as duas moedas nacionais, o que fez reverter aqueles saldos, que, a partir de 1995, são da mesma dimensão absoluta, só que de sinal contrário. Isto amorteceu o grave problema cambial argentino, que porém pode voltar a se manifestar com a mudança cambial brasileira em 1999, mostrando, portanto, a elevada irrealidade e instabilidade dessa política.

O resultado das políticas liberatórias do capital estrangeiro ajudou a reverter a situação anterior. Com efeito, o fluxo líquido da conta de capital (não deduzidas as remessas de juros e lucros) que, no período 1977-1981, foi de 5,3% do PIB e caiu para 1,3% em 1983-1989, passou a 2,6% em 1990-1991, a 4,3% em 1992-1994 e, em face das crises de 1994-1995, caiu para pouco acima de 3%. Se excluirmos dessas cifras as entradas de capitais não autônomos, o fluxo líquido restante seria de -1,9% em 1983-1990, de 3,2% em 1991-1994, caindo para 1,6% em 1995 (várias crises) e subindo para 3,6% em 1996 (CEPAL, 1997 e HELD & SZALACHMAN, 1997).

A aposta dos atuais ajustes consiste exatamente nisso: o incentivo e dependência, durante "alguns anos", de fortes entradas de capitais para financiar o rombo da conta de transações correntes e das amortizações da dívida. Essa aposta, contudo, padece de pelo menos dois problemas sérios: a volatilidade dos fluxos de capitais e o movimento cíclico nos países desenvolvidos.

O primeiro diz respeito às reações conjunturais que os capitais de curto prazo apresentam diante de variações das taxas reais de juros, das crises nos

AMÉRICA LATINA: DO DESENVOLVIMENTISMO AO NEOLIBERALISMO

países para onde migram e da rápida movimentação de que dispõem – com as desregulamentações havidas – para migrar em busca do ganho fácil e rápido.

O segundo se refere às reações diante de períodos de prosperidade no centro, com juros mais altos e acumulação crescente, quando ali investem, e dos períodos recessivos, com quedas de juros e da acumulação, quando migram, como o fazem a partir de 1990. Ou seja, é complicado apostar em algo sobre o que não temos nenhum controle[25]. Contudo, existem outros problemas também sérios, como o hoje tíbio ou nulo controle, quanto ao tipo de aplicação, do setor em que o capital deseja investir, seus objetivos de longo prazo e seus efeitos nas estruturas de produção, comércio e emprego.

Por exemplo, em 1977-1981, três quartos das elevadas entradas líquidas eram constituídos de empréstimos de longo prazo, mas que, a partir daí, minguaram. Os investimentos diretos sempre tiveram participação menos instável, porém, modesta: menos de 20% naquele período, quando representavam 0,9% do PIB, e pouco menos de um quarto em 1992-1994 (totalizando 1% do PIB): ao longo desse período oscilaram entre 0,7% e 1% do PIB, atingindo cerca de 2% em 1996, e estima-se em 2,5% para 1997. Contudo, boa parte desses investimentos estiveram vinculados a operações com dívida externa, privatizações e transferência privada de propriedades, pouco significando em termos de aumento de capacidade produtiva do país. Quando alocados em setores produtivos, alteraram, nesse período atual, sua estrutura setorial: antes, predominavam na indústria, hoje, em serviços públicos e financeiros. A esse propósito, cabe lembrar que inversões em setores não exportadores são maiores geradoras líquidas de remessas de lucros. A grande exceção tem sido o México, por seu ingresso no Nafta, recebendo investimentos predominantemente na indústria, e países dotados de recursos minerais, que têm recebido importantes inversões em mineração e petróleo.

A outra alteração significativa se deu com os investimentos em carteira, que passam a ser majoritários a partir de 1990: perfazem, em 1991-1994, cerca de 70% do capital autônomo, fogem com a crise em 1995 e reaparecem em 1996 (54% daquele fluxo). O maior peso desse tipo de capital, volátil por natureza, tem como consequência maior instabilidade nos mercados financeiros latino-americanos.

Um aspecto que diz respeito diretamente aos efeitos da reestruturação sobre o comércio exterior (ampliando importações), na produção (deses-

---

[25] A exceção hoje, na América Latina, são as regulamentações existentes no Chile e na Colômbia, que põem algum freio a essa liberdade, mas que nem por isso estão imunes ao jogo (HELD y SZALACHMAN, 1997). O Brasil, recentemente, também introduziu pequenas restrições, *suavizadas* na crise de 1998.

309

truturando segmentos produtivos) e no emprego, aumentando o exército de desocupados, merece um comentário especial. Se compararmos nossas "tomadas de decisões" de hoje, em relação ao ingresso dos investimentos externos, com as que tomávamos à época das políticas de "substituição consciente de importações", a diferença é radical. Antes, o projeto era analisado sob o ponto de vista de seus efeitos cumulativos positivos (diretos e indiretos) em vários setores e áreas da economia, como emprego, balanço de pagamentos, uso de insumos e equipamentos nacionais, geração de impostos etc. Hoje, o que se vê como resultado dessas inversões é a completa ausência desses efeitos positivos, e o que se percebe quando as inversões são analisadas com cuidado, é, outrossim, a geração de efeitos negativos: importam muito mais insumos e bens de capital do que antes (na instalação e na vida útil); desestruturam, com isso, cadeias de produção nacional. Ao reestruturarem, desempregam, e se o investimento é novo, o emprego criado é mínimo; dos impostos que vão gerar, o Estado vai lhes devolver grande parte, como incentivos à inversão.

Vejamos em seguida algumas das principais alterações no investimento e na produção. O coeficiente de inversão bruta fixa, a despeito dos elevados déficits em transações correntes (a "poupança do exterior") e do financiamento externo, cresceu apenas levemente: do nível de 27,6% verificado em 1980, havia permanecido durante a "década perdida" em torno de 19%; subira a 20% em 1991-1993, a 21,5% em 1994-1995, para cair novamente, atingindo 20,7%, em 1996. Apenas Chile e Colômbia, entre os principais países, fogem a esse trajeto, com taxas hoje maiores do que as de 1980.

As principais razões desse fraco desempenho são: os elevados juros internos que a maioria dos países praticam; a própria dinâmica do atual modelo, que é intrinsecamente importador, causando desmedido crescimento de importações (de todos os tipos), frente às quais os produtos nacionais similares não têm como competir; a drástica redução do investimento público, que com isso diminui seus efeitos emuladores do investimento privado; a dinâmica de crescimento setorial da economia, mais alta em serviços (com menor exigência de capital) do que na produção de bens.

Dessa forma, como o modelo é importador e o investimento é modesto, macroeconomicamente, o crescimento precisa contar com a expansão do consumo. Para isto, está servindo, em grande medida, o crescente financiamento externo, com o qual o sistema bancário aumentou grandemente o financiamento ao setor privado. Com efeito, entre 1989 e 1995, nos países que tiveram as mais elevadas entradas de capital (Argentina, Chile, Equador, México, Paraguai e Peru), o crédito ao setor privado, em porcentagem do PIB médio, mais do que duplicou. É desnecessário advertir que isso altera a estrutura do endividamento externo, aumentando a participação privada (ban-

AMÉRICA LATINA: DO DESENVOLVIMENTISMO AO NEOLIBERALISMO

cos, empresas e famílias) e, com isso, aumentando seriamente o risco de maiores quebras financeiras nas crises e mesmo nas desvalorizações cambiais.

Por outro lado, comparados os períodos de 1983-1989 e 1992-1994 para esses mesmos países, o gasto em consumo elevou-se, em média, 2,6 pontos percentuais do PIB médio, enquanto as importações cresciam 2,9 (as de consumo 2,2) e as entradas de capital 4,7. Examinado ainda o comportamento da poupança e da inversão bruta neles ocorrida, constata-se uma redução da poupança nacional, não compensada pela alta da poupança externa, e a queda da taxa de inversão. Ou seja, durante quase todos esses anos, na maioria dos países, foi o consumo que impulsionou mais as taxas de crescimento, do que o investimento[26].

Examinada a inversão bruta em termos de seus dois grandes componentes (construção e máquinas e equipamentos), só muito recentemente é que as taxas de crescimento do investimento em máquinas têm superado as da construção, cuja proporção ainda se mantém majoritária em muitos dos nossos países. Contudo, esses dados se revestem hoje de grande complexidade analítica, uma vez que, com as profundas alterações nos preços relativos, as séries mostram distintos resultados, se consideradas a preços constantes ou correntes. Em termos reais, vários países não recuperaram, em 1995, o valor das construções de 1980 (Brasil, Uruguai, Venezuela, e outros), e este fato pode causar uma mudança "positiva" na estrutura do investimento, com aumento mais que proporcional de gastos em máquinas e equipamentos. Ou seja, a série do investimento a preços atuais mostra valores "maiores" do que a preços correntes. Há que advertir que em países em que o peso estatal era muito grande na inversão – como o Brasil – e que restringiram muito seus gastos nesse item, a construção foi fortemente constrangida, em termos físicos. Por outro lado, o exame cuidadoso dessas duas formas de inversão mostra, para a média latino-americana, um pequeno crescimento em máquinas e equipamentos, acima do crescimento da construção. Quanto ao investimento fixo total, como já se viu, sua taxa subiu levemente nos anos 1990, mas se encontra muito abaixo da de 1980.

O PIB latino-americano entre 1981 e 1990 cresceu à taxa média anual de 0,9% e, entre 1990 e 1997, à de 3,3%. Contudo, o movimento não foi uniforme durante o período: de 3,3% em 1991-1992, de 4,8% em 1993-1994, cai para 1,8% em 1995-1996 e sobe para 3,7% em 1998. Em termos de países, o exame dos dados anuais, entre 1990 e 1998, mostra que cada país sofreu pelos menos duas crises ou fortes desacelerações: Argentina e Chile, duas; Brasil, Colômbia e México, três; Peru e Venezuela, cinco.

---

[26] A análise desses países está em Held e Szalachman (1997: 14-28).

Estes dados podem ser interpretados da seguinte forma: o modelo adotado nos anos 1990 permite o crescimento (em vários casos, a taxas altas) até o ponto em que suas possibilidades aguentem, sejam as internas (inflação, crise fiscal, crise política) ou as externas: ataques de especulação, dificuldades de financiamento externo macroeconômico, queda de preços internacionais para certos produtos estratégicos, como o cobre (Chile) ou o petróleo (Colômbia, México e Venezuela). A "saída" é sempre uma recessão, ou pelo menos uma forte desaceleração, na maioria dos casos, com agravamento da questão social e desemprego e endividamento maiores.

Em termos do PIB por habitante, nossa taxa média de crescimento anual, entre 1981-1990, fora de -1,1% e, entre 1990-1998, crescemos à de 1,7%, com o que só superamos o nível de 1980, em 1997. Entretanto, em 1998, as cifras do Peru e da Venezuela ainda eram, respectivamente, 9% e 27% menores do que as de 1980.

Examinemos, sucintamente, os principais movimentos dos setores produtivos. Recordemos que, durante a década de 1980, a agropecuária cresceu pouco mais do que o PIB (2% contra 1,1%), tanto pela debilidade do crescimento industrial quanto pelos problemas que afetaram sua demanda interna e externa, a saber: queda drástica de preços de exportação, crise mundial, fraco desempenho da demanda interna, tanto de matérias-primas para a indústria quanto de bens de consumo. As disponibilidades de nutrientes para a população, nos sete países pesquisados, sofreu redução calórica e proteica entre 4% e 10% na Argentina, México e Venezuela, entre 1980 e 1994, e variações positivas similares nos demais (cf. FAO, 1996).

Entre 1989 e 1997 a agropecuária cresceu à média anual de 2,6% (pouco acima do incremento demográfico, de 1,7%), graças à expansão das exportações, beneficiadas não só pela recuperação parcial (pós-1993, mas com algumas baixas em 1996) de alguns preços externos mas também por retirada de impostos sobre suas exportações; aumento da demanda interna de matérias-primas (ainda que a indústria tenha tido baixo crescimento) e da demanda interna de consumo. Contudo, as políticas de estabilização e de abertura causaram quedas reais nos preços internos, barateando o consumo interno e reduzindo a renda real do setor. Esse crescimento moderado – acima porém do industrial – permitiu-lhe manter sua participação no PIB: de 8,1% em 1980, situou-se em torno de 8,9% entre 1985 e 1996, contrariando a tendência histórica de nosso desenvolvimento econômico.

Dificuldades de financiamento, cortes de antigos subsídios, juros altos e câmbio valorizado foram os obstáculos a um crescimento maior, só em parte compensados pelos preços externos, pelo crescimento da demanda, redução tributária e pelo barateamento de insumos importados, notadamente para a agricultura mais moderna e competitiva. Contudo, a abertura

AMÉRICA LATINA: DO DESENVOLVIMENTISMO AO NEOLIBERALISMO

comercial e o câmbio estimularam fortemente as importações de produtos agropecuários (processados ou não). Os dados da FAO mostram que, entre 1987 e 1994, o valor das importações (com preços mais altos e maior volume) aumentou 137%.

Essa política constrangeu ou reduziu (em todos os países) a produção de vários bens: trigo, algodão e laticínios foram os mais afetados, mas também o milho, arroz, oleaginosas, açúcar e carne de boi e de porco sofreram quedas ou estagnações da produção. Obviamente, estes efeitos variaram de país para país, de acordo com suas condições específicas. O balanço comercial de produtos agropecuários (processados ou não) de cada um dos países pesquisados mostra que: a) o México torna-se deficitário, e seu déficit em 1994 foi quase seis vezes maior do que o de 1985, ano do início da abertura; b) o Peru também se torna deficitário; c) a Venezuela aumenta consideravelmente seu déficit; d) Argentina e Brasil restringem ou diminuem seus superávits; e) a Colômbia diminui um pouco seu superávit; f) e o Chile, pela sua opção de política econômica, passa a ser superavitário.

As novas políticas também estão provocando outras sérias mudanças, principalmente nos setores internacionalmente competitivos: forte redução do cultivo de produtos menos competitivos, desmoralização espacial (de produção e de emprego, em busca de terras mais baratas ou produtivas), intensificação tecnológica de insumos e máquinas, gerando maior desemprego, disponibilização de terras por aumento de produtividade, causando grandes baixas no preço da terra. Embora sejam positivas as melhorias de eficiência e competitividade, elas também aumentam consideravelmente os problemas do desemprego, das demandas de novas infraestruturas públicas (para os novos espaços agrícolas) e, notadamente, da balança comercial. Com efeito, entre 1987-1990 e 1994, enquanto as exportações desses produtos da Argentina, Brasil e México cresceram cerca de 40%, suas importações aumentaram, respectivamente, em 368%, 163% e 106%, diminuindo a anterior potencialidade que o setor sempre teve para financiar o déficit dos demais setores[27].

O setor industrial total (mineração, construção e transformação) entre 1989 e 1997 cresceu (2,8%) pouco abaixo do PIB. De seus componentes, os maiores desempenhos foram os da mineração (5,1%) e da construção (3,1%). A indústria de transformação, que na década de 1980 praticamente estancou (taxa média anual de 0,1%), cresceu à média de apenas 2,3%, seriamente afetada não só pelas várias crises do período mas, principalmente, pela avalanche de importações industriais.

---

[27] Para uma discussão mais ampla, cf. Gómez-Oliver (1997).

O acúmulo, desde 1980, desse fraco desempenho fez com que a participação da indústria no PIB caísse: a total, de 37,7% naquele ano, para 34,6% em 1997 e a de transformação, de 28,8% para 24,7%, desnudando o caráter regressivo do modelo em voga. Os países mais afetados foram Argentina e Brasil, cujas participações da indústria de transformação caem, respectivamente, de 29% para 24,6% e de 31 % para 22,7%. A indústria mexicana, em grande parte convertida em uma divisão de produção industrial da economia norte-americana, foi das que perderam menos (22% para 20%).

O drástico e abrupto rebaixamento tarifário e a irresponsável valorização cambial provocariam verdadeira avalanche de importações de toda ordem: para a classe média e as elites, ávidas em restaurar um padrão de consumo contido nos anos 1980; para os empresários que necessitavam fazer importações tópicas de equipamento (ou tecnologia), para sobreviver no "novo ambiente competitivo", e para as ETs, que, ao reestruturarem suas plantas (ou comprarem novas), modificavam radicalmente a origem de seus equipamentos e insumos, desnacionalizando ainda mais a indústria, agora não só na propriedade mas também nas relações interindustriais.

Os *tecnocratas da abertura*, nos países mais industrializados da região, esqueceram-se que a última leva pesada de investimentos produtivos de expansão e renovação que se dá entre 1970 e 1980 estava centrada fundamentalmente em insumos básicos, em que aliás já temos alguma vantagem competitiva natural. Vinda a crise da dívida e em seguida a abertura, esses segmentos puderam, *grosso modo*, responder exportando mais. Porém, a abertura encontrou um setor produtor de bens de capital em grande medida desguarnecido, causando-lhe pesadas perdas e destruição de capacidade produtiva, ampliando sobremodo suas importações[28].

As importações totais (agrícolas e industriais), a preços correntes, aumentam 167% entre 1989 e 1996, as de bens intermediários, em 165%, as de bens de capital em 228% e de bens de consumo em 258%, sendo que as de veículos de passageiros cresceram 6,4 vezes! Com isto, o argumento de que as importações teriam o objetivo básico de modernizar a capacidade produtiva e aumentar a competitividade do país, cai por terra.

Se examinarmos as pautas dos três mais industrializados, constatamos o seguinte: a Argentina, que, entre 1980 e 1990, teve suas exportações de manufaturados passando de 23% para 29%, ainda conseguiu aumentá-la, para 30% em 1996, graças ao Mercosul, com a valorização cambial brasilei-

---

[28] As exceções foram a Argentina e o Brasil, que até então desenvolviam políticas industriais em parte voltadas para esses ramos, porém de forma parcial e localizada. Contudo, com a crise do *Estado*, foram abandonadas no final dos anos 1980.

AMÉRICA LATINA: DO DESENVOLVIMENTISMO AO NEOLIBERALISMO

ra; o Brasil subiu de 37% para 52%, mas, em 1996, atingiu apenas 53%; o México, que passara de 12% para 43 %, graças à sua incorporação ao processo produtivo norte-americano, via Nafta, e à brutal recessão de 1995, atinge, nesse ano, 77%. O caso é único, como se vê!

A balança comercial de produtos industriais alterou-se radicalmente. Entre 1990 e 1994, dos países aqui pesquisados (os sete maiores), apenas o Brasil e a Venezuela (deficitária até o início da crise de 1994) apresentavam saldo positivo (porém decrescente). Colômbia com déficit (em bilhões de dólares) de 7,0 em 1994, Argentina com 10,1 e México com 23,7 eram os líderes dessa marcha. O coeficiente de exportações industriais (exportações/valor da produção) para a América Latina passa de 8,6 em 1980 para 12,7 em 1990 e para 21,7 em 1993, enquanto o de importações, nos mesmos anos, cai de 14,1 para 13,1, subindo rapidamente para 29,4[29]. Contudo, os dados para a América Latina estão defasados, pois no período 1994-1997, enquanto o PIB latino-americano aumentou em 15%, as importações totais aumentaram 55%, tendo o Brasil sofrido o maior aumento (17% no PIB e 63% nas importações), certamente aumentando consideravelmente o coeficiente médio de importações industriais.

Utilizando-se o pouco que se tem de informação, na ausência de dados censitários mais confiáveis, é possível avançar as seguinte conclusões sobre as consequências de longo prazo das mudanças estruturais ocorridas na estrutura produtiva industrial nos países pesquisados:

– os investimentos em insumos básicos (principalmente celulose para papel, siderurgia, metalurgia de não ferrosos e energéticos), que se iniciam na década de 1970 e amadurecem na de 1980, permitiram a sobrevivência destes segmentos em seus principais países produtores, e crescem fundamentalmente via exportações;

– a maior expansão e diversificação da indústria química latino-americana se deu entre fins dos anos 1970 e início dos 1980; esse fenômeno teve maior amplitude, naturalmente, nos três maiores países, onde mais cresceram e se diversificaram os segmentos de química mais complexa; com as políticas de abertura nos anos 1990 já se podem notar reduções ou fortes desacelerações nos setores mais complexos (Argentina, Colômbia e Peru) e nos mais simples (México e Venezuela);

– o único caso de avanço estrutural dos setores leves (alimentação, bebidas e fumo) é o Chile, cujo governo militar e suas elites adotaram, na dé-

---

[29] Sobre o papel recente das ETs, na Argentina, Brasil, Chile e México, cf. Bielschowsky e Stumpo (1995). As cifras apontadas foram calculadas pelo autor via Programa Padi-Cepal.

315

cada de 1970, uma opção "neoprimária-exportadora", na base de uso intenso de recursos naturais; ali, o peso daquelas indústrias passa de 16,8% do total da indústria de transformação em 1970 para 26,6% em 1980 e 29,6% em 1994 – um caso talvez inusitado na historia da industrialização;

– as indústrias metal-mecânicas também se desenvolveram no mesmo período nos mesmos países; contudo, as políticas de abertura (desde os anos 1970) explicam seus fracassos e retrocessos; os segmentos mais dinâmicos nos anos 1990 são material de transporte (automóveis de passageiros), restrito a Argentina, Brasil e México, e produtos eletrônicos; isto leva a estrutura produtiva a um patamar supostamente mais avançado, estimulado pelo consumo das classes de alta renda e não pela acumulação produtiva; as políticas de abertura estancaram ou reduziram a participação da produção de bens de capital em praticamente todos os países, o mesmo sendo observado na indústria de aparelhos eletrônicos.

Resumidamente, o avanço industrial de maior complexidade (insumos básicos, química de base, petroquímica e bens de capital) é herança do período em que ainda se ousava fazer política econômica e industrial. O "avanço" atual é fruto do ajuste passivo, das decisões das ETs e do delírio consumista[30].

Vejamos o compartimento terciário, que compreende dois segmentos: o de serviços básicos (água, eletricidade, gás, comunicações, transporte e armazenagem) e o de outros serviços (comércio, finanças, aluguéis, prestação de serviços, educação, saúde etc.). O primeiro hoje representa cerca de 9% do PIB e o segundo 49%.

O terciário total, entre 1980 e 1989, cresceu à média anual de 1,8% (os básicos em 3,5% e os outros em 1,6%), acompanhando a mediocridade do crescimento dos demais setores e, no período 1989 a 1997, a taxa média foi de 2,8% (próxima à do PIB). Nesse período, a intensificação da informática e o maior volume de produção e de negócios (comércio e importações) estimularam o uso mais intenso da infraestrutura existente, gerando um crescimento de 4,8% anuais nos serviços básicos (energia, água, transportes e comunicações).

---

[30] Os dados calculados foram os do Padi-Cepal. Entre a bibliografia mais abrangente da América Latina sobre as recentes transformações na indústria o leitor poderá consultar: Bielschowsky e Stumpo (1995); Chudnovsky e López (1997); Katz (1996); Katz et al. (1997), e Bercovich e Katz (1997), alguns deles utilizados nos capítulos referentes a alguns dos países pesquisados neste artigo.

AMÉRICA LATINA: DO DESENVOLVIMENTISMO AO NEOLIBERALISMO

Os demais serviços padeceram da contração violenta do volume das operações financeiras (por força das políticas de estabilização) e dos cortes dos gastos públicos, crescendo mesmo assim à média anual de 2,5%, graças, em parte, à expansão das importações e do comércio, bem como pela crescente terceirização de serviços na agropecuária e na indústria, além do aumento da precarização do trabalho, e pelo desemprego, que estimulam a expansão dos serviços pessoais, do comércio ambulante etc.

O problema do *emprego* e a *questão social* foram severamente agravados. A taxa de desemprego urbano aberto para a média (ponderada) da América Latina passa, entre 1980 e 1990, de 6,2 a 5,9 e para 7,9 em 1998. A maior era a da Argentina (passa de 7,5 para 17,5 em 1995 e 13,5 em 1998) e, embora a do México seja das mais baixas (por problemas metodológicos), ela dobra: passa de 2,7 para 5,5 em 1996, caindo para 3,4 em 1998, queda esta em grande parte explicada pela violenta precarização e informalização de seu mercado de trabalho. O Chile, dadas suas elevadas taxas de crescimento do PIB, pôde diminuí-lo, de 9,2 para 6,2 em 1993, mas, com a desaceleração que se segue, o desemprego volta a crescer para 7,4 em 1995 e 6,8 em 1998.

Os indicadores de qualidade de emprego (volume e renda) pioraram ou se mantiveram em praticamente todos os países: seus indicadores (não ponderados) apontam para números de cerca de 10% em 1990 para 15% em 1996, na questão das horas trabalhadas, e se mantêm alto na questão renda (cerca de 20%). Indicadores relativos à estabilidade e proteção ao trabalhador mostram também séria piora. Por outro lado, a precarização do mercado de trabalho aumentou, com a taxa de informalidade passando de 40% em 1980 para 52% em 1990 e 56% em 1995, compensando parte das perdas de emprego do setor público e das grandes empresas[31].

O salário mínimo real urbano, entre os principais países, havia superado os níveis de 1990 (salvo no México, Peru e Venezuela), mas, em relação aos níveis de 1980, encontravam-se escandalosamente reduzidos: para 1980 = 100, eram, em 1997, de 88 no Brasil, 75 na Argentina, 43 na Venezuela, 28 no México e 26 no Peru. O Chile era um dos raros que apresentava nível maior (19%). Quanto ao salário médio real, de difícil e complexa comparação, em face das mudanças estruturais, estava, na Argentina e no México em 1998, 23% abaixo do de 1980 e no Peru 66% abaixo; o Chile, de novo, era a raridade, com níveis mais altos (34%) do que em 1980,

---

[31] Dados em Cepal (1997 e 1997a) e Abramo (1997).

317

acompanhado de perto pelo Brasil (10% a 20%). Na Venezuela, em 1997, o salário médio real estava 30% abaixo do de 1990[32].

Entre 1990 e 1994, embora a pobreza e a indigência da população urbana tenham diminuído, de 36% e 13%, respectivamente, para 34% e 12%, ambas se mantêm muito acima dos níveis de 1980 (25% e 9%). Com a população rural, o quadro ainda é pior: a pobreza cai, entre 1990 e 1994, de 56% para 55%, e a indigência se mantém (33%); mas em relação a 1980, ambas também pioraram. O número de pobres, em milhões de pessoas, nas zonas urbanas aumentou, entre 1990 e 1994, em 14,6 e o de indigentes, em 6,5 (CEPAL, 1997a).

Embora tenha ocorrido maior crescimento do produto, recuperações ou ganhos parciais de salários e efeitos (apenas imediatos) positivos como consequência de algumas das políticas de estabilização, a distribuição de renda, para os 40% mais pobres da população, embora apresente alguma melhora nos anos 1990, encontrava-se em níveis piores do que os de 1980 em cinco dos sete países examinados, havendo melhorado apenas no Chile e na Colômbia (1997a).

Esse quadro do emprego e da renda das famílias, quando justaposto à piora dos serviços públicos sociais (saúde e educação, principalmente), é a contraface da profunda deterioração social em que hoje vivemos[33]. É a mola propulsora da violência, do tráfico, da prostituição e da corrupção, que atingem hoje praticamente todo o espaço urbano e parte do rural da América Latina. A diferença do crime, da contravenção, da insegurança e da injustiça, entre os diferentes países, é apenas de grau.

3 Notas finais

Não se pretende aqui tirar conclusões "definitivas" sobre os rumos vindouros da América Latina, mas tão somente remarcar algumas questões mais importantes e que afetam todo o conjunto latino-americano.

1) A sustentabilidade do modelo é impossível, dado que seu principal determinante é o fluxo de capital externo, que teria de ser permanente e crescente. As lições da década de 1920 e as recentes crises de 1994-1995,

---

[32] No caso chileno, a reestruturação econômica resultou, em relação ao período 1974-1983, em grande aumento do emprego e do salário. Como se sabe, em épocas de maior desocupação de trabalhadores, com predominância de menor qualificação, como tem ocorrido no Brasil, estatisticamente o salário médio pode subir, sem que se alterem os salários dos ocupados.

[33] Sobre a questão dos gastos públicos sociais e a deterioração do padrão de vida, cf. o extenso trabalho de Soares (1998).

AMÉRICA LATINA: DO DESENVOLVIMENTISMO AO NEOLIBERALISMO

1997, 1998 e 1999 desnudaram essa possibilidade. As taxas anuais do PIB dos principais países, entre 1989 e 1998, confirmam a debilidade e a *descontinuidade do crescimento*. Na Argentina elas foram altas em 1991-1994 e 1997, modesta em 1996, forte recessão em 1995 e 1998; no *Brasil*, alta em 1994, modestas em quatro anos e baixas ou negativas em cinco; no *México* foram altas em 1990 e 1996-1997, modestas em cinco anos e em outros dois, baixas, e com violenta recessão; no *Peru* e na *Venezuela*, altas em quatro anos e a maior parte dos outros seis, negativas ou baixas; na *Colômbia*, altas em 1994-1995, modestas em cinco anos e baixas em três. O Chile teve melhor desempenho: sete anos com taxas acima de 5% e dois com baixas.

2) Justamente nos períodos de retomada do crescimento, a recorrência do aumento das importações repõe o aumento do déficit de transações correntes, inviabilizando, a médio prazo, a continuidade da expansão. Contudo, os economistas *oficiais* teimam em não ver essa consequência[34].

3) No passado recente, os economistas, nas *políticas de estabilização*, usaram processos que na maioria das vezes significavam apenas "esconder a inflação debaixo do tapete", por meio de indexações reduzidas, congelamento e outros expedientes. Hoje, reinventaram a valorização cambial, que impulsiona os juros para cima, aumenta os custos financeiros, inibe o investimento produtivo, altera violentamente a estrutura de preços relativos e fortalece a fogueira da especulação. A menos que a *memória inflacionária* tenha um curso de tempo suficiente para destruí-la[35], não há outra saída senão a destruição parcial da riqueza privada acumulada nesse processo. Caso contrário, a inflação reprimida "sairá do tapete". Contudo, em qualquer crise cambial de maior vulto, a desvalorização se torna crucial, repondo novamente o processo inflacionário.

4) Alguns economistas ingênuos – até mesmo da esquerda – julgam que o problema da *dívida externa* está equacionado, dadas as recentes renegociações e as enormes entradas de capital. Contudo, ela passou (em bilhões de dólares) de 420 em 1989 para 698 em 1998, e a maior parte do aumento se deu no setor privado. Isto aumenta ainda mais a instabilidade e o risco,

---

[34] Cf., por exemplo, as críticas e advertências de Ffrench-Davis (1997) e Tavares (1993) sobre México, Chile e Argentina, feitas em 1992. Agora mesmo, em 1997, economistas oficiais de vários países da região previam taxas de crescimento em torno de 5% para 1998, melhoria dos déficits fiscais e de conta corrente e da inflação, mas a realidade foi mais forte do que suas *ideias*.

[35] Por exemplo, a longa e pronunciada deterioração do salário mínimo legal em quase todos os países da região já não é mais contestada *plenamente*, a despeito de se poder e saber calcular a dimensão de sua corrosão de longo prazo. A plena restauração de suas perdas poderia causar tal impacto que até mesmo lideranças de esquerda e sindicais não a reivindicam mais.

319

pois diante de desvalorizações, que, *mais cedo ou mais tarde, virão*, quebrarão muitas empresas e instituições financeiras.

5) Há que se ressalvar também a entrada de *investimentos diretos*, que nestes anos se deslocou da produção física para o ganho fácil das privatizações, para os oportunos negócios de compras de empresas nacionais e para os ramos de serviços, em que se destaca a crescente internacionalização dos sistemas financeiros nacionais. Alocados em setores não comercializáveis, geram ainda crescente fluxo de remessa de lucros.

6) A *privatização de ativos públicos* e a concessão de serviços públicos é parte integrante do receituário neoliberal, que usa argumentos parcialmente válidos, como a *questão fiscal* e a da *eficiência produtiva*[36]. É fato que elas representaram, entre 1990 e 1997, cerca de 1% do PIB médio de todos esses anos, mas seu efeito "curativo" é parcial e passageiro, dado que os déficits retornam, por outras razões bem conhecidas. O argumento fiscal não se sustenta, principalmente no caso das estatais, que, embora altamente lucrativas, também foram privatizadas. Um dos absurdos das *novas teorias* tem sido identificar o financiamento de estatais lucrativas como *aumento do déficit*.

Quanto à eficiência, quando medida pela lucratividade, é ocultado da discussão o seu *caráter público* e, muitas vezes, seu papel na política de estabilização, contendo forçosamente seus preços. Tampouco é levado em conta o fato de que o preço de compra desses ativos tem sido incrivelmente rebaixado, aumentando artificialmente a taxa de lucro. Por outro lado, ao vendê-las, o Estado perde o controle de parte do investimento e da política econômica setorial, e mesmo as *regulamentações* têm sido feitas com atraso ou grande deficiência e os entes reguladores raramente têm poder político para enfrentá-las.

Quanto ao argumento do *aumento da concorrência*, basta examinar os países latino-americanos para que se constate a *nova oligopolização privada*, verdadeiro "criatório" de novos grupos econômicos vinculados à banca internacional.

7) *Consumo e Investimento* são os principais indicadores da economia, sendo o investimento interno bruto fixo seu principal determinante de crescimento. Mas, como se viu, o consumo cresceu, nos anos 1990, tanto quanto ou mais do que o investimento, pois este está inibido pelos juros escorchantes e pela incerteza e instabilidade. Fortemente deprimido nos anos 1980, o con-

---

[36] Estas reflexões surgiram da leitura e análise dos diferentes países. Entre os analistas desse processo, Azpiazu (1995) oferece contundente crítica ao caso argentino, de que me vali para estas notas.

AMÉRICA LATINA: DO DESENVOLVIMENTISMO AO NEOLIBERALISMO

sumo, com o barateamento das importações e a abundância do crédito externo, teria de voltar com toda força. Mas, advirta-se, o crescimento do PIB, majoritariamente determinado pelo consumo, tem vida curta.

8) Esse aumento de importações, tanto de bens de consumo como de insumos, está *desestruturando nossos parques produtivos* (agrícolas e industriais), comprometendo seriamente a geração de valor agregado e principalmente de empregos. A gravidade maior disto é que, diante de uma inexorável crise cambial que imponha uma forte redução de importações, a *reversibilidade dessa desestruturação* é problemática, agravando ainda mais a crise, pela dificuldade em *ressubstituir* essas importações.

9) Os defensores do modelo apregoam a melhora da *distribuição de renda* na fração mais pobre da população. Contudo, essa melhora decorre da estabilização dos preços, é do tipo *once for all*, e não de natureza corretiva estrutural. Além disso, o modelo, ao desregulamentar e liberalizar o capital, beneficiou especuladores e ampliou ainda mais a classe dos *rentiers*.

10) Por outro lado, a continuidade das reformas ora em marcha conduzirá os Estados nacionais a um grau ainda menor de *intervenção na economia*, paradoxalmente, quando ela se torna mais necessária, para a reconversão da política econômica. Esta, contudo, certamente exigirá um difícil e complexo arranjo político interno e externo, com necessário *turnover* nos segmentos dirigentes da Economia, da Política e do Estado.

11) Por último, como o novo modelo é altamente sensível às flutuações internacionais, o seu futuro estará condicionado pela evolução da conjuntura internacional, e qualquer reversão desta encontrará o Estado desaparelhado para oferecer uma resposta positiva mais imediata. A conjuntura atual não é das mais favoráveis, caracterizando-se pela desaceleração no crescimento mundial e que poderá desencadear (principalmente na Ásia) uma sucessão de novas desvalorizações cambiais, capazes de trazer impactos negativos sobre a balança comercial dos países latinos.

Finalmente, um exame sumário das principais diferenças e das *"estratégias econômicas"* dos principais países da região sugere que eles poderão ter histórias diferentes.

Chile, talvez o mais diferente, optou por crescer com base em seus recursos naturais, com discutível e difícil perspectiva futura, em face do problema do esgotamento de recursos e da competição com outros concorrentes. A propósito, vários capitalistas chilenos, que muito ganharam com esse rumo, têm adquirido terras em outros países, como Peru e Argentina, onde poderão produzir bens concorrentes com os que fazem no Chile.

México avançou sua indústria, porém a está convertendo (já em fase avançada) em *complemento da indústria norte-americana*, atrelando-se assim à dinâmica e às determinações maiores daquele país. Apesar do sucesso

321

da expansão de suas exportações após a crise de 1995, não escapou da dinâmica perversa do modelo, voltando a ter enormes déficits em conta corrente, continuando a sofrer as agruras da crise internacional.

A Argentina amarrou-se ao congelamento cambial, de *forma institucionalizada*, e luta hoje para achar um remédio miraculoso que a possa salvar da desvalorização cambial do Brasil. Contudo, e de novo de *forma institucionalizada*, decretou limite máximo (1%) para seu déficit fiscal e discute, no momento, uma *dolarização de jure*, oportunisticamente extensível ao Brasil.

Este, por sua vez, seguiu os passos mexicanos e argentinos rumo ao desastre cambial, que não tem cura, e cujo paliativo é composto pela desvalorização abrupta, recessão, renegociação da dívida e novos empréstimos, resultando em quebras financeiras, novo aumento das dívidas externa e pública interna, e agravamento do quadro político e social, já hoje bastante complexo e sem rumo.

A Colômbia constituía importante diferença em relação aos demais países: a estrutura de seu endividamento (médio para longo prazo), sua baixa inflação e a estabilidade maior de seu crescimento permitiriam que sua política econômica e suas reformas pudessem trilhar caminhos diferentes. Contudo, copiou-os, de certa forma, com o que sua situação social ficou ainda mais problemática.

A Venezuela, dada sua pequena base produtiva agrícola e industrial, também optou por seus recursos naturais, no caso, o petróleo. Mas, como se sabe, não é com recursos naturais que se irá ao Primeiro Mundo, que seremos competitivos e nos desenvolveremos. Pior ainda é que, neste país, o peso econômico do petróleo é muito alto: 70% a 80% da pauta exportadora e da carga fiscal, produção em torno de 20% do PIB e ocupação de apenas 2% da PEA. Produto primário suscetível de grandes flutuações, é o oásis ou o inferno da economia: se sobem seus preços (ou se a quantidade exportada aumenta), cresce a receita fiscal, o gasto público e o investimento, mas também podendo trazer violenta valorização de câmbio; na queda, a receita cambial e a fiscal encolhem, mas o desejo (e a necessidade) de importar se mantém, e o gasto público tenta resistir aos cortes: aí vem a inevitável inflação e recessão. É o *paradoxo do petróleo*.

No Peru, 86% de suas exportações são produtos primários, e sua base agrícola e industrial é também precária. Além da estabilidade da moeda, as maiores cifras que conquistou com a abertura, e com Fujimori, foram uma taxa de 76% de subemprego na região metropolitana de Lima e uma queda de 60% no salário real, em relação a 1980.

REFERÊNCIAS

ABRAMO, L. (1997). *Mercados laborales, encadenamientos productivos y políticas de empleo en América Latina.* Santiago: Upes.

AZPIAZU, D. (1995). El programa de privatizaciones: desequilibrios macroeconómicos, insuficiencias regulatorias y concentración del poder económico. In: MINSBURG, N. & VALLE, H.W. (orgs.). *Argentina Hoy:* crisis del modelo. Buenos Aires: Ed. Letra Buena.

BELLUZZO, L.G. (1997). Dinheiro e as transfigurações da riqueza. In: TAVARES, M.C. & FIORI, J.L. (orgs.). *Poder e dinheiro* – Uma economia política da globalização. Petrópolis: Vozes.

BERCOVICH, N. & KATZ, J. (1997) (orgs.). *Reestructuración industrial y apertura económica.* La industria de celulosa y papel de Argentina, Brasil y Chile en los años 90. Buenos Aires: Cepal/Alianza.

BIELSCHOWSKY, R. & STUMPO, G. (1995). "Transnational corporations and structural changes inindustry in Argentina, Brasil, Chile and México". *Cepal Review,* n. 55. Santiago: Cepal, april.

BLEANEY, M. (1985). *The Rise and Fali of Keynesian Economics.* Londres: Macmillan.

BRAGA, J.C.S. (1997). Financeirização global: o padrão sistêmico do capitalismo contemporâneo. In: TAVARES, M.C. & FIORI, J.L. (orgs.). *Poder e dinheiro* – Uma economia política da globalização. Petrópolis: Vozes.

CANO, W. (1996). "Notas sobre o imperialismo hoje". *Crítica marxista,* vol. 1, n. 3. São Paulo: Brasiliense.

_____ (1995). *Reflexões sobre o Brasil e a nova (des)ordem internacional.* 4. ed. Campinas: Unicamp.

CARDENAS, S.M. (1997). *Empleo y distribución del ingreso en America Latina.* Hemos avanzado? Bogotá: TM Ed.

CARDOSO DE MELLO, J.M. (1997). Prólogo. In: TAVARES, M.C. & FIORI, J.L. (1997) (orgs.). *Poder e dinheiro* – Uma economia política da globalização. Petrópolis: Vozes.

CARMAGNANI, M. (1984). *Estado y Sociedad en América Latina:* 1850-1930. Barcelona: Crítica.

CEPAL (1997a). *Panorama Social 1996.* Santiago: Cepal.

_____ (1997b). *Economic Indicators.* Santiago: Cepal.

_____. *Estudio económico de America Latina y el Caribe 1996-1997.* Santiago: Cepal [vários números].

_____. *Balance preliminar de la economia de America Latina y el Caribe.* Santiago: Cepal [vários anos].

_____ (1995). *América Latina y el Caribe*: políticas para mejorar la inserción en la economia mundial. Santiago: Cepal.

_____ (1965). *El proceso de industrialización en America Latina.* Santiago: Cepal.

CHUDNOVSKY, D. & LÓPEZ, A. (orgs.) (1997). *Auge y Ocaso del Capitalismo Asistido. La industria petroquímica latinoamericana.* Buenos Aires: Cepal/Alianza.

DAMIL, M., FANELLI, J.M. & FRENKEL, R. (1996). "De México a México: el desempeño de América Latina en los 90". *Revista de economia política*, n. 4 (64), vol. 16. São Paulo: Brasiliense, out-dez.

DIAZ A., C.F. (1980). "A América Latina em depressão: 1939/1979". *Pesquisa e planejamento econômico*, n. 2, vol. 10. Rio de Janeiro: Ipea.

DONGUI, T.H. (1986). *Historia Contemporânea de América Latina.* Buenos Aires: Alianza.

FAJNZYILBER, F. (1983). *La Industrialización trunca de América Latina.* México: Nueva Imagen.

FAO (1996). *El Estado mundial de la agricultura y la alimentación* – 1996. Roma: FAO.

FFRENCH-DAVIS, R. (1997). "El efecto tequila, sus orígenes y su alcance contagioso". *Desarrollo Económico*, n. 146, vol. 37. Buenos Aires: Ides, jul-dic.

FRENKEL, R. (1995). *Macroeconomic Sustainability and Development Prospects*: the Latin American performance in the nineties. Buenos Aires: Cedes, Documento n. 111.

FURTADO, C. (1961). *Formação econômica do Brasil.* 4. ed. Rio de Janeiro: Fundo de Cultura.

_____ (1969). *Formação econômica da América Latina.* Rio de Janeiro: Lia Ed.

GIRALDO, G.C. (1995). Crisis y reformas – Violencia del narcotráfico – Crisis de la deuda externa. In: FLOREZ, L.B. *Colombia*: gestión económica estatal de los 80's. Bogotá: Cid-Univ. Nacional.

GÓMEZ-OLIVER, L. (1997). "Efectos de la apertura externa y la liberalización financiera sobre el sector agropecuário en América Latina y el Caribe". Cuadernos de la Cepal, n. 81. Santiago: Cepal.

GROUND, R.L. (1984). "Los programas ortodoxos de ajuste en America Latina: un examen crítico de las politicas del FMI". *Rev. Cepal*, n. 23, Santiago.

GUDIN, E. (1953). "Amística do planejamento". *Correio da manhã*. 29/5,2,6,9 e 19/6/1953. Rio de Janeiro.

GUNDER FRANK, A. (1973). *Capitalismo y Subdesarrollo en América Latina*. 2. ed. Buenos Aires: Siglo XXI.

_____ (1971). *Lumpen-bourgeoisie et lumpen-développement*. Paris: Maspero.

HELD, G. & SZALACHMAN, R. (1997). "Flujos de Capital Externo en America Latina y el Caribe: experiencias políticas en los noventa". *Serie Financiamiento del Desarrollo*, n. 50. Santiago: Cepal, abr.

ILPES (1995). *Reforma y Modernización del Estado*. Santiago: Upes.

IPEA (1978). *Eugênio Gudin/Roberto C. Simonsen*: a controvérsia do planejamento na economia brasileira. 2. ed. Rio de Janeiro: Ipea.

KATZ, J.M. (1996) (org.). *Estabilización Macroeconómica, Reforma Estructural y Comportamiento Industrial. Estructura y funcionamiento del sector manufacturero latinoamericano en los años 90*. Buenos Aires: Cepal/Alianza.

KATZ, J.M. et al. (1997). *Apertura Económica y Desregulación en el Mercado de Medicamentos*. Buenos Aires: Cepal/Alianza.

KINDLEBERGER, C.P. (1973). *The World in Depression (1929-1939)*. Londres: Allaen Lane.

MADDISON, A. (1988). *Dos Crisis en America y Asia*: 1929-1938 y 1973-1983. México: FCE.

MASSAD, C. & ZAHLER, R. (1984). "El proceso de ajuste en los años ochenta: la necessidad de enfoque global". *Rev. Cepal*, n. 23, Santiago.

MEDEIROS, C.A. (1997). "Globalização e inserção internacional diferenciada da Ásia e da América Latina". In: TAVARES, M.C. & FIORI, J.L. (orgs.). *Poder e dinheiro* – Uma economia política da globalização. Petrópolis: Vozes.

MELIN, L.E. (1997). O enquadramento do iene: a trajetória do câmbio japonês desde 1971. In: TAVARES, M.C. & FIORI, J.L. (orgs.). *Poder e dinheiro* – Uma economia política da globalização. Petrópolis: Vozes.

NACIONES UNIDAS (1997). *Estudio Económico y Social Mundial* – 1997. Nova York: ONU.

PREBISCH, R. (1953). "A mística do equilíbrio espontâneo na economia". *Diário de notícias*. Rio de Janeiro, 8 e 15/11.

REBOLLEDO, S.L. (1994). *Políticas económicas comparadas en America Latina*. Lima: Afeial-Univ. de Lima.

SEERS, D. (1962a). "Inflación y crecimiento: resumen de la experiência en América Latina". *Boletín Económico de América Latina*, vol. 7, n. 1. Santiago: Cepal, 2.

_____ (1962b). "A Theory of lnflation and Growth". *Oxford Ec. Papers*, 6/1962.

SOARES, L.T.R. (1998). *Ajuste neoliberal e desajuste social na América Latina*. Rio de Janeiro: UFRJ/Escola de Enfermagem.

TAVARES, M.C. (1998). "Acordo de investimentos, privatização e cidadania". *Folha de S. Paulo*, p. 6/2, 01/03/1998.

_____ (1997). *Poder e dinheiro* – Uma economia política da globalização. 2. ed. Petrópolis: Vozes.

_____ (1993). As políticas de ajuste no Brasil: os limites da resistência. In: TAVARES, M.C. & FIORI, J.L. (1993). *Desajuste global e modernização conservadora*. Rio de Janeiro: Paz e Terra.

_____ (1985). "A retomada da hegemonia norte-americana". *Revista de economia política*, n. 18. São Paulo: Brasiliense, abr.-jun.

TAVARES, M.C. & MELIN, L.E. (1997). "Pós-escrito 1997: a reafirmação da hegemonia norte-americana". In: TAVARES, M.C. & FIORI, J.L. (orgs.). *Poder e dinheiro* – Uma economia política da globalização. Petrópolis: Vozes.

TOKMAN, V.E. (1984). "Monetarismo global y destrucción industrial". *Rev. Cepal*, n. 23. Santiago.

TORRES FILHO, E.T. (1997). "A crise da economia japonesa nos anos 90 e a retomada da hegemonia americana". In: TAVARES, M.C. & FIORI, J.L. (orgs.). *Poder e dinheiro* – Uma economia política da globalização. Petrópolis: Vozes.

UGARTECHE, O. (1997). *El falso dilema*: América Latina en la economia global. Lima: Nueva Sociedad.

UTHOFF, A. (1995). "Reformas a los Sistemas de Pensiones en America Latina y el Caribe". *Série Financiamento dei Desarrollo*, n. 29. Santiago: Cepal.

UTHOFF, A., FFRENCH-DAVIS, R. & TITELMAN, D. (1997). "Entorno macroeconómico para el desarrollo productivo en el contexto de entrada de capitales externos". In: *Cuadernos de la Cepal*, n. 81. Santiago: Cepal.

José Carlos Miranda
Maria da Conceição Tavares

Brasil: estratégias da conglomeração

A especificidade do processo de conglomeração do capitalismo brasileiro é essencial para diferenciar sua dinâmica com relação aos capitalismos tardios e aos demais casos de desenvolvimento acelerado da segunda metade do século XX. Dessa forma, a análise da configuração patrimonial da economia brasileira requer explicações sobre como surgiram e evoluem as empresas nacionais; como se articulam com o capital estrangeiro; como mercado e Estado interagem no sentido de consolidar, ou não, a concentração do capital e a centralização patrimonial em grandes conglomerados; e sobre quais são os resultados de tais interações em termos da acumulação econômico-financeira do país. Enfim, verificar por que os grupos econômicos nacionais não possuem os atributos que levaram ao desenvolvimento das atuais corporações americanas, das grandes empresas alemãs ou dos conglomerados japoneses e, no entanto, fizeram conglomeração tanto no setor produtivo quanto no setor bancário. No caso brasileiro, a consolidação das grandes empresas esteve ligada a algum tipo de solidariedade entre finanças e indústria, porém do tipo rentista-patrimonialista. Isso é, não conduziu à formação de um verdadeiro capitalismo financeiro, característica do capitalismo monopolista moderno.

No caso americano, os bancos desempenharam um duplo papel no financiamento e na centralização do capital das grandes corporações. Foram promotores e subscritores do lançamento de ações (capitalização das empresas), promotores de fusões e incorporações (centralização de capital) e outorgaram, na sua função bancária, os créditos necessários à circulação do capital sob todas as suas formas: agrícola, industrial e comercial. A partir dos anos 1970, instituições financeiras não bancárias ganham espaço tanto no processo de circulação do capital do *agrobusiness,* da indústria e do comércio americano, quanto participam dos processos de fusão e aquisição de empresas. No caso alemão, originalmente como fusão dos capitais industrial e bancário para a constituição do grande capital monopolista. Mais recentemente, os bancos universais alemães tornam-se acionistas e promotores ou sócios na fusão dos grandes grupos europeus, enquanto o financiamento do capital de giro e do investimento está fundamentalmente apoiado nos bancos públicos[1].

Dessa perspectiva, a avaliação das potencialidades dos grupos econômicos brasileiros e das possíveis direções do capitalismo no Brasil requer respostas às seguintes questões: por que as aquisições de empresas, a abertura do capital das empresas brasileiras e, mais recentemente, a formação de consórcios para as privatizações têm tido um caráter eminentemente patrimonialista e rentista? Por que não vêm constituindo de fato uma tentativa de rearticulação patrimonial, visando ampliar escalas de produção, ganhar sinergias, aumentar competitividade e conquistar novos mercados? Por que a estrutura de controle nitidamente familiar, base da constituição de nossos grupos, não evoluiu no sentido de separar as funções de empresário daquelas do capitalista ou "financista", na feliz designação de Hobson (1983)?

Ao que tudo indica, o controle acionário ainda é de grupos familiares locais restritos ou de grupos internacionais adventícios, que se beneficiaram das políticas de Estado. Por fim, apesar de a formação de *holdings* e conglomerados no Brasil ter implicado associação de interesses industriais, comerciais e financeiros no interior dos grupos, não promoveu uma centralização do capital que possibilitasse a expansão administrada de cadeias integradas de produção e a conquista de novos mercados internacionais.

As razões da constituição e da dinâmica evolutiva dos grupos econômicos brasileiros devem ser buscadas, fundamentalmente, nos diferentes tipos de reação às restrições financeiras externa e interna que, ao longo deste século, influenciaram as transformações do modelo de desenvolvimento escolhido, sobretudo nas mudanças das políticas monetária e cambial adotadas para superar as limitações periodicamente colocadas pela necessidade de financiamento do balanço de pagamentos. Vale dizer, a análise das diversas articulações mercado/Estado parece-nos o caminho mais promissor à discussão das transformações patrimoniais por que vem passando a economia brasileira. Dessa ótica, a década de 1930, o período 1964-1982 e a década de 1990 constituem momentos analíticos privilegiados, como veremos a seguir.

---

[1] Para o caso do Japão, cf. Torres Filho (1983: 91).

BRASIL: ESTRATÉGIAS DA CONGLOMERAÇÃO

1 A formação dos novos grupos econômicos brasileiros

A crise de 1930 representou o fim do modelo primário-exportador em um duplo sentido. O Brasil saiu do padrão libra-ouro e a depressão do preço do café, que paralisou o mercado de futuro de mercadorias londrino, rompeu o circuito de financiamento do modelo. Ao contrário do que é proposto pelas abordagens usuais para a saída da crise no Brasil a partir do *mix* das políticas orçamentária e monetária, optamos por privilegiar o ajuste patrimonial interno, destinado a minimizar as perdas do capital do complexo cafeeiro e a consolidar uma nova classe empresarial brasileira.

Foi, sobretudo, objetivando o patrimônio e não a renda nacional que se queimou o famoso estoque de café; que o Banco do Brasil aceitou as hipotecas das fazendas como colateral de seus empréstimos; e que foi rejeitada a proposta inglesa da Missão Niemeyer de criação de um banco central, tendo em vista uma gestão da moeda nacional que não implicasse desvalorização da dívida com a Inglaterra. Outrossim, iniciaram-se negociações que visavam substituir o circuito financeiro inglês pelo americano, às quais se seguiu a moratória de 1937, que afetou primordialmente o pagamento dos empréstimos ingleses. Embora já em 1939 tivesse sido acertado, em Washington, um circuito alternativo de financiamento ao Brasil, o aguçamento do conflito bélico postergou nossa integração ao mercado financeiro internacional. A recessão do início dos anos 1930, embora profunda, teve curta duração, dado que a ruptura com o padrão-ouro e, portanto, a ausência de suas regras restritivas de criação monetária interna liberou a política de crédito do Banco do Brasil para dar suporte à expansão e diversificação das empresas existentes.

Uma vez rompida a possibilidade de utilizar a caixa de conversão da moeda nacional em libras e com o seu patrimônio *sub judice* do Banco do Brasil, o complexo cafeeiro entra em colapso. A política do café tornou-se essencialmente um negócio de Estado, gerido por meio dos estoques reguladores do IBC (Instituto Brasileiro do Café) e pela política cambial da Sumoc (Superintendência de Moeda e Crédito). É nesse momento que entra em cena a "burguesia de imigrantes" paulista, que não tinha qualquer vínculo nem com o capital financeiro internacional, nem com o capital cafeeiro. Ao mesmo tempo, comerciantes e importadores expandiam seus negócios para a produção, substituindo as importações contidas pela crise cambial.

Prescindindo do apoio do velho capital cafeeiro e dos empréstimos internacionais, esta nova burguesia industrial dependia do crédito das instituições públicas, principalmente das carteiras de crédito geral e industrial do Banco do Brasil e dos bancos de capital nacional, que, àquela época, operavam regionalmente. Para a acumulação interna de capital, os novos em-

329

José Carlos Miranda e Maria da Conceição Tavares

presários dependiam do reinvestimento de seus lucros e da rolagem, a curto prazo, dos empréstimos bancários, que eram, assim, convertidos em *finance*. Mesmo nos anos 1950, as próprias filiais de transnacionais, ao se deslocarem para o Brasil, trouxeram um volume pequeno de investimentos diretos (LESSA, 1981), expandindo-se fundamentalmente pela reinversão de lucros e utilizando o mesmo mecanismo de crédito rotativo[2] que os bancos paulistas, mineiros e cariocas criavam para seus clientes preferenciais.

Durante o período de restrição às importações (1930-1961) – com controle cambial explícito executado pela Cacex – houve uma enorme expansão e diversificação da indústria brasileira para suprir a demanda interna, seja em contexto de restrições absolutas à capacidade de importar (1930-1945) ou de restrições relativas (1947-1961). É nesse período que se consolidaram as empresas brasileiras de gestão familiar, algumas das quais pertencentes ao mesmo proprietário, constituindo conglomerados informais superdimensionados e diversificados setorialmente, por razões de dispersão do risco patrimonial. Não por acaso estavam ausentes preocupações com sinergias inter ou intrassetoriais e, mesmo assim, havia uma forte acumulação interna de capital decorrente das elevadas taxas de retorno do investimento incremental. Estas estavam garantidas exogenamente pela expansão corrente do nível de atividade que acompanhava o crescimento do mercado interno, à medida que o processo substitutivo se aprofundava. Não estavam, assim, ligadas nem à introdução de progresso técnico endógeno[3], nem a ajustes no mercado de trabalho, já que as empresas contavam com uma rotatividade crescente dos excedentes de mão de obra urbana[4]. Do ponto de vista das "restrições externas", estavam protegidas pela exiguidade de divisas, já que era sempre o câmbio, mais do que as tarifas, que preservava o mercado interno para as indústrias recém-instaladas.

Esses anos mudaram a configuração setorial da indústria brasileira. A participação das indústrias alimentar, de bebidas, fumo, couro, mobiliária,

---

[2] O crédito rotativo limitava-se basicamente ao desconto de duplicatas e aceites cambiais e à outorga de cartas de crédito de curto prazo, garantidas pelos depósitos que as empresas eram obrigadas a manter nos bancos como reciprocidade ao crédito recebido. Estes depósitos obrigatórios serviam de base à rolagem sistemática dos empréstimos e permitiam aos bancos obter *overhead* compensatório à fixação legal de um limite de 12% para a taxa de juros.

[3] A absorção do progresso técnico era realizada pela importação de bens de capital, sempre a categoria mais favorecida cambialmente pelos vários arranjos cambiais do período.

[4] É por essa razão que a emergência do grande capital industrial nacional não gerou o aparecimento de sindicatos de empresas ou setoriais, como a formação do capital monopolista americano e europeu. A fundação desses sindicatos no Brasil ocorreu tardiamente pela concentração da indústria pesada no ABC paulista a partir da instalação de importantes filiais de transnacionais europeias e americanas no Brasil.

BRASIL: ESTRATÉGIAS DA CONGLOMERAÇÃO

têxtil, vestuário e editorial e gráfica, que representavam, em 1949, 70% do valor da produção industrial, caiu para 49%, em 1961 (TAVARES, 1973). Começavam a ganhar peso nesse período as indústrias de bens intermediários, de consumo duráveis e de equipamentos, que seriam o núcleo central da expansão industrial até a década de 1980.

Vista sob a ótica patrimonial, tal expansão da indústria refletiu-se na criação de novas empresas pelos diferentes grupos familiares brasileiros, sem constituir entretanto as interrelações econômico-financeiras características dos conglomerados dos países avançados[5]. Datam desse período a expansão e a criação das empresas originárias da maioria dos atuais maiores grupos nacionais: a atual Metalúrgica Gerdau, originária da Fábrica de Pregos João Gerdau & Filho (1901), que, com a aquisição da Siderúrgica Rio-Grandense (1948), constituiu o núcleo do primeiro grupo siderúrgico privado brasileiro; a têxtil Votorantim (1917), cujo capital se diversifica para produção de cimento, química e siderúrgica nos anos 1930 e para papel, alumínio e cerâmica na década de 1940; a empresa Pires, Villares Cia. de Comércio e Manufatura de Ferro e Aço (1918), que, já nos anos 1920, entra na fabricação de elevadores, culminando com a criação da Elevadores Atlas, em 1942, e dos Equipamentos Industriais Villares, em 1953.

A Cia. Suzano de Papel e Celulose (1923) expandiu e integrou sua produção no período da substituição de importações; o mesmo acontecendo com os atuais grupos Klabin, Ultra, Sadia, Hering, Perdigão. Dos anos 1940 data o surgimento dos dois maiores grupos de construção civil: a Construtora Norberto Odebrecht Ltda. e a Andrade Gutierrez. E, da década de 1950, a Cofap, a Usiniminas, uma *joint venture* entre o Estado de Minas Gerais e a Nippon Steel, e a rede da Cia. Telefônica do Brasil Central, base do atual grupo ABC, entre outros.

A análise dos maiores grupos nacionais revela, também, a importância dos bancos mineiros, paulistas e cariocas. Entretanto, as atividades financeiras à época estavam separadas do capital comercial e industrial. Longe de estarem endogenizadas nos grupos familiares industriais, elas eram exercidas pelos bancos privados brasileiros (de grupos familiares distintos) e pelo Banco do Brasil. O BNDE, instituição pública de crédito de longo prazo, respondia às metas de investimento público e privado, sobretudo em infraestrutura e siderurgia. Em síntese, foi um período em que a estruturação

---

[5] Até hoje a legislação brasileira desconsidera o conceito de grupo econômico. Consequentemente, as diferentes empresas sob o mesmo controle familiar ou compartilhado não possuem, no Brasil, estatuto jurídico formal de grupo. Assim, grupo econômico tornou-se um constructo real dos empresários nacionais e analítico dos economistas e demais cientistas sociais.

331

patrimonial privada assentou-se em mecanismos *ad hoc* de criação de crédito e de *finance* pelo Estado e bancos privados brasileiros e em um potencial endógeno de acumulação das empresas, garantido pelas políticas cambial e comercial subjacentes ao modelo substitutivo.

Como era de se esperar, o processo de substituição de importações deu origem a uma série de assincronias na estrutura produtiva brasileira: investimentos insuficientes em infraestrutura, excesso de capacidade nas indústrias têxtil, de material de transportes e elétrica, insuficiência de capacidade em bens intermediários, sobretudo na siderurgia e nas químicas básicas. Do ponto de vista microeconômico, tais assincronias resultavam de duas restrições básicas. Primeiro, foi se tornando mais difícil e custoso para as empresas diversificarem áreas de atuação por meio de novas plantas substitutivas de importações, devido à restrição de financiamento externo e interno à importação de equipamentos e bens intermediários. Concomitantemente, as plantas produtoras de bens de consumo, mormente as de duráveis, já haviam esgotado, com ampliação de capacidade, a reserva de mercado que a política substitutiva lhes havia outorgado.

A crise de 1962/1964 tanto desnudou o esgotamento dos mecanismos de financiamento até então empregados pelo Banco do Brasil e bancos comerciais brasileiros quanto comprometeu a capacidade do BNDE de continuar financiando as empresas públicas e privadas em contexto recessivo, quando várias renegociações de contratos necessitaram ser realizadas[6]. Ademais, a fase final do processo substitutivo colocou problemas de financiamento corrente do balanço de pagamentos dificilmente solucionáveis, sendo necessário recorrer a *swaps* de bancos internacionais e rolar os atrasados comerciais com os fornecedores internacionais, principalmente os de equipamentos. Após o fracasso do Plano Trienal e do rompimento das negociações com o FMI em 1963 – em um contexto recessivo e de avanço das propostas de reformas de base que afetavam diretamente os interesses dos empresários do *agrobusiness* e da construção civil – ruíram os pilares fundamentais de sustentação da primeira grande onda de industrialização pesada no Brasil.

---

[6] O BNDE tornou-se no período de crise, 1962/1964, o "banco do aço", já que mais de 80% de seus recursos se destinavam ao refinanciamento das posições devedoras para manter a siderurgia nacional. Só mais tarde, com novas fontes de recursos parafiscais (o PIS-Pasep) e com a própria retomada da economia, foi possível voltar a apoiar a indústria pesada, sobretudo no II PND do período Geisel.

BRASIL: ESTRATÉGIAS DA CONGLOMERAÇÃO

2 As reformas de 1964/1968 e a consolidação patrimonial dos grupos nacionais

A dificuldade de prosseguir a ampliação do investimento e da produção foi em parte superada pelas reformas do marco monetário-financeiro então vigente, entre 1964 e 1968. Dessa perspectiva, as subsequentes mudanças patrimoniais ocorridas no Brasil foram precedidas por alterações profundas na estrutura institucional e legal vigente, que regia a operação do sistema econômico como um todo e, em particular, as regras e formas de operação de seus agentes financeiros públicos e privados.

Do ponto de vista dos esquemas de financiamento global, substituiu-se um esquema inflacionário aberto e um endividamento externo ligado ao financiamento das importações e dos atrasados comerciais por uma inflação controlada, embora alta, e uma nova etapa de financiamento externo ligado, sobretudo, a movimentos autônomos de capitais (TAVARES, 1973; e 1978, especialmente).

Quanto ao funcionamento do sistema financeiro, produziu-se modernização operativa, diversificação de seus instrumentos e um certo grau de especialização de suas funções, que outorgaram maior fluidez aos mercados monetário e creditício e permitiram a diversificação do sistema financeiro e o aparecimento de um mercado de capitais institucionalizado, limitado às bolsas de valores e mercadorias e algumas instituições financeiras não bancárias. Esse embrião de mercado de capitais, inspirado na segmentação típica do mercado americano, não cumpria, todavia, suas funções clássicas de suporte à concentração e centralização do capital.

Entre as mudanças principais podemos destacar as seguintes: introdução da cláusula de correção monetária em quase todas as operações contratuais financeiras; nova regulamentação das sociedades de capital aberto, dos bancos, das companhias de investimento, corretoras e distribuidoras de valores; criação das sociedades de crédito imobiliário, financeiras e demais formas de captação de recursos financeiros líquidos; e a redefinição das possibilidades de captações no exterior (instrução 63 do Bacen e decreto de capital estrangeiro n. 4.010). Tais modificações moldaram as estratégias do capital nacional e estrangeiro durante os anos subsequentes.

As respostas estratégicas dos empresários brasileiros foram diferenciadas, segundo suas diversas inserções setoriais. Os grupos industriais aproveitaram a nova regulamentação das sociedades de capital aberto para consolidar suas posições de grupo econômico. Vale dizer, embora o capital familiar mantivesse o controle acionário de seus negócios, passaram a usar o mercado de capitais como alternativa de valorização do capital social das empresas, auferindo rendas patrimoniais, e como *locus* de aquisição de par-

333

ticipações acionárias em outras empresas. Essa mudança abriu perspectivas para se avançar nas associações de empresas industriais, comerciais e financeiras, com a posterior formação de *holdings,* uma das formas de reestruturação patrimonial privada nacional[7]. Os grupos bancários, por sua vez, aproveitando brechas na lei bancária – que proibia participações acionárias cruzadas entre bancos e empresas – e explorando o fracasso do projeto Roberto Campos de segmentar o sistema financeiro e abrir o segmento de banco de investimentos ao capital internacional, iniciaram a constituição dos conglomerados financeiros nacionais.

Tendo fracassado o projeto de tornar o segmento de bancos de investimento a instituição encarregada, por meio da instrução 63 do Bacen, de fazer a ponte entre o circuito de crédito internacional e as necessidades internas de financiamento, foi progressivamente se consolidando a proposta do já então Ministro da Fazenda Delfim Neto, que alçava alguns bancos comerciais paulistas à cabeça dos conglomerados financeiros, reunindo financeiras, corretoras e bancos de investimento. Embora posteriormente Mário Henrique Simonsen tentasse frear a conglomeração bancária, a pretexto de disciplinar o mercado financeiro, as necessidades de financiar o balanço de pagamentos a partir de 1978 fez com que o então presidente do Bacen, Paulo Lira, recomendasse aos bancos que preservassem a capacidade de tomar recursos no exterior, via 63, com o objetivo de repassá-los internamente às empresas[8].

Dessa forma, nesse período, a acumulação de capital dos grandes grupos tornou-se associada, não ainda diretamente por meio dos investimentos diretos estrangeiros, nem por divisão de tarefas complementares na cadeia industrial entre as empresas montadoras e as de autopeças à época de JK. O capital bancário nacional tornara-se indiretamente associado ao capital financeiro internacional pela via da captação de recursos externos, que repassava como empréstimo aos empresários produtivos, sendo o risco cambial assumido pelas autoridades monetárias (Bacen e Banco do Brasil).

---

[7] Os estímulos à abertura do capital das empresas naquele período (possibilidade legal de revalorização dos ativos e ausência de controle sobre as aplicações das S.A.s) fizeram com que as emissões de novas ações para oferta pública aumentassem 100% de 1969 para 1970. E o número de novas empresas registradas para lançamento público perfazia 400, em 1970, das quais 117 eram empresas financeiras. Para mais detalhes cf. MCT, "Natureza e contradições do desenvolvimento financeiro recente".

[8] Nesse aspecto, a Resolução 1.524 do Banco Central, de 1988, que autorizou a formação de bancos múltiplos no Brasil, significou apenas a formalização jurídico-institucional do setor, que já se caracterizava, havia mais de uma década, pela concentração da propriedade de diversos tipos de instituição financeira nas mãos de um único grupo, ou seja, pela existência de conglomerados financeiros típicos.

BRASIL: ESTRATÉGIAS DA CONGLOMERAÇÃO

Por esse motivo a centralização do capital financeiro no Brasil à época não implicou associação dos capitais industrial e comercial sob a hegemonia do capital bancário, conferindo a este último a possibilidade de promover uma maior centralização do capital em sua forma mais geral, do direito de propriedade e, portanto, o controle em última instância do processo global de acumulação. Não havia, assim, articulação definida entre a ação dos principais grupos financeiros majoritariamente nacionais e a ação de nossas maiores empresas ou grupos industriais.

As inúmeras fusões dos grupos financeiros realizadas à época não estavam atreladas a um projeto global de rearticulação patrimonial. Na realidade, representavam somente um processo de concentração do capital bancário, devido ao caráter fortemente competitivo e especulativo predominante no mercado financeiro, decorrência da expansão e diversificação das instituições financeiras a partir de 1966. Ao contrário, configurou-se uma estrutura marcadamente assimétrica no que diz respeito aos interesses e articulações entre grupos industriais e financeiros privados.

Os projetos "tripartites", que articulavam os capitais privado nacional, internacional e estatal nas áreas petroquímica, de mineração, de extensão da fronteira de recursos naturais e siderúrgica, foram promovidos pela Petrobrás, CVRD e Siderbrás e estavam todos relacionados à conquista de novos mercados e não à reassignação de atividades em mercados preexistentes. Ademais, foram financiados pelo BNDES captações das estatais no exterior e repasses de linhas externas de financiamento captadas pelos bancos nacionais. Por essas razões não implicaram redefinição nenhuma das relações prevalecentes entre acumulação e assignação de recursos endógenos aos próprios grupos industriais privados nacionais. No limite, levou o maior banco privado nacional, o Bradesco, por razões de diversificação de seu porta-fólio, a adquirir participações acionárias minoritárias em algumas empresas brasileiras nos anos 1980 somente por razões patrimonialistas. Nessa estratégia geral do capital bancário privado, diferenciou-se o Banco Itaú, que operou pioneiramente como banco de negócios na articulação de interesses industriais/bancários.

Essa desarticulação entre grupos industriais e financeiros teve duas implicações importantes para a configuração patrimonial da economia brasileira nos anos posteriores. Em primeiro lugar, levou a um crescimento significativo dos conglomerados financeiros, cujo endividamento externo teve, como contrapartida, o crescimento da dívida pública interna, fonte dos lucros bancários na "ciranda financeira" do *open-market*. Em segundo, levou, após a crise da dívida externa, à revisão das restrições às participações acionárias cruzadas entre bancos e indústria, mas já em um contexto de perda de dinamismo do investimento privado, configurando por isso, para os bancos privados, mais uma oportunidade de diversificação de risco para suas carteiras de títulos.

A constituição de *holdings*, a criação ou compra de financeiras e bancos pelos principais grupos industriais nacionais originários constituíram base importante de suas condutas patrimoniais defensivas imperantes na década de 1980. Uma economia altamente inflacionária, com moeda indexada e com um sistema financeiro sofisticado para operações de curtíssimo prazo, mas inoperante para o financiamento de longo, e sofrendo estagnação de seu mercado interno, tende a moldar estratégias microeconômicas de caráter rentista. Em tais estratégias, o principal objetivo do investimento era diluir o risco e elevar as margens de lucro financeiro mediante a ampliação e a diversificação das carteiras dos grupos. Consequentemente, a diversificação deu-se principalmente em função da busca de ativos seguros ou de elevada liquidez, visando a proteção patrimonial dos grupos[9] e a financeirização da riqueza.

Nos anos 1980 observa-se um encurtamento dos ciclos de negócios decorrente tanto dos fracassos das sucessivas políticas de estabilização quanto da escassez de liquidez internacional. Essa dupla restrição de liquidez deu lugar a uma financeirização dos negócios dos grupos brasileiros, aparecendo pela primeira vez no balanço de suas empresas a componente financeira (lucros não operacionais) como mais relevante do que a operacional (BRAGA, 1997). Isso explica, também, o aparecimento de empresas financeiras bancárias e não bancárias no interior dos principais grupos industriais nacionais e ligadas às montadoras da indústria automobilística que operavam no Brasil[10]. O papel dessas empresas financeiras não era apenas prover liquidez interna a seus grupos, mas também financeirizar a riqueza. Vale dizer, o papel de validar por meio de suas operações no mercado monetário, e, após 1991, também no cambial, a ampliação e consolidação da riqueza patrimonial sob a forma financeira[11].

Esta lógica patrimonial defensiva prevalecente nos anos 1980 implicou também estratégias conservadoras de diversificação, caracterizadas, a sa-

---

[9] Cf. ECIB, pesquisa realizada com 662 empresas em 1993 pelo IE/Unicamp e IEI/UFRJ.

[10] A extinção da carta-patente-instrumento de autorização da abertura e funcionamento de novas instituições financeiras pelo governo federal em 1988 constitui um dos incentivos para os grupos nacionais abrirem financeiras e bancos próprios. Em 1989, iniciaram as atividades do Banco Fibra como banco múltiplo do grupo Vicunha. Nos anos 1990, foram constituídos o Banco ABC Roma da Globopar, o Banco Votorantim e os da Fiat e WV.

[11] "No centro desse padrão de riqueza está o capital a juros. [...] O juro sobre o dinheiro deve ser rigorosamente compreendido como manifestação máxima do capital enquanto pura propriedade, enquanto mercadoria plena, como ativo estratégico peculiar de uma economia monetária" (BRAGA, 1997: 223).

BRASIL: ESTRATÉGIAS DA CONGLOMERAÇÃO

ber: pela aquisição de empresas sólidas e capazes de manter sua rentabilidade em cenário de crescente incerteza; pela aquisição de ações de empresas líderes; pela diversificação de riscos mediante a dispersão de ativos reais e financeiros nos porta-fólios dos grupos nacionais; e pela aquisição de empresas mineradoras, de reflorestamento, imobiliárias e de terra, ou seja, de ativos que funcionavam como reserva de valor. Esta última opção se reforçava, quando o risco das aplicações financeiras elevava-se, seja pela ameaça de hiperinflação, seja pelo crescimento excessivo do estoque da dívida pública em poder do mercado[12].

Dada nossa hipótese inicial de que a dinâmica dos grupos econômicos brasileiros deve ser compreendida sobretudo a partir das mudanças das políticas econômicas destinadas a superar as limitações periodicamente colocadas pela necessidade de financiamento do balanço de pagamentos, não podemos terminar esta seção sem nos referir brevemente ao papel do Estado na monopolização do capital. Este tem sido objeto de grande discussão ideológica, em que "liberais" e "intervencionistas", direita e esquerda, travam entre si um duelo periódico, acusando-se reciprocamente de "estatistas" e "entreguistas". O que este ensaio até aqui evidencia é que este é um falso debate.

A intervenção econômica do Estado é uma constante ao longo do desenvolvimento capitalista brasileiro. A combinação de políticas protecionistas do grande capital nacional e estrangeiro, de financiamento direto da grande burguesia nacional e de fomento ou restrição à produção estatal de *commodities* internacionais (minério, aço e petróleo), é que varia com as modificações que ocorrem na inserção internacional da economia brasileira.

Ficou evidente ao longo da história da industrialização do pós-Guerra que o papel do Estado brasileiro é ambíguo na sua política de "associação" entre o capital produtivo nacional, estrangeiro e estatal, não tendo ocorrido nenhuma aventura "tripartite" deliberada, exceto no caso do tripé constitutivo da petroquímica durante o período Geisel.

Ao longo de todo o regime militar ocorreram poucas associações com o capital estrangeiro, que correu sempre por conta própria, embora se beneficiando da expansão do mercado interno protegido pelas "restrições externas" do balanço de pagamentos. Quem tenta se reforçar por meio de incentivos fiscais, de financiamentos subsidiados e de restrições à abertura do mercado financeiro a bancos estrangeiros é a burguesia nacional nos

---

[12] Cabe registrar que alguns grupos ousaram estratégias ofensivas e de saída para o exterior. Exceto o êxito dos grupos de construção civil pesada em se internacionalizar, os intentos de diversificação de alguns grupos para novos setores, como os grupos Villares, Docas, Metal Leve, foram frustrados no início dos anos 1990. Cf., a este respeito, Miranda (1996).

seus vários segmentos: indústria, *agrobusiness*, construtoras e bancos. Finalmente, as únicas grandes massas de "capital monopolista" organizadas sob a forma de empresas, *holdings* e redes territoriais, que, até recentemente, formavam a "pata forte" do famoso tripé, eram empresas estatais. Paradoxalmente, foram os ministros liberais do regime militar que contribuíram para ampliar o "setor produtivo estatal", ao mesmo tempo em que cuidavam nas suas políticas monetária e cambial de dar proteção às empresas privadas nacionais em seus negócios setoriais e em suas relações com o exterior.

Esse paradoxo não foi atributo dos governos militares. Por meio de vários instrumentos liberalizantes (instruções 113 de 1957 e 204 de 1961 da Sumoc, da instrução 63 do Bacen, dos anexos de adendo à resolução 1.289 do CMN, entre outros), os sucessivos governos brasileiros sempre tentaram conciliar as suas políticas macroeconômicas periodicamente liberalizantes, no que se refere ao tratamento do câmbio e do capital estrangeiro, com o projeto "nacional-desenvolvimentista". Foi preciso chegar a década de 1990 para que as elites civis "progressistas" de São Paulo, em aliança com todos os grupos econômicos e civis das classes dominantes, alterasse a concepção desse equilíbrio instável entre gestão macroeconômica liberal e intervenção estatal setorial, optando definitivamente pela liberalização geral.

3 Especialização, fusões, aquisições: *uma nova forma de associação dos capitais nacionais e estrangeiros*

A abertura comercial iniciada em 1991 constitui um novo contexto para a reestruturação patrimonial. Devido à concorrência das importações no mercado interno e ao menor dinamismo das exportações de manufaturas, a partir de 1994, decorrente da sobrevalorização do real, os principais grupos brasileiros tenderam a restringir o âmbito de suas operações, encaminhando-se para a especialização produtiva, mantendo, porém, seus ramos de *commodities* agrícolas ou industriais. Já a liberalização do mercado financeiro e da conta de capitais aumenta o risco de inadimplência dos tomadores em última instância de crédito externo. Para as instituições financeiras bancadoras aumenta o risco sistêmico frente a qualquer perturbação dos fluxos de capitais, antecipações de mudanças cambiais ou *squeeze* de liquidez.

Está assim emergindo uma dinâmica de conglomeração diferente, mais restrita em termos de setores e de número de participantes do que a das fases anteriormente referidas. Eventuais extensões das atividades dos grupos decorrem somente da percepção dos empresários dos limites das possibilidades de expansão dos grupos a partir dos *core-businesses* existentes ou

BRASIL: ESTRATÉGIAS DA CONGLOMERAÇÃO

do aproveitamento da abertura de oportunidades surgidas com as privatizações[13]. Estas criaram não somente novas áreas de negócios com retornos financeiros imediatos ou potenciais, mas, sobretudo, proporcionaram possibilidades de valorização patrimonial. Do ponto de vista dos negócios não se trata mais de ocupar espaços vazios, onde era baixo o nível de concorrência; objetiva-se agora realizar bons negócios com sócios escolhidos nas privatizações e associar-se em poucos setores altamente rentáveis, basicamente na produção de não comerciáveis. Não se trata de setores de baixa densidade de capital, em que os investimentos possam ser financiados por uma única empresa nacional; ao contrário, requerem associações ou consórcios com outros grupos nacionais e estrangeiros. Dessa forma, da perspectiva da valorização patrimonial, constituem-se operações de centralização do capital alicerçadas em financiamento público subsidiado (BNDES) e captações internacionais por bancos nacionais e estrangeiros *hedgeadas* por títulos públicos cambiais.

Pela primeira vez o Estado tentaria articular "por dentro" (do processo de privatizações) a associação orgânica entre o grande capital nacional, empresas e bancos estrangeiros. O *upgrading* do capital nacional far-se-ia diretamente à custa do patrimônio das empresas estatais. E a associação dos capitais nacional e estrangeiro não se faria mais pela divisão do trabalho dentro das cadeias industriais metal-mecânica, eletroeletrônica e petroquímica, como no Plano de Metas e no II PND, mas, sobretudo, no *hardcore* dos setores de energia e de telecomunicações. Nessa grande operação de consolidação do grande capital nacional, participariam, a princípio, os grandes empresários da indústria, da construção civil e das finanças, que teriam o Estado, por intermédio da organização dos leilões de privatização pelo BNDES, como árbitro desse novo processo de escolha de vencedores.

É importante destacar que, nos anos anteriores às privatizações, as empresas estatais tinham feito avanços tecnológicos e de capacidade produtiva significativos, integrando física e operacionalmente os sistemas nacionais de energia elétrica e telecomunicações. Essa expansão tinha por objetivo criar externalidades importantes para as áreas privadas de entretenimento e automação bancária e representava garantia de demanda para as indústrias de eletrônica profissional e bens de capital sob encomenda, as áreas líderes da expansão capitalista recente. Nesse contexto, a decisão de privatizar para grupos independentes e sem compromisso com a articula-

---

[13] É o caso dos grupos de construção civil que se diversificam para petroquímica e para serviços de infraestrutura a partir da concessão de atividades até então estatais, caso também do grupo Vicunha, para o qual a compra da CSN permitiu sua entrada em ferrovias, portos e energia.

ção territorial dos sistemas nacionais de energia elétrica e telecomunicações desestrutura as sinergias existentes e potenciais que permitiriam um novo ciclo de crescimento acoplado a um patamar tecnológico mais avançado. Mesmo assim, a política de privatizações da infraestrutura poderia representar uma oportunidade única para o Estado incentivar o maior porte dos grupos nacionais, promovendo a valorização patrimonial de seus ativos, intermediando financiamento externo e interno por meio de empréstimos do BNDES e da participação dos fundos estatais de pensão, enfim, organizando as operações de avaliação do patrimônio público e os leilões de venda nas bolsas de valores.

Teoricamente, podendo estabelecer as regras de conduta e as normas de funcionamento para esses sistemas, intermediando e dando aval aos financiamentos externos para a compra das estatais, atraindo sócios estrangeiros, influenciando o posicionamento dos fundos estatais de pensão, o Estado brasileiro poderia ter orientado uma operação de reestruturação e centralização do capital que fortalecesse alguns grandes grupos privados nacionais e operado sua articulação com o capital bancário nacional e internacional, capaz de fazer avançar o capitalismo brasileiro para uma nova etapa. Poderia, ademais, tornar-se um Estado-regulador, capaz de normatizar e regulamentar a conduta das empresas nos setores privatizados, de forma a garantir a integridade física e operacional dos sistemas de telecomunicações e energia.

Essa operação de "escolher os vencedores" pela ação direta do Estado, em flagrante contraste com a ideologia liberal reinante, não resultou a contento. A diversidade dos interesses políticos internos a compatibilizar a exiguidade de *funding* de vários grupos nacionais e internacionais escolhidos, a elevação da concorrência oligopolista internacional nos setores de telecomunicações e financeiro e a fragilidade do balanço de pagamentos brasileiro condicionaram o progressivo esfacelamento do projeto inicial. Especificamente em relação ao balanço de pagamentos, a entrada líquida de capitais não só resultou insuficiente para ampliação requerida de capacidade, como proporcionou, a curto prazo, um aumento das remessas de lucros para o exterior. A médio prazo, por se tratar de aquisições de setores de não comerciáveis por empresas estrangeiras que já possuem redes internacionais de fornecedores, as remessas de lucro e as importações de equipamentos e componentes tenderão a aprofundar a deterioração da conta de transações correntes com o exterior. Por fim, como grande parte das privatizações de telecomunicações e energia foi realizada antes que o Estado-produtor se convertesse em Estado-regulador, corre-se o risco de esfacelamento da integridade operacional desses dois setores.

BRASIL: ESTRATÉGIAS DA CONGLOMERAÇÃO

Há que se registrar que, da perspectiva dos empresários nacionais, também existem barreiras, até agora intransponíveis, para que o capitalismo no Brasil dê seu salto qualitativo, por meio de uma centralização do capital que permita a formação de grandes grupos estáveis de capital financeiro. Mesmo as S.A.s são aqui "sociedades limitadas" de propriedade familiar e só tomaram este estatuto jurídico para gozar dos benefícios da lei de sociedades anônimas. Embora recentemente as pesquisas indiquem a adoção, por alguns grupos relevantes, de gestão profissional de seus negócios, o controle do patrimônio e a orientação das aplicações dos fluxos de caixa continuam centralizados nas famílias donas originárias do capital. Com tais características, os grandes grupos nacionais têm fragilidades intrínsecas que acabaram por contribuir e referendar a transformação da proposta inicial de Estado-promotor do grande capital em Estado-corretor do *big business* nacional e internacional.

Outra característica importante dessa nova etapa do processo de reestruturação patrimonial no Brasil é a mudança da diversificação produtiva dos grupos industriais. Dentre os trinta maiores grupos brasileiros, treze tinham em 1998 seus *core-businesses* principais em *commodities*[14]. Ademais, grupos com origem e principal atuação em setores não comoditizados[15] têm se expandido para a produção de *commodities*. Há um nítido aumento da atração da atividade industrial brasileira por essa área, expandindo-se os maiores grupos por meio da compra de empresas menores ou dos processos de privatização da siderurgia, da petroquímica e da extração de minérios. Desta perspectiva, há concentração do capital industrial em setores de menor valor agregado, contrariamente às fases anteriormente mencionadas. Paralelamente, na produção de algumas *commodities* agrícolas em que o Brasil adquiriu tradição exportadora, tem havido um aumento da participação das grandes multinacionais do setor: Cargill, Louis Dreufus, Bung Born etc.

As empresas brasileiras produtoras de bens de consumo duráveis e não duráveis, por sua vez, têm sido alvo de aquisições por multinacionais que operam nesses setores. Entre 1991 e 1997, 49 empresas brasileiras de alimentação e bebidas foram adquiridas por estrangeiras[16], 24 empresas de comércio atacadista e varejista, 15 de material eletroeletrônico, 17 de autopeças e 16 de produtos farmacêuticos e de higiene (cf. Securities Data e KPMG).

---

[14] Klabin, Ripasa, Sadia, Perdigão, Gerdau, Belgo-Mineira, CSN, Usiminas, Acesita, Votorantim, Suzano, Hering, Villares.

[15] Como, por exemplo, Mariani, Odebrecht, Vicunha, Ultra, Ipiranga, entre outros.

[16] Graças às aquisições na América Latina, a Parmalat, maior fabricante internacional de leite, teve em 1998, aqui, uma expansão de 36,7% de sua receita global, contra 25,6% na Europa e 36% nos Estados Unidos. Só o Brasil responde por 60% da receita latino-americana.

Nesses anos de abertura comercial e liberalização dos fluxos financeiros, as empresas multinacionais de bens de consumo adotaram, inicialmente, a estratégia de expandir suas exportações para o país, concorrendo com as empresas nacionais a partir de uma relação cambial a elas favorável e, consequentemente, ganhando parte significativa do mercado interno. Em seguida, passaram a adquirir empresas brasileiras, em especial nos setores de alimentos, bebidas, autopeças e eletrônica. Entre 1991 e 1997, 96% das empresas brasileiras do setor eletroeletrônico foram adquiridas por estrangeiras; da mesma forma 82% das empresas do setor de alimentos e 74% da indústria de autopeças (cf. Securities Data e KPMG). Pode-se dizer que nesses segmentos, embora não tenha havido desindustrialização significativa, houve desnacionalização profunda. Esta tem sido uma das explicações para a tendência à especialização de alguns grupos brasileiros na presente década.

Os grupos brasileiros que operavam tradicionalmente nos setores de bens de capital, eletrônica profissional, entretenimento e construção civil pesada, ou que constituíam conglomerados financeiros, foram os que passaram por redefinições mais drásticas de suas estratégias, seja devido à nova inserção internacional do Brasil ou aos processos de privatização e concessão de serviços das estatais.

A recessão e a abertura comercial dos quatro primeiros anos desta década já haviam obrigado as empresas industriais a desistirem das atividades intensivas em tecnologia, orientadas tanto para o mercado interno quanto para a exportação; a concentrarem seletivamente suas atividades em áreas de maior competência de produção; a reduzirem os níveis de integração vertical, ampliando a importação de partes e componentes; ou a fazerem *joint ventures* com empresas líderes mundiais, como a Itautec com a IBM, Microsoft e Intel. Parte importante da produção local desses setores foi "substituída" por importações, invertendo o processo histórico da sua formação.

No caso específico dos grupos que operavam em eletrônica profissional, só tiveram capacidade de reestruturação os que tinham se capacitado em automação bancária; aqueles que, por associação com grupos estrangeiros, eram montadores de equipamentos; ou aqueles que tinham inserção no setor de serviços de multimídia por meio de redes de televisão, televisão a cabo, radiodifusão e operação por satélites. Tal êxito, entretanto, não pode ser desvinculado de um endividamento crescente em dólar de alguns grupos[17] e das participações em consórcios para compra de estatais em telecomunicações,

---

[17] Tal endividamento implicou fragilização patrimonial, quando, a partir da moratória russa, viram-se impedidos de rolar suas dívidas em dólar e para resgatá-las viram-se obrigados a tomar empréstimos junto aos bancos nacionais a taxas de juros mais elevadas do que as internacionais.

BRASIL: ESTRATÉGIAS DA CONGLOMERAÇÃO

em que a presença de empresas nacionais, ainda que minoritária, se justifica-va como fator de ampliação potencial da capacidade competitiva.

Os grandes grupos de construção civil pesada tiveram comportamento diferenciado. Os dois mais importantes passaram a atuar fortemente no exterior desde os anos 1980, a partir de suas especializações em construção civil, serviços de engenharia e montagem industrial e com a realização de associações e *joint ventures* com grupos estrangeiros, objetivando participar em grandes concorrências internacionais. Adicionalmente, esses grupos, até então especializados, iniciaram movimentos de diversificação conglomerada, seja em direção à produção de *commodities* petroquímicas, área de negócio com mercado internacional, seja aproveitando as concessões públicas de serviços de infraestrutura, explorando rodovias, sistemas de saneamento, portos etc.

Nos setores de ponta da nova onda de industrialização, comandada mundialmente pelas telecomunicações, a capacidade de avanço dos grupos nacionais tem sido relativamente tímida. Das empresas estatais privatizadas, 58,7% foram compradas por consórcios mistos com participação equivalente de capital nacional e estrangeiro e 41,2% corresponderam a compras por parte de empresas e consórcios estrangeiros. A tentativa dos grupos nacionais de integrar consórcios para a disputa dos leilões de telefonia celular e operação por satélites foi malograda, como também foi a tentativa de conglomeração para os setores de equipamentos e eletrônica profissional.

Pode-se assim distinguir três estratégias dos grupos privados nacionais no período recente. A primeira é daqueles que tentam resistir em seus *core-businesses* originários e usam as privatizações para reforçá-los e são bem-sucedidos. Podemos tomar como exemplo os seguintes casos mais destacados: do grupo Gerdau, que se torna o principal grupo privado nacional de siderurgia; do grupo Votorantim, que, embora tendo perdido o leilão da CVRD, conserva seus setores originários e avança, em consórcio com o Bradesco e a Camargo Correa (VBC Holding), pelo setor de energia elétrica e gás (via CPFL); do grupo Itaúsa, que mantém suas empresas originárias, mas elege, em 1994, o setor financeiro como cabeça do conglomerado, disputando a ampliação do mercado interno por meio de privatizações dos bancos estaduais.

A segunda estratégia é identificada com aqueles que reduzem sua conglomeração ou reforçam sua especialização em *commodities* e aqueles que tentam aproveitar os consórcios de privatizações para reforçar suas especializações em telecomunicações e/ou multimídia, mas perdem ou saem como sócios minoritários das empresas privatizadas. Foi assim malograda a tentativa da maioria dos grupos nacionais de disputar telefonia celular, as grandes empresas de telecomunicações estaduais, a Embratel, a operação por satélites, e de constituírem até agora empresas-espelhos das telerregionais.

343

A terceira estratégia é identificada com um único grupo, que se diversifica radicalmente, a partir das indústrias têxtil e do vestuário (Vicunhia), para a siderurgia (CSN) e, a partir desta, para minerais não metálicos (CVRD), em associação com grupos estrangeiros, e para serviços de infraestrutura e de energia elétrica. Trata-se da única formação de conglomerado diversificado com participações cruzadas das diversas empresas recém-adquiridas: CSN na Light, a Vale na CSN etc. A estratégia do grupo não parece ser, entretanto, primordialmente, a de manter a médio prazo a configuração do conglomerado, mas de "valorizar esses ativos e a partir daí ver o que pode fazer em termos de fusão, cisão, compra, venda ou outra alternativa"[18].

Em síntese, as oportunidades abertas pelas privatizações parecem ter sido mais bem-aproveitadas pelos grupos que reforçaram seus *core-businesses* em *commodities* (siderurgia e petroquímica) ou que entraram, a partir de sua experiência acumulada em serviços de engenharia e construção civil, na exploração dos serviços de infraestrutura. A exceção foi o grupo Vicunha, cuja estratégia ainda não está totalmente clara, se patrimonialista-rentista, ou não.

Esse resultado aponta para o fracasso do intento recente do Estado brasileiro de formar verdadeiros grupos econômico-financeiros no Brasil, em que pesem as próprias limitações dos empresários nacionais para preservar suas funções de capitalista, delegando a gestão a empresários profissionais e dos próprios banqueiros nacionais, incapazes de operar nos mercados de capitais internos e externos a consolidação patrimonial dos grupos nacionais.

Nossa hipótese é que a reinserção financeira internacional dos grupos nacionais – em contexto de estabilidade de preços, liberalização cambial, financeira e comercial – foi responsável por um ajuste patrimonial de natureza financeira. Este ajuste afetou a composição de seus passivos, elevou o peso das dívidas financeiras relativamente ao conjunto do passivo e aumentou a participação das dívidas denominadas em dólar no total das dívidas financeiras. A participação da dívida direta externa no estoque de dívidas financeiras do setor industrial privado elevou-se de 5,6%, em 1991, para 22,8%, em 1996. Para as empresas de metalurgia de não ferrosos passa de 25,7% para 58,7%; para as produtoras de minerais não metálicos, de 19,7% para 53,7%; para as fabricantes de aparelhos e equipamentos eletrônicos, de 23% para 52,9%; para as produtoras de óleos vegetais e gordu-

---

[18] Entrevista de Benjamin Steinbruch à *Carta Capital*, 27/5/1998.

BRASIL: ESTRATÉGIAS DA CONGLOMERAÇÃO

ras para alimentação, de 0% para 30,2%; e para as da química, de 14% para 44% (PEREIRA, 1999).

Houve também uma financeirização dos passivos empresariais, expressa pela elevação da participação das dívidas financeiras nos passivos de curto e longo prazo. Em 1996 a relação dívidas financeiras/passivo de curto e longo prazos já era de 38,8% para as empresas estatais, 53,6% para uma amostra significativa de empresas privadas nacionais e de 68,9% para as filiais de transnacionais (1999). A internacionalização dos débitos foi também observada pela ampliação do peso relativo das dívidas denominadas em dólar no conjunto das dívidas financeiras dos grandes grupos industriais privados. Esse processo constitui um tipo de associação entre capitais nacional e internacional altamente desestabilizante para os grupos nacionais, como se verificou à luz da depreciação ocorrida a partir de janeiro de 1999. Dessa vez, o recurso ao BNDES, para que produza uma reestruturação dos passivos em dólar, é uma operação mais complexa e difícil de realizar do que a anterior das privatizações. Dependendo das dificuldades de reestruturação, quem sabe caiba agora ao Estado a tarefa de "escolher os vencedores" internacionais, que adquirirão parte dos grupos nacionais, completando assim o processo de desnacionalização em curso.

Por fim, o setor financeiro foi o que passou por maior transformação no período recente. A REFORMA PARCIAL DO SISTEMA BANCáRIO DE 1988[19] regulamentou o funcionamento dos bancos múltiplos. Embora só viesse a institucionalizar uma prática bancária que desde a década de 1970 já se caracterizava pela concentração da propriedade de diversos tipos de instituições financeiras em um único conglomerado, constituiu oportunidade de generalizar esse tipo de organização para bancos comerciais de menor patrimônio. Só em 1989 foram constituídos 103 bancos múltiplos privados no Brasil e o número de bancos comerciais privados cai de 77, em 1998, para 39 no ano seguinte[20]. Também desde meados dos anos 1980 vários grupos industriais nacionais criaram suas próprias instituições financeiras, como meio de alavancar recursos e ter maior flexibilidade de gestão financeira.

Em 1991 foram instituídos os anexos IV e V, como adendos à resolução 1.289 do Conselho Monetário Nacional de 1987, que regulamentavam as operações institucionais no mercado de capitais e a colocação de ações de

---

[19] Instituída pela Resolução 1.524 do Banco Central do Brasil.
[20] Banco Central do Brasil e Andima.

345

empresas brasileiras em bolsas no exterior, respectivamente, abolindo os critérios restritivos de diversificação prevalecentes e o período mínimo para permanência dos investimentos no país[21]. Essa liberalização dos controles de capitais é crucial à compreensão do modelo de estabilização escolhido em 1994 e, sobretudo, da lógica de reestruturação patrimonial-financeira desde então prevalecente.

A estabilidade de preços, o fim das receitas inflacionárias e o descasamento de ativos e passivos explicam a fragilidade financeira de alguns dos maiores bancos privados nacionais (Nacional, Econômico e Bamerindus), que acabaram sendo adquiridos ou incorporados por outros bancos internacionais ou nacionais. A superação da fragilidade do sistema financeiro foi realizada pelo Proer, programa de concessão de crédito público pelo Banco Central às instituições interessadas na aquisição de bancos em dificuldade. Entretanto, na ausência de regulamentação do artigo 192 da Constituição de 1988, esse programa marcou também o início da progressiva desnacionalização do sistema financeiro[22], conquistando os bancos estrangeiros a posição de liderança de alguns conglomerados financeiros nacionais.

Os processos de aquisições e incorporações não se restringiram aos bancos comerciais privados, mas abrangeram bancos de investimento, financeiras, seguradoras e, por meio das privatizações, os bancos públicos estaduais. Entre 1991 e 1997 foram vendidas 59 instituições financeiras privadas brasileiras, 4 bancos estaduais e 14 filiais de instituições financeiras no Brasil. Desse total, 39% do valor das aquisições foi de responsabilidade de instituições financeiras brasileiras, 21% de espanholas, 20% de inglesas e 16% de americanas (Securities Data). Apesar de os bancos americanos terem tido uma participação incremental menor do que a de outros países, seu peso no segmento atacadista continua majoritário e decisivo, tanto para *arrangements* da dívida de empresas que operam no Brasil quanto para operações de arbitragem e especulação nos mercados de futuro, como se constatou desde a mudança de regime cambial em janeiro último.

---

[21] A primeira tentativa de atração de recursos externos foi em 1986, por meio do Decreto-lei 2.285, regulamentado pela Resolução 1.289, que estabelecera três formas de investimento externo: anexo I (cias. de investimento), anexo II (fundos abertos com resgate de cotas) e anexo III (fundos fechados sem resgate de cotas). Esses fundos tinham prazo mínimo de permanência de 90 dias e critérios rígidos de diversificação. O anexo IV veio exatamente abolir as condições restritivas dos três anteriores.

[22] A participação dos ativos de bancos estrangeiros nos ativos totais dos dez maiores bancos que operavam no Brasil era de 5,6 % em 1994, elevando-se para 17%, em junho de 1997.

4 Conclusão

A dinâmica de acumulação e concentração de capital no Brasil ao longo deste século revela as seguintes peculiaridades:

1) A constituição dos grupos industriais nacionais (1930-1960) esteve ligada à política de financiamento público para expandir a escala de seus negócios e à estratégia de dispersão de risco, típica da gestão prudente dos negócios de empresas familiares, que objetivava manter sob controle seu patrimônio, protegendo-o das mudanças das políticas de Estado, das quais era dependente.

Em consequência, surgiram conglomerados informais superdimensionados e dispersos setorialmente. Nesses conglomerados estavam ausentes quaisquer articulações explícitas com o capital bancário. Este constituía uma órbita à parte dos negócios da indústria e do grande comércio e operavam regionalmente no circuito varejista de crédito de curto prazo.

2) Ultrapassado o estágio inicial de acumulação por dispersão de risco e proteção cambial, as respostas estratégicas dos empresários brasileiros vieram em dois níveis entre 1964 e 1980. Primeiro, aumentar a diversificação de seus negócios e/ou consolidar posições conglomeradas na indústria. Tal posicionamento ocorreu sobretudo durante o II PND, aproveitando-se das demandas das empresas estatais e do financiamento público, veículos de articulação dos interesses das empresas privadas nacionais e estrangeiras. Segundo, aproveitar a regulamentação das S.A.s para consolidar suas posições de grupo. Embora os grupos familiares mantivessem controle do capital e da gestão dos negócios, podiam agora usar o mercado de capitais, fosse para auferir rendas patrimoniais, fosse para a aquisição de participações acionárias em outras empresas.

3) Não havia, consequentemente, articulação definida entre a ação dos principais grupos bancários nacionais e a das maiores empresas industriais, que pertenciam a grupos familiares diferentes. A "centralização" do capital financeiro limitou-se à concentração bancária, realizada sobretudo por meio de aquisições de bancos de menor porte pelos grandes bancos paulistas e mineiros. Esta concentração bancária não implicou associação alguma de interesses entre bancos e indústria, senão que deu escala nacional a grandes bancos até então regionais. Desse modo, tampouco fez emergir uma classe de financistas capaz de administrar, por meio de operações no mercado financeiro, posições ativas e passivas de longo prazo, alterando assim a natureza patrimonial dos grupos nacionais. O *funding* para novas escalas de produção que os investimentos de longo prazo requeriam surgia ou dos

lucros acumulados ou de financiamento por bancos públicos ou de endividamento externo.

4) As incertezas provocadas pela ruptura dos fluxos externos de financiamento após a crise da dívida externa e pela estagflação prevalecente conduziram à adoção de estratégias conservadoras de diversificação pelos principais grupos industriais privados nacionais. Estas privilegiavam, seja a defesa do valor do patrimônio em moeda nacional indexada ou em dólar, seja a obtenção de rendas financeiras. As estratégias ofensivas de alguns grupos de avançar para setores da ponta tecnológica malograram.

5) Da abertura comercial e liberalização financeira decorreram duas dinâmicas diferentes e inéditas para os conglomerados financeiros e grupos industriais nacionais. Os bancos passam a diversificar seus instrumentos e mercados de atuação, operando como árbitros entre os mercados financeiros interno e externo, tanto para gerir seus próprios porta-fólios quanto por conta de agentes superavitários dispersos na sociedade, sobretudo dos grupos industriais que não dispõem de bancos próprios e dos grandes rentistas.

Do ponto de vista dos grupos industriais, a abertura comercial e a posterior sobrevalorização do real puseram em risco parte de suas atividades, implicando fechamento de plantas e a reversão da estratégia prevalecente de diversificação dos negócios em direção aos setores de maior valor agregado. Prevalecem estratégias de especialização em *commodities*. Malogram as tentativas de *upgrading* por sinergias tecnológicas e economias de escopo, representadas pelas oportunidades de aquisição das estatais de telecomunicações por grupos nacionais.

6) As privatizações representaram a mais recente tentativa de formar grandes conglomerados a partir da associação de grupos. Em sua fase inicial (1989-1995), a ampliação dos grupos nacionais concentrou-se em um rearranjo do antigo tripé nos setores da siderurgia e petroquímica, em que a participação estatal foi adquirida majoritariamente pelo capital nacional, reforçando os grupos tradicionais da montagem e desenvolvimento dessas indústrias.

Já na segunda fase, correspondente à concessão dos serviços de utilidade pública e à venda de empresas de mineração, energia elétrica e telecomunicações, modificam-se tanto a inserção dos grupos nacionais quanto a postura do Estado brasileiro. Este comporta-se como um "financista", operando a centralização e a associação de capitais a partir de uma agência pública, o BNDESPAR. Esta opera no mercado de capitais interno por meio de sua carteira própria de ações, colaterizando o levantamento de empréstimos externos pelas empresas nacionais e buscando bancos e empresas estrangeiras interessados nas operações. Nesse momento, pela primeira vez, o Estado agiu "por dentro" da formação e regulação das relações entre grupos nacionais e estrangeiros para promover um *upgrading* dos conglomerados de capital financeiro no Brasil.

No entanto, no que se refere aos setores financeiros e de telecomunicações, a arbitragem política do Estado a favor dos grupos nacionais fracassou, por se tratar precisamente das duas fronteiras de expansão, concorrência e centralização do grande capital internacional neste fim de século.

7) Finalmente, a desvalorização cambial na passagem para o regime de câmbio flutuante e a posterior iliquidez do mercado de crédito internacional atingiram fortemente alguns dos grandes grupos nacionais endividados em dólares. O financiamento da inversão por fundos que necessitem ser periodicamente refinanciados implica risco de perda patrimonial sempre que o refinanciamento seja interrompido, independentemente das empresas terem ou não realizado *hedge* para se precaverem de quaisquer variações cambiais durante a vigência de seus contratos. No caso de não renovação de crédito, as empresas têm de vender, em curto espaço de tempo, ativos para saldar suas obrigações contratuais, o que implica algum deságio. Ou, alternativamente, negociar no mercado secundário seus títulos de dívida, repassando-os com desconto. Nesse sentido, os grupos nacionais têm solicitado ao BNDES que atue como *sponsor* da negociação dos títulos da dívida e encontre instituições financeiras internacionais que sirvam de *bookers* para seus passivos em dólares. O maior ou menor êxito das renegociações poderá definir um novo perfil dos grupos privados brasileiros, com mudanças significativas no *ranking* dos 100 maiores.

REFERÊNCIAS

BRAGA, J.C. (1997). Financeirização global – o padrão sistêmico da riqueza do capitalismo contemporâneo. In: FIORI, J.L. & TAVARES, M.C. *Poder e dinheiro – Uma economia da globalização*. Petrópolis: Vozes.

ECIB – Estudo da competitividade da indústria brasileira. Campinas: Unicamp/ Papirus, 1993.

HOBSON, J.A. (1983). *A evolução do capitalismo moderno*. Série "Os economistas". São Paulo: Abril Cultural.

LESSA, C. (1981). *Quinze anos de politica econômica.* São Paulo: Brasiliense.

MIRANDA (1996). Reestructuración industrial en um contexto de inestabilidad macroeconômica. El caso de Brasil. In: JORGE, M.K. (org.). *Estabilización Macroeconómica, Reforma Estructural y Comportamiento Industrial.* Buenos Aires: Alianza Editorial.

PEREIRA, T. (1999). "Endividamento externo e ajuste de grande empresa industrial", dissertação de Mestrado do IE/Unicamp.

TAVARES, M.C. (1978). "Ciclo e crise". In: *IE/Unicamp* – 30 anos de economia.

_____ (1972). *Da substituição de importações ao capitalismo financeiro* – Ensaios sobre economia brasileira. Rio de Janeiro: Zahar Editores.

TORRES FILHO, E. (1991). "'Japão', um caso de capitalismo organizado". *Economia e desenvolvimento*, n. 8. Brasília: Ipea/Cepal.

_____ (1983). *O mito do sucesso*: Uma análise da economia japonesa no pós-guerra, 1945-1973. Instituto de Economia Industrial – UFRJ [Textos para discussão n. 37, Rio de Janeiro].

Luciano Coutinho

Coreia do Sul e Brasil: paralelos, sucessos e desastres

1 Introdução

O sentido deste breve capítulo[1] é extrair algumas lições e conclusões úteis para o futuro (especialmente da economia e da sociedade brasileira) a partir dos notáveis contrastes e também dos significativos paralelismos observados entre os processos de desenvolvimento da Coreia do Sul e do Brasil ao longo dos últimos cinquenta anos.

No crepúsculo do século XX, ao fim da década de 1990, as sociedades (e as economias) do Brasil e da Coreia (ambas atravessando mais uma séria crise de balanço de pagamentos) defrontam-se com a necessidade de projetar objetivos e estratégias para o futuro. A Coreia, sob um governo eleito pela oposição, reformista, com apoio popular e sindical, tenta extirpar os seus vícios elitistas de privilégios e corrupção, na busca de uma nova etapa de desenvolvimento. Este novo projeto inclui uma delicada aproximação, amistosa, com a Coreia do Norte, em uma tentativa de reunificação.

No Brasil, após quatro anos e meio de estabilização, baseada em uma onerosa "âncora cambial", sobreveio uma significativa desvalorização cambial, que poderia vir a ser positiva no contexto de um novo projeto. O governo FHC de inclinação neoliberal, reeleito, parece, entretanto, perplexo e paralisado – não há aparentemente um projeto claro, nem de radicalização das "reformas" liberais nem tampouco uma formulação alternati-

---

[1] O autor agradece o estímulo incessante dos amigos Maria da Conceição Tavares e José Luís Fiori, para que se dedicasse a escrever este texto, de cujos erros e equívocos eventuais estão evidentemente absolvidos.

va de reformas democráticas, visando a sustentabilidade do desenvolvimento e a ampliação da cidadania.

2 Retrospecto histórico

Após um período duro e carente de reconstrução, logo após a Segunda Guerra, a economia da Coreia do Sul transformou-se velozmente ao longo das décadas de 1950, 1960 e 1970. Nesse período de tempo, sob o regime de Bretton Woods – que permitia o protecionismo, a regulação nacional do crédito e tolerava a penetração dos mercados desenvolvidos via exportações – a Coreia deixou de ser um dos países mais pobres da Ásia, baseado na agricultura tradicional e nos produtos primários, para se transformar em uma "fortaleza industrial" capitaneada por grandes empresas de porte global, detentoras de tecnologias de ponta e de marcas mundiais. O seu balanço de pagamentos, inicialmente frágil e dependente de ajuda externa, transformou-se em uma posição externa crescentemente sólida – capaz de empreender viradas espetaculares para sair de crises cambiais em que se deixou enredar – baseada na sua reconhecida competitividade em setores de alto valor agregado e conteúdo tecnológico (e.g. automobilística, eletrônica de consumo, microeletrônica, telecomunicações).

Nos anos 1950 – com o país dividido em dois pela Guerra Fria e pelo desgastante conflito militar com a Coreia do Norte na primeira metade da década – a Coreia do Sul debatia-se com as etapas mais difíceis do processo de desenvolvimento industrial. A base pesada da indústria era quase inexistente e a burguesia nacional, débil e rarefeita, era inteiramente dependente do Estado. Sob o governo de Syngman Rhee, aliado incondicional e dependente dos Estados Unidos, foram dados os primeiros passos nas seguintes direções: 1) suporte à industrialização de bens de consumo não duráveis, de baixa intensidade de capital, por meio de combinação clássica de créditos favorecidos e de licenças de importação; 2) criação de grupos capitalistas nacionais, por meio de operações subsidiadas de privatização de várias empresas que haviam sido encampadas pelo governo como herança de colonização japonesa; 3) sob pressão americana iniciou-se a implantação de uma ampla reforma agrária, visando diminuir as tensões sociais no campo e criar uma nova base social de apoio ao regime, sob a forma de uma pequena burguesia rural; 4) ainda sob a inspiração dos Estados Unidos, o governo coreano empreendeu nos anos 1950 um grande esforço de alfabetização e de desenvolvimento do ensino básico.

O regime ditatorial de Rhee presidiu esse processo ao longo de toda a década de 1950, baseando-se no suporte americano e nas relações privi-

COREIA DO SUL E BRASIL: PARALELOS, SUCESSOS E DESASTRES

legiadas com os grupos econômicos que havia favorecido e continuava favorecendo de forma crescentemente corrupta. A deterioração do suporte político levaria Rhee à renúncia em abril de 1960, após uma forte onda de protestos populares, liderada pelos estudantes. Após um ano inteiro de instabilidade política, um golpe militar colocou no poder (maio de 1961) o General Park Chung Hee, que viria governar a Coreia do Sul por dezoito anos, até 1979, quando foi assassinado. Com mão de ferro, o General Park dirigiu a Coreia em marcha acelerada nos anos 1960 e 1970 para a industrialização, por meio de sucessivos planos quinquenais. O desempenho econômico ao longo da era Park foi impressionante – o PIB cresceu quase que ininterruptamente a uma taxa média anual de 9,5% ao ano a partir de meados de 1960. Sublinhe-se a importância do planejamento estatal e da sequência de objetivos claramente definidos nesse processo que viabilizou o desdobramento da industrialização.

No início dos anos 1960 a estrutura industrial ainda era estreita e pouco diversificada, baseada na produção de bens de consumo não duráveis. Para libertar-se da escassez de divisas e da dependência umbilical dos Estados Unidos, o governo Park lança um programa de investimentos (1º Plano Quinquenal, de 1962-1967) para expansão da indústria manufatureira com fortes incentivos à exportação – tirando proveito do *status* comercial favorecido da Coreia enquanto aliado preferencial – para penetrar no amplo mercado americano. O setor de produtos têxteis e confecções liderou esse primeiro esforço exportador, complementado por outros manufaturados leves (móveis de madeira, calçados etc.). Tendo estatizado os bancos logo no início do seu governo, para dissolver as relações espúrias que haviam sido fomentadas pelo governo Rhee e que haviam levado a um elevado percentual de desvios e inadimplências, o presidente Park utilizou o crédito bancário (sistema de bancos comerciais, mais o Korea Development Bank) como alavanca decisiva para fazer avançar os setores selecionados. A taxa de câmbio foi unificada e substancialmente desvalorizada, sendo mantida em um patamar estimulante durante todo o período por meio de sucessivas minidesvalorizações. Subsídios fiscais maciços foram acionados (isenção de impostos indiretos, reduções do IR, prêmios fiscais vinculados a metas de desempenho, instituição do *drawback* etc.), estimando-se o seu volume, em média, como equivalente a 10% das exportações no período (UNIDO, 1986).

O 2º Plano Quinquenal (1967-1971) reiterou a estratégia de industrialização orientada para a exportação, de tal forma que o peso desta sobre o PIB cresceu continuamente, saindo de uma base pequena (inferior a 4% no início dos 1960) para alcançar 12,5% no fim do período. Em termos de taxas de crescimento, a média anual foi de 34,5% ao ano no período compreendido pelos dois primeiros planos.

353

É interessante assinalar que embora a expansão das exportações fosse colocada como um dos objetivos relevantes da política de desenvolvimento, este não era o único. A formação de capital social básico em infraestrutura (transportes, energia, construção civil) requeria um elevado volume de investimentos, garantidos em grande parte por uma elevada taxa de poupança doméstica. O mercado interno também era alvo de parte importante dos investimentos, à medida que a economia crescia, utilizando-se para tal o processo de substituição de importações via proteção tarifária. Isto era inevitável, pois, à medida que o processo de industrialização baseado em manufaturas leves avançava, ficava cada vez mais evidente a necessidade de estruturar a base pesada da indústria de insumos intermediários, cuja importação, crescente, neutralizava recorrentemente o sonho de reduzir a dependência de empréstimos e de apoio financeiro externo. A necessária combinação e alternância das estratégias de promoção das exportações com a substituição de importações foi bem-explicada por Alice Amsden (1989) no seu *Asia's Next Giant*.

No início dos anos 1970 o general-presidente compreende com toda clareza que é chegada a hora de empreender um esforço concentrado para construir indústria pesada. O 3º Plano Quinquenal (1972-1976) planeja a implantação das indústrias siderúrgica, petroquímica, de minerais não metálicos (cimento) e prepara as bases dos setores de bens de capital sob encomenda (construção naval, máquinas e equipamentos) e da indústria automobilística. Os elevados requisitos de capital exigiram um esforço adicional de endividamento, obtido de fontes domésticas e externas. Para suprir o necessário volume de financiamento, o governo criou, em 1973, o Fundo Nacional de Investimento, que captou recursos dos bancos e os oferecia a taxas de juros muito baixas (graças a subsídios orçamentários). A indústria química e petroquímica recebeu especial atenção no início do terceiro plano. O esforço de investimento na construção da base pesada da indústria persistiu ao longo do 4º Plano Quinquenal (1977-1981).

No fim da década de 1970 o processo de industrialização estava concluído: a base pesada da indústria havia se constituído. Duas consequências, relevantes, desse esforço devem ser destacadas: 1) a dívida externa cresceu expressivamente (de US$ 4,3 bilhões em 1973 para US$ 20,3 bilhões em 1979); 2) aumentou muito a dependência de petróleo importado, como resultado da prioridade concedida ao desenvolvimento da indústria petroquímica e do simultâneo crescimento da frota de veículos automotores; 3) aumentaram também as exportações, visto que os projetos da indústria pesada foram concebidos como empreendimentos "Estado-da-arte", com elevadas escalas produtivas, visando simultaneamente os mercados doméstico e externo.

COREIA DO SUL E BRASIL: PARALELOS, SUCESSOS E DESASTRES

Como resultado desse último ponto, o peso das exportações sobre o PIB se elevou significativamente ao longo da década de 1970, subindo de 12% em 1971 para 23,6% em 1979 (taxa média de crescimento de 35% ao ano). A sustentação deste *drive* exportador exigiu esquemas adicionais de estímulo: os incentivos fiscais foram aprofundados e, em 1976, foi criado o Eximbank coreano, com a missão específica de financiar as operações de exportação, com juros favorecidos.

Não obstante, o rápido crescimento das exportações, a realização de um elevado e sustentado volume de investimentos fixos obrigaram a um forte crescimento das importações (especialmente de bens de capital). Estes saltaram de 23,5% do PIB em 1971 para 32,6% em 1979. Concluída a década de 1970, a Coreia do Sul havia, portanto, logrado saltar para o *status* de nação industrializada; ainda acumulando, porém, dívidas e fragilidades que iriam exigir o enfrentamento de novos desafios no início da década de 1980, quando a economia mundial atravessaria uma dura e inóspita etapa de recessão global, provocada pelo "choque" de juros produzido pelo Sr. Paul Volker e, simultaneamente, pelo segundo choque de preços do petróleo (1979-1980), decorrente da eclosão da guerra entre o Irã e o Iraque. A Coreia do Sul atravessou, ainda, nesse período, uma fase de graves turbulências políticas após o assassinato do General Park em 1979.

A trajetória do Brasil ao longo dos "trinta gloriosos" será analisada a seguir, de forma breve e estilizada.

Ao longo das décadas de 1950 e 1960, a integração da economia mundial foi impulsionada pela transnacionalização das grandes empresas americanas, em um contexto de estabilidade do dólar e de hegemonia dos Estados Unidos. As grandes empresas europeias, por seu turno, reagiram ao desafio americano e iniciaram movimentos contraofensivos de transnacionalização nos últimos anos da década de 1950. O Brasil beneficiou-se dessa rivalidade para atrair e negociar a entrada de investimentos estrangeiros em condições favoráveis, notadamente durante o ciclo expansivo 1956-1960 sob o governo do presidente Kubitschek. Investimentos diretos externos em setores dinâmicos (automobilística, mecânica, material elétrico) contribuíram decisivamente para modificar o perfil da indústria brasileira e para concretizar um importante salto no processo de industrialização, viabilizado pelos investimentos públicos e estatais em infraestrutura e em indústrias de base.

No fim dos anos 1960 e início dos 1970, a crise do dólar enquanto moeda-pivô do sistema internacional (provocada pela emergência de grandes déficits externos americanos) foi acompanhada por crescente desregulamentação financeira, o que ensejou a notável expansão do "euromercado". Este mercado livre de crédito internacional – alimentado pela maciça oferta de petrodólares após 1973 – ganhou forte poder de gravitação, caracteri-

355

zando uma nova fase de integração da economia mundial. O Brasil conectou-se intensamente a esse novo mercado de crédito, por meio da contratação de empréstimos em grande escala, para sustentar o último ciclo de substituição de importações (i.e. II PND: insumos básicos, não ferrosos, papel-celulose, bens de capital), sob o governo do Presidente Geisel. Esta política de endividamento externo foi posteriormente duramente atingida pela alta da taxa de juros flutuantes externos pós 1979 e pela significativa deterioração da relação de trocas entre 1980-1983.

Ao fim da década de 1970, portanto, o Brasil também conseguira galgar um *status* de economia industrializada dentro do padrão da segunda revolução industrial. A primeira etapa do processo brasileiro de industrialização precedeu cronologicamente a etapa equivalente na Coreia, visto que já na segunda metade dos anos 1950 o governo Kubitschek empreendeu um significativo impulso em termos de formação da base pesada da indústria, esticando ao limite a capacidade pública de financiamento e provocando, em consequência, uma crise do padrão de financiamento. Em sequência, a crise política brasileira entre 1960 e 1964 paralisou a capacidade de direção do Estado, e o não enfrentamento dos desequilíbrios inflacionários exigiu que a ditadura militar empreendesse profundas reformas (fiscal, tributária, previdenciária, bancária, monetária e do sistema público de administração) no triênio 1964-1966, preparando um novo padrão de financiamento, que viabilizaria o longo ciclo posterior de crescimento (de 1967 a 1979). Apesar disso, o processo de industrialização pesada no Brasil só viria a ser inteiramente completado no governo do General Geisel (1974-1978) com a implementação do II PND (simultâneo ao fim do 3º e ao início do 4º Plano Quinquenal coreano, que também buscavam concluir a construção da base pesada). Sem nunca ter estatizado os bancos e com uma taxa de poupança doméstica mais baixa (com relação à dos países asiáticos), o processo brasileiro foi muito mais cíclico e, além do papel desempenhado pelo BNDE, utilizou mais intensamente o endividamento externo, particularmente nos anos 1970.

O sistema dominante de relações internacionais na idade de ouro (*golden age*) do pós-guerra, como já foi dito, era compatível e relativamente acomodatício com relação aos processos de industrialização dos países em desenvolvimento na periferia. O protecionismo, a regulação nacional do crédito, a prática de políticas dirigistas de fomento e de subsídio inclusive às exportações eram tolerados em função de outras compensações – no caso da Coreia do Sul, por ser aliada incondicional dos EUA no processo de Guerra Fria na vertente asiática (onde o confronto persistente com a Coreia do Norte e as relações tensas com a China jogavam um papel relevante); no caso do Brasil, pela articulação direta do modelo de substituição de importações com a forte penetração do investimento direto estrangeiro, americano e europeu, de tal forma a associá-los privilegiadamente ao processo de industrialização. As peculiaridades dessas relações produziram "modelos" capitalistas distintos nos dois casos e será este, precisamente, o objeto de análise da próxima seção.

3 Papel do Estado e do setor privado no processo de industrialização

Não resta dúvida – para qualquer analista sério e informado[2] – que o desdobramento e a concretização dos processos de industrialização dos países periféricos dependeram diretamente da iniciativa, fomento e coordenação por parte do Estado. Desde logo coube ao Estado estruturar e alocar meios de crédito e de capitalização com taxas de juros baixas e prazos relativamente longos. Além do financiamento, um conjunto de instrumentos tributários e tarifários foram manejados para aumentar as taxas de lucro dos empreendimentos (e.g. proteção aduaneira via tarifa, isenções fiscais sobre a produção e/ou sobre os lucros, isenções fiscais sobre a importação de equipamentos, esquemas de depreciação acelerada etc.). Regulamentos e normas também foram comumente utilizados (e.g. licenças de importação, controles sobre remessas financeiras, reservas de mercado e restrições à entrada, monopólios legais, incentivos a fusões, normas técnicas etc.). Pode-se ainda citar o uso de incentivos e créditos fiscais à exportação e, no caso coreano, às atividades de P&D. Todas essas práticas foram fundamentais para reduzir o grau de risco, elevar a taxa de retorno e viabilizar financeiramente a realização dos investimentos pelo setor privado e/ou pelas empresas estatais (AKYÜZ, CHANG & KOZUL-WRIGH, 1999).

A sequência de prioridades setoriais ao longo do tempo e a escolha de empresas a apoiar, para que cumprissem as funções de levar adiante o desenvolvimento das metas e atividades a serem criadas/expandidas, faziam parte do processo de fomento levado a cabo pelo Estado por meio de organismos financeiros (e.g. bancos de desenvolvimento) e de planejamento (e.g. comissões, ministérios, secretarias). A liderança e iniciativa do Estado nestes processos foi a regra geral, variando de caso para caso o grau de consulta e de coordenação com o setor privado. Em suma, esses elementos de planejamento, intervenção, escolha e dirigismo estatal estiveram presentes em todos os casos bem-sucedidos de avanço rápido da industrialização. A criação de burocracias de estudo, competentes e bem-treinadas, organiza-

---

[2] O Banco Mundial, inclusive no auge ideológico da era do "Consenso de Washington", foi obrigado a reconhecer o papel central desempenhado pelo Estado na industrialização asiática, conforme se pode constatar em *The East Asian Miracle,* publicado em 1993.

das sob critérios meritocráticos, para operar as instituições mais importantes, foi uma condição indispensável à gestão das políticas de industrialização. Ademais, a implementação dos planos, especialmente nas etapas mais críticas da industrialização pesada, exigiu uma clara concentração de autoridade executiva em torno de um determinado núcleo do sistema burocrático (ou a um conjunto restrito de núcleos setoriais), capaz de mobilizar e de dar coerência aos múltiplos instrumentos necessários à implantação efetiva dos programas setoriais (CCHENG, HAGGARD & KONG, 1999).

Os casos do Brasil e da Coreia do Sul se enquadram paradigmaticamente no padrão descrito acima, evidentemente com estilos e circunstâncias históricas e políticas peculiares. Mas o Estado foi indiscutivelmente o demiurgo e o dirigente do processo de industrialização em ambos. Há, entretanto, diferenças marcantes no que toca ao papel do setor privado e na relação deste com o Estado e, ainda, uma distinção muito relevante no que tange à forma de inserção internacional (comercial e de investimento direto de risco) dos dois sistemas industriais em questão.

Iniciemos a análise pela forma de inserção comercial/investimentos e pela relação com os países desenvolvidos. A Coreia do Sul dispunha de uma relação especial com os Estados Unidos em função do conflito com a Coreia do Norte e desfrutou de acesso facilitado ao mercado americano. Sendo um país relativamente pequeno com uma base de recursos naturais não muito generosa e com população de cerca de 30 milhões de habitantes em meados dos anos 1960, a Coreia não contava com um mercado interno de grande escala e, além disso, não possuía recursos primários abundantes, que pudessem ser mobilizados para exportação.

A orientação exportadora da política industrial era, portanto, uma característica inevitável: de um lado, o tamanho do mercado interno era insuficiente, particularmente nos setores intensivos em escala de produção; de outro lado, não haviam agroindústrias ou indústrias extrativas minerais com potencial competitivo a desenvolver para auferir divisas fortes. A solução natural, portanto, era exportar manufaturas para dar sustentação cambial ao processo de desenvolvimento industrial, que, como se sabe, é alto e recorrentemente intensivo em importações de bens de capital, componentes e determinadas matérias-primas ainda não produzidas domesticamente.

Nesse sentido a Coreia buscou, sucessivamente, planejar e preparar setores manufatureiros para exportação – atentando para as suas possibilidades reais, em cada momento, e para as oportunidades disponíveis no comércio mundial. Esta trajetória foi deliberadamente de *upgrade,* iniciando-se com setores manufatureiros leves, intensivos em trabalho pouco qualificado (anos 1950 e parte dos 1960); passando depois para setores intensivos em trabalho mais qualificado e em economias de escala (anos 1970,

COREIA DO SUL E BRASIL: PARALELOS, SUCESSOS E DESASTRES

com a industrialização pesada) e, posteriormente, para setores dinâmicos de maior conteúdo tecnológico e de alta especialização do trabalho (anos 1980).

Outra característica relevante – dado o mercado interno relativamente estreito, além das diferenças culturais – foi o baixo interesse do capital estrangeiro pela Coreia nos anos 1950 e 1960. De outro lado, desenvolveu-se, desde cedo, a formação de grupos econômicos privilegiados pelas políticas governamentais. Nos anos 1950, no governo Syngman Rhee, esse processo foi caracterizado pelo apadrinhamento e nos anos 1960 e 1970 o governo do General Park deliberadamente procurou construir grandes empresas nacionais para levar adiante os planos de rápido desenvolvimento da indústria pesada – conformando uma plêiade de duas a três dezenas de *chaebols*. Os *chaebols* eram então uma réplica dos antigos *zaibatsus* japoneses (antes da Segunda Guerra), caracterizados pelo controle familiar, gestão centralizada em empresários líderes audaciosos, com forte presença dos parentes na administração, paternalismo e compadrio (amigos de faculdade se contratam entre si) e, acima de tudo, gestores interessados em manter estreitas relações de cooperação obediente com o governo, para obter deste a incumbência em desenvolver novos negócios e atividades, beneficiando-se dos incentivos correspondentes (STURS, SHIN & UNGSON, 1989). Sublinhe-se que o General Park praticava conscientemente uma política de emulação e de responsabilização pelo desempenho, cobrada pessoal e diretamente dos líderes empresariais dos *chaebols*. Em troca dos benefícios estatais exigia resultados imediatos, desempenho exportador e aprendizado tecnológico. O custo dos eventuais fracassos e falhas era alto e exemplarmente levado ao conhecimento público – variando desde simples admoestações, perda de outras oportunidades, até a exclusão do acesso aos programas governamentais de fomento, e, no limite, à humilhação pública do principal acionista e executivo do grupo.

Amsden (1989) chamou a atenção para esse estilo peculiarmente autoritário no exercício de regras disciplinadoras, sublinhando, entretanto, a sua eficiência em gerar condutas altamente aderentes e convergentes com relação aos objetivos das políticas governamentais. Disciplina e coordenação foram sendo reforçadas na relação entre o governo Park e o setor privado, estreitando-se ainda mais a solidez dos vínculos em torno às empresas mais eficientes, configurando-se uma fortíssima articulação entre Estado e capital privado nacional.

A especial relação político-estratégica entre os Estados Unidos e a Coreia do Sul tornava mais tolerável a prática dessa política de reforço ao capital nacional, o que, na prática, reduzia o espaço disponível para atuação das empresas internacionais – dado que pressionado pelo seu déficit externo crescente (guerra do Vietnã), interessava ao governo americano repassar aos seus aliados militares a responsabilidade pela defesa de posições regionais. O governo Park, assim, associava explicitamente a necessidade de desenvolver rapidamente a indústria pesada com grandes empresas nacionais e a capacidade de criar condições autônomas de defesa, ante a permanente ameaça da aliança Coreia do Norte – China.

No Brasil, ao contrário, o mercado interno potencialmente grande e as relações históricas com o capital estrangeiro atraíram investimentos importantes das empresas americanas e europeias nos anos 1950, 1960 e 1970. Predominou, desde o governo Kubitschek, a orientação pragmática de combinar o investimento estrangeiro nos setores mais avançados da indústria (e.g. automobilística) com fornecedores nacionais de insumos e matérias-primas. O protecionismo brasileiro foi bem-tolerado pelos países desenvolvidos, mas desde que também beneficiasse as suas empresas transnacionais, interessadas em explorar o promissor mercado interno protegido. Os investimentos estrangeiros foram, assim, fortemente pró-cíclicos – acoplando-se às oportunidades abertas pelo avanço do processo de industrialização no período Kubitschek, durante o "milagre" econômico de 1967-1973 e, ainda, na etapa final de constituição do sistema industrial, organizada pelo II PND (governo Geisel). Assinale-se que apenas neste último período houve uma preocupação mais explícita em reforçar a perna fraca do "tripé" (empresa nacional privada – empresa estrangeira – empresa estatal) para evitar um desbalanceamento ainda maior da estrutura em favor das empresas transnacionais e/ou exigir uma atuação compensatória mais ativa por parte das estatais.

Os novos espaços econômicos criados pelo desdobramento da industrialização brasileira foram, assim, compartilhados – ficando o capital privado nacional com a fatia menor e mais dependente dos dois outros parceiros. Não se criou no Brasil, portanto, uma hegemonia do capital nacional sobre o sistema industrial recém-criado – um contraste flagrante com o caso da Coreia, onde a etapa da industrialização pesada se confundiu com a ascensão e consolidação dos grandes *chaebols*.

A relação com os bancos também constitui um fator de diferença. Na Coreia do Sul, sob o comando do governo Park, o sistema bancário foi colocado a serviço da acumulação industrial e, além disso, o Estado estava presente com suas próprias agências, notadamente com o Korea Development Bank – KDB. O fato de os bancos comerciais privados permanecerem estatizados explica por que – com o risco bancário socializado e com as margens bancárias controladas – foi possível aos grupos empresariais aumentar con-

COREIA DO SUL E BRASIL: PARALELOS, SUCESSOS E DESASTRES

tinuadamente os seus níveis de endividamento (com créditos longos e taxas de juros muito baixas) para poder empreender sucessivamente projetos ambiciosos de investimento, em consonância com os planos governamentais. Resultará desse processo a formação de grandes grupos capitalistas, baseados em taxas elevadas de alavancagem (capital de terceiros/capital próprio tipicamente superiores à relação de 6/1). Já no Brasil os bancos nunca foram estatizados e o sistema bancário privado estava relativamente distante do processo de industrialização, limitando-se ao crédito comercial de curto prazo para capital de giro, sem oferecer créditos longos e relevantes para os investimentos de grande escala. Coube ao sistema de bancos públicos (BNDES e BB) financiar o esforço doméstico de acumulação, complementado no caso das empresas estrangeiras (e estatais de grande porte) por *supplier's credits* externos e/ou por aportes das empresas matrizes.

Finalmente, cumpre explicar as razões da estratégia industrial brasileira ter sido sempre muito mais "voltada para dentro" do que a coreana. Desde logo o grande tamanho potencial do mercado interno atraía investidores e para ele dirigia suas estratégias – desde o início do século, quando começou a ganhar expressão a presença de investidores estrangeiros no setor manufatureiro.

Dotado o país de uma ampla e rica base de recursos naturais e de extensões de terra agricultáveis de boa qualidade, a economia brasileira podia desenvolver novas fronteiras de exploração de produtos primários, agregando-se à herança dos subsistemas regionais constituídos durante a colonização mercantil. A agricultura brasileira, como é sabido, sempre funcionou como uma relevante supridora de divisas, além de abastecer o mercado doméstico. O ingresso de capitais estrangeiros também auxiliava o financiamento dos déficits comerciais. A conjugação desses fatores atenuou as pressões para que fosse priorizada uma política de exportação de manufaturas – ainda que a economia tivesse convivido com longos períodos de restrição cambial nos anos 1950 e 1960. Só na década de 1970 o governo brasileiro começaria a se preocupar seriamente com o estímulo às exportações de manufaturados, buscando para tanto mobilizar a contribuição das subsidiárias das grandes empresas estrangeiras. Em contraste com o comércio exterior da Coreia, marcadamente voltado para os Estados Unidos (pelo lado das exportações) e com o resto da Ásia, especialmente com o Japão (pelo lado das importações de bens de capital e de assistência técnica), a estrutura do comércio externo brasileiro sempre foi bem mais diversificada. Os investimentos diretos de empresas americanas e europeias sempre contribuíram para moldar laços comerciais com os países de origem das subsidiárias. Além disso, as exportações brasileiras de *commodities* sempre foram bastante diversificadas, inclusive em direção ao Japão e ao restante da Ásia. Já no campo dos produtos manufaturados, o Brasil sempre desfrutou de posição importante nos mercados da América do Sul. Por este conjunto de características, tanto a pauta de exportações quanto a de importações ganharam uma distribuição diversificada, razão pela qual o Brasil seria posteriormente classificado com um *"global trader"*.

Ao fim dos anos 1970, portanto, Brasil e Coreia do Sul haviam concluído o ciclo de industrialização dentro do padrão da segunda revolução industrial. Na Coreia constituiu-se uma economia industrial, construída pelo Estado e articulada pelo grande capital nacional, em um contexto social mais igualitário, em função das políticas de universalização da educação e das infraestruturas sociais, além da reforma agrária concretizada nos anos 1950.

No Brasil, é indispensável assinalar a persistência das profundas desigualdades, do analfabetismo e da concentração fundiária, em um país de dimensões continentais, preenchido por oligarquias regionais e nacionalmente articulado pelo Estado. A industrialização produziu um sistema empresarial compartilhado, com forte presença do capital estrangeiro, coadjuvado pelo capital nacional, na condição de "sócio minoritário" – a grande empresa estrangeira dominando os setores manufatureiros mais sofisticados, de maior valor agregado; a empresa nacional aparecendo como supridora de peças e matérias-primas nessas cadeias, sendo dominante apenas nos setores produtores de *commodities* semiprocessadas; e a empresa estatal preenchendo os setores de elevada intensidade de capital e de alta escala produtiva (insumos intermediários).

Havia, nos dois casos, a sensação de que seria possível galgar novas etapas e projetar para o futuro um processo ainda mais ousado de desenvolvimento, acompanhando as grandes transformações tecnológicas já em curso.

Mas, no esforço final de conclusão da base pesada da indústria, na segunda metade da década de 1970, ambas as economias acumularam crescente passivo externo (créditos tomados ao sistema de crédito internacionalizado) e mostravam claras tensões nos respectivos sistemas de finanças públicas. Sobreveio, então, a grande ruptura na oferta de crédito para os países em desenvolvimento, decorrência direta do *crunch* provocado pela brutal elevação da taxa de juros pelo Federal Reserve a partir do final de 1979. Nos anos 1980, as trajetórias das duas economias iriam se diferenciar significativamente. Este é o tema da próxima seção.

QUADRO 1
Desempenho econômico comparado – Brasil e Coreia do Sul – Retrospecto histórico até fim dos anos 1980

Brasil		Coreia do Sul	
Período anual de crescimento do PIB	Taxa média	Período anual de crescimento do PIB	Taxa média
1950-1962 (inclui o período JK)	6,9%	1950-1962 (período S. Rhee)	4,9%
1963-1967 (crise política e reformas sob governo do gen. Castelo Branco)	3,2%	1963-1971 (1ª arrancada sob o gov. do gen. Park)	8,8%
1968-1974 ("milagre econômico" sob o auge do regime autoritário)	11,0%	1972-1975 (1ª fase da industrialização pesada)	8,9%
1975-1980 (II PND, conclusão da base pesada da indústria)	6,6%	1976-1979 (2ª fase e conclusão da base pesada da indústria, fim da "era Park")	10,6%
Taxa média anual do período 1950-1980	6,5%	Taxa média anual do período 1950-1979	6,5%

FONTE: quadro elaborado pelo autor com base em várias fontes nacionais, Banco Mundial, FMI.

4 O grande divisor de águas: a crise dos anos 1980

A partir de meados dos anos 1970 e com força crescente na década de 80, a mudança tecnológica se acelerou e transformou as estruturas industriais, sob o impacto da veloz difusão das tecnologias de informação, baseadas na microeletrônica. A desregulamentação financeira e o simultâneo desenvolvimento de redes telemáticas mundiais integraram os mercados financeiros e de capitais – diluindo crescentemente as fronteiras entre os diversos sistemas financeiros nacionais e o euromercado, na direção de uma verdadeira globalização das finanças. A emergência de um novo paradigma organizacional tecnológico e a globalização financeira foram os traços mais marcantes da evolução do capitalismo nos anos 1980 e 1990.

É relevante reiterar que na década de 1980 o estreitamento da integração econômica se processou fundamentalmente entre as economias da OECD. A acumulação de capitais extravasou significativamente as fronteiras nacionais, sob a égide da globalização financeira, implicando forte interpenetração patrimonial por meio de fusões e aquisições internacionais e elevados fluxos de investimento direto das grandes empresas dos países industrializados. Ganhou corpo, dentro dessas tendências centrípetas, a constituição de blocos comerciais regionais, com destaque para a intensificação do comércio intraindústria e intrafirma. Em suma, na década de 1980, o estreitamento da interdependência e da integração concentrou-se dentro da OECD, encampando apenas alguns países do Leste Asiático, e deixou à deriva o restante dos países em desenvolvimento.

Ao contrário da trajetória histórica do pós-guerra, que havia criado recorrentes oportunidades, as grandes transformações tecnológicas e organizacionais dos anos 1980 e a integração restrita da economia mundial afetaram o Brasil e a América Latina de forma multiplamente desfavorável. As razões são conhecidas:

• "crise da dívida", deflagrada pela abusiva elevação da taxa de juros pelo FED entre 1979 e 1982, marginalizou o país do mercado financeiro internacional, segregando a economia brasileira do mercado financeiro mundial até o início dos anos 1990;

• grave desorganização das finanças públicas, decorrente da "crise da dívida", minou a capacidade ordenadora do Estado brasileiro, abrindo o caminho para uma violenta instabilidade inflacionária, que afastou os investimentos externos de risco;

• perda de dinamismo da economia brasileira nos anos 1980, com significativo declínio dos investimentos, associada a condições difíceis de acesso das exportações brasileiras aos mercados dos países desenvolvidos, conduziu a uma defasagem na absorção das transformações tecnológicas e organizacionais e a uma perda de posição do país no comércio internacional;

• intensificação das fricções comerciais interblocos (especialmente entre Estados Unidos e Japão) e o exercício cada vez mais agressivo de pressões unilaterais dos Estados Unidos reduziram os graus de liberdade das políticas nacionais de desenvolvimento. O Brasil e várias outras economias em desenvolvimento foram alvo de crescentes restrições e constrangimentos na segunda metade dos anos 1980.

Constrangida pela escassez de divisas e forçada a transferir recurso para o exterior (para servir os seus passivos externos), a economia brasileira marcou passo nos anos 1980, em termos de avanço industrial e tecnológico. Boa parte da capacidade produtiva criada na década de 1970, nos setores de insumos básicos intensivos em escala, foi direcionada para a exportação, conseguindo-se realizar um ponderável superávit comercial (próximo ou superior a 2% do PIB), o que permitia um certo grau de autofinanciamento do déficit em transações correntes com o exterior, atenuando parcialmente a restrição externa. Mas, sob um horizonte de incerteza, com ameaça recorrente de hiperinflação, com regressão profunda do sistema doméstico de financiamento e com a acumulação de capitais relativamente entravada, a estrutura empresarial não pôde crescer rapidamente e se concentrar em grandes grupos privados, capazes de se postar ativamente enquanto atores internacionais.

De outro lado, as persistentes dificuldades fiscais e as pressões externas foram levando, se não a um progressivo desmantelamento, no mínimo a uma estagnação dos subsistemas de inovação, criados em torno aos grandes complexos tecnológicos estatais (e.g. aeronáutico e de defesa, programa nuclear, política de informática e de telecomunicações). Avanços importantes continuaram apenas nos setores geradores/poupadores de divisas, sendo o mais relevante o programa de capacitação em águas profundas da Petrobrás. O setor privado, por sua vez, efetuou notáveis ajustes defensivos (*downsizing*, enxugamentos e terceirizações, foco em *core business* etc.) para melhorar a rentabilidade e conviver com níveis mais elevados de ociosidade. A defesa de margens de lucro, por meio de reajustes aceleracionistas de preços, nos setores com elevado poder de mercado, foi se tornando endêmica – associando a tendência à superinflação em uma economia altamente indexada com o patrimonialismo defensivo, característico do setor empresarial brasileiro.

As tensões e contradições entre os principais segmentos do grande capital eram recorrentes (e.g. entre sistema bancário e capital industrial, entre os elos das principais cadeias produtivas), enquanto o Estado – cada vez mais debilitado e fragmentado – era incapaz de coordenar e de dar um sentido coerente ao processo de ajuste às vicissitudes recorrentes da crise cambial e inflacionária. Nesse contexto foi inteiramente impossível formular e desenvolver condições coordenadas para o surgimento do novo complexo de indústrias de base microeletrônica. Muito embora o país já contasse com uma importante indústria de bens eletrônicos de consumo (localizada na Zona Franca de Manaus), com um sistema bastante moderno de telecomunicações, com um setor doméstico de produção de tele-equipamentos por parte subsidiárias de grandes empresas internacionais, com uma base tecnológica de alta qualidade no CPqD da Telebrás, com um esforço acumulado de capacitação e de produção de soluções próprias em sistemas de informática (dado pela política nacional de informática iniciada em 1979), foi inviável articular as necessárias soluções de compromisso que permitissem avançar em direção a um complexo eletrônico estruturado e capaz de liderar um novo ciclo de acumulação com inovação. A função-chave do Estado, de liderar e organizar o desenvolvimento, ficara prisioneira de uma entropia paralisante.

Na Coreia do Sul, no entanto, o desfecho e a saída da crise dos anos 1980 seguiu um caminho distinto e construtivo. Também afetada pela crise da dívida no início da década, a economia enfrentou um período de recessão e de rearranjo. Após o período conturbado que se seguiu ao assassinato do presidente Park em 1979, sob lei marcial, o autoritarismo militar persistiu com o novo general presidente Chun Doo Hwan ("5ª República", entre 1980-1987)[3]. A economia passou por uma forte recessão em 1980 (queda de 3% do PIB) e cresceu mais lentamente no biênio seguinte (a uma taxa de 6% ao ano).

Otaviano Canuto (1994), no livro *Brasil e Coreia do Sul: os (des)caminhos da industrialização tardia,* iluminou claramente como a economia coreana conseguiu escapar da crise da dívida reciclando os seus passivos externos com a ajuda decisiva dos bancos japoneses e estreitando intensamente a sua articulação produtiva com o sistema japonês. Interessado em promover a indústria eletrônica como base de um novo ciclo de expansão, o governo coreano estimula as suas grandes empresas a buscar parcerias com as líderes japonesas, oferecendo-lhes a sua capacidade de mobilizar recursos e mão de obra qualificada para produzir componentes e/ou para montar produtos eletrônicos em regime de OEM. Simultaneamente, as empresas coreanas passam a adquirir unidades fabris completas do Japão (sistema de *turn key*) para acelerar o processo de aprendizado, particularmente nos setores do complexo-eletrônico (bens de consumo, de telecomunicações, informática, semicondutores na área de memórias) e também na área de bens de capital intensivos em eletrônica (equipamentos de automação industrial). Engenheiros japoneses desses setores foram contratados para trabalhar nos fins de semana, com salários tentadores, para transmitir os seus conhecimentos tácitos aos colegas coreanos em processo de formação. O 5º Plano Quinquenal (1982-1986) elegeu o complexo de indústrias de informática e eletrônica como eixo principal do desenvolvimento, concedendo-lhe todos os incentivos reservados às indústrias prioritárias. Especial atenção foi dada à microeletrônica, focando-se o esforço de investimento na produção de memórias, que são utilizadas intensamente em bens de informática, consumo e de telecomunicações. Registre-se que a indústria de bens eletrônicos de consumo já vinha recebendo incentivos desde meados dos anos 1970, sendo estas empresas (Samsung e Lucky Goldstar) as candidatas naturais para empreender os novos projetos.

A indústria automobilística também começou a receber mais atenção a partir de meados dos anos 1980, assim como o setor de bens de capital. O

---

[3] A transição gradual para um regime democrático só se iniciaria após 1988.

COREIA DO SUL E BRASIL: PARALELOS, SUCESSOS E DESASTRES

objetivo era reduzir o elevado déficit comercial com o Japão nessas áreas. A reestruturação industrial para aumentar a competitividade constituía o eixo principal do 6º Plano Quinquenal (1987-1991), juntamente com a ambiciosa meta de efetuar um salto qualitativo e quantitativo em termos de capacitação tecnológica do sistema produtivo. Os incentivos à prática de P&D foram aprofundados, colocando-se como meta uma forte aceleração destes dispêndios por parte do setor privado (e.g. o objetivo era saltar de 1% do PIB em 1987 para cerca de 2,5% em 1991).

Embora a retórica dos planos quinquenais (5º e 6º) fosse de crescente liberalização e de ênfase no livre funcionamento dos mecanismos de mercado – aliviando-se o grau de dirigismo que caracterizara a "era Park" – não resta dúvida de que o Estado continuou determinando os rumos e as prioridades do processo de desenvolvimento, embora delegasse um espaço bem maior para que o setor privado tomasse iniciativas e escolhesse alternativas, porém, dentro das diretrizes oficiais. O grande objetivo, explicitado claramente no 6º Plano, era preparar a economia industrial coreana para aproximar-se da fronteira tecnológica em pleno movimento, saltando da segunda para a terceira revolução industrial, isto é, para o clube restrito das economias avançadas.

A aliança estratégica com o Japão foi crucial para permitir à Coreia essa pretensão. Do ponto de vista japonês tratava-se de um bom negócio, especialmente na segunda metade da década de 1980, quando a desvalorização orquestrada do dólar, depois do Acordo do Plaza, provocou um longo período de sobrevalorização do iene (entre 1985 e 1989, período conhecido como "1ª endaka"). Deslocar plataformas produtivas para o restante da Ásia e/ou terceirizar a produção de determinados produtos sob contratos da OEM foi expediente utilizado pelas grandes empresas japonesas. Os empresários coreanos tiraram bom proveito dessas oportunidades. Além disso, a Coreia representava um excelente parceiro comercial – fortemente deficitário *vis-à-vis* o Japão, de onde importava bens de capital, produtos sofisticados e tecnologia. De outro lado, a Coreia supria o Japão com insumos intermediários energético-intensivos (em geral caracterizados por processos produtivos poluentes), tais como: petroquímicos, papel, produtos siderúrgicos e metais não ferrosos. É imprescindível assinalar que toda a política de exportação coreana nos anos 1980 buscava como *target* principal o mercado dos Estados Unidos. Usufruindo, ainda, de seu *status* político especial, a Coreia passou a registrar um superávit crescente no comércio com a América do Norte, gerando um excedente de dólares para fazer frente ao déficit com o Japão. Por isso, a política cambial da Coreia procurava situar-se bem entre o dólar e o iene, evitando incorrer em sobrevalorização

Luciano Coutinho

de sua taxa de câmbio com relação à moeda americana, acompanhando apenas em parte a valorização do iene.

A parceria com o Japão foi, portanto, importantíssima, não apenas para escapar da crise da dívida mas, também, para viabilizar a tentativa de avançar, industrial e tecnologicamente, na direção do novo paradigma. Essa tentativa, porém, não poderia ser concretizada sem que o Estado tivesse mantido o seu papel diretor e coordenador do processo de decisões privadas, fixando prioridades e manejando o conjunto de instrumentos e incentivos na direção pretendida[4].

Em resumo, articulada ao sistema japonês por meio de fortes nexos comerciais, tecnológicos e financeiros a Coreia do Sul reforça ainda mais nos anos 1980 o poderio dos seus grandes grupos econômicos, buscando saltar para a terceira revolução industrial e tecnológica, constituindo um complexo eletrônico competitivo, e buscando consolidar-se como um núcleo de vanguarda, de projeção global, em matéria de marcas próprias, tecnologia endogenamente desenvolvida e grandes empresas de porte mundial.

O Brasil, no outro lado do planeta, enfrentando um estrangulamento cambial e submetido a pressões competitivas e defensivas, decorrentes do grande esforço de reestruturação empresarial em andamento na economia americana por parte de suas grandes empresas, foi se desorganizando na década de 1980. A crise fiscal e financeira foi corroendo o Estado, a fragmentação política (governo Sarney) dificultava sobremodo a coordenação e a inflação foi ganhando altura. O sistema privado retraiu-se no patrimonialismo defensivo e pouco a pouco se foi desfazendo a possibilidade de articular um projeto que pudesse dar continuidade ao desenvolvimento do país. A fratura do PMDB, a crise hiperinflacionária do malfadado 5º ano do governo Sarney e a rotação de parte do espectro político partidário em direção ao "Consenso de Washington" foram preparando o caminho para um ciclo ainda mais profundo de desarticulação industrial e nacional nos anos 1990.

5 Anos 1990: perante as armadilhas da globalização

Na década de 1990 o cenário mundial mudou radicalmente para os países em desenvolvimento. A globalização das finanças baseadas nos mercados de capitais capturou os países mais promissores da periferia: os mercados de ativos destes (ações, imóveis, títulos governamentais, empresas estatais etc.) foram sendo rapidamente incorporados a esse mercado das finan-

---

[4] Uma interessante análise do papel do Estado nos anos 1980, visto do lado dos mecanismos de financiamento, pode ser encontrada em Amsden e Euh (1990).

368

COREIA DO SUL E BRASIL: PARALELOS, SUCESSOS E DESASTRES

ças globalizadas. Os países em desenvolvimento terminaram até perdendo esta denominação, passado a ser cognominados "mercados emergentes"

Se a década de 1980 foi madrasta do ponto de vista do financiamento externo, tendo obrigado o Brasil e a América Latina a transferir um fluxo relevante de recursos para os credores, no início da década de 1990 ocorreu uma notável reviravolta. A recessão, tendo se iniciado nos Estados Unidos, disseminou-se entre os países do G-7 no triênio 1990-1992. As tentativas de recuperar o crescimento e a marcante fragilidade financeira dos sistemas bancários no mundo desenvolvido, nesse período, induziram os bancos centrais, sob a liderança do FED, a reduzir sucessivamente as taxas de juros. Esse permissivo afrouxamento monetário-creditício nos países industrializados, com expressiva redução das taxas de juros, criou uma busca generalizada por aplicações alternativas, a taxas de retorno mais atraentes (i.e. *money chasing yield*) e permitiu aos mercados emergentes atrair capitais financeiros em escala crescente no triênio 1991-1993.

Os países em desenvolvimento foram verdadeiramente inundados por capitais externos, a começar pelos que haviam adotado as prescrições de reforma liberalizante do Fundo Monetário e do Banco Mundial. Mas, à medida que os mercados de capitais desses países foram se saturando, os capitais procuraram novas alternativas. Na América Latina o processo iniciou-se no México, Chile e Argentina, mas a partir do fim de 1991 até mesmo o Brasil – ainda ameaçado pela hiperinflação – começou a receber influxos maciços.

Não há dúvida de que o estilo de estabilização iniciado na América Latina, no início dos anos 1990, não teria sido possível sem esse forte ingresso de capitais, o que permitiu congelar ou estabilizar as taxas nominais de câmbio. Com o câmbio nominal fixo ou em processo de crescente sobrevalorização, ocorreu, em todos os casos, uma forte deterioração da balança comercial e concomitantemente o retrocesso de parcela não desprezível da indústria doméstica.

Assim, o que inicialmente parecia ser uma bênção – isto é, o retorno dos países endividados da América Latina ao mercado financeiro internacional – foi aos poucos se tornando uma fonte de acúmulo de distorções. Mas, após mais de uma década de crise e de inflação ameaçadora, o preço da estabilização não parecia tão caro.

Com efeito, a experiência de estabilização inaugurada pelo Plano Real permitiu a apreciação da taxa de câmbio logo no seu início, o que resultou – à semelhança do que já ocorrera com o México e com a Argentina – em uma significativa fragilização da balança comercial, implicando o surgimento de um déficit de grande magnitude nas transações correntes com o exterior.

Essa opção de estabilização, baseada na manutenção da taxa de câmbio significativamente defasada, teve, entretanto, um preço elevado e não facilmente reversível, isto é, o aumento estrutural do patamar de importações, na medida em que o sistema industrial passou a funcionar com crescente substituição de insumos, partes e componentes, antes produzidos domesticamente, por similares importados – irresistivelmente barateados pelo câmbio atrasado.

A conjugação de todos esses efeitos provocou um deslocamento para cima da função de importação, de tal forma que o coeficiente de importações sobre o PIB saltou de cerca de 4,5% (média de 1988-1990) para perto de 9% em meados de 1995. A participação das importações na composição da oferta aumentou de forma generalizada e em muitos casos avançou, substituindo a produção doméstica.

O rápido enfraquecimento do superávit comercial confirmou os estudos anteriores, que já haviam assinalado a fragilidade estrutural da posição competitiva brasileira, baseada em setores produtores de *commodities,* de grandes escalas de produção, intensivos em matérias-primas de base agrícola e recursos naturais e energia, com grau relativamente baixo de transformação industrial. De outro lado, a fragilidade da nossa posição competitiva se expressa na vulnerabilidade comercial em quase todas as áreas de manufatura de alto valor agregado e especialmente de sofisticado conteúdo tecnológico. Mesmo em indústrias tradicionais de bens não duráveis de consumo (têxtil, calçados, alimentos), a fragilidade competitiva tornou-se evidente com a sobrevalorização da taxa de câmbio.

É importante assinalar que, muito embora não se possa atribuir à apreciação cambial a responsabilidade pela reduzida competitividade estrutural do sistema industrial[5], não há dúvida de que ela não contribui para superá-la. Ao contrário, com a proteção tarifária já reduzida, a apreciação cambial e os juros elevados sobreoneram a rentabilidade das empresas e dificultam seus processos de reestruturação para competir dentro dos padrões mundiais.

Resumindo, as condições conjunturais brasileiras em face da globalização, no fim da década de 1990, são de evidente fragilidade, considerando:

1) a persistente vulnerabilidade no financiamento de um elevado déficit em transações correntes com a entrada de capitais de perfil relativamente curto;

2) a fragilização do desempenho comercial, expressa no risco de obtenção de superávit em patamar inexpressivo, mesmo com a economia em recessão;

3) a dificuldade em retomar o crescimento econômico acelerado, em face dos condicionantes acima.

---

[5] As causas da reduzida competitividade do nosso sistema industrial, com exceção dos já mencionados setores produtores de *commodities,* são complexas, específicas por setor, e encontram-se mapeadas no Ecib (1993).

A essas condições desfavoráveis devem-se agregar outras, de natureza estrutural, que se fixaram no longo período de crise econômica, a saber:
4) a fragilidade competitiva da indústria em todos os complexos de alto valor agregado e conteúdo tecnológico, com competitividade revelada apenas em setores produtores de *commodities* de elevada escala de produção, baixo valor agregado, intensivas em recursos naturais, insumos agrícolas e energia;

5) desnacionalização ampla, debilidade estratégica e o reduzido tamanho dos grandes grupos empresariais brasileiros, em face do que seria requerido para atuar como atores pró-ativos no plano global;

6) a profunda regressão da base doméstica de financiamento de longo prazo, o que atrasa a centralização dos capitais e obriga à dependência de recursos fiscais ou de endividamento externo para sustentar a acumulação.

Infelizmente, os condicionantes de ordem conjuntural acima enumerados tendem a agravar as fragilidades estruturais, na medida em que não permitem a formação de um horizonte de desenvolvimento sustentado.

A Coreia, por sua vez, na segunda metade dos anos 1990, viu serem reforçadas, na opinião dos "mercados financeiros", as suas "virtudes" enquanto economia promissora e capaz de crescer rapidamente. A pletora de liquidez foi induzindo a um relaxamento crescente com relação ao seu déficit em transações correntes com o exterior. Os recursos financeiros baratos e abundantes colocados à disposição dos *chaebols* aumentaram-lhe o apetite pelo crescimento e pela perseguição de metas de ocupação de mercados (ampliação de *market-shares*). Os grandes grupos aceleraram a sua internacionalização, investiram pesadamente na fixação de suas marcas, buscaram penetrar os mercados dos países desenvolvidos (especialmente dos Estados Unidos) por meio de investimentos diretos. Estes investimentos, evidentemente, contribuíam para ampliar o déficit na balança de pagamentos, pelo lado do saldo de conta de capitais. A China passou a ser utilizada como base para parcerias na montagem e fabricação de produtos intensivos em trabalho e, de outro lado, como mercado dos produtos intermediários intensivos em escala, em que a Coreia havia investido maciçamente na segunda metade dos anos 1980.

Não resta dúvida de que o grande capital coreano tirou proveito desta etapa de bonança: os níveis de alavancagem financeira aumentaram, os objetivos de crescimento de vendas e de expansão de capacidade produtiva se tornaram mais ambiciosos, a internacionalização dos *chaebols* ganham impulso, os ambiciosos planos governamentais de capacitação tecnológica em tecnologias avançadas foram sendo perseguidos (diga-se de passagem, com exemplos importantes de sucesso). Mas as facilidades do financiamento abundante e barato foram alimentando comportamentos indulgentes em matéria de eficiência e gestão.

O *boom* nos mercados de imóveis e de ações, especialmente depois que a crise mexicana de 1995 esfriou a atratividade da América Latina, reforçou ainda mais a lassidão e a indulgência. A percepção dos riscos por parte dos tomadores e dos emprestadores foi se esvanecendo. É indispensável assinalar que o governo coreano embarcou na onda de reformas liberalizantes, especialmente no período 1993-1996, particularmente no que toca aos mercados financeiros e, depois, à conta capital. Esta liberalização, entretanto, foi extremamente imprudente e malsequenciada. Os controles de capital foram afrouxados pelo Banco Central, que facilitou primeiro a tomada de empréstimos de curto prazo pelos bancos locais, sem favorecer os créditos e investimentos externos de longa maturação (sobre os quais persistiram os controles e requisitos). No período 1994-1996, como já foi assinalado, os grandes conglomerados coreanos empreenderam grandes investimentos no exterior, baseados em crescentes empréstimos junto aos bancos domésticos, que, por sua vez, aumentaram intensamente os seus passivos de curto prazo junto aos bancos internacionais.

Informalmente, a taxa de câmbio (que durante os anos 1980 fora administrada de modo a tirar proveito dos movimentos entre o dólar e o iene) passou a ser vinculada ao dólar, em uma paridade "fixa", o que acarretou uma crescente sobrevalorização. Mas isto era funcional para criar segurança para os investidores e bancos estrangeiros e para induzir as empresas e bancos locais (já privatizados) a captarem recursos externos em escala crescente.

O déficit em conta corrente foi, assim, se ampliando progressivamente. Com efeito, como proporção do PIB, o déficit em conta corrente subiu de 0,1% em 1993 para perto de 5% em 1997. O fraquíssimo desempenho da economia japonesa (recessão de 1991 até 1994, crescimento inexpressivo de 1995 a 1997 e novamente recessão de 1998 até o presente) fragilizou a conta comercial pelo lado das exportações. De fato, a taxa de crescimento das exportações desacelerou-se significativamente, caindo de 33% ao ano em 1995 para apenas 3% em 1996, em função do esfriamento das vendas para o Japão e, também, da forte queda dos preços dos semicondutores (memórias, especialmente) exportados pela Coreia. De outro lado, a sobrevalorização da taxa de câmbio, colada ao dólar[6], estimulava a expansão das importações e decretava uma significativa deterioração da balança comercial. Não obstante, o aumento do déficit em conta corrente foi sendo financiado imprudentemente por meio de empréstimos de curto prazo.

O volume de empréstimos externos à Coreia saltou de US$ 111,5 bilhões em 1995 (dos quais US$ 65,4 eram empréstimos interbancários curtos) para

---

[6] Após um momento de fragilidade no 1º trimestre de 1995, em decorrência da crise mexicana, o dólar apreciou-se efetivamente (ante o iene principalmente) ao longo de 1996-1997, acarretando a valorização das moedas a ele vinculadas, como era o caso do won.

COREIA DO SUL E BRASIL: PARALELOS, SUCESSOS E DESASTRES

US$ 169 bilhões em setembro de 1997 (dos quais US$ 90,6 correspondiam a créditos interbancários de curta maturação) (MIRANDA, 1998).

Essa elevada massa de passivos externos de curto prazo passou a se constituir em um elemento de alta vulnerabilidade (em uma economia que em outros aspectos estava equilibrada, notadamente no plano fiscal, em que não havia déficit público). Quando a crise de balanço de pagamentos da Tailândia começou a se transformar em crise financeira, a partir de meados de 1997, esta vulnerabilidade dos bancos coreanos também passou a preocupar os mercados. Quando em outubro de 1997 sobreveio o colapso da bolsa de Hong Kong, combinada com um ataque especulativo contra a sua moeda, ocorreu uma súbita reversão de confiança com relação à Coreia. Em poucas semanas uma abrupta contração dos créditos externos de curto prazo para os bancos coreanos determinou uma severa erosão das reservas de divisas do BC (estavam em torno de US$ 23 bilhões), que vinham sustentando a liquidez dos fluxos de saída desses recursos. A rápida debilitação do BC (as reservas se tornaram negativas) diante do substancial volume de fuga desses passivos curtos tornou inevitável a brutal depreciação da taxa de câmbio no mês de novembro e levou o país à moratória de fato, obrigando-o a recorrer ao FMI, para recompor a sua posição internacional e evitar que a moratória se convertesse em *défaults* irremediáveis.

O colapso cambial atingiu fortemente os bancos e exigiu a liquidação de um grande número de instituições. Dezesseis bancos comerciais, dez empresas de *leasing,* cinco bancos ligados ao comércio exterior e quatro companhias de seguro foram fechados. Grandes grupos industriais também foram levados à falência (e.g. Manbo Steel, Kia Motors, Jinro, New Core, Dianong) diante do impacto adverso da máxi sobre o seu patrimônio líquido e da forte recessão que aumentou sobremaneira o grau de ociosidade das unidades produtivas. O forte impacto da crise cambial sobre os sistemas bancário e industrial obrigou, assim, à adoção de uma política de emergência para evitar a propagação dos efeitos destrutivos. Reformas importantes foram concebidas e implantadas no calor das circunstâncias, compreendendo o sistema financeiro, a estrutura das grandes empresas, as regras e leis trabalhistas e os controles e restrições sobre os investimentos estrangeiros. Quanto a este último aspecto, foi explícita e poderosa a pressão dos países desenvolvidos para que a Coreia facilitasse a aquisição de suas empresas e bancos em dificuldades por investidores estrangeiros – em contrapartida à ajuda prestada pelo FMI. Efetivamente, nos primeiros momentos de grande vulnerabilidade, concessões foram feitas, mas, como veremos adiante, isto não resultou em uma desnacionalização importante de ativos industriais.

Uma avaliação panorâmica dos anos 1990 nos mostra que a Coreia se deixou contagiar pela euforia dominante nos mercados emergentes e permitiu que seus bancos e empresas se engajassem em operações altamente alavancadas, o que fragilizou seriamente a sua economia, até então bastante sólida. Não obstante, esse percalço pode ser revertido e não implicou, como veremos a seguir, retrocessos estruturais em termos de sua capacidade industrial e tecnológica. No caso do Brasil a convivência com a globalização financeira na década de 1990 (especialmente na segunda metade) parece ter sido muito mais danosa. Embora tenha se beneficiado do ingresso de capitais para estabilizar a inflação, a política econômica brasileira enveredou por uma onerosa trajetória de sobrevalorização cambial combinada com taxas de juros elevadíssimas. Os imensos custos dessa opção, em termos de reduzido ritmo de crescimento, explosão da dívida pública, esvaziamento de várias cadeias industriais e ampla desnacionalização de empresas industriais e de serviços, foram inequívocos e apenas agora começam a ficar nítidos e ser avaliados em sua plenitude.

QUADRO 2
Contraste do desempenho Brasil e Coreia do Sul nos anos 1980 e 1990

Brasil		Coreia do Sul	
Período	Taxa média anual de crescimento do PIB	Período	Taxa média anual de crescimento do PIB
1981-1983 (recessão provocada pelo "choque da crise da dívida")	-1,0%	1980-1982 (recessão/estagnação após queda de Park e crise da dívida)	1,1%
1984-1989 (crescimento irregular com inflação alta, *stop n'go*, pré e pós plano Cruzado)	4,5%	1983-1987 (*drive* exportador, integração econômica com Japão e *upgrade* industrial)	10,2%
1990-1993 (recessão decorrente dos planos fracassados, Collor I e II, com início de abertura)	-1,3%	1988-1993 (transição para economia baseada nos complexos eletrônico e automobilístico)	7,8%
1994-1998 (estabilização com plano Real, juros altos e câmbio valorizado)	3,6%	1994-1997 (expansão com abertura financeira e internacionalização dos *chaebols*)	7,5%
1999-2000 (crise cambial e recuperação precária)	1,3%	1998-2000 (crise cambial e recuperação promissora)	2,0%
Taxa média anual do período 1981-2000	1,6%	Taxa média anual do período 1980-2000	5,4%

FONTE: Várias fontes, Banco Mundial e FMI, projeções para 1999 e 2000 baseadas no "Consensus Forecast".

6 Conclusões: perspectivas e lições

A constatação de que a economia e o sistema empresarial da Coreia do Sul não foram estruturalmente debilitados pela aguda crise cambial que se abateu sobre o país ao final de 1997 pode ser ilustrada pela sua rápida e impressionante reviravolta. Apesar da violência da crise cambial, esta foi velozmente superada. Em apenas doze meses (de dezembro de 1997 a dezembro de 1998) as reservas de divisas subiram de praticamente zero para US$ 52 bilhões, compostas por recursos sólidos, em grande medida supridas pela espetacular reversão da balança comercial, que saiu de um déficit de US$ 8,5 bilhões em 1997 para um mega-superávit de US$ 39 bilhões em 1998. O PIB, que havia crescido a uma taxa anual média de 6,8% ao ano no período de 1992-1997, caiu fortemente em 1998 (-5,5%), mas já se projeta uma firme recuperação no segundo semestre de 1999.

As lições da crise parecem ter sido aprendidas pelos líderes coreanos. A reestruturação do sistema financeiro foi efetuada de modo rápido e incisivo. Novos controles foram estabelecidos para evitar alavancagens e endividamentos de curto prazo por parte dos bancos e empresas. Critérios rigorosos de classificação de risco de crédito estão sendo implementados para assegurar maior rigidez ao sistema bancário. O governo democrático do presidente Kim Dae Jung, que tomou posse em meio ao turbilhão da crise, vem pressionando consistentemente os *chaebols,* para que se reestruturem com base em quatro diretrizes: 1) maior transparência na gestão e na informação sobre desempenho e resultados; 2) eliminação dos avais e garantias cruzadas entre subsidiárias; 3) redução da vulnerabilidade financeira e das alavancagens excessivas; 4) reestruturação das atividades, eliminando a dispersão exagerada, buscando foco em *core business* e estreitamento das sinergias intragrupos.

No plano das relações de trabalho, o governo vem buscando soluções negociadas com os sindicatos e empresas, por consenso, de forma a compartilhar o ônus da crise. Não obstante, a taxa de desemprego subiu de 2,7% da PEA em 1997 para 6,5% em 1998 (espera-se que caia para cerca de 4% ao longo de 1999). Há, ainda, uma reforma administrativa e fiscal em curso, visando desburocratizar e aumentar a eficiência do Estado. Fixou-se, também, um cronograma de privatizações, escalonado em cinco anos (espera-se que os ativos venham a ser adquiridos por grupos de capital nacional).

Ultrapassada a crise, o governo tenta doravante projetar uma agenda construtiva para o futuro. Esta agenda se assenta, explicitamente, em três pilares: 1) transitar para uma economia baseada na era do conhecimento; 2) construir uma rede de proteção e de seguridade social mais abrangente; 3) persistir no caminho da abertura e da liberalização da economia, porém sob condições sólidas e sustentáveis para o balanço de pagamentos (o que exige retomar a prioridade para as exportações)[7].

A reestruturação dos grandes conglomerados na direção de uma atuação mais competitiva, a ênfase nas indústrias de alto valor agregado, a preocupação em fomentar a infraestrutura de ciência e tecnologia para capturar oportunidades em novos setores promissores, intensivos em conhecimento, revela que a Coreia não apenas conseguiu dar a volta por cima (sem grandes danos e sem desnacionalização de seu sistema empresarial), mas ambiciona retomar o sonho de ingressar no clube restrito dos países de vanguarda da terceira revolução industrial.

No Brasil, porém, os desequilíbrios e passivos acumulados nos últimos anos colocam sérios obstáculos à retomada do crescimento sustentável. A ampliação sustentada do déficit externo em conta corrente (de 1994 até o presente) fez com que os passivos externos do país crescessem rapidamente, saltando de US$ 155 bilhões em 1993 para quase US$ 400 bilhões em meados de 1999.

O crescimento do endividamento público interno foi ainda mais espetacular, em decorrência dos déficits fiscais e principalmente das taxas reais de juros, elevadíssimas: a dívida pública líquida saltou de cerca de R$ 67 bilhões em 1994 para quase R$ 550 bilhões em meados de 1999 – apesar de arrecadar o governo cerca de R$ 90 bilhões com o seu acelerado e imprevidente programa de privatizações.

O volume do serviço dos passivos externos (remessas de juros e lucros ascendem a US$ 25 bilhões/ano) tende a crescer ainda mais, se nada for feito, colocando em primeiro plano a necessidade de gerar um superávit comercial persistente e de grande escala, para que o financiamento do balanço de pagamentos se torne administrável e sustentável. Simulações realistas sugerem que as exportações teriam de crescer a taxas muito elevadas (e.g. próximas a 10% ao ano) para conferir solidez e sustentabilidade às contas externas.

No plano das finanças públicas o desafio é igualmente dramático. É urgentíssimo que se reduza substancialmente a taxa de juros para desacelerar o crescimento, em bola de neve, da dívida pública. A racionalização dos desperdícios e desvios nos gastos públicos também se coloca como tarefa imprescindível.

Não obstante a urgência e a gravidade desses desafios, o governo permanece paralisado, sem iniciativa. Sem tirar vantagem do impulso que as

---

[7] Lembremos que a Coreia sempre teve uma invejável situação de equilíbrio em suas finanças públicas, com baixo nível de endividamento e contas públicas equilibradas, quando não ligeiramente superavitárias.

COREIA DO SUL E BRASIL: PARALELOS, SUCESSOS E DESASTRES

exportações poderiam receber da desvalorização cambial, feita atabalhoadamente em janeiro de 1999, o governo inexplicavelmente se demonstra incapaz de articular uma política firme e bem-instrumentalizada para fomentar as vendas externas. A taxa de juros vem se reduzindo com excessiva cautela (e teme-se que não baixe além de um piso nominal elevado, ao redor de 14 a 15% ao ano). O governo tergiversa em relação à reforma tributária e não ataca os focos de desperdício e de corrupção no gasto público.

Ao contrário do caso coreano, em que o dinheiro abundante da globalização foi utilizado para alavancar a expansão dos grandes grupos nacionais, no caso brasileiro o governo assistiu – e até colaborou com ele – a um ciclo maciço e imprevidente de desnacionalização. Premidas por juros elevadíssimos e custos de capital proibitivos, além dos efeitos deletérios da sobrevalorização cambial, as empresas de capital nacional foram sendo adquiridas em massa por competidores e entrantes estrangeiros. Setores fundamentais de serviços de infraestrutura foram deliberada e enviesadamente oferecidos a grandes investidores estrangeiros, como foi inegavelmente o caso do sistema Telebrás. Esta grave debilitação dos atores empresariais nacionais representa o risco de irremediáveis retrocessos em termos de capacitação e desenvolvimento tecnológico local, além de enfraquecer seriamente a capacidade do Estado brasileiro em negociar com o capital estrangeiro e induzir assim decisões estratégicas de interesse para o desenvolvimento do país.

Em suma, se a Coreia inicia o século XXI com uma economia robusta, articulada pelo grande capital nacional (de porte global), com marcas próprias fortes e capacitação tecnológica suficiente para lhe permitir sonhar com um papel de protagonista ativo na terceira revolução industrial, o Brasil se debate com uma economia sem rumo, desarticulada, deficitária, endividada, com o Estado debilitado e com uma profunda fragilização do empresariado nacional, tornando muito difícil a formulação de um projeto de desenvolvimento. Desenvolvimento, infelizmente, distante como uma miragem, pois será necessário, antes, reconstruir fundamentos para sustentá-lo.

REFERÊNCIAS

AKYÜZ, Y., CHANG, H-Z. & KOZUL-WRI(˙ R. (1999). New Perspectives on East Asian Development. In: AKYÜZ, Y. (org.). *East Asian Development,* New Perspectives. Londres: Frank Cass.

AMSDEN, A. (1989). *Asia's Next Giant.* Nova York: Oxford Univ. Press. In: UNIDO (1986). United Nations Industrial Development Organization. "Industrial Policy in East Asia: 1950-1985". Genebra, 1986.

AMSDEN, A. & EUH, Y-D. (1990). "Republic of Korea's financial reform: what are the lessons?". Unctad, *Discussions Papers*, n. 30, abril.

BANCO MUNDIAL (1993). *The East Asian Miracle.* Nova York: Oxford Univ. Press.

CANUTO, O. (1994). *Brasil e Coreia do Sul: os (des)caminhos da industrialização tardia.* São Paulo: Editora Nobel.

CHENG, T., HAGGARD, S. & KONG, D. (1999). Institutions and growth in Korea and Taiwan: The bureancracy. In: AKYÜZ,Y. (org.). *East Asian Development* – New Perspectives. Londres: Frank Cass Publishers.

ECIB – Estudo da competitividade da indústria brasileira. Campinas: Unicamp/Papirus, 1993.

MIRANDA, J.C. (1998). "A dinâmica financeira da crise asiática". *Revista política externa,* vol. 6, n. 4, março/maio.

STEERS, R.M.; SHIN, Y.K. & UNGSON, G.R. (1989). *The Chaebol*: Korea's New Industrial Might [s.l.]: Harper-Balinger Publishing Co.

Carlos A. Medeiros

China: entre os Séculos XX e XXI*

1 Introdução

O desenvolvimento econômico recente da China é, provavelmente, um dos fatos históricos mais importantes do final do século XX. Interpretar sua natureza e dinâmica constitui um dos mais intrigantes desafios para os estudiosos do desenvolvimento econômico. Talvez, como nos adverte Hobsbawm (1996), isto seja tarefa para os historiadores do século XXI[1]. Como não poderia deixar de ser, o debate sobre a China é altamente ideologizado. A ascensão do liberalismo econômico e o colapso abrupto e intenso da URSS e das economias socialistas do Leste Europeu indiscutivelmente marcam os termos em que se desenvolve o debate sobre o desenvolvimento recente na China.

Afinal, poder-se-ia indagar: o seu extraordinário êxito econômico desde o final dos anos 1970 significa exatamente êxito do quê? De uma bem-lograda transição ao capitalismo? Mas de qual via? Ou terá sido a vitória da economia socialista de mercado (como afirmado no 14º Congresso

---

* Este trabalho contou com apoio do CNPq. Uma versão resumida será publicada na *Revista de economia política*.

[1] "É certo dizer que a perestroika teria funcionado melhor se a Rússia em 1980 ainda fosse (como a China naquela data) um país com 80% de habitantes nas áreas rurais, cuja ideia de riqueza, além de sonhos de avareza, seria um aparelho de televisão... De qualquer forma, o contraste entre a perestroika soviética e chinesa não é inteiramente explicada por essas diferenças temporais, nem mesmo pelo fato óbvio de serem os chineses mais cuidadosos em manter intacto seu sistema de comando centralizado. Até onde eles se beneficiaram das tradições culturais do Oriente, que veio a favorecer o crescimento econômico, independentemente dos sistemas sociais, deve ser deixado para a investigação dos historiadores do século XXI" (HOBSBAWM, 1996: 480).

do PCC de 1992)? Ou, ainda, e mais uma vez, um caso de sucesso do desenvolvimentismo asiático?

Em um questionamento menos abstrato e subjetivo, poder-se-ia questionar: quais foram os mecanismos propulsores do seu desenvolvimento? As empresas estatais lideradas por um Estado planejador, ou a força de um "terceiro setor" formado pelas empresas rurais de propriedade coletiva? Quais são as suas contradições? Um Estado ineficiente e gigantesco, como pensa o Banco Mundial; ou, como querem alguns analistas de esquerda, a explosão social eminente de um capitalismo dickensiano, que se sustenta na superexploração da força de trabalho[2]? Como acontece nessas circunstâncias, as análises e os fatos escolhidos e examinados acompanham as visões prévias.

O amplo debate na literatura especializada provocado pela via chinesa de desenvolvimento possui dimensão comparável ao que se deu sobre o desenvolvimentismo do Leste Asiático. Tal como naquela discussão, a presente é marcada por visões distintas sobre o funcionamento do capitalismo e das relações entre Estado e mercado. O confronto atual põe em destaque dois caminhos distintos de transição ao capitalismo, trilhados respectivamente pela China e pelo Leste Europeu e ex-URSS.

De forma semelhante à disputa sobre a natureza da industrialização asiática, a discussão dos economistas sobre a via chinesa de desenvolvimento encontra-se cindida em duas posições dominantes. Para diversos autores o sucesso chinês, em contraste com a transição radical e caótica do Leste Europeu e da União Soviética, deve-se à natureza gradual e incrementalista das reformas e das instituições criadas na China a partir de 1978[3]. Para essa vertente, mais importante que o plano e as intenções iniciais dos reformistas chineses quanto à forma e à dinâmica da transição, foram os movimentos interativos de fatores econômicos e políticos formados por circunstâncias não antecipadas pelo governo. Essas análises destacam, sobretudo, o papel da pequena indústria rural, o regime de contratos com os produtores agrícolas e o sistema dual de formação de preços e de controle sobre a economia. A China, em síntese, buscou um caminho marcado por inovações institucionais adaptadas às suas peculiaridades e história, em flagrante con-

---

[2] Para um exame dos diferentes paradigmas e interpretações econômicas sobre a via chinesa de desenvolvimento, cf. Sachs e Woo (1997); Yang (1996); Mangabeira Unger e Cui (1994); Naughton (1994; 1995); Rawski (1994); Nolan (1996); Singh (1993); Martellaro (1996); Smith (1996).

[3] Cf. nesta linha Yang (1996), Mangabeira Unger e Cui (1995), Naughton (1994), Rawski (1994).

CHINA: ENTRE OS SÉCULOS XX E XXI

traste com o percorrido pelos países do Leste Europeu, marcado pela busca abrupta e *ex-nihilo* de instituições típicas do capitalismo ocidental.

Contra essa abordagem, seguramente inspirada na "economia institucionalista"[4], debate-se a visão ortodoxa do desenvolvimento, representada aqui, como no passado recente, pelos estudos do Banco Mundial e "consultores ocidentais de governos em transição"[5]. Nessa visão, o hibridismo institucional chinês tem sido um fator de atraso e de falta de consenso sobre as reformas. Para os economistas próximos ao Bird, o gradualismo chinês não comprometeu o desenvolvimento graças à criação de instituições tipicamente de mercado, em particular a liberalização dos preços e a política de abertura externa. Para essa abordagem, o alto ritmo de crescimento ocorrido nos últimos vinte anos deve-se à acumulação de capital em uma economia com baixo nível de renda *per capita* inicial, alta proporção de mão de obra rural, estrutura econômica descentralizada e ampla oferta de trabalho barato[6].

Com a crise financeira e cambial que se alastrou pelo sudeste da Ásia a partir de 1997, o debate se acirrou e passou a incluir novos temas. Para muitos, a China é a "bola da vez". A reforma das empresas estatais e a adoção de critérios bancários mais próximos aos vigentes no Ocidente revelariam a presença de uma montanha de débitos irrecuperáveis. Outros intérpretes não apenas negam o catastrofismo, como enfatizam que os bons fundamentos macroeconômicos que distinguem a China no contexto asiático, decorrem da estratégia de política econômica chinesa de manter o iuane inconversível e o câmbio real voltado para o aumento da competitividade das exportações.

É flagrante no debate dos economistas sobre a via chinesa de industrialização a ausência de análises sobre os condicionantes políticos e as estratégias de poder. Esta ausência, muito comum nas análises tipicamente econômicas das experiências nacionais de desenvolvimento, torna-se especialmente problemática no caso chinês. Afinal, a China foi peça-chave da polí-

---

[4] Existiriam dois tipos de interpretações institucionalistas, seguindo as linhas de orientação mais ou menos ortodoxas em termos de teoria econômica. Em relação à vertente mais ortodoxa, a referência básica e implícita nas análises é a teoria da informação imperfeita, desenvolvida por Stiglitz (1985), e a do custo de transação, inspirada em Coase (1960). A existência de problemas de informação, de incerteza e de incompletude de mercados, associada aos países em desenvolvimento, é a base para a racionalização, no caso chinês, da propriedade coletiva típica das empresas rurais e do sistema dual de preços. Naturalmente que nem todos os participantes heterodoxos do debate se enquadram nos estreitos limites desta vertente teórica. É o caso de Nolan (1996) e Singh (1993).

[5] Cf. World Bank (1992), Sachs (1997), e para uma visão geral dos problemas da transição, de uma perspectiva ortodoxa, Kennet e Lieberman (1992).

[6] Como sempre o modelo de crescimento de Solow (1957) é a principal referência para as visões ortodoxas do desenvolvimento.

381

tica do pós-guerra, seus movimentos responderam aos desafios postos pela polarização do mundo entre os Estados Unidos e a ex-URSS.

Considerem-se brevemente os principais acontecimentos políticos que marcaram as fases de isolamento e de aproximação internacional da China após a revolução:

Eventos políticos no período de isolamento internacional da China
(1949-1980)

1949 – Criação da República Popular da China.
1950 – A URSS oferece assistência técnica (10 mil técnicos) e financeira (US$ 1,4 bilhão em empréstimos). Construção soviética-chinesa de estrada de ferro na Manchúria e aceitação de bases militares soviéticas em Port Arthur e Dairen.
1950 – Coreia do Norte invade o sul. Os EUA mandam a 7ª Frota. A China envia "voluntários" (cerca de 700 mil) para a Coreia do Norte e retoma o Tibete.
1953 – Armistício na Coreia.
1958 – A China ameaça Formosa nos incidentes de Quemoy e Matsu. Kruschev retira oferta de ajuda atômica.
1959 – Revolta no Tibete, Dalai Lama se refugia na Índia.
1960 – URSS retira os especialistas soviéticos e abandona projetos inacabados.
1962 – Conflito de fronteiras com a Índia.
1964 – Primeiro teste de bomba atômica, primeiro teste de bomba de hidrogênio.
1963-1969 – Conflitos de fronteira com a URSS na Manchúria. China questiona a legitimidade das fronteiras soviéticas/chinesas na Manchúria e Sinkiang.
1971 – Os EUA retiram o embargo à China. A China entra nas Nações Unidas e Formosa é excluída.
1972 – Presidente Nixon visita a China. Visita do *premier* japonês Tanaka, visando normalizar as relações com o Japão.
1973 – Os EUA e a China estabelecem relações diplomáticas *de facto*.
1978 – Os EUA estabelecem relações diplomáticas formais e deslegitimam Formosa.
1979 – Guerra de fronteiras com o Vietnã.
1980 – A China se torna membro do Banco Mundial e do FMI.

FONTE: Maddison (1998).

Dadas as características da China a partir da revolução comunista – uma grande população, baixo grau de desenvolvimento das forças produtivas e, em particular, baixa disponibilidade de terra agriculturável *per capita* – o au-

CHINA: ENTRE OS SÉCULOS XX E XXI

mento da produção e produtividade agrícola eram metas estratégicas. Ao mesmo tempo, impunha-se a necessidade política e econômica de acelerar a industrialização pesada. A China enfrentava assim o clássico problema da "tesoura", que afligiu a ex-URSS no tempo de Lenin[7]. A opção de Mao nos anos 1950 e, especialmente, com o "grande salto à frente" foi a "acumulação primitiva socialista", acelerando a taxa de investimento na indústria a partir de relações de troca extremamente desfavoráveis à agricultura e ao consumo[8].

A trajetória da acumulação de capital nas economias socialistas possui uma dinâmica distinta da que se verifica em economias capitalistas. Com as fontes de acumulação sob controle estatal (empresas estatais subordinadas ao planejamento central e crédito ilimitado) e o investimento autônomo do governo garantido pelo planejamento central, a restrição fundamental à taxa de crescimento origina-se pelo lado da oferta. Como descrito nos modelos de Feldman (1957)[9], quanto maior a oferta interna de bens de capital, maior tende a ser a parcela dos investimentos na renda e, em consequência, a taxa de crescimento do produto. No entanto, quanto maior a expansão do setor produtor de bens de produção, maior a demanda sobre bens de consumo em geral e, particularmente no caso da China, sobre a produção de alimentos e matérias-primas. Ao longo dos anos 1950, com apoio da URSS, a China pôde contar com importações de bens de capital e de grãos, viabilizando um impressionante salto industrial, a despeito do atraso na agricultura e na indústria de bens de consumo.

Com o "grande salto à frente" de 1958 e com a suspensão da assistência soviética, a China sob comando de Mao busca uma estratégia econômica de autossuficiência e de resistência a uma potencial guerra com a URSS. A comuna era a peça de resistência deste modelo:

> As comunas assumiram a responsabilidade pela administração local, coleta local de taxas, provisão de saúde e educação, supervisão da produção agrícola, construção industrial rural e atividade de serviço na sua área. Esperava-se que as comunas fossem virtualmente autossuficientes. A razão para isso residia no extremo isolamento na política internacional e o reconhecimento da necessidade de um sistema econômico que sobrevivesse a uma guerra nuclear. Entre 1959 e 1961, cerca de 30 milhões de

---

[7] Considerando uma economia fechada como a soviética nos anos 1920, a questão amplamente debatida era como promover a aceleração da industrialização, tendo em vista a mútua dependência entre indústria e agricultura. A prioridade do desenvolvimento industrial passava por uma política de preços favorável à indústria; esta, no entanto, ao desviar recursos necessários à expansão da agricultura, acabava por comprimir o mercado de bens industriais.

[8] A formulação da necessidade da troca desigual entre um setor não socialista e um setor socialista, a favor deste último, foi desenvolvida por Preobrazhensky em 1926, em sua teoria da acumulação primitiva socialista.

[9] Os modelos do economista russo ficaram notabilizados por Domar (1972).

383

pessoas foram desviadas da agricultura para a siderurgia de "fundo de quintal", fabricando cimento, construção e irrigação. Como resultado, a produção agrícola *per capita* em 1961 foi 31% menor que a de 1957, a prioridade foi dada à alocação de alimentos para as áreas urbanas, e milhões de habitantes das áreas rurais morreram de fome (MADDISON, 1998: 72).

Após a catástrofe do "grande salto", a China prosseguiu, ao longo dos anos 1960, no processo de industrialização e deslocamento de plantas industriais para áreas remotas do interior, tendo em vista a estratégia de resistência a uma potencial guerra com a URSS. Com a produção agrícola estagnada, a China inicia uma ampla importação de grãos. Nessas condições de isolamento[10] e restrições de oferta agrícola é que se desenvolve o período da "revolução cultural", com maciço deslocamento da população urbana para o campo[11].

Tendo em vista estas condições estruturais, a economia chinesa inicia os anos 1970 apresentando uma economia com reduzida capacidade de importar, combinada com alta dependência de importação de alimentos. Nessas circunstâncias, a aceleração da taxa de crescimento e do investimento industrial (objetivos estratégicos) tornava-se dependente da expansão da capacidade produtiva do setor de bens de consumo e de alimentos. Se a desproporção entre os setores se elevasse de forma a pressionar os preços dos alimentos e matérias-primas, o governo chinês era obrigado a desacelerar a taxa de investimento na indústria de bens de produção. Um ciclo deste tipo foi identificado por Imai (1996). A opção da reforma de 1978 foi alterar os termos de troca favoravelmente à agricultura e, simultaneamente, liberar a comercialização privada do excedente agrícola. O crescimento da produtividade agrícola e dos investimentos em bens de consumo, ocorrido no iní-

---

[10] "Ao longo dos anos 1960, a situação da China era de grande isolamento. O volume de exportações caiu de um quinto de 1959 a 1970. As importações dos países comunistas caíram de 66% do total em 1959 para 17% em 1970, não havia comércio com os Estados Unidos, e os créditos estavam restritos a acordos de curto e médio prazo com países da Europa Ocidental e o Japão... Ao mesmo tempo a China teve de repagar suas dívidas com a URSS e ingressou em um programa de ajuda, fornecendo créditos de cerca de US$ 1 bilhão para países asiáticos e africanos nos anos 1960. Foi uma sorte da China nesse período sombrio que o seu grande superávit comercial com Hong Kong tenha gerado divisas em um montante substancial e as conexões das agências comerciais para exportações e um canal para contornar embargo externo" (MADDISON, 1998: 86).

[11] "A Revolução Cultural foi uma luta de poder dentro da partido comunista chinês que começou em 1966 e terminou em 1976. A política da revolução de 'rustificação da juventude urbana', que pretendia fixar a população jovem urbana nas regiões rurais, teve um grande impacto no movimento populacional. Sob esta política muitos jovens habitantes da cidade foram induzidos a deixar seu registro na cidade para trabalhar na fronteira rural em troca de pagamento equivalente a seis meses de salários para ocupações urbanas" (KOJIMA, 1996: 384). Devido à desaceleração econômica provocada pela própria Revolução Cultural, a prioridade rural permitiu absorver no campo milhões de desempregados urbanos.

CHINA: ENTRE OS SÉCULOS XX E XXI

cio dos anos 1980, foi, por isso, fundamental para a aceleração da taxa de crescimento ao longo da década[12].

Tendo em vista esses traços gerais da evolução econômica anterior ao período das reformas, é importante considerar a realidade objetiva dos anos 1980. Em meio a forte instabilidade econômica, descontinuidade nos arranjos econômicos internacionais, plena ofensiva de políticas econômicas liberais e ruína do bloco socialista, como foi possível à China reeditar, ainda que com diversas particularidades, a fórmula desenvolvimentista sob a direção de um Estado socialista?

Reduzir o desenvolvimentismo chinês aos fatores mais gerais da industrialização em economias atrasadas[13] compromete inescapavelmente o entendimento não apenas da estratégia de desenvolvimento implementada, mas também das razões de seu sucesso e suas contradições.

Este capítulo pretende situar-se no debate, necessariamente especulativo, a partir de um ângulo específico. A hipótese geral que preside estas reflexões é que o *espetacular crescimento econômico com mudança estrutural* ocorrido na China a partir das reformas de 1978, foi o resultado de três vetores principais: a estratégia americana de isolamento e desgaste da ex-URSS; a ofensiva comercial americana com o Japão; e uma complexa estratégia do governo chinês, visando a afirmação da soberania do Estado sobre o território e a população por meio do desenvolvimento econômico e da modernização da indústria.

Argumenta-se, nesse texto, que a inserção geopolítica da China no confronto dos Estados Unidos com a ex-URSS foi, até 1992, um fator essencial para a arrancada exportadora chinesa. Por seu turno, a desvalorização do dólar em 1985 e a ofensiva comercial dos Estados Unidos provocaram amplo deslocamento de capital asiático para a China. Com o fim da Guerra Fria, o contexto geopolítico mudou inteiramente. A China, entretanto, já havia alcançado condições econômicas estruturalmente distintas. Em relação aos condicionantes internos, argumenta-se que o sucesso da estratégia econômica chinesa deveu-se à possibilidade de enfrentar sequencialmente

---

[12] Para uma resenha cf. Imai (1996). Sua descrição do ciclo de investimentos é bastante precisa: "Um quadro esquemático do ciclo econômico liderado pelo ciclo do investimento começa com a aceleração do investimento estatal em capital fixo no período inicial. Pelo fato de altos investimentos necessitarem de aumentos no emprego da indústria de bens de capital, os pagamentos totais de salários, que constituem a renda dos trabalhadores, também crescem. Isto leva a um aumento da demanda por bens de consumo, levando assim a pressões inflacionárias. Embora um aumento no investimento gere nova capacidade produtiva para os bens de consumo, há um período de tempo significativo até que esses efeitos pelo lado da oferta se materializem totalmente. Como a inflação se eleva, os planejadores cortam a escala do investimento estatal em capital fixo. Quando as pressões inflacionárias caem para um nível mais baixo, o novo ciclo de expansão do investimento se inicia" (IMAI, 1996: 167).

[13] Poder-se-ia aqui recordar o famoso estudo de Gershenkron (1962) e sublinhar, a partir do caso chinês, o papel das instituições, das ideologias e dos projetos nacionais na trajetória da industrialização em condições de atraso.

385

estrangulamentos da economia e combinar de forma distinta os mecanismos do planejamento e do mercado, descentralizando o planejamento e concentrando os mercados.

Além desta introdução, o presente texto se desdobra em cinco partes. Na primeira apresentam-se alguns fatos estilizados sobre o desenvolvimento econômico chinês recente. Na segunda parte, discute-se o contexto geopolítico em que as estratégias de desenvolvimento foram construídas. Estas são analisadas na terceira parte do texto. Na parte subsequente algumas questões relativas ao processo de centralização e descentralização na China são apresentadas e, por fim, na última parte, algumas considerações prospectivas são levantadas.

2 Alguns fatos estilizados sobre o desenvolvimento econômico recente da China

A tabela abaixo apresenta uma comparação do padrão setorial de crescimento da China no período 1952-1978, anterior às reformas, e no período 1978-1995. Os demais dados e observações desta seção referem-se exclusivamente ao segundo período.

Indicadores de crescimento setorial, China 1952-1995
(taxa de crescimento anual)

	1952-1978	1978-1995	Mudança na taxa de crescimento entre os períodos
Produto agrícola	2.20	5.15	2.95
Emprego agrícola	2.02	0.84	-1.18
Produtividade	0.17	4.27	4.10
Produto industrial	9.29	8.82	-0.47
Emprego industrial	5.84	4.83	-1.01
Produtividade	3.25	3.81	0.56
Setor terciário	4.18	7.86	3.68
Emprego terciário	3.20	6.73	3.53
Produtividade	0.96	1.05	0.09
PIB	4.40	7.49	3.09
Emprego total	2.57	2.62	0.05
Produtividade	1.78	4.74	2.96
Impacto da mudança do emprego setorial no crescimento do produto	0.92	1.44	0.52

FONTE: Maddison (1998).

CHINA: ENTRE OS SÉCULOS XX E XXI

Entre 1978 e 1995, o crescimento econômico da China atingiu a impressionante taxa de 7,49% a.a. Entre 1985 e 1995, esta taxa foi ainda maior, 10,2%, muito superior à das economias do Leste Asiático. Estes números (WORLD BANK, 1996) conferem à China uma *performance* única na economia mundial.

Entre 1978 e 1991, o setor industrial liderou a taxa de crescimento do PIB e do emprego. No entanto, esse movimento só se afirmou, de fato, na segunda metade da década. O principal movimento ocorrido na China entre 1980 e 1983 foi a excepcional expansão do setor primário. A partir de 1983 e até 1988, a indústria leve e voltada à produção de bens de consumo liderou o crescimento econômico e, a partir daí, a produção de bens de capital deteve as taxas mais elevadas (SINGH, 1993).

A elevada taxa de crescimento ocorrida nestes anos foi acompanhada por mudanças estruturais nos padrões nacionais de consumo. Em 1978, os bens duráveis de consumo de massa limitavam-se à posse de máquina de costura, bicicleta, relógio e rádio. A produção destes bens cresceu moderadamente entre 1978 e 1984, e a taxas reduzidas entre 1984 e 1990. A introdução de novos bens de consumo duráveis foi, entretanto, extraordinária. A produção de geladeira, televisão, gravador, máquina de lavar e ventilador registrou taxas de crescimento explosivas entre 1978 e 1984 e elevadas entre 1984 e 1990 (SINGH, 1993).

Ao longo dos anos 1980, o investimento bruto situou-se acima de 35% do PIB, mas com forte aceleração a partir de 1985, quando atingiu, por mais de três anos seguidos, impressionantes taxas de 40% da renda. As empresas estatais (EE) foram responsáveis por um valor acima de 65% dos investimentos realizados, em sua maioria, na expansão da capacidade produtiva industrial e, em particular, na expansão da oferta e distribuição de energia elétrica; uma parcela de 15% foi realizada pelas empresas coletivas de vilas e municípios (EVC) e 20% pelo setor privado (NAUGHTON, 1996).

As exportações foram, sem dúvida, o componente da demanda efetiva de maior dinamismo nos últimos quinze anos. Ainda que com grande oscilação na década, para um crescimento do PIB de 10,2% a.a. registrado entre 1984 e 1995, as exportações em dólares correntes cresceram à extraordinária taxa de 17% a.a. Esta *performance* fez com que a parcela das exportações chinesas nas exportações mundiais passasse de 0,75% observada em 1978 para 3% em 1995 (WORLD BANK, 1995).

A relação entre exportações e importações sobre o PIB passou de 10% em 1978 para 17% em 1984 e 44% em 1995. Deve-se ressaltar que esta última relação contrasta, fortemente, com a que seria esperada para uma economia continental. Provavelmente evidencia dois aspectos: o crescente peso das exportações das empresas processadoras de importações das Zonas Econômicas Especiais (ZEE) e sobretudo os problemas de mensuração desta relação a partir da taxa de câmbio nominal. Com efeito, em relação a este segundo fator, se consideramos no denominador o PIB expresso pelo poder de compra da moeda (segundo a metodologia do cálculo da paridade do poder de compra), a relação de comércio cai para 4,3% em 1995 (MADDISON, 1998). De qualquer modo, a explosão das exportações chinesas dificilmente pode ser exagerada: em 1985 a China exportou US$ 27,4 bilhões; em 1995, 148,8 bilhões!

Em relação à direção do comércio é importante notar que, em 1982, 32% das exportações de Hong Kong eram reexportações originadas da China; em 1992, cerca de 60% vinha da fronteira chinesa. Até a unificação, Hong Kong foi o grande mercado para as exportações chinesas. Estas passaram de 26,2% das exportações totais registradas em 1985 para 45% em 1992. Os maiores parceiros comerciais da China têm sido Japão, Estados Unidos, Formosa, Coreia do Sul e Alemanha. De acordo com estatísticas americanas, o déficit dos Estados Unidos com a China, incluindo Hong Kong, em 1996 foi de US$ 39 bilhões[14]. É interessante observar que a China é deficitária em relação ao Japão e, sobretudo, em relação à Coreia, Formosa e Cingapura.

Os Estados Unidos têm sido o maior mercado para as exportações chinesas. É importante registrar que a penetração chinesa no mercado americano ocorreu em detrimento dos NIEs (Coreia, Formosa e Cingapura), que viram reduzir sua parcela no mercado americano, mas não dos países da Asean-4 (Tailândia, Indonésia, Malásia, Filipinas), que entre 1989 e 1996 ampliaram sua presença nos Estados Unidos. Esta grande expansão das exportações chinesas ocorreu essencialmente em têxteis, calçados e produtos eletrodomésticos[15]. A China, por sua vez, é o mercado de maior expansão para as exportações americanas, compostas basicamente por aviões, equipamentos, produtos químicos e grãos.

Talvez a parte mais visível das reformas e das mudanças estruturais chinesas seja a explosão dos investimentos diretos. Esta só ocorreu, entretanto, nos anos 1990. Até 1991 o Investimento Direto Estrangeiro (IDE) permaneceu abaixo de 1% do PIB; sua expansão mais vigorosa ocorreu a partir desse ano. Entre 1978 e 1995, as exportações foram a principal fonte de divisas, responsáveis por mais de 77% das divisas obtidas em 1988, e mais de 81% das divisas obtidas em 1990. Nos anos 1980, a segunda fonte de capta-

---

[14] De acordo com estatísticas chinesas o superávit com os Estados Unidos foi de US$ 33 bilhões. De acordo com especialistas americanos, pelo ano 2000 o maior déficit dos Estados Unidos será com a China e não com o Japão (NATHAN & ROSS, 1997).

[15] Para uma análise detalhada cf. Fernald, Edison & Loungani (1998).

CHINA: ENTRE OS SÉCULOS XX E XXI

ção de divisas foi o empréstimo dos bancos e credores oficiais[16]. Apenas em 1991, o investimento direto passou a ocupar a segunda posição. Em 1993 o ingresso de IDE excedeu em 10 vezes o ingresso de empréstimos comerciais. Em 1995 o IDE atingiu a 5% do PIB (NAUGHTON, 1996). Até 1991 esses investimentos dirigiam-se exclusivamente às exportações com elevada concentração em Guandong (fronteira com Hong Kong). A partir desse ano, parcela crescente do investimento direto estrangeiro (IDE), sob a forma de *joint ventures*, está voltada para a construção de capacidade produtiva destinada ao mercado interno (NOLAN, 1996). Hong Kong, Japão e Estados Unidos são os maiores investidores na China.

A industrialização chinesa se fez acompanhar por mudanças estruturais no emprego e na urbanização. Estas, no entanto, foram bastante peculiares, diferentes daquelas típicas do Ocidente. É importante notar que nos anos 1960 a força de trabalho rural e os empregados nas atividades agrícolas eram contingentes semelhantes, totalizando algo em torno de 80% da população ocupada. A partir de 1974, mas sobretudo nos anos 1980, o número de empregados nas atividades agrícolas sobre o emprego total cai em uma velocidade muito maior do que o total da força de trabalho rural sobre o emprego total. Em 1994, a primeira relação era de 54,3% e a segunda 72,6% (KOJIMA, 1996). A grande distância entre os dois percentuais deve-se à urbanização do campo, com forte expansão do emprego rural não agrícola, isto é, o emprego nas empresas de vilas e municípios (EVM)[17]. Em 1978, 17,9% da população era classificada como urbana, e em 1990 esse número passa a 26,4% (WORLD BANK, 1992).

Em relação à distribuição de renda e redução da pobreza, a China passou por uma década notável nos anos 1980. Segundo dados do Banco Mundial, a incidência da pobreza caiu fortemente entre 1978 e 1985. A partir deste ano, o índice de incidência de pobreza manteve-se praticamente inalterado. Um aspecto central foi a expansão da agricultura e da indústria rural, resultando em um crescimento de 9,6% a.a. da renda *per capita* dos residentes rurais entre 1980 e 1988 contra 6,3% a.a. dos residentes urbanos (SINGH, 1993).

---

[16] Deve-se considerar que apenas a partir de 1978 a China passou a ser financiada internacionalmente, conforme será discutido na próxima seção.

[17] Depois da revolução de 1949, a comuna se afirmou como o centro de produção e distribuição fora das grandes cidades, reunindo, em um dado local, fazendas e pequenas indústrias. Com a dissolução das comunas em 1978, as empresas passaram a pertencer aos governos municipais e distritais. Devido a sua origem, a expressão propriedade coletiva permaneceu, mas, do ponto de vista do controle da propriedade, a única diferença destas empresas em relação às empresas estatais é a base municipal do ente público. A expressão consagrada na literatura ocidental é a "township and village enterprise" (TVE), aqui traduzida por Empresas de Vila e Município (EVM).

389

Observando a evolução da produtividade do trabalho na agricultura e na indústria, segundo o deflator geral da economia e os deflatores setoriais, Makino (1997) chega à conclusão de que a mudança dos termos de troca entre agricultura e indústria – uma política deliberada do governo chinês – foi o principal mecanismo responsável pela redução da disparidade de renda entre as cidades e o campo, observada nos anos 1980. A partir da segunda metade dos anos 1980 este mecanismo de redução da pobreza deixou de atuar, o que levou o índice de incidência de pobreza a se manter inalterado.

É interessante considerar que, a despeito de um crescimento significativo na desigualdade regional ocorrido nos anos 1990, a experiência chinesa nos anos 1970 e 1980 revela uma baixa dispersão regional, tanto na taxa de crescimento do produto quanto na taxa de crescimento do produto *per capita*. Assim, por exemplo, entre 1952/1992 a taxa de crescimento de Guandong, a região costeira mais avançada, foi de 8,52% a.a. e a de Xinjiang, uma das mais atrasadas, foi de 7,12%. A política de investimentos e a estrutura de preços relativos compensou, pelo menos de forma parcial, a polarização maior do crescimento nas áreas costeiras (MAKINO, 1997). Este aspecto a ser considerado na parte final deste capítulo deve ser observado em conjunto com as mudanças na estrutura do emprego.

Como antes se observou, a força de trabalho rural não se confunde com a força de trabalho ocupada na agricultura, devido à industrialização do campo. Em 1994, considerando uma força de trabalho total de 614,7 milhões (deve-se observar que na China a taxa de participação das mulheres é semelhante à dos países desenvolvidos), a força de trabalho rural (residente rural) totalizava 446,5 milhões, aproximadamente 73% da população ocupada. A força de trabalho urbana era de 168,2 milhões: 112,1 milhões empregadas em empresas estatais, 32,9 em empresas coletivas, 15,6 em empresas privadas e 7,6 milhões em outras (inclui *joint ventures*) (CHINA STATISTICAL YEARBOOK, 1995). A taxa de desemprego urbano oficial (não há informações disponíveis sobre o desemprego rural) era de 2,8% em 1994. Baseado nesta fonte, é possível reunir as seguintes características da distribuição da renda do trabalho:

– por setor de atividade econômica, os salários mais altos foram pagos nas atividades de ciência e pesquisa, os mais baixos na atividade agrícola; em 1994 a diferença era de 1 para 2,2;

– por estrutura de propriedade, a liderança salarial vem sendo exercida pelas empresas estrangeiras e o salário médio mais baixo é pago nas empresas coletivas; em 1994 a diferença era de 1 para 2;

– estas diferenças salariais se ampliaram em relação a 1990;

– os salários reais cresceram nos anos 1990, em particular nas empresas estatais.

CHINA: ENTRE OS SÉCULOS XX E XXI

As mudanças na estrutura ocupacional e nos rendimentos, decorrentes do intenso processo de crescimento, têm na expansão dos fluxos migratórios das áreas rurais para as áreas urbanas um dos seus aspectos principais. De acordo com Kojima (1996), 50-65 milhões de trabalhadores migraram da área rural para as cidades em 1993. Uma parcela crescente destes trabalhadores não vem sendo absorvida pelo emprego formal (o emprego estatal inclui seguro saúde e acesso a habitações com preços subsidiados) e forma um leque em expansão de atividades sub-remuneradas.

Como será observado no final deste capítulo, este constitui o maior desafio ao desenvolvimentismo chinês.

3 A geopolítica do desenvolvimentismo chinês

Tendo em vista a importância decisiva do confronto dos Estados Unidos com a ex-URSS para a formação das políticas e instituições nacionais, convém subdividir o período em exame em duas etapas. A primeira, iniciada formalmente com o reatamento das relações diplomáticas entre os Estados Unidos e a China em 1979[18] e terminada em 1991, com a extinção da ex-URSS, e a segunda que se prolonga daquele ano aos dias de hoje. Na primeira etapa, o movimento principal por parte dos Estados Unidos foi a abertura do mercado ocidental para as exportações chinesas; na segunda, a contenção econômica e política da China. Na primeira etapa a China trilhou, seguramente pela última vez, uma via comum de desenvolvimento na Ásia do pós-guerra, uma via que em um contexto bastante distinto Wallerstein (1979) denominou de "desenvolvimento a convite". Conforme será examinado na próxima seção, a China potencializou ao máximo o convite dos Estados Unidos, na medida em que este servia aos seus interesses de contenção da ex-URSS, extensão de soberania sobre seu território e de modernização da economia nacional.

---

[18] A rigor, a mudança essencial inicia-se em 1972, com a visita de Nixon à China e com a assinatura do primeiro "Comunicado de Xangai". A ruptura do embargo comercial à China ocorre em seguida e se materializa por grandes exportações de grãos dos Estados Unidos. Em 1979, o vice-presidente dos Estados Unidos, Walter Mondale, visitou o país e sublinhou que "uma China forte, segura e modernizada é do interesse americano na década seguinte" (BARNETT, 1981: 505). Logo após a invasão soviética do Afeganistão, segundo levantamento de Barnett (1981) em 1982, os Estados Unidos concordaram em vender à China equipamentos de artilharia, torpedos antissubmarinos, aviões e radares. Um dos objetivos dos Estados Unidos com a sua política de aproximação era aumentar o desgaste soviético, sustentando um gigantesco contingente militar na fronteira chinesa. Cf. nessa direção Tucker (1996), Vogel (1997), Nathan e Ross (1997).

A segunda etapa, iniciada entre os anos 1989 e 1991, altera rapidamente o contexto que caracterizou a arrancada chinesa. Com o fim da Guerra Fria, o sucesso do desenvolvimentismo chinês passou a ser considerado como a afirmação de um indesejável poder regional. As características políticas e institucionais da China (o regime de partido único, sua ideologia etc.), inteiramente desconsideradas no período anterior, passaram, nesta etapa, a pautar, ainda que contraditoriamente, o comportamento americano[19]. No entanto, o grau de internacionalização já alcançado pela economia chinesa tem permitido ao governo desenvolvimentista explorar as possibilidades abertas pela rivalidade oligopólica de capitais internacionais crescentemente voltados para o seu mercado interno.

A primeira etapa inaugura-se com as iniciativas de aproximação dos Estados Unidos, promovidas por Nixon no início dos anos 1970, com as exportações americanas de grãos ao longo da década, com o financiamento internacional baseado em bancos oficiais, com o reatamento de relações diplomáticas e com a obtenção do tratamento de Nação Mais Favorecida, concedido pelos Estados Unidos.

A abertura chinesa foi precedida por um veloz acesso ao financiamento internacional em condições excepcionalmente favoráveis. De acordo com Barnett (1981), a China obteve em 1979, junto ao governo do Japão, taxas de juros abaixo de 7,25% a.a. para empréstimos acima de cinco anos, uma taxa inferior à recomendada pela OCDE para países em desenvolvimento[20]. Depois de diversos acordos, a China contraiu, em 1979, empréstimos entre US$ 20 e 30 bilhões, em sua maioria de governo ou de bancos garantidos por bancos governamentais do tipo *export-import*. Houve um *pool* de governos para a concessão de US$ 18 bilhões de empréstimos em 1980: 7 vieram de bancos franceses, 5 de bancos ingleses, 2 de bancos japoneses etc.

Com o fim do embargo comercial em 1972, e com o acesso ao crédito internacional, a China pôde retomar as importações de grãos dos Estados Unidos, maciças nos primeiros anos da década mas interrom-

---

[19] As relações entre os Estdos Unidos e a China começaram a mudar a partir de 1989. Neste ano, a queda do muro de Berlim e os acontecimentos na Praça da Paz Celestial alteraram abruptamente a natureza destas relações. Em 1992 os Estados Unidos venderam 150 F-16 para Formosa, rompendo unilateralmente o "Comunicado de Xangai", acordado em 1982, e pelo qual os Estados Unidos explicitamente se comprometiam a reduzir gradualmente a venda de armas à ilha. Em 1993, os Estados Unidos vetam a intenção da China de sediar os Jogos Olímpicos de 2000 e o seu ingresso na OMC. A tensão chega ao seu clímax em 1996, com o envio de dois porta-aviões americanos ao estreito de Formosa, de forma a monitorar os exercícios militares chineses (KAMENADE, 1997).

[20] Segundo Barnett (1981) as taxas de juros foram "semiconcessionais", 0,625% acima da Libor.

pida na sua segunda metade[21]. O comércio com os norte-americanos deu um salto entre 1978/1979 e, depois do Japão e de Hong Kong, os Estados Unidos se afirmaram como o maior parceiro comercial da China, que, nesses anos, apresentava com todos os parceiros, excetuado Hong Kong, crescentes déficits comerciais.

Em 1980 a China obteve dos Estados Unidos o tratamento de Nação Mais Favorecida (MFN) e foi classificada como "nação em desenvolvimento", o que resultou em redução das tarifas americanas sobre os têxteis e vestuário chineses para a metade dos valores iniciais. Fora do Gatt e do acordo de multifibras, a China se afirma, já em 1979, como o maior exportador "não regulado" de têxteis para os Estados Unidos.

A expansão das exportações e o acesso ao crédito permitiram ao governo chinês implementar um volumoso programa de importações de máquinas e equipamentos, essenciais à modernização da indústria pesada, sem comprometer a expansão da indústria leve de consumo e a agricultura[22].

Ao lado da dimensão geopolítica, a China, como os demais países do Leste Asiático, beneficiou-se, ao longo dos anos 1980, de uma macroeconomia regional em expansão, decorrente dos novos alinhamentos cambiais e dos conflitos comerciais entre os Estados Unidos e o Japão. Na primeira

---

[21] Até 1972 os Estados Unidos isolaram comercialmente a China. Os bens importados de Hong Kong tinham de apresentar certificado de origem, de forma a provar que não eram originários da China. De acordo com Nathan e Ross (1997), o embargo comercial liderado pelos Estados Unidos foi mais rígido com a China do que o existente para os demais países comunistas. "Durante os anos 1970, depois da revogação do embargo americano pela administração Nixon – o comércio da China cresceu rapidamente. O comércio total era deficitário para a China, que comprava grandes quantidades de grãos. As importações de grãos constituíam 70% do total importado durante a primeira metade da década. Durante 1972-1974 os Estados Unidos se tornaram o segundo maior parceiro comercial da China, só ficando atrás do Japão. Em 1975 a China reduziu suas importações de grãos dos Estados Unidos. As razões principais para isso foram o desenvolvimento da produção doméstica de grãos e uma preocupação crescente com o seu déficit comercial com os Estados Unidos" (BARNETT, 1981: 165).

[22] "Em 1978 os chineses assinaram um importante acordo comercial com as principais nações capitalistas e se esforçaram para fazer contratos de importação de plantas completas (ferro, carvão, energia elétrica, equipamento de transporte, máquinas agrícolas, plantas químicas...). De acordo com o Conselho Nacional para o Comércio Estados Unidos-China, esta última assinou em 1978 contratos de compra de equipamentos, plantas e tecnologia, da ordem de US$ 17,5 bilhões. Um acordo importante foi assinado com o Japão, com vigência entre os anos de 1978-1985, e estendido em 1979 até 1990. Inicialmente gerou US$ 20 bilhões sob duas formas de comércio: as importações de plantas e os equipamentos, totalizando US$ 10 bilhões contra as importações japonesas de petróleo e carvão. Depois expandiu-se o acordo para perto de US$ 60 bilhões. Outro acordo importante foi aquele assinado por cinco anos com a Comunidade Europeia. Isto garantiu à China o tratamento de Nação Mais Favorecida" (BARNETT, 1981: 170).

393

Carlos A. Medeiros

metade da década, a elevada desvalorização do iene em face do dólar resultou, para a maioria das moedas asiáticas, em taxas de câmbio fortemente depreciadas contra o dólar. A partir de 1986, as moedas dos países menos desenvolvidos da Ásia, entre as quais o iuane chinês, mantiveram-se depreciadas frente ao dólar e fortemente depreciadas frente ao iene. A reorganização da economia regional asiática a partir do deslocamento do capital produtivo japonês acelerou intensamente o investimento direto e o comércio regional. Este movimento se estendeu no final da década para a Coreia do Sul, Hong Kong e Formosa. A valorização das moedas desses países e as pressões comerciais americanas reduziram os ganhos de comercialização, decorrentes da exportação de manufaturas baratas para os países ocidentais e particularmente para os Estados Unidos. Em face do crescimento dos custos de produção e especialmente do valor dos imóveis e terra urbana, os custos muito mais baixos e o câmbio desvalorizado na China exerceram amplo estímulo para o deslocamento de capitais de Hong Kong, Formosa e Japão (Coreia do Sul em uma escala menor), atraídos por taxas de lucros mais elevadas nas Zonas Econômicas Especiais[23]. Em particular, o extraordinário crescimento econômico e, sobretudo, financeiro de Hong Kong e Formosa baseou-se, nos anos 1980, na combinação de território, população e custos da China continental, com canais de comercialização e finanças internacionais desses dois países[24]. A grande Hong Kong, isto é, o triângulo formado abaixo do Rio das Pérolas no Estado de Shenzen é a materialização desse movimento. O fenômeno das exportações chinesas ao longo do

---

[23] O deslocamento dos capitais de Hong Kong (mas também de Formosa, Coreia e Japão) para a China obedece à lógica do capital mercantil, tão bem-descrita por Hicks (1969). Os ganhos do comerciante variam em função dos custos de comercialização e do diferencial dos preços de compra e venda no mercado internacional. Os custos de comercialização são decrescentes, devido às economias de escala do comércio. No nosso caso isto se deve, sobretudo, à experiência internacional dos comerciantes de Hong Kong. O diferencial de preços de compra e venda depende do diferencial de custos nacionais e da taxa de câmbio. A hipótese de Hicks (que não considerava a taxa de câmbio em sua análise) é que o diferencial de custos tende a diminuir, à medida que o comércio se expande. Assim, com o crescimento do comércio internacional, o ganho do comerciante depende dos efeitos contrários que ocorrem com os custos de comercialização e com o diferencial dos custos de produção. Se nós incluirmos a taxa de câmbio na formação dos preços, a lógica do deslocamento dos capitais de Hong Kong para a China torna-se completa: em face da diminuição do diferencial dos custos das exportações próprias, decorrente da valorização do dólar de Hong Kong no final dos anos 1980, o deslocamento dos capitais para a China permitiria obter enormes diferenciais de preços de compra e venda, graças à estrutura de custos e à taxa de câmbio chinesa.

[24] Conforme considerado na seção anterior, o investimento direto estrangeiro só assume magnitude significativa no final dos anos 1980. A primeira onda de investimentos é essencialmente voltada para setores intensivos em recursos naturais, e os oriundos de Hong Kong e Formosa, intensivos em mão de obra, particularmente têxteis e vestuários, cujas quotas chinesas nos países da OCDE permitiam maior expansão nas exportações.

394

CHINA: ENTRE OS SÉCULOS XX E XXI

período deve ser visto de forma integrada com o que ocorreu em Hong Kong. Com efeito, parcela significativa do crescimento das exportações da China destina-se à reexportação por meio de Hong Kong e corresponde ao declínio das exportações próprias da ilha. Trata-se portanto de um fenômeno de deslocamento do setor manufatureiro de Hong Kong. De certa forma, tão ou mais importante do que a estratégia chinesa de atração dos capitais de Hong Kong e Formosa, foi a mudança da política cambial americana em 1985 e, a partir daí, a crescente pressão comercial sobre o Japão e os 4 Tigres do Sudeste asiático. O deslocamento de capital produtivo de Hong Kong ocorreu precisamente a partir do crescente diferencial de câmbio ocorrido no final da década. Como resultado destes movimentos, o superávit comercial destes países com os Estados Unidos começou a reduzir-se e, em consequência, aumentou o superávit da China com os Estados Unidos[25].

Se esta dinâmica obedecia essencialmente a uma lógica mercantil, induzida por diferenciais de custos e câmbio, no final da década e início dos anos 1990 afirmou-se uma outra dinâmica dos capitais internacionais em relação à China: a conquista do seu crescente mercado interno em um contexto marcado pelo acirramento da concorrência oligopólica mundial. Nesse sentido centenas de empresas americanas, japonesas e europeias começaram a se instalar na China, mais especialmente em Xangai, atraídos pela ZEE de Pudong, estabelecida em 1990.

A partir de 1989, conforme se sublinhou, as relações com os Estados Unidos começam a mudar e, com elas, as condições do "convite" à China. Usando o seu dominante direito de veto no Banco Mundial e no Banco de Desenvolvimento Asiático, os Estados Unidos, alegando desrespeito aos direitos humanos[26], bloquearam pedidos chineses de empréstimos por vários anos. Em 1995, o Japão suspendeu a concessão de auxílio à China. Desde sua aprovação em 1980, o tratamento de Nação Mais Favorecida (MFN) concedido pelos Estados Unidos foi renovado anualmente de forma auto-

---

[25] "Ajustado pela inflação, o tamanho do déficit americano com a China, Taiwan, Coreia do Sul, Japão, Cingapura e Hong Kong em conjunto era aproximadamente em 1995 o mesmo que fora registrado no final dos anos 1980, sugerindo que o crescimento do déficit bilateral com a China teve um impacto marginal no balanço comercial e na situação de emprego dos Estados Unidos" (NATHAN & ROSS, 1997: 77).

[26] "A quase simultaneidade do incidente de Tianamen em junho de 1989 e do fim da Guerra Fria transformou o ambiente de decisão política nos Estados Unidos. O que tinha sido um regime chinês liberalizante se tornou do dia para a noite na atávica ditadura comunista aprisionando o seu povo. O consenso nacional mais amplo sobre a importância da cooperação China – Estados Unidos evaporou, e a política da China de repente se converteu em um dos temas mais polêmicos da política externa americana" (NATHAN & ROSS, 1997: 70).

mática. A partir de 1990 a renovação do tratamento tem se constituído em uma questão política crescentemente delicada e complexa.

Se o fim da Guerra Fria teve precedência sobre as transformações imediatas na estratégia americana em relação à China, o elevado e crescente superávit comercial com os Estados Unidos é o principal terreno econômico do conflito. Como se argumentou, a política cambial americana nos anos 1980 conduziu a uma redução do seu déficit com o Japão e os Tigres asiáticos e, pelo próprio sentido do deslocamento dos capitais asiáticos, levou a um crescente déficit com a China. Para os próximos anos, projeta-se um valor superior ao que os Estados Unidos mantêm com o Japão. As pressões americanas sobre a abertura do mercado chinês e o seu veto ao ingresso da China na OMC enquanto país em desenvolvimento assumem, junto com a questão da renovação do MFN, inevitável conteúdo político.

A China, no entanto, já se afirmara nos anos 1990 como o segundo maior recipiente, depois dos Estados Unidos, de investimento direto estrangeiro, o décimo maior país em termos comerciais e o quarto maior em reservas internacionais (atrás de Japão, Formosa e Estados Unidos). A pressão das empresas americanas instaladas na China e dos exportadores e importadores americanos tem se afirmado como um contrapeso à política comercial e diplomática de "contenção" da China[27]. Do mesmo modo, a atração exercida pela China sobre os capitais asiáticos torna-os de certa forma reféns do dinamismo econômico chinês. Esta, afinal, foi o centro da política chinesa de "abrir as portas".

4 A estratégia chinesa de desenvolvimento

A estratégia chinesa de desenvolvimento econômico elaborada no final dos anos 1970 estava subordinada aos objetivos políticos de reunificação do território e de luta contra o "hegemonismo", principalmente o da

---

[27] Os Estados Unidos são os maiores exportadores para a China de aviões civis (Boeing), computadores pessoais (AST, Compaq, IBM), telefones celulares (Motorola), além de produtos agrícolas e fertilizantes (NATHAN & ROSS, 1997: 77). Por outro lado, tendo em vista a pressão americana, o governo chinês tem jogado estrategicamente com as brechas decorrentes da concorrência internacional. Assim, por exemplo, em 1995, suspendeu contratos para construção de uma fábrica automobilística da Ford e GM e assinou contrato alternativo com a Daimler-Benz; em 1996, encerrou acordo de importação com a Boeing e McDonell e encomendou trinta e três jatos Airbus. Para Winston Lord, secretário americano para o Leste Asiático e Pacífico, "um dos maiores problemas na China é o fato de que nossos amigos na Europa e no Japão seguram nossos casacos, enquanto nós enfrentamos a China, e eles 'abocanham' os contratos" (KAMENADE, 1997: 39).

CHINA: ENTRE OS SÉCULOS XX E XXI

União Soviética[28]. A subordinação das metas econômicas aos objetivos políticos é importante no caso da China por diversas razões. A primeira e mais geral é situar o desenvolvimentismo chinês no contexto mais amplo das industrializações tardias, como as da Alemanha e da Rússia no século XIX e do Japão e da Coreia no século XX, quando os desafios internacionais e as razões políticas de soberania do Estado nacional conformaram as estratégias econômicas. A segunda, e mais particular à China, é de entender a racionalidade da política de "portas abertas" e de criação das Zonas Econômicas Especiais costeiras, como uma estratégia de absorver os capitais de Hong Kong e Formosa, controlar seus efeitos internos e isolar politicamente Formosa. Eram esses os objetivos da estratégia "um país, dois sistemas", formulada por Deng Xiao Ping no início dos anos 1980 e apresentada à época das negociações com a Inglaterra sobre os termos da incorporação de Hong Kong.

A realização desses objetivos estratégicos passava pela aceleração do crescimento do conjunto da economia e em particular pela expansão e diversificação da indústria. As questões centrais para esse objetivo eram as seguintes: como acelerar a acumulação de capital e dos investimentos em bens de capital necessários à modernização industrial e, concomitantemente, expandir a produção agrícola e a indústria de bens de consumo, evitando as trágicas consequências do "grande salto à frente"?[29] Como aumentar a produtividade agrícola e, simultaneamente, controlar as pressões demográficas sobre as grandes cidades? Como financiar as importa-

---

[28] "Em um dos mais importantes discursos da sua carreira, apelidado 'Discurso para os Dez Mil Militantes' e pronunciado em 16 de janeiro de 1980, Deng Xiao Ping listou as principais tarefas estratégicas da China para os anos 1980: 1) a luta contra o hegemonismo (o termo inglês que a China utiliza comumente para se referir à política de dominação mundial seguida pelas superpotências, em particular URSS, mas também Estados Unidos); 2) o retorno de Taiwan para sua 'terra natal'; 3) a aceleração da reconstrução econômica" (KAMENADE, 1997: 160). De acordo com o autor, o retorno de Hong Kong à China não era considerado um problema naquele momento, devido à inevitável saída da Inglaterra da ilha e à complementaridade econômica de Hong Kong com o continente. Objetivo mais complexo era enfraquecer os vínculos econômicos de Formosa com os Estados Unidos e o Japão e absorvê-la na China. A estratégia chinesa, de acordo com Kamenade (1997), era: "1) encorajar as firmas de Taiwan a investir e fazer comércio em larga escala; 2) enfraquecer a posição internacional residual de Taiwan, exercendo pressão crescente para isolá-la ainda mais; 3) usar ameaças de uso da força militar para intimidar a facção pró-independência" (KAMENADE, 1997: 112). As Zonas Econômicas Especiais implantadas em Shenzen (norte de Hong Kong), Zuhai (norte de Macau), Shantou (sul de Formosa) e Xiamen (Estreito de Formosa) foram inspiradas nas zonas comerciais de Formosa.

[29] O "grande salto à frente" (1958/1961) resultou na maior fome registrada na história da humanidade e constituiu, segundo opinião unânime entre chineses e ocidentais, no principal estímulo às transformações no campo realizadas a partir de 1978.

397

Carlos A. Medeiros

ções de fábricas, máquinas e equipamentos, sem recorrer excessivamente ao endividamento? Como promover a centralização das decisões sobre investimentos estratégicos e, simultaneamente, estimular a descentralização das decisões administrativas e das iniciativas locais? Essas questões aparecem de forma sistemática nos documentos oficiais do governo chinês no final dos anos 1970[30].

Em face dessas questões, a estratégia de desenvolvimento adotada na China a partir de 1978 combinou e aplicou de forma original diversas políticas baseadas em sua própria história e em diferentes experiências internacionais. Em síntese, o programa chinês fundou-se em um conjunto de reformas e em um programa estratégico de desenvolvimento, descrito a seguir:

a) ampla reforma na utilização da terra, em uma direção semelhante à proposta por Lenin nos anos 1920, com a Nova Política Econômica (NEP)[31];

---

[30] Em 1979, Hua Kuo-feng listou dez tarefas específicas planejadas pelo governo para os anos imediatos: "Primeiro, concentrar esforços para elevar a produção agrícola... Segundo, acelerar o crescimento das indústrias têxteis e leves... Terceiro, superar os elos fracos da nossa economia: carvão, petróleo e energia, serviços de transporte e comunicações, indústria de materiais de construção... Quarto, encurtar a construção do capital, tentando obter os melhores resultados de investimento... Quinto, desenvolver de forma vigorosa ciência, educação e cultura, e acelerar o treinamento de pessoal para construção... Sexto, continuar o bom desempenho na importação de tecnologia, fazendo uso de fundos externos, e lutar para expandir as exportações... Sétimo, dar passos decisivos e constantes para reformar a estrutura da gerência econômica... Oitavo, preservar a estabilidade dos preços básicos, reajustar aqueles preços 'errados', fortalecendo ao mesmo tempo o controle dos preços... Nono, elevar o padrão de vida da população passo a passo com o crescimento da produção... Décimo, continuar a obter bons resultados no planejamento familiar e no efetivo controle do crescimento populacional" (BARNETT, 1981: 93). A despeito do eclipse de Hua Kuo-feng no início dos anos 1980, é impossível não reconhecer a continuidade e coerência do plano reformista chinês desde seu início.

[31] A semelhança das reformas chinesas no campo e das implementadas pela Nova Política Econômica (NEP) foi reconhecida pelas autoridades reformistas chinesas e mais tarde pelos economistas soviéticos no governo de Gorbachev. Tal como na reforma propugnada na NEP, o excedente agrícola poderia ser comercializado a preços de mercado e apropriado pelo camponês. No caso chinês, a partir da reforma de 1978, a terra permaneceu sob a propriedade do Estado, mas seu uso foi distribuído para cooperativas de famílias e famílias individuais. A política de "permitir que alguns camponeses enriquecessem primeiro", baseava-se em um sistema de incentivos com as seguintes características: o produtor era obrigado a vender ao Estado uma determinada quantidade física a um determinado preço. A produção remanescente poderia ser destinada ao autoconsumo ou à venda no mercado local a um preço normalmente superior ao fixado pelo governo.

CHINA: ENTRE OS SÉCULOS XX E XXI

b) agressivo programa de promoção de exportações e de proteção do mercado interno, como nas experiências bem-sucedidas de industrialização deste século[32].

(Ao contrário do Japão e da Coreia, a estratégia chinesa contou com forte estímulo ao investimento estrangeiro, associado às exportações em Zonas Econômicas Especiais, de forma a absorver e controlar o ingresso de capitais nas atividades exportadoras[33]. De forma semelhante àqueles países e ao Brasil (até 1990), o crescimento das exportações de manufaturas visava viabilizar a importação de máquinas e equipamentos, sendo as demais importações submetidas às barreiras do câmbio e das tarifas.)

c) formação de grandes empresas estatais (com ou sem *joint ventures*) na indústria pesada, com crescente autonomia gerencial e financeira, mas subordinadas ao planejamento central, como nas experiências asiática e brasileira[34];

d) reforma das empresas estatais e redefinição da relação entre o planejamento e o mercado; redefinição do sistema de incentivos e de responsabilidades, a partir da introdução de sistemas de contratos – baseada nas experiências da Hungria e da ex-URSS[35];

e) promoção das empresas coletivas (vilas e municípios);

f) transição gradual de um sistema de preços controlados para um sistema misto de preços regulados, controlados e de mercado.

---

[32] Desde o início das reformas a liderança chinesa teve bastante clareza da necessidade de uma política de promoção de exportações e de controle de importações. De acordo com Hua Kuo-feng, em relatório para o Congresso Nacional do Povo em 1979, o desenvolvimento chinês deveria promover energicamente as exportações, como principal fonte de divisas internacionais. Segundo Yu Chiu-li, um importante teórico das reformas, nenhum bem que pudesse ser produzido internamente deveria ser importado (BARNETT, 1981: 131).

[33] O objetivo da criação das Zonas Econômicas Especiais – inspiradas em Formosa – era buscar uma alternativa à clássica dicotomia entre integração internacional subserviente, que caracterizou a China no século XIX, e a autarquia do período pós-revolução. Modernizar e preservar a independência nacional eram os objetivos que os reformistas de 1978 consideravam possíveis alcançar com a política controlada de abertura externa.

[34] Barnett (1981) e Nolan (1996) documentam a estratégia de criação de grande empresas estatais no final dos anos 1970 e início dos anos 1990, considerada pela liderança chinesa essencial para uma industrialização voltada ao consumo de massa. Veremos este ponto adiante.

[35] Os responsáveis pelo planejamento e reforma das estatais, como Sun Yefang, foram reabilitados por Deng Xiao Ping, pois eram considerados "libermanistas", em uma referência negativa, segundo a liderança política anterior, às ideias do soviético Liberman, defensor nos anos 1960 de maior autonomia para as empresas estatais. A introdução do sistema de contratos foi uma das inovações institucionais mais importantes.

399

Convém nos determos em algumas questões centrais ao desenvolvimento chinês, explorando o que elas têm de peculiar e o que possuem de específico da industrialização do século XX.

Inicialmente deve-se considerar que a promoção das EVM e a política de preços para a agricultura tiveram um papel decisivo na estratégia chinesa. O crescimento da renda agrícola, decorrente de termos de troca favoráveis – como o que prevaleceu nos anos 1980 – provocou forte expansão do consumo rural de bens industriais e, simultaneamente, expansão da produção das empresas rurais. Como se argumentou anteriormente, à medida que a produtividade agrícola aumentava, a economia se abria e se modernizava (por meio da importação de máquinas e equipamentos), a natureza da restrição ao crescimento se deslocava para o setor externo. Conforme tem sido evidente em todas as experiências comparadas de desenvolvimento, a questão macroeconômica decisiva para os projetos de industrialização acelerada é a restrição externa, decorrente dos limites da capacidade de importar[36].

Convém considerar brevemente a estrutura do balanço de pagamentos da China. Entre 1978 e 1985, a balança comercial apresentou instável superávit e a balança de transações correntes registrou instável, mas crescente superávit. A conta de capitais caracterizou-se, como se observou na seção anterior, por volumes crescentes de investimento estrangeiro e de crédito. O ano de 1985 foi um divisor de águas. A balança comercial registrou um déficit superior a US$ 11 bilhões. As importações de bens de capital e bens intermediários explicam integralmente a mudança. A aceleração da taxa de investimento no setor de bens de produção requeria transformações qualitativas no balanço de pagamentos. Na segunda metade dos anos 1980, elas ocorreram da seguinte forma: do lado das importações, houve acentuado declínio relativo nas compras de produtos alimentares, bens intermediários (especialmente aço) e bens de consumo, isto é, ocorreu, nestes anos um vigoroso processo de substituição de importações[37]; do lado das exportações, houve forte expansão da indústria leve, em particular da indústria

---

[36] Mesmo nos anos 1970 a restrição externa foi significativa na China. Com efeito, após a visita de Nixon e com o fim do embargo comercial, o país passou a comprar grandes quantidades de grãos dos Estados Unidos. Esta dependência de fontes externas foi interrompida no meio da década, quando a China decide priorizar fortemente o aumento da produção e da produtividade agrícola. A substituição de importações foi priorizada e as importações de grãos só retornam no início dos anos 1980, mas declinando na segunda metade da década.

[37] As importações se concentraram no início da década em alimentos e bens intermediários. Já na segunda metade dela, graças ao aumento da produção de grãos, as importações tornaram-se fortemente concentradas em máquinas e equipamentos. As importações de máquinas e equipamentos de transporte evoluíram de US$ 2 bilhões por ano no final dos anos 1970 para US$ 45 bilhões em 1993 (NOLAN, 1996).

CHINA: ENTRE OS SÉCULOS XX E XXI

têxtil. De todo modo, até 1990, a balança comercial manteve-se deficitária. A brecha no balanço de pagamentos foi fechada pelo crescimento dos fluxos de capitais liderados pelo crédito. Como anteriormente salientado, só nos anos 1990 o investimento internacional excede o influxo de créditos e só nestes anos a China passa a registrar grandes e crescentes saldos na balança comercial.

A política econômica chinesa, tal como praticada desde os anos 1980, induziu simultaneamente ao desenvolvimento do mercado interno e à promoção de exportações. É possível falar na existência de dois regimes. O regime de promoção de exportações foi estabelecido com as ZEE, que se espalharam ao longo das zonas costeiras. Guandong, Fujian, próximas a Hong Kong e Formosa, se destacam. Esse regime baseia-se no processamento de importações com empresas locais contratadas por empresas estrangeiras (em geral de Hong Kong) ou com empresas com participação estrangeira com autonomia de exportação (NAUGHTON, 1996)[38].

As empresas vinculadas às ZEE possuem liberdade cambial e beneficiam-se de isenção de impostos. A política chinesa, com este regime, é atrair investimentos e divisas. Ainda que crescente, a parcela das exportações realizadas por empresas com investimento estrangeiro é minoritária na China (passou de 1,1% em 1985 para 31,5% em 1995). As empresas chinesas respondem ainda pela maior parte das exportações.

As empresas que não se encontram sob o regime das ZEE, subordinam-se à política chinesa de comércio exterior, fortemente protecionista e dirigida simultaneamente para as exportações e para o desenvolvimento do mercado interno. Todo o comércio exterior é centralizado em *tradings* estatais (TE), que exercem o monopólio cambial e tomam a iniciativa das exportações, promovendo a produção das EVM. Do mesmo modo as importações são centralizadas, as tarifas sobre importações são elevadas (43% nos anos 1980 e 23% nos anos 1990) e existem barreiras não tarifárias para diversos bens. Cerca de 20% das importações estão sujeitas a controles quantitativos (NAUGHTON, 1996).

Na China claramente segmentaram-se os dois regimes (proteção do mercado interno e promoção de exportações) e liberalizou-se o acesso aos investimentos externos antes da liberalização das importações. A proteção tarifária soma-se a proteção natural do interior da China, precariamente interligado pelo sistema ferroviário e rodoviário.

---

[38] O primeiro tipo de exportação é o que se poderia denominar de *buyer-driven commodity chains* (NAUGHTON, 1997), em que a iniciativa das exportações é feita pelos importadores estrangeiros.

Carlos A. Medeiros

O impressionante crescimento das exportações chinesas contou com uma política essencial: em 1984 o iuane foi desvalorizado e estabeleceu-se um mercado dual de câmbio. O oficial, administrado como uma taxa flutu-ante, e o "mercado de *swaps*", com acesso restrito às empresas das ZEE e *tradings*. Neste mercado a taxa de câmbio era ainda mais desvalorizada. Essa situação permaneceu até 1994, quando ocorreu a unificação da taxa de câmbio, com significativa desvalorização do iuane[39], e se estabeleceu um mercado interbancário de divisas em Xangai, de forma a substituir os cen-tros de *swaps*.

Uma vez asseguradas as condições macroeconômicas da acumulação de capital, os investimentos das EE se afirmaram como a máquina de cres-cimento da China ao longo desses anos. A despeito do declínio da partici-pação do conjunto das EE no valor adicionado industrial total e da expan-são absoluta e relativa das EVM e empresas privadas, as grandes empresas estatais, localizadas em setores como refino de petróleo, química, carvão e máquinas e equipamentos, mantiveram sua participação na produção industrial. Foram as pequenas e médias empresas estatais que cederam po-sição na estrutura do valor adicionado industrial[40]. Um fator estratégico para o investimento das EE desde o final de 1970 foi a combinação entre o plano e a autonomia gerencial sobre investimentos e o acesso aos emprés-timos bancários.

Do ponto de vista industrial, a estratégia chinesa ao longo dos últimos anos tem se concentrado em grandes empresas estatais e grandes grupos in-dustriais. Em 1993 existiam 18 mil grandes e médias empresas estatais, e 7 mil grupos de empresas (NOLAN, 1996). Nos anos mais recentes têm ocorrido fusões, aquisições, investimentos conjuntos, multiplantas, *joint ventures* com empresas transnacionais e estratégias articuladas entre em-presas estatais. Esse processo vem alterando a estrutura industrial descen-tralizada, típica dos anos 1970. De forma articulada a esse processo de-ve-se considerar a transformação na estrutura regional do desenvolvi-mento. Nos anos 1990, Xangai vem se destacando como grande recepto-ra de investimentos internacionais e do governo chinês em uma lógica algo distinta da ZEE de Shenzen – essencialmente voltada para exportação da

---

[39] Há uma notável controvérsia sobre a magnitude desta desvalorização e sua influência so-bre a crise dos países da Asean-4. O fato é que a desvalorização do câmbio oficial em 45% afetou apenas uma parcela (cerca de 30%) das exportações chinesas, porque a maior parte delas se fazia nos centros de *swaps,* nos quais a taxa de câmbio era cerca de 30% mais baixa que a oficial. De todo modo houve uma desvalorização importante, ainda que muito infe-rior aos 45% da taxa oficial.

[40] Uma análise detalhada deste ponto encontra-se em Nolan (1996).

CHINA: ENTRE OS SÉCULOS XX E XXI

indústria leve de consumo – pela importância maior da indústria pesada e estatal[41]. O mesmo ocorre ao norte, no Estado de Lianoning, onde se encontra parcela expressiva da indústria pesada chinesa. A estratégia é articulá-la com a cidade de Dalian, próxima à Coreia, onde crescentemente se concentram os investimentos japoneses[42].

5 Concentração dos mercados, descentralização do plano

Em relação à gestão da economia e às relações entre mercado e plano, a via chinesa de desenvolvimento[43] logrou obter uma combinação original dos diferentes níveis em que se estrutura o processo decisório na economia. Em um polo, aumentou o planejamento da economia por meio de empresas estatais voltadas à maior integração do mercado interno e a uma maior divisão nacional do trabalho. Em um outro polo, reforçou-se a autonomia das empresas de vilas e municípios e dos camponeses na produção e comercialização a preços de mercado. Em um polo, predominou o controle sobre o câmbio e o monopólio estatal sobre as importações; no outro, a liberdade de investimento, importações e exportações nas Zonas Econômicas Especiais. Em um polo, os preços dos insumos básicos e alimentos permanece-

---

[41] "O governo central está determinado a transformar Xangai em um influente centro internacional na indústria pesada (aço, automóveis, equipamentos elétricos, petroquímica) e leve e na indústria *high tech* (telecomunicações, linha branca, computadores, remédios) sob dominação estatal. Xangai Volkswagen, uma das *joint ventures* de mais êxito na China, estava produzindo 160 mil carros por ano em meados dos anos 1990 e expandiria a produção para 300 mil por ano em 1997" (KAMENADE, 1997: 230).

[42] Para uma análise do significado estratégico das novas áreas econômicas especiais, cf. Kamenade (1997).

[43] Os documentos do PCC referem-se a uma economia socialista de mercado. Entretanto, à luz das discussões marxistas sobre as vias de desenvolvimento, poder-se-ia denominar a via chinesa como uma forma de capitalismo de Estado. A tese de Lenin sobre o capitalismo de Estado aparece desenvolvida em suas reflexões sobre o regime estabelecido com a NEP. Por capitalismo de Estado, Lenin entendia um tipo de capitalismo regulado e controlado pelo Estado socialista. Para uma ampla discussão, cf. Rizzi (1981). De certo modo as características chinesas, a despeito de peculiaridades próprias, apresentam alguns traços semelhantes. Com efeito, o capitalismo chinês desenvolveu-se a partir da regulação não mercantil de dois fatores produtivos: a terra e o trabalho. Com as reformas de 1978 não se desenvolveu um mercado de terras. A terra pertence ao Estado, a renda diferencial é administrada pelo governo e parcialmente apropriada pelo produtor. Ainda que em expansão, a mercantilização da força de trabalho encontrava-se até o início dos anos 1990 institucionalmente limitada. Só mais recentemente vem se desenvolvendo um mercado de trabalho com maior mobilidade populacional. Ainda hoje o custo de reprodução da força de trabalho – preço dos alimentos e a oferta de serviços públicos de educação e saúde – é controlado pelo Estado.

Carlos A. Medeiros

ram administrados; no outro, aumentou progressivamente o número de itens sem controle administrativo de preços[44].

Observou-se anteriormente que a estratégia de desenvolvimento chinesa a partir de 1978 passou por uma flexibilização e redução do escopo do plano e, ao mesmo tempo, por uma promoção da centralização das empresas estatais, integrando mercados nacionais. A combinação entre um movimento de concentração dos mercados e um de descentralização do planejamento é um dos fatos mais originais da via chinesa de industrialização. Essa combinação, entretanto, só foi possível pelo grau de atraso da economia chinesa e pela estratégia de descentralização econômica proposta por Mao-Tsé-Tung[45]. Esta buscava reproduzir em cada comuna um sistema econômico agrícola e industrial autossuficiente, conferindo à economia chinesa uma estrutura celular e descentralizada. Com subsistemas econômicos fragilmente articulados, elevados custos de transportes internos e imobilidade da população, a economia nacional era constituída por uma coleção de economias regionais com baixo grau de especialização[46]. O sistema de planejamento possuía, desse modo, com exceção da produção planejada de insumos básicos e estratégicos, uma estrutura material descentralizada.

Na China os mercados locais – agora em ampla expansão pelas EVM – e o mercado externo – organizado nas ZEE – se desenvolveram em um contexto de escassa articulação nacional dos mercados regionais. A distribuição centralizada pelo Estado e o sistema de preços controlados procuravam unificar características produtivas singulares e distintas entre as regiões. No entanto, nos anos 1980, a questão regional assumiu maior importância-protecionismo, bloqueio nas fronteiras regionais surgiram em diversas partes do país – acirrando rivalidades econômicas e políticas. A resposta política a

---

[44] A estrutura dual de preços na China não revela uma simples convivência do plano e do mercado como princípios distintos. Ao longo dos anos 1980, tanto os produtores rurais quanto as empresas passaram a operar com um sistema de contratos em que, acima das metas quantitativas definidas em plano, os preços podem variar em uma determinada faixa. Nos anos 1990 avançou muito a liberdade de preços, pelo menos dos bens "não básicos", e as empresas passaram a contar com maior autonomia e iniciativa. Cf. última seção.

[45] Em um discurso proferido em 1957, Mao afirmou: "Nossa pátria é tão vasta, nossa população tão grande, e as condições tão complexas, que é muito melhor deixar a iniciativa surgir tanto das autoridades centrais como das locais" (KAMENADE, 1997: 262).

[46] De acordo com Makino (1997): "Na China, a segmentação e a compartimentalização caracterizaram a economia regional por um longo tempo. A mobilidade interregional das mercadorias e fatores de produção e trocas de informação são subdesenvolvidos. A situação, entretanto, tem mudado depois da reforma econômica. Conexões econômicas horizontais têm substituído os canais administrativos verticais, embora apenas muito gradualmente" (p. 16). Também para Yang (1996), a segmentação do mercado nacional se desenvolveu historicamente devido ao excessivo e duplicado investimento estimulado pela descentralização e protecionismo local.

CHINA: ENTRE OS SÉCULOS XX E XXI

esse conflito foi a unificação do sistema tributário, processo ocorrido por meio da introdução em 1994 de um moderno imposto sobre valor agregado e, simultaneamente, da redução do controle sobre o sistema de preços.

A busca de uma divisão racional de poder entre o governo central e os estados corresponde, portanto, a um movimento (tardio) de unificação do mercado interno e ao aumento do grau de racionalização da economia. A manutenção de uma estrutura de coordenação descentralizada, ao lado de maior integração dos mercados e expansão de grandes empresas especializadas, tem aberto possibilidades de reorganização, sob controle estatal, das relações entre o planejamento e o mercado. Este aspecto é normalmente pouco enfatizado, tendo em vista o sentido geral das reformas (cf. abaixo) a favor de uma maior autonomia dos mercados e menor interferência direta do governo. Com efeito, o processo em curso de racionalização e unificação dos mercados locais, conduzido pela grande empresa, afirma a natureza do sistema de capitalismo (de Estado) da China[47].

6 Crise asiática, reformas institucionais e perspectivas

No contexto asiático contemporâneo a China, ao lado de Formosa, constitui uma exceção. Com o Japão estagnado e com a crise e depressão que se alastrou no Sudeste, a China obteve em 1998 um crescimento de 7,8% – um resultado extraordinário em termos internacionais, salvo para a própria China, nos anos mais recentes. A desaceleração do crescimento parece ser, até o presente momento, a principal consequência da crise financeira e cambial das economias asiáticas sobre a economia chinesa. As implicações da crise asiática sobre a trajetória chinesa, no entanto, parecem longe de ter sido esgotadas. Esses desdobramentos, ao lado das reformas chinesas e das tendências estruturais mais recentes, tornam incerto qualquer exercício de formulação de cenário sobre esse grande país.

Inicialmente deve-se observar que, em seguida à especulação e derrubada do bath tailandês em 1997, o movimento especulativo abateu-se forte-

---

[47] À guisa de exemplo: "Os serviços de telecomunicações móveis, de transmissão de dados e os serviços postais expressos desenvolveram-se também em anos recentes. Um segundo provedor de serviços de telecomunicações foi criado em julho de 1994, quando a China United Telecommunications Corporation (Unicom), uma companhia estatal limitada, organizada conjuntamente pelo ministério da Eletrônica, pelo ministério da Indústria de Energia Elétrica e pelo ministério dos Transportes e algumas instituições financeiras PRC, foi instalada em Beijing. A China Unicom está empenhada, entre outras coisas, em operar as amplas redes nacionais de telecomunicações e os serviços de engenharia" (MERRIL LYNCH & CO., MORGAN STANLEY & CO., 1996).

mente sobre a bolsa e o dólar de Hong Kong. Ao contrário do que se passou nos demais países do sudeste asiático, a crise financeira que se abateu sobre a ilha não foi precedida ou acompanhada por uma crise de liquidez externa. Por isso, a crise financeira, decorrente da valorização excessiva dos títulos, não disparou contra a moeda local, plenamente conversível, um movimento especulativo que não pudesse ser contido pelas autoridades monetárias. Os ativos externos de curto prazo excediam largamente os passivos de curto prazo, em visível contraste com o que se passava na Coreia, na Tailândia ou Indonésia. Assim, por exemplo, segundo dados do BIS, os serviços da dívida externa mais a dívida de curto prazo sobre as reservas externas de Hong Kong eram de cerca de 16% em 1996, contra 243% na Coreia, 294% na Indonésia e 122% na Tailândia.

A China, além de contar com elevada liquidez externa (ao lado de Formosa, é um dos poucos países em desenvolvimento com superávit em transações correntes), manteve o iuane inconversível e totalmente subordinado ao Banco da China. Como manteve o câmbio real desvalorizado em face do dólar, a China suportou, até o presente momento, as maxidesvalorizações das moedas asiáticas e a desvalorização do iene, sem alterar a taxa nominal de câmbio. Entretanto, alguns desdobramentos da crise asiática já se tornam visíveis e se projetam para o futuro imediato da China.

Antes de uma breve especulação sobre esse tema, convém identificar algumas transformações e reformas recentes.

A partir de 1992 desenvolveu-se uma onda de reformas institucionais. Nesse ano iniciou-se, sob controle do governo, a negociação de ações de empresas estatais na bolsa de Hong Kong. Em 1993 foi instituída uma nova lei sobre empresas (regularizando o lançamento de ações e o controle acionário); em 1994 foi estabelecida uma reforma fiscal e tributária (com a unificação do VAT); também nesse ano, com a reforma financeira, iniciaram-se as operações de *open-market,* conduzidas pelo Banco Central, e abriu-se o mercado de títulos, em base experimental, a investidores externos. Foi ainda criado um mercado interbancário de divisas em Xangai. Em relação às finanças públicas, o governo deixou de financiar os déficits de empresas estatais com créditos do Banco Central. Estes déficits passaram a ser financiados pelos bancos estatais. Com a reforma bancária de 1995, ampliou-se a autonomia e especialização dos bancos estatais. Em 1996 criou-se, de forma experimental, um novo programa de previdência social; em 100 grandes empresas estatais e 2 mil empresas municipais estabeleceram-se planos específicos de seguro social, mecanismos de dispensa, procedimentos de falência e critérios de eficiência em nível de empresa. As reformas da previdência e a das empresas estatais constituem um elemento cen-

CHINA: ENTRE OS SÉCULOS XX E XXI

tral no Plano Quinquenal de 1996-2000 e seguramente a questão social potencialmente mais explosiva. Ainda em 1996 é ampliado o seguro desemprego. É nesse contexto de reformas que devem-se considerar os possíveis impactos da crise asiática sobre a economia chinesa.

De forma resumida, podem assim ser listados tais impactos:

– com a desvalorização das moedas dos países da Asean-4 em relação ao dólar e com o iuane estável, a China poderá perder parcela do mercado dos Estados Unidos;

– como grande exportadora para a economia asiática, a recessão regional deverá reduzir a taxa de crescimento das exportações chinesas;

– com a desvalorização do won coreano, o déficit comercial da China com a Coreia deverá aumentar; o mesmo deve ocorrer com as relações com o Japão;

– tendo em vista essas tendências, o fluxo de investimento externo voltado para as exportações deverá diminuir;

– o superávit de transações correntes da grande China (isto é, China e Hong Kong) deverá diminuir ou tornar-se negativo;

– com a desaceleração do crescimento econômico chinês, os mercados externos do Japão, Coreia e Formosa deverão encolher, propagando a desaceleração para o já muito baixo nível de atividade da Ásia.

Nesse contexto, as mudanças no padrão de financiamento externo podem reduzir ou bloquear em níveis mais baixos a atual taxa de crescimento econômico, bastante inferior à registrada nos últimos anos. De certa forma, a própria integração dos mercados internos na China já aponta na direção de uma mudança nas fontes do crescimento do produto interno, em que o consumo das famílias deverá atingir uma parcela maior da despesa nacional.

A questão que nos interessa aqui sublinhar é que nas atuais circunstâncias – marcadas entre outros aspectos pela reforma das empresas estatais e flexibilização do contrato de trabalho – a diminuição do crescimento, em um momento em que se ampliam os fluxos migratórios para as áreas costeiras, poderá vir a resultar em elevado nível de desemprego e degradação das condições sociais tanto no campo quanto nas cidades. Adicionalmente deve-se considerar que o crescente déficit das empresas estatais (não há estatísticas consolidadas disponíveis) decorre em grande parte da própria desaceleração do crescimento. Até o presente momento, os bancos estatais têm financiado este déficit. Com a reforma da previdência (redução do "emprego vitalício") e com as metas de reestruturação das empresas estatais, privatização e capitalização das ações propostas no Plano Quinquenal, prevê-se grande destruição de postos de trabalho, agravando a presente situação de desemprego[48].

Como antes se observou, ao longo dos anos 1980 os subsídios, os preços relativos favoráveis à agricultura e a política de investimentos do governo contrabalançaram os efeitos concentradores, decorrentes do alto crescimento das áreas e atividades costeiras. Com a maior liberalização dos preços e o maior crescimento dos investimentos nas áreas voltadas à exportação, as tendências polarizadoras do desenvolvimento se ampliaram, ainda que, como antes se argumentou, esse movimento se dê em um contexto de crescente integração do mercado interno. Nos anos de alto crescimento, houve intensa mobilidade ocupacional ascendente, tanto entre os residentes rurais quanto entre os residentes urbanos, sendo o crescimento do emprego urbano nas empresas estatais, observado anteriormente, um componente dinâmico central.

Considerando que cerca de 70% da população ocupada possui residência rural, o quadro social chinês depende essencialmente das transformações na agricultura e na indústria rural. As características gerais do sistema de contrato na agricultura permanecem as mesmas das instituídas no final dos anos 1970. Em 1993, o governo prorrogou por trinta anos o arrendamento das terras aos atuais produtores. Estes, no entanto, podem transferir o direito de uso para outros produtores, desde que a utilização permaneça inalterada. O governo permanece o principal comprador de grãos e principal vendedor de alimentos nas cidades a preços mais baixos do que os vigentes no mercado. A estratégia do governo é promover a formação de um sistema agrícola integrado com a indústria, por meio de um conjunto de iniciativas, entre as quais uma política de comercialização, de transporte e de organização dos mercados. A estratégia chinesa é lograr a autossuficiência alimentar e proteger a agricultura nacional das importações de grãos.

Nesse sentido, as tendências em curso na economia chinesa são bastante complexas e polarizadas. O governo chinês demonstrou ter desde o início das reformas de 1979 uma impressionante capacidade de intervenção, explorando as oportunidades surgidas. Reformas como a da previdência e das estatais foram apresentadas como experimentais e iniciam-se aos poucos em situações razoavelmente controladas. É o caso por exemplo das elevadas dívidas das empresas estatais junto aos bancos estatais. A despeito das reformas bancárias, visando introduzir critérios comerciais

---

[48] A taxa oficial de desemprego em 1997 era de 4%. Como já se comentou, esta taxa refere-se apenas aos residentes urbanos. Estima-se haver hoje um contingente de 30 milhões de trabalhadores rurais que migraram para as cidades, mas não possuem residência urbana.

CHINA: ENTRE OS SÉCULOS XX E XXI

aos empréstimos dos bancos estatais, o irrestrito controle do governo sobre a política de empréstimos – afinal, indústria e banco são do Estado – afasta qualquer possibilidade de compressão de crédito do tipo da que se generalizou na Ásia.

Constitui tarefa para os historiadores do século XXI, como nos advertiu Hobsbawm (1996), avaliar se, de fato, o Estado chinês e as políticas públicas serão capazes de contrariar tendências opostas de polarização e de articulação entre regiões, entre o campo e as cidades e entre o sistema de planejamento e a expansão dos mercados.

REFERÊNCIAS

BARNETT, D. (1981). *China's Economy in Global Perspective.* Nova York: The Brookings Institution.

COASE, R. (1960). "The problem of social cost". *Journal of Law and Economics,* 3, october, 144.

DOMAR, E. (1972). A Soviet Model of Growth. In: NOVE, A. & NUTI, D.M. *Socialist Economics* [s.l.]: Penguin.

FERNALD, J.; EDISON, H. & LOUNGANI, P. (1998). "Was China the first domino? Assessing links between China and the rest of emerging Asia". *Discussion Paper,* FED.

GERSHEKRON, A. (1962). *Economic Backwardness in Historical Perspective,* Cambridge, Mass; Harvard University Press.

HICKS, J. (1969). *Uma teoria de historia econômica.* Rio de Janeiro: Zahar.

HOBSBAWM, E. (1996). *The Age of Extremes.* Nova York: Phanteon Books.

IMAI, H. (1996). "Explaining China's Business Cycles". *The Developing Economies,* XXXIV – 2, june.

KAMENADE, W. (1997). *China, Hong Kong, Taiwan, Inc.* Nova York: Knopf.

KENNET, D. & LIEBERMAN, M. (1992). *The Road to Capitalism.* Nova York, Londres: The Dryden Press.

KOJIMA, R. (1996). "Breakdown of China's Policy of restricting population movement". *The Developing Economies, XXXIV – 4,* december.

LEMOINE, F. et al. (1994). "Hong Kong-Chine: Un Dragon à Deux Têtes". *Economie Internationale,* n. 57, 1º trimestre.

MADDISON, A. (1998). *Chinese Economic Performance in the Long Run*. Paris: OCDE, Development Centre Studies.

MAKINO, M. (1997). "Inter-Regional Disparities in China: Wellfare vs. Productivity". *Osaka City University Economic Review*, vol. 32, n. 1-2.

MANGABEIRA UNGER, R. & CUI, Z. (1994). "China in the Russian Mirror". *New Left Review*.

MARTELLARO, J.A. (1996). "China's economic miracle: myth or reality?". *Economia Internazionale*, vol. XLIX, agosto.

MERRIL LYNCH & CO; MORGAN STANLEY & CO (1996). *People's Republic of China*.

NATHAN, A. & ROSS, R. (1997). *The Great Wall and the Empty Fortress*. Nova York: Norton.

NAUGHTON, B. (1994). "Chinese Institutional Innovation and Privatization from Below". *AEA Paper and Proceedings*, vol. 84 n. 2.

_____ (1995). *Growing Out of the Plan*: Chinese Reform, 1978-1993. Cambridge/Nova York: Cambridge University Press.

NOLAN, E. (1996). "Large firms and industrial reform in former planned economies: the case of China". *Cambridge Journal of Economics*, 20.

PERKINS, D. (1997). How China's economic transformation shapes its future. In: VOGEL, E. (org.). *Living with China*. Nova York: Norton.

RAWSKI, T. (1994). "Chinese industrial reform: accomplishments, prospects and implications". *AEA Papers and Proceedings*, vol. 84, n. 2.

RIZZO, F. (1981). Linternazionale comunista e la questione contadina. In: *Storia del Marxismo*, volume Terzo. Torino: Einaudi.

SACHS, J.D. & WOO, W.T. (1997). "Understanding China's economic performance". *National Bureau of Economic Research*, Working Paper 5935.

SINGH, A. (1993). "The Plan, the Market and Evolutionary Economic Reform in China". Unctad, *Discussion Papers*, n. 76.

SMITH, R. (1996). "Creative destruction: capitalist development and China's environment". *New Left Revieiv*.

SOLOW, R.M. (1957). "Technical change and the aggregate production function", *Review of Economics and Statistics*, vol. 39.

STIGLITZ, J.E. (1985). "Economics of Information and the Theory of Economic Development". *National Bureau of Economic Research*, Working Paper, n. 1566, february.

TUCKER, N.B. (1995). "China as a factor in the collapse of the soviet empire". *Political Science Quarterly*, vol. 110, n. 4.

VOGEL, E. (org.) (1997). *Living with China*. Nova York: Norton & Co.

WALLERSTEIN, I. (1979). *The Capitalist World-Economy.*. Londres: Cambridge University Press.

WORLD BANK (1996). *World Development Report*.

_____ (1992). *China, Reform and Role of the Plan in the 1990s*.

YANG, D. (1996). "Governing China's transition to the market". *World Politics* 48, abril.

PARA RETOMAR O DEBATE BRASILEIRO

Plinio de Arruda Sampaio Jr.

O impasse da "formação nacional"*

1 O dilema da formação

As interpretações sobre a formação do Brasil contemporâneo procuram explicar as contradições que bloqueiam a plena integração de nossa nação na civilização ocidental. Trata-se de identificar de que maneira a herança colonial e a posição subalterna no sistema capitalista mundial comprometem a capacidade dos brasileiros de governar o seu destino. O problema consubstancia-se na necessidade de assegurar a continuidade de processos históricos responsáveis pela consolidação das bases materiais, sociais, espaciais, políticas e culturais do Estado nacional.

O pensamento em torno da formação é organizado pela contraposição de dois estados latentes na sociedade dependente: a condição de barbárie que se deseja evitar e o projeto civilizatório que se pretende alcançar. O desafio das sociedades que lutam pela construção nacional materializa-se na necessidade de superar o presente sombrio de um povo que não consegue ultrapassar a condição de subnação e de se aproximar de uma situação paradigmática, associada ao funcionamento ideal do Estado nacional. O sentido da formação é definido pela contraposição de elementos opostos, tais como anomia e organização; fragmentação e unificação; marginalização e integração; heteronomia e autonomia; instabilidade e estabilidade; subdesenvolvimento e desenvolvimento. Tendo como referência tais antinomias, as mudanças sociais que apontam para o segundo polo são associadas à ideia de progresso, contribuindo para a consolidação da civilização brasileira; e

---

* Agradeço os comentários e as sugestões que recebi de Valéria Nader, Fernando A. Sampaio, José Luís Fiori, José Carlos Braga e Vicente A. Sampaio.

Plinio de Arruda Sampaio Jr.

as que se voltam para o primeiro, são vinculadas à noção de decadência, levando à reversão neocolonial e ao avanço da barbárie.

Rejeitando análises transplantadas dos centros hegemônicos, a preocupação central dos intérpretes do Brasil é encontrar a especificidade de nossos problemas históricos e suas possíveis soluções. A começar por José Bonifácio, passando por Alberto Torres e Oliveira Vianna, até autores modernos, como Gylberto Freire, Sérgio Buarque de Holanda e Antonio Candido, os pensadores que se debruçaram sobre os dilemas da formação ressaltaram basicamente os mesmos problemas. As dificuldades para a afirmação da nação decorrem das terríveis contradições de uma formação social marcada pelo genocídio da civilização pré-cabralina; pelo ultraelitismo de uma sociedade incapaz de resolver suas pendências com o passado escravista; pelo caráter predatório assumido pela atividade econômica em relação ao meio ambiente; pela extrema vulnerabilidade do país às vicissitudes do capital internacional e ao arbítrio do sistema imperialista; pela inadequação da base produtiva para atender as necessidades do povo; pelos obstáculos encontrados para afirmar o domínio sobre um território continental, composto de regiões mal-articuladas e desconexas entre si; pela falta de identidade nacional de um aglomerado humano recente, oriundo de diferentes partes do globo; pela precariedade das instituições administrativas e políticas que compõem o aparelho de Estado; e, finalmente, pelo arraigado colonialismo cultural de nossas elites.

Os que refletiram sobre os desafios da formação a partir de uma perspectiva democrática, de um modo ou de outro, vincularam a construção do Estado nacional à integração do conjunto da população, em condições de relativa igualdade, aos avanços técnicos e aos valores humanistas da era moderna. Acima de suas diferenças teóricas, históricas e ideológicas, um denominador comum unifica esta visão: a ideia de que os problemas do país não serão resolvidos sem transformações socioculturais profundas, que criem as bases de uma sociedade equitativa e autorreferida.

Elaborado em contraposição à tradição oligárquica, que defende a construção da nação como um fim em si, o pensamento democrático vê a estruturação do Estado brasileiro como um meio de submeter o desenvolvimento aos desígnios de uma sociedade irmanada na defesa de um destino comum para seus cidadãos. Antes de condicionar a emergência de nossa nacionalidade ao aparecimento de uma nova raça oriunda da mestiçagem, ao controle de um vasto território rico em recursos naturais e às ilimitadas potencialidades de sua economia, à estruturação de um aparelho de Estado capaz de impor a autoridade da ordem e a descabidos sonhos ufanistas de um hipotético Brasil-potência-concepções chauvinistas que ocultam a natureza hierárquica e autoritária de nossa formação social –, o pensamento de-

O IMPASSE DA "FORMAÇÃO NACIONAL"

mocrático entende a afirmação da nacionalidade como a necessária cristalização de uma sociedade homogênea, portadora dos valores humanistas da civilização ocidental, baseada em nexos morais entre as classes sociais e na existência de laços orgânicos entre as diferentes regiões do país.

Nesta abordagem, o espaço nacional não passa de um instrumento para proteger a coletividade dos efeitos destrutivos das transformações que se irradiam desde o centro do sistema capitalista mundial e para planejar a internalização das estruturas e dos dinamismos da civilização ocidental de modo condizente tanto com o aumento progressivo do grau de autonomia e criatividade da sociedade quanto com a elevação da riqueza e do bemestar da totalidade do povo. Pensada como um centro de poder que condensa a vontade política da coletividade, a forma nacional é aqui – única e exclusivamente – um meio das sociedades que vivem sobredeterminadas pelo campo de força do sistema capitalista mundial controlarem o seu tempo histórico. Trata-se, portanto, de um instrumento, historicamente determinado, que deveria ser ultrapassado por formas superiores de organização social e política, de alcance supranacional, assim que o contexto histórico mundial o permitisse. Isto é, assim que a ordem mundial deixasse de estar sob o domínio da lógica da concorrência intercapitalista e das rivalidades interestatais do imperialismo.

Dentro da tradição democrática, que abrange um amplo espectro de visões sobre o sentido da formação, parte-se do suposto que, enquanto a contradição gerada pela posição subalterna no sistema capitalista mundial não for inconciliável com a continuidade dos processos responsáveis pela constituição do Estado nacional, a nação emergente cresce e se desenvolve no bojo do capitalismo dependente. No entanto, quando a contradição se converte em um antagonismo irredutível, o capitalismo dependente se divorcia completamente da sociedade nacional, tornando-se incompatível com a continuidade do processo civilizatório[1]. Daí em diante, a sociedade passa a viver uma encruzilhada decisiva de seu processo formativo, pois a ruptura com as estruturas externas e internas que sustentam a ordem passa a ser o único meio de evitar a barbárie. A partir deste momento, pode-se concluir que a sociedade ingressa em uma conjuntura revolucionária, que pode levar tanto a um desfecho positivo – a consumação da revolução brasileira e a abertura de um novo horizonte histórico – como a uma solução negativa – a reação contrarrevolucionária e o reforço das tendências que se projetam do passado e sufocam o futuro, abortando a construção da nação.

---

[1] A propósito, não custa lembrar a afirmação de Fernand Braudel (1979) sobre o destino das economias periféricas: "[...] para progredir, [a economia periférica] não tem outra alternativa, senão romper, de uma maneira ou de outra, com a ordem vigente do mundo" (p. 469).

Plinio de Arruda Sampaio Jr.

Neste capítulo, procuraremos examinar as razões que levaram três dos maiores intérpretes do Brasil – Caio Prado, Florestan Fernandes e Celso Furtado – à dramática conclusão de que o processo de construção do Brasil contemporâneo chegou a um ponto de ebulição em que a superação da situação de dependência tornou-se não apenas necessária, mas urgente. Partindo de perspectivas distintas, as análises dos três autores convergem para um diagnóstico comum: entre 1950 e 1980, a contradição entre capitalismo dependente e formação da nação teria se transformado em aberto antagonismo. Ao contrário do que poderia sugerir a acelerada modernização dos padrões de consumo e o aprofundamento da industrialização, o capitalismo dependente teria esgotado todas as suas propriedades construtivas e sua permanência estaria levando o Brasil à barbárie. Por isso, para sobreviver como projeto nacional, a sociedade brasileira já não disporia de outra alternativa senão romper com as relações econômicas, sociais e culturais responsáveis pela inserção subalterna na economia mundial e pela perpetuação das assimetrias herdadas da sociedade colonial.

Historiador, preocupado em entender os movimentos de longa duração que condicionam a formação do Brasil contemporâneo, Caio Prado defende a tese de que o controle pelo capital internacional sobre o processo de industrialização por substituição de importações – fenômeno que ganha ímpeto no pós-guerra, particularmente com a política desenvolvimentista de Juscelino Kubitschek – gera uma tendência irreversível à reversão neocolonial.

Sociólogo que investigou os dilemas da revolução burguesa no Brasil, Florestan Fernandes mostrou como uma série de circunstâncias externas e internas, que culminaram com o golpe militar de 1964, permitiu que a burguesia brasileira consolidasse seu padrão de dominação e preservasse seu poder de negociação no sistema capitalista mundial, evitando, assim, a reversão neocolonial (ainda que à custa do reforço de seu caráter antissocial, antinacional e antidemocrático). Na década de 1980, tais circunstâncias dissiparam-se, fazendo reaparecer o espectro da desagregação do Brasil.

Por fim, o economista Celso Furtado, que observa o desenvolvimento pela ótica da acumulação, adverte que a incapacidade de defender a economia brasileira dos efeitos desestruturantes da transnacionalização do capitalismo – sobretudo após a eclosão da crise da dívida externa no início da década de 1980 – passou a comprometer a continuidade da construção nacional, pondo em questão a própria unidade territorial do Brasil. Nas próximas seções, sistematizaremos a linha de argumentação de cada um destes autores e mostraremos a atualidade de suas previsões.

2 A atualidade da revolução brasileira

De acordo com Caio Prado, a formação do Brasil contemporâneo é impulsionada pelas reações inconformistas provocadas pelo profundo mal-estar em relação à pobreza, ao atraso, à instabilidade e à irracionalidade que caracterizam a vida do país. É esse processo histórico de longa duração que leva ao aparecimento de uma diferenciação progressiva entre o colonizador português e um novo personagem histórico, que é o brasileiro. Surge, assim, o esboço de um povo que luta para controlar o seu destino:

> Mas – como o autor advertiu – um tal caráter mais estável, permanente, orgânico, de uma sociedade própria e definida, só se revelará aos poucos, dominado e abafado que é pelo que o precede, e que continuará mantendo a primazia e ditando os traços essenciais da nossa evolução colonial (PRADO Jr., 1942: 26).

Para Caio Prado, o motor da formação do Brasil é a crescente incompatibilidade entre a dominação do sistema imperialista e a progressiva mercantilização da sociedade, incompatibilidade que se manifesta pelos efeitos cada vez mais catastróficos das crises de reversão estrutural que abalam recorrentemente a vida do país. Um dos principais desafios da nação emergente consiste em imprimir um mínimo de estabilidade ao desenvolvimento capitalista. A breve síntese que o autor faz dos ciclos econômicos antes do início da industrialização por substituição de importações ilustra bem a inadequação da economia colonial como sustentáculo de uma sociedade nacional:

> Uma conjuntura internacional favorável a um produto qualquer que o país é capaz de fornecer, impulsiona o funcionamento dele, e dá a impressão ilusória de riqueza e prosperidade. Mas basta que aquela conjuntura se desloque, ou se esgotem os recursos naturais, para que o fim específico a que se destina a organização assim montada e a produção declinem e tendam a se aniquilar, tornando impossível a manutenção da vida e das atividades que alimentava. Em cada um dos casos em que se organizou um ramo da produção brasileira (açúcar, ouro e diamante, algodão, café, borracha, cacau e tantos outros de menor expressão), não se teve em vista outra coisa que a oportunidade especulativa momentânea que se apresentava. Por isso, imediatamente, se mobilizavam os elementos necessários: povoa-se, ou se repovoa uma certa área do território mais conveniente, com dirigentes e trabalhadores da empresa que assim se instala – verdadeira turma de trabalho –, e dessa forma se organiza a produção. Não se irá muito além disso, nem as condições em que se dispôs tal organização o permitem. E continuar-se-á até o esgotamento final ou dos recursos naturais disponíveis, ou da conjuntura econômica favorável. Depois é a estagnação e o declínio das atividades. E o que sobra da população que não puder emigrar em busca de outras

Plinio de Arruda Sampaio Jr.

aventuras semelhantes passa a vegetar sem ter em que se aplicar a obter meios regulares e adequados de subsistência (PRADO Jr., 1966: 247).

Na visão de Caio Prado, ao estimular o desenvolvimento de forças produtivas voltadas para o atendimento do mercado interno e aumentar a diferenciação entre interesses forâneos e nativos, o desenvolvimento capitalista tende, não obstante, a criar as bases objetivas e subjetivas para a consolidação do Brasil como um espaço econômico que possui "existência autônoma" e "força própria". De um lado, o povoamento, a ocupação territorial e a organização econômica e institucional da sociedade brasileira geram uma crescente diferenciação entre objetivos meramente mercantis do capital na vida econômica do país e as necessidades e aspirações de uma vida melhor que galvaniza o imaginário do povo. De outro, o paulatino crescimento populacional e sua maior integração no mercado consumidor tornam cada dia mais patente a estreiteza da economia colonial como sustentáculo da jovem nação, estimulando a expansão e a diversificação do sistema produtivo voltado para o mercado interno.

Nesse movimento secular de transição do Brasil colônia de ontem para o Brasil nação de amanhã – a linha mestra que dá sentido à formação –, Caio Prado postula que a desarticulação da divisão internacional do trabalho inicia um período de "crise final" do sistema colonial brasileiro. Seu argumento é que a drástica contração do comércio internacional, que atinge seu clímax com o colapso da economia mundial em 1929, simplesmente inviabilizava a economia primário-exportadora como base material de uma sociedade em ritmo acelerado de expansão e diversificação do mercado interno. Por esse motivo, a contradição entre a reprodução do sistema imperialista e o movimento de construção da nação tendia a se transformar em antagonismo aberto, de caráter irredutível.

A crise estrutural do setor externo abria, no entanto, novas perspectivas para a economia brasileira, pois o isolamento da concorrência internacional criava uma conjuntura mercantil que estimulava a industrialização por substituição de importações.

Na interpretação de Caio Prado, até o fim da Segunda Guerra Mundial, a industrialização avança de maneira relativamente espontânea, reforçando a crise da economia colonial e apontando-lhe uma solução positiva. O recurso a tecnologias de uso difundido, que não exigiam grandes imobilizações de capital, permitia que o ritmo e a intensidade de substituição de importações fossem graduados internamente, respeitando as oportunidades mercantis que surgiam do próprio desdobramento da industrialização, assim como do aumento gradual da capacidade de acumulação da base empresarial local. A industrialização contribuía, então, para a generalização das relações assalariadas, para a intensificação da urbanização, para uma maior integração do mercado nacional, para um expressivo desenvolvimento das forças produtivas voltadas para o mercado interno e para o fortalecimento da base empresarial nacional.

O IMPASSE DA "FORMAÇÃO NACIONAL"

O processo de substituição de importações teria mudado radicalmente de significado no pós-guerra, pois, no entendimento de Caio Prado, o controle do capital internacional sobre os setores dinâmicos da indústria comprometeria irremediavelmente o movimento de nacionalização da economia brasileira. Além de desvirtuar o caráter construtivo das relações orgânicas que se formavam entre forças produtivas, base empresarial nativa e mercado interno, a presença dominante dos grandes trustes multinacionais reforçava perigosamente os laços de dependência externa da economia brasileira. Por esse motivo, mesmo reconhecendo a importância do capital externo na expansão da base produtiva, e sobretudo seu papel decisivo na internalização das indústrias de bens de capital e de consumo duráveis, Caio Prado conclui que a sociedade brasileira começava a perder controle sobre o sentido, o ritmo e a intensidade do processo de substituição de importações. Ao contrário do que a expansão do parque industrial e a consequente contração do coeficiente de importações poderiam sugerir, a economia brasileira ficava sujeita a forças que tenderiam a reconstruir o antigo sistema colonial. No calor da hora, ele resumiu a questão nos seguintes termos:

> [...] o que os empreendimentos imperialistas determinam na atual conjuntura brasileira é uma deformação e amesquinhamento do que deveria ser o nosso processo de industrialização. E representam assim um reforçamento do sistema colonial que é o principal responsável pelas nossas deficiências, limitando o desenvolvimento aos acanhados horizontes daquele sistema (PRADO Jr., 1970: 330).

A argumentação de Caio Prado a respeito do limitado fôlego do ciclo de industrialização do pós-guerra e sua elevada vulnerabilidade a crises de reversibilidade estrutural desdobra-se levando em consideração basicamente quatro aspectos do problema.

Em primeiro lugar, a liderança dos grandes trustes internacionais gerava graves distorções no padrão de mercantilização da economia, pois, ao impulsionar a substituição de produtos cada vez mais sofisticados, exigia uma maior concentração de renda, exacerbando o divórcio entre as estruturas produtivas do país e as reais necessidades da população brasileira. Diferentemente do que ocorrera no movimento anterior de internacionalização de capitais, quando o capital internacional se ajustava ao perfil do mercado interno, na fase madura do capitalismo monopolista o mercado interno da economia periférica é que tem de se ajustar aos interesses comerciais do capital estrangeiro.

Para Caio Prado, a segmentação do mercado interno entre ricos e pobres tenderia a comprometer a continuidade do movimento de industrialização por dois motivos. Por um lado, a limitada capacidade de consumo de grandes contingentes da população gerava uma crescente incompatibilida-

421

Plinio de Arruda Sampaio Jr.

de entre a tendência à progressiva ampliação das escalas mínimas de produção e a impossibilidade de movimento análogo na capacidade de consumo da sociedade. Por outro, a estreiteza do mercado interno, ao intensificar a heterogeneidade entre o mercado brasileiro e o dos países mais desenvolvidos, tenderia a diminuir ainda mais a importância relativa do espaço econômico nacional no contexto mundial.

Em segundo lugar, o controle dos elos estratégicos da indústria brasileira pelo capital internacional impedia a consolidação de uma base empresarial umbilicalmente vinculada ao espaço econômico nacional, gerando uma crescente assimetria entre o grau de desenvolvimento das forças produtivas e as bases técnicas e financeiras da iniciativa privada nacional. Diferentemente do que ocorrera no século XIX, quando a internacionalização dos mercados internos incentivou o fortalecimento da iniciativa privada das economias receptoras de investimentos diretos, na fase mais adiantada do imperialismo, o caráter predatório do capital monopolista levava à atrofia relativa do capital nacional. Logo, em vez de fomentar o desenvolvimento de um sistema nacional de inovações, a presença dos grandes trustes bloqueava o acesso dos empresários nativos às novas tecnologias e às melhores fontes de financiamento. Não é por outra razão que Caio Prado não cansou de alertar para o caráter progressivo do processo de desnacionalização que ganhava ímpeto nos anos 1950.

Em terceiro lugar, ao contrário do que uma percepção superficial do ciclo de substituição de importações poderia sugerir, o autor insiste que a presença dos grandes trustes internacionais nos setores estratégicos da indústria não representava uma efetiva e permanente internalização de capacitação tecnológica do país nem, em consequência, um aumento da competitividade dinâmica do parque produtivo. Isto porque, como as filiais deslocadas para o Brasil visavam única e exclusivamente ao controle do mercado interno, elas não tinham nenhum motivo para investir no desenvolvimento tecnológico da economia brasileira.

A incapacidade de suportar a concorrência externa fez com que a continuidade do processo de industrialização ficasse totalmente dependente da preservação dos parâmetros históricos que haviam permitido o insulamento da economia brasileira da concorrência de produtos importados e que haviam impulsionado a internacionalização dos mercados internos. No entanto, como era óbvio que a estabilidade dos parâmetros externos que haviam permitido essa situação não poderia perdurar para sempre, Caio Prado não cansou de alertar que a industrialização brasileira era extremamente vulnerável a crises de reversibilidade estrutural:

> Não se ignora o papel singular, sem paralelo no passado, que as rápidas e contínuas transformações da tecnologia representam na indústria mo-

O IMPASSE DA "FORMAÇÃO NACIONAL"

derna. Já não se trata apenas, como ocorria há poucos decênios passados, do problema de aperfeiçoamento da indústria e de sua promoção e ampliação. O progresso tecnológico e a introdução contínua de inovações representa na indústria de nossos dias, em particular naqueles seus setores básicos e decisivos – como a indústria química, a eletrônica e outras semelhantes –, condição essencial e precípua de sua própria subsistência. O obsoletismo, e obsoletismo que se propõe aqui a cada momento, pode-se dizer, não é no caso apenas inconveniente ou mesmo intolerável. É simplesmente impossível. Transformar-se e progredir continuamente, ou então perecer, é esta a única alternativa que se apresenta (PRADO Jr., 1970: 329).

Por fim, Caio Prado assinala que a entrada maciça de capital estrangeiro para explorar as oportunidades de negócio geradas pela ampliação do mercado interno intensificaria o desequilíbrio estrutural do balanço de pagamentos, uma vez que a internacionalização da economia não apenas implicava maior remessa de lucros e juros ao exterior, como também maior vulnerabilidade das contas externas a movimentos de repatriação de capital, sobretudo quando se leva em consideração a maior mobilidade espacial dos capitais propiciada pela estreita integração do Brasil no mercado financeiro internacional.

O ponto fundamental da argumentação de Caio Prado é que a discrepância entre a riqueza acumulada nas mãos do capital internacional e a capacidade de gerar divisas significava uma forte elevação na dependência financeira e uma mudança de qualidade no grau de incerteza cambial da economia brasileira. Tal mudança acarretava uma inversão na relação de causalidade entre estrangulamento externo e substituição de importações. Porquanto, a partir deste momento, a mera possibilidade de escassez de divisas desencadearia movimentos defensivos de fuga de capitais que paralisariam o processo de substituição de importações:

> São as nossas relações financeiras com o sistema internacional do capitalismo – e nisso se distingue nossa situação atual da do passado – que comandam o mecanismo das contas externas do país. Não são unicamente as vicissitudes da exportação brasileira, como ocorria anteriormente, que determinam o estado daquelas contas. E sim, sobretudo e decisivamente, os fluxos de capitais controlados do exterior e que sob diversas formas (inversões, financiamentos, empréstimos, amortizações, rendimentos etc.) se fazem em um e em outro sentido em função dos interesses da finança internacional. Ou por fatores de ordem política que em última instância também se orientam por aqueles interesses (PRADO Jr., 1966: 142).

Mesmo reconhecendo que o surto de industrialização do pós-guerra implicava expressiva contração do coeficiente de importações, Caio Prado advertia que a industrialização dependente acarretaria a revitalização da posição estratégica do setor exportador. Antes de uma questão quantitativa, relacionada com a participação relativa das exportações no produto nacional, sua análise ressalta a importância vital do setor exportador no processo de valorização do capital das grandes empresas multinacionais, pois, toda vez que houvesse reversão nos fluxos de capitais, a expansão das vendas externas constituiria o único meio de transformar em moeda internacional o capital acumulado internamente. A contração do mercado interno e a revitalização das exportações de produtos de baixo conteúdo tecnológico, nos quais o país possui vantagens comparativas absolutas, surgiriam, então, como os únicos meios de viabilizar a transferência de recursos reais ao exterior e sancionar os compromissos com a comunidade internacional.

Contudo, como a divisão internacional do trabalho já não abria espaço suficiente para que um país das dimensões do Brasil pudesse ter um volume de exportações compatível com o pagamento dos compromissos externos e o abastecimento de um mercado interno em expansão, a reconstrução do antigo sistema colonial levava ao paroxismo a oposição entre a necessidade de gerar megatransferências de recursos ao exterior e a continuidade do processo de formação do Brasil contemporâneo.

> Observamos aqui muito bem – afirma Caio Prado – a ligação do imperialismo com o nosso velho sistema colonial fundado na exportação de produtos primários, pois é dessa exportação que provêm os recursos com que o imperialismo conta para realizar os lucros que são a razão de ser de sua existência. Considerada do ponto de vista geral do imperialismo, a economia brasileira se engrena no sistema dele como fornecedor de produtos primários, cuja venda nos mercados internacionais proporciona os lucros dos trustes que dominam aquele sistema. Todo o funcionamento da economia brasileira, isto é, as atividades econômicas do país e suas perspectivas futuras, se subordina assim, em última instância, ao processo comercial em que os trustes ocupam hoje o centro. Embora em uma forma mais complexa, o sistema colonial brasileiro continua em essência o mesmo do passado, isto é, uma organização fundada na produção de matérias-primas e gêneros alimentícios demandados nos mercados internacionais. É com essa produção e exportação consequente que fundamentalmente se mantém a vida do país, pois é com a receita daí proveniente que se pagam as importações essenciais à nossa subsistência e os dispendiosos serviços dos bem-remunerados trustes imperialistas aqui instalados e com que se pretende contar para a industrialização e desenvolvimento econômico do país (PRADO Jr., 1970: 328).

As distorções no processo de mercantilização provocadas pela modernização dos padrões de consumo, a asfixia da burguesia nativa pelas empresas multinacionais, a falta de competitividade internacional do parque industrial brasileiro e o aumento da incerteza cambial levaram Caio Prado à conclusão de que o compromisso dos grandes trustes internacionais com o

O IMPASSE DA "FORMAÇÃO NACIONAL"

processo de industrialização por substituição de importações estava limitado à possibilidade de aproveitar oportunidades de negócios muito definidas. Assim que tais oportunidades se dissipassem, o processo de industrialização ficaria sujeito não apenas à estagnação, devido à impossibilidade da capacidade de consumo da sociedade brasileira acompanhar as descontinuidades na escala mínima da matriz tecnológica, mas até mesmo à reversibilidade estrutural, se os trustes internacionais decidissem abastecer o mercado interno recorrendo a importações.

Não é por outro motivo que, muito antes de que todos os processos responsáveis pela crise da industrialização brasileira tivessem se manifestado plenamente, Caio Prado já previa o seu fim inexorável:

> Considerando [...] a participação crescente, e já hoje em proporções amplíssimas, desses empreendimentos imperialistas na indústria brasileira de que ocupam os postos-chave e de significação econômica decisiva, verifica-se que o processo de industrialização se faz entre nós simples expressão da política internacional de vendas de organizações estranhas, que têm seus centros diretivos completamente fora do alcance da economia brasileira e de seus interesses próprios. É ao acaso – acaso para nós – dos impulsos e iniciativas desses centros que está-se desenvolvendo e desenvolver-se-á sempre mais, a persistirem as circunstâncias vigentes, o processo de industrialização do Brasil. Não é difícil avaliar o que isso significa em matéria de deformação daquele processo (PRADO Jr., 1970: 324).

A avaliação de que a subordinação da industrialização à lógica do capital internacional acarretaria uma reversão neocolonial levou Caio Prado a conjecturar que, a partir do pós-guerra, a contradição entre o sistema imperialista e a formação da nação teria atingido seu ponto crítico, amadurecendo as condições objetivas e subjetivas para a consumação da revolução brasileira. A elevadíssima instabilidade da economia brasileira e sua inadequação para atender às necessidades do conjunto do povo, pouco a pouco, levariam ao paroxismo o sentimento de revolta e insatisfação contra o *status quo*, polarizando a luta de classes entre revolução e contrarrevolução. A urgência da revolução brasileira advém de sua percepção de que a inexorável desarticulação da industrialização agravaria de maneira gigantesca o excedente estrutural de mão de obra, o qual, pela sua magnitude absoluta e pela sua elevada concentração nos centros urbanos, tenderia a tornar cada vez mais difícil e traumática a sua posterior integração no desenvolvimento capitalista, agravando ainda mais a crise social.

É a perspectiva de uma conjuntura marcada pela extrema instabilidade econômica e pelo progressivo agravamento da crise social que leva Caio Prado a afirmar, em meados dos anos 1960, que o Brasil vivia uma situação insustentável e necessitava de mudanças profundas.

Plinio de Arruda Sampaio Jr.

> O Brasil se encontra em um destes instantes decisivos da evolução das sociedades humanas em que se faz patente, e sobretudo sensível e suficientemente consciente a todos, o desajustamento de suas instituições básicas. Donde as tensões que se observam, tão vivamente manifestadas em descontentamento e insatisfações generalizadas e profundas; em atritos e conflitos [...], que dilaceram a vida brasileira e sobre ela pesam em permanência e sem perspectivas apreciáveis de solução efetiva e permanente [...]. O que leva, não se enxergando, ou não se enxergando ainda, em termos concretos, a mudança dessa ordem, a uma corrida desenfreada para o "salve-se quem puder", cada qual cuidando unicamente (e por isso erradamente) de seus interesses imediatos e procurando tirar o melhor partido, em proveito próprio e para o momento em curso, das eventuais oportunidades que porventura se apresentam ao alcance da mão (PRADO Jr., 1966: 3-4).

Até o início dos anos 1980, o elevado dinamismo e a relativa estabilidade da economia brasileira davam a impressão de que as previsões sombrias de Caio Prado teriam sido contrariadas pelos fatos, pois, mesmo sem ter enfrentado o problema da superpopulação excedente marginalizada do mercado de trabalho, liderado pelas empresas multinacionais, o Brasil foi palco de um vigoroso movimento de expansão e diversificação industrial, liderado pelas empresas, que lhe permitiu internalizar praticamente toda a tecnologia da segunda revolução industrial, gerando a ilusão de que nossas forças produtivas convergiam aceleradamente com a dos países capitalistas mais avançados.

No entanto, quando tudo parecia indicar que não havia incompatibilidade incontornável entre dependência e desenvolvimento nacional, os processos desestruturantes começaram a vir à tona. Em pouco tempo, a crise da dívida externa, o colapso das finanças públicas, a desarticulação do sistema monetário, a estagnação do crescimento, a submissão incondicional aos ditames da comunidade financeira internacional, o desmantelamento do Estado nacional, a exacerbação dos conflitos federativos, o aumento assustador do desemprego e do subemprego, a progressiva desnacionalização da economia e a elevada vulnerabilidade do parque industrial ao novo padrão de concorrência internacional, começaram a evidenciar a pertinência de suas advertências. A total incapacidade do Brasil de reagir de maneira construtiva às profundas transformações provocadas na ordem econômica mundial pelo processo de globalização não deixa margem de dúvida em relação à elevada vulnerabilidade da industrialização brasileira às vicissitudes do capital internacional.

O problema é tanto mais grave porque a crescente desnacionalização da economia e a extrema mobilidade dos capitais potencializam a incompatibilidade entre capital internacional e industrialização brasileira, elevando a desproporção entre o acúmulo interno de lucros pelos grandes grupos multinacionais e a capacidade de gerar divisas da economia brasileira, bem

O IMPASSE DA "FORMAÇÃO NACIONAL"

como aumentando a vulnerabilidade do parque produtivo nacional a crises de reversibilidade estrutural decorrentes do deslocamento das unidades produtivas para outras regiões. As diferenças entre os dois movimentos de internacionalização do mercado interno são substanciais. Enquanto prevalecesse uma lógica de conquista por ocupação do espaço nacional, como acabou se verificando, as economias dependentes capazes de impulsionar a substituição de importações gozariam de uma certa dose de estabilidade, fazendo com que os ciclos industriais tivessem certa durabilidade. No momento atual, as condições são outras, pois prevalece uma lógica de conquista por diluição no mercado global. Nestas condições, parece razoável supor que os ciclos de crescimento serão brevíssimos, que a instabilidade econômica será crescente e que as crises de reversão estrutural adquirirão proporções cataclísmicas.

Logo, ainda que o autor não tenha avaliado adequadamente o poder de propagação do padrão tecnológico que estava sendo difundido no pósguerra e a sobrevida que o endividamento externo daria ao ciclo de industrialização, equívocos que o levaram a subestimar as potencialidades do ciclo de substituição de importações, a essência de sua interpretação – a ideia de que a "associação" com o capital internacional minaria o processo de formação de um sistema econômico nacional, desencadeando uma tendência à reconstrução do antigo sistema colonial – deve ser resgatada como uma contribuição fundamental para a compreensão do verdadeiro caráter da industrialização brasileira e da natureza da crise atual.

Como veremos em seguida, a interpretação de Florestan Fernandes sobre a revolução burguesa nos auxiliará a compreender por que, contrariando as previsões catastróficas de Caio Prado, durante um certo período, foi possível conciliar a presença dominante do capital internacional com uma relativa estabilidade econômica e política; e, principalmente, por que esse tempo já passou, repondo na ordem do dia a urgência da revolução brasileira.

3 Da contrarrevolução permanente à reversão neocolonial

Na visão de Florestan Fernandes, a formação da sociedade brasileira associa-se à emergência e à evolução do processo de modernização como modo de vida. Impulsionado pelas reações de insatisfação em relação à discrepância entre o modelo ideal da civilização ocidental e a forma real de sua organização e funcionamento no Brasil, o processo de formação se consubstancia na necessidade de construir as condições econômicas, socioculturais e políticas que permitem à sociedade controlar o seu destino. A emergência do Brasil como projeto civilizatório passa, por conseguinte, pela afirmação da autonomia do Estado nacional dentro do sistema capitalista mundial. Economia de origem colonial, a formação da sociedade brasileira é vista como o produto de três ciclos revolucionários interdependentes: a emancipação nacional, que coloca em cena a nação emergente como projeto de Estado nacional; a revolução burguesa, responsável pela expansão e consolidação do capitalismo como modo de produção dominante; e, finalmente, a revolução operária, cuja tarefa histórica consiste na superação das formas burguesas de opressão.

Dentro dessa perspectiva, o drama da sociedade brasileira é que a debilidade do processo de diferenciação do regime de classes e seu caráter ultraelitista acabaram por comprometer a eficácia dos antagonismos de classe como força motriz dos processos revolucionários que impulsionam a formação da civilização brasileira. A origem do problema encontra-se no fato de que a estratificação social lançou raízes em modos de produção pré-capitalistas ou subcapitalistas e sofreu o impacto negativo do desenvolvimento desigual e combinado do sistema capitalista mundial. Florestan Fernandes sintetizou o problema assim:

> Não herdamos de um mundo feudal em crise a argamassa para a construção de uma nova sociedade. Um ponto de partida tosco expunha burgueses e proletários a uma luta sem quartel, que deita raízes no escravismo colonial e no escravismo moderno, na qual eles se empenham antes de possuírem identidades próprias, movidos pelas estruturas e pelos dinamismos de um modo de produção que iria crescer e, aos poucos, impor as premissas históricas de sua existência e desenvolvimento (ou seja, o contrato, a sociedade civil, o Estado burguês etc.) (FERNANDES, 1985: 42).

Um contexto histórico-estrutural particularmente adverso fez com que as oportunidades de consolidar a nação surgissem sem que aparecessem forças sociais organizadas capazes e dispostas a transformá-las em realidade. A ausência de pressões nacionalistas e democratizantes vindas "de baixo para cima" e a extrema debilidade das pressões reformistas "de cima para baixo" não obrigaram as classes dominantes a ampliar as bases materiais e políticas de seu poder de classe. Tanto a emancipação nacional quanto a revolução burguesa avançaram pela linha de menor resistência, como processos estruturais destituídos de conteúdo econômico, social, político e cultural que pudesse comprometer os fundamentos do capitalismo dependente, reduzindo a descolonização ao mínimo indispensável para atender às exigências básicas de cada situação histórica.

Por uma série de razões ligadas às peculiaridades da formação do proletariado como classe social e ao atraso da industrialização brasileira, a revolução operária, que poderia imprimir novos rumos ao país, concluindo as tarefas que foram deixadas de lado pelos ciclos revolucionários anteriores,

O IMPASSE DA "FORMAÇÃO NACIONAL"

custou para emergir dos subterrâneos da história. O proletariado só começou a tomar corpo como realidade social capaz de influenciar o curso dos acontecimentos muito tardiamente, no final da década de 1970, após o salto para a industrialização pesada. E, antes que tivesse condições de se constituir plenamente como classe social, acabou duramente golpeado pelo impacto devastador da globalização sobre o mundo do trabalho.

Dentro da realidade comum às economias capitalistas dependentes, Florestan Fernandes acredita que a formação da sociedade brasileira se destaca como um caso exemplar em que as reações inconformistas contra o subdesenvolvimento teriam adquirido vitalidade suficiente para gerar uma forte tendência à autonomização, porém não a vitalidade necessária para permitir que o processo de integração nacional fosse levado até o fim. Por essa razão, os contrastes entre "atraso" e "moderno" e a oposição entre "forças heteronômicas" e "forças autonômicas" teriam alcançado o paroxismo, pondo em evidência as potencialidades e os limites do capitalismo dependente como sustentáculo do processo civilizatório.

A especificidade do caso brasileiro é atribuída ao modo como se deu a "consolidação conservadora do poder burguês" nas quatro décadas que separaram a crise da República Velha e a afirmação do Estado autocrático burguês, na segunda metade dos anos 1960. Nesse período, a burguesia brasileira teria passado por uma verdadeira revolução cultural, despojando-se das ideologias e das utopias adquiridas dos modelos clássicos de revolução burguesa e expurgando definitivamente o "ethos burguês" de sua segunda natureza tradicionalista, herdada da era colonial. No momento de definir suas alianças estratégicas, a decisão da burguesia foi realista e pragmática. Adaptando suas aspirações socioeconômicas e suas identificações políticas às necessidades do momento histórico, ela descobriu que, na era do imperialismo total, as condições para realizar a transição para o capitalismo monopolista eram muito adversas para comportar aventuras nacionalistas e democráticas.

Incapaz de assimilar o capitalismo monopolista sem estabelecer uma estreita associação com o capital internacional e com o sistema imperialista, a burguesia jogou todas as suas energias na negociação dos termos da dependência. Sem ter o que oferecer às classes subalternas, as classes dominantes abandonaram quaisquer veleidades reformistas e assumiram, sem hesitação, a defesa do único capital que lhes restou: a capacidade quase ilimitada de ajustar as condições sociais e econômicas às exigências do capital internacional. Em outras palavras, a possibilidade de desvincular a aceleração do desenvolvimento capitalista do processo de integração nacional levou as burguesias brasileiras a optarem por uma aliança estratégica com o capital internacional e com as nações hegemônicas, em detrimento da formação de mecanismos de solidariedade orgânica com as classes populares.

429

Plinio de Arruda Sampaio Jr.

> Os estratos burgueses aprenderam a mudar a qualidade de suas percepções e explicações do mundo, procurando ajustar-se a "avaliações pragmáticas", que representam o subdesenvolvimento como um "fato natural" autocorrigível e estabelecem como ideal básico o princípio, irradiado dos Estados Unidos, do "desenvolvimento com segurança". Dava-se, assim, o último salto na limpeza do sótão. A burguesia brasileira encontrava novos elos de "modernização", descartando-se de suas quinquilharias históricas libertárias, de origem europeia, substituídas por convicções bem mais prosaicas, mas que ajustavam seus papéis à "unidade do hemisfério", à "interdependência das nações democráticas" e à "defesa da civilização ocidental" (FERNANDES, 1976: 314-315).

As potencialidades do capitalismo monopolista no Brasil cristalizaram-se no fato de que, apesar da manutenção da dupla articulação que perpetuava os nexos de subordinação externa e a assimetria da sociedade colonial, o país conseguiu completar a revolução industrial e levar a cabo a revolução burguesa. Com a consolidação do regime militar na segunda metade dos anos 1960, a burguesia adquire o "excedente de poder" necessário para promover os ajustes indispensáveis para internalizar as estruturas e dinamismos fundamentais do capitalismo monopolista, integrando o Brasil ao espaço econômico, sociocultural e político do capitalismo hegemônico.

O salto para a industrialização pesada significava que, enquanto os parâmetros que condicionavam o movimento de internacionalização dos mercados internos permanecessem inalterados, a reprodução ampliada do capital adquiriria uma dinâmica autorreferida, transformando-se em um eficaz mecanismo de assimilação e difusão das estruturas e dos dinamismos da Segunda Revolução Industrial.

> Uma burguesia que não pode desencadear, a partir de si mesma, nem a revolução agrícola, nem a revolução urbano-industrial, nem a revolução nacional, percorre, não obstante, todas as etapas desses processos como se, na realidade, eles fossem produtos de sua atividade histórica. De um lado, ela ganha recursos para manter e intensificar o fluxo de crescimento do capitalismo dependente, continuamente acelerado e por vezes subvertido "a partir de fora". De outro, ela pode aparecer, no panorama interno da "sociedade nacional", como a suposta protagonista final de todas as transformações (FERNANDES, 1979: 55).

Ao unificar e centralizar o poder estatal sob a liderança dos grupos modernizadores, a consolidação da revolução burguesa permitiu que a burguesia brasileira adquirisse força e flexibilidade para adaptar a economia e a sociedade às exigências do capitalismo monopolista.

> Coerente com sua lógica econômica e política, o poder burguês fez da iniciativa privada e de seu sistema um verdadeiro bastião, que protege e une os interesses privados internos e externos (agora associados ao poder público também ao nível econômico). Em nome do "desenvolvimentis-

O IMPASSE DA "FORMAÇÃO NACIONAL"

mo acelerado", ampliou-se e aprofundou-se, portanto, a incorporação da economia nacional e das estruturas nacionais de poder à economia capitalista mundial e às estruturas capitalistas internacionais de poder (FERNANDES, 1976: 219-220).

No âmbito externo, a consolidação das bases materiais e políticas do capitalismo monopolista deu à burguesia brasileira o poder de barganha necessário para negociar, com as grandes empresas transnacionais e com as nações hegemônicas, o ritmo e a intensidade de incorporação das estruturas e dos dinamismos difundidos pelo centros hegemônicos do sistema capitalista mundial. Ela conseguia, assim, preservar o controle sobre a matriz espacial e temporal do espaço econômico nacional. Evitava-se, assim, o risco de uma reversão neocolonial. Nas palavras de Florestan Fernandes,

> [...] as burguesias "nacionais" das sociedades de classes dependentes e subdesenvolvidas não socializam para fora todo o seu poder político e, especialmente, [...] não cedem à dominação externa e à imperialização as posições que são estratégicas para o controle político do desenvolvimento capitalista dependente. Elas aceitam e até incentivam a articulação de interesses burgueses internos e externos, que pareçam refundir o poder burguês ao nível econômico, aumentando, em consequência, a sua flexibilidade e eficácia como fonte de dinamização da dominação burguesa em geral (FERNANDES, 1976: 54-55).

No plano interno, a desobstrução de qualquer tipo de barreira ao império do dinheiro permitiu que a burguesia assumisse sem hesitação o papel de paladina da civilização capitalista. Ao abandonar a filosofia de "dar tempo ao tempo", de acordo com a qual o processo de modernização deveria ser impulsionado de maneira relativamente espontânea, a burguesia assumiu a responsabilidade pela "aceleração da história", mobilizando todas as energias da sociedade para viabilizar a expansão do capitalismo monopolista. Desde então, ao invés de forçar os segmentos mais "modernos" a compor com os mais "atrasados", passou a ocorrer o contrário: a acomodação dos grupos "atrasados" às exigências dos "modernos". O Brasil entrava definitivamente na era do "[...] 'desenvolvimentismo extremista', a verdadeira moléstia infantil do capitalismo monopolista na periferia" (FERNANDES, 1976: 261).

Não obstante a conquista de um certo grau de autonomia relativa e a capacidade de imprimir um elevado dinamismo ao processo de acumulação, o desenvolvimento do capitalismo monopolista no Brasil revelou-se totalmente incapaz de transcender o *status quo*. De um lado, a persistência de bloqueios extraeconômicos à monopolização do capital e a perpetuação de mecanismos de acumulação primitiva comprometeram o papel criativo da concorrência econômica como mola propulsora da introdução e difusão de progresso técnico. Por essa razão, apesar do aprofundamento da industrialização pesada, o desenvolvimento capitalista continuou sendo um processo induzido de fora para dentro, incompatível com a reprodução de mecanismos de solidariedade orgânica entre as classes sociais. De outro lado, ao tornar o circuito político hermético a qualquer tipo de contestação da ordem, a burguesia brasileira perdeu todo seu potencial reformista. A questão nacional e a questão democrática foram simplesmente deslocadas da vida política nacional. A primeira converteu-se no dilema da preservação da liberdade de ação da burguesia e a segunda, no desafio de garantir a continuidade da "ordem".

A necessidade de compensar a extrema pulverização das classes dominantes e de suprir a sua incapacidade de ação coletiva por intermédio de uma "unidade tática" para a autodefesa da ordem fez com que, no momento de ascender ao topo do aparelho de Estado e impor a sua visão de mundo ao país, a burguesia brasileira se tornasse intrinsecamente antinacional, antissocial e antidemocrática. Transformado em um mero instrumento de controle da sociedade e do espaço geográfico do país, o Estado burguês ficou irremediavelmente comprometido com a defesa dos interesses mesquinhos e particularistas da plutocracia brasileira. É a afirmação do poder burguês como uma contrarrevolução permanente que leva Fernandes a apontar a necessidade de superar o capitalismo dependente como único meio de abrir novas perspectivas para o Brasil.

O "excedente de poder" derivado da força autocrática não é uma característica circunstancial e secundária do Estado burguês no Brasil, mas um requisito indispensável a sua própria sobrevivência, na verdade, o único meio de que as classes burguesas dispõem para controlar os ritmos do desenvolvimento dependente.

> Em última instância, é esse modelo autocrático de Estado capitalista que acaba residindo a "liberdade" e a "capacidade de ação racional" da burguesia dependente. Ele confere às classes e aos estratos de classe burgueses não só os fundamentos da existência e da persistência da dominação e do poder burgueses, depois de atingido um ponto crítico à sobrevivência da sociedade de classes. Mas, ainda, o que é mais importante: ele lhes dá o espaço político de que elas carecem para poder intervir, deliberada e organizadamente, em função de suas potencialidades relativas, no curso histórico da Revolução Burguesa, atrasando ou adiantando certos ritmos, bem como cindindo ou separando, entre si, seus tempos diferenciados (econômico, social e político). Sem o controle absoluto do poder, que as classes burguesas podem tirar da constituição desse Estado, seria inconcebível pensar-se como elas conseguem apropriar-se, com tamanha segurança, da enorme parte que lhes cabe no excedente econômico nacional, ou ainda, como elas lograram dissociar, quase a seu bel-prazer, democracia, desenvolvimento e revolução nacional (FERNANDES, 1976: 351-352.)

De acordo com Florestan Fernandes, a burguesia brasileira só foi capaz de consolidar seu padrão de dominação e de adquirir um mínimo de con-

O IMPASSE DA "FORMAÇÃO NACIONAL"

trole sobre o desenvolvimento dependente devido a uma conjuntura histórica muito particular, marcada pela internacionalização da luta de classes e pelo vigoroso dinamismo do processo de industrialização. Enquanto tais condições permanecessem, o capitalismo dependente gozaria de relativa estabilidade.

No plano externo, o poder de negociação da burguesia nativa não pode ser dissociado do fato de que o capital internacional e as grandes potências hegemônicas precisavam de parceiros relativamente fortes no Brasil. As exigências do processo de internacionalização dos mercados internos de espaços econômicos nacionais bem-delimitados, protegidos do risco de pressões nacionalistas e redistributivistas, e a necessidade de zonas de influência que funcionassem como um cinturão de proteção contra a ameaça de revoluções socialistas criavam uma solidariedade entre os interesses burgueses internos e externos na consolidação da revolução burguesa no Brasil. Fernandes sintetizou a questão da seguinte forma:

> [...] a "fraqueza" das burguesias submetidas e identificadas com a dominação imperialista é meramente relativa. Quanto mais se aprofunda a transformação capitalista, mais as nações capitalistas centrais e hegemônicas necessitam de "parceiros sólidos" na periferia dependente e subdesenvolvida – não só de uma burguesia articulada internamente em bases nacionais, mas de uma burguesia bastante forte para saturar todas as funções políticas autodefensivas e repressivas da dominação burguesa. Essa necessidade torna-se ainda mais aguda sob o imperialismo total, inerente ao capitalismo monopolista, já que, depois da Segunda Guerra Mundial, ao entrar em uma era de luta pela sobrevivência contra os regimes socialistas, tais nações passaram a depender das burguesias nacionais das nações capitalistas dependentes e subdesenvolvidas para preservar ou consolidar o capitalismo na periferia. As burguesias nacionais dessas nações converteram-se, em consequência, em autênticas "fronteiras internas" e em verdadeiras "vanguardas políticas" do mundo capitalista [...] (FERNANDES, 1976: 293).

No plano interno, o expressivo crescimento da economia funcionou como um importante mecanismo de estabilidade da ordem. Ao abrir amplas possibilidades de acomodação dos interesses econômicos divergentes, a elevação do excedente social evitou que o processo de ajuste entre setores modernos e atrasados provocasse disputas fratricidas que pudessem comprometer o monolitismo das classes dominantes. Paralelamente, a expansão dos empregos vinculados às atividades de maior produtividade criou mecanismos de mobilidade social que funcionaram como importante mecanismo de legitimação da ordem junto às classes populares. Ao alimentar o mito do crescimento como solução dos problemas do país, o elevado dinamismo econômico dificultou a generalização da crítica às mazelas do subdesenvolvimento. Nas palavras do autor,

433

Plinio de Arruda Sampaio Jr.

> o crescimento econômico, o aumento de empregos, a modernização tecnológica, a elevação progressiva da renda ou dos padrões de consumo etc. só se tornam visíveis por meio de símbolos internos, que são, além disso, manipulados para ofuscar a consciência crítica das classes oprimidas e ganhar a adesão das classes médias. Ela (a consciência das classes oprimidas) projeta, desse modo, a condição burguesa para fora da burguesia e implanta, no coração mesmo de seus inimigos de classe, identificações e lealdades mais ou menos profundas para com o consumismo, a ordem social competitiva e o Estado "democrático" e "nacional" (FERNANDES, 1979: 55).

Embora Florestan Fernandes não tenha tido a oportunidade de estudar de maneira sistemática o impacto da nova fase de desenvolvimento do sistema capitalista sobre o Brasil, não lhe passou despercebido o fato de que a globalização tende a solapar os suportes externos e internos do Estado autocrático burguês, deflagrando um processo de reversão neocolonial. Por isso, ele advertiu que a decisão de sancionar as tendências imanadas dos centros hegemônicos, ajustando a economia e a sociedade aos imperativos do grande capital financeiro internacional e aos caprichos da ordem internacional imposta pelos Estados Unidos, provocaria processos desestruturantes que comprometeriam o futuro da sociedade brasileira.

Quando a perversidade da inserção subalterna no processo de globalização dos negócios ainda iludia muita gente, Florestan Fernandes já denunciava com firmeza a natureza ultrarregressiva e a lógica de pilhagem do desenvolvimento capitalista em curso. Comparando o ciclo de modernização impulsionado pela liberalização da economia com o que fora impelido pela industrialização por substituição de importações, o autor resumiu a questão nos seguintes termos:

> O quarto ciclo de modernização é recente e tende a multiplicar-se, pela falta de mentalidade capitalista autônoma e de responsabilidade cívica das classes dominantes. As exigências de premissas para o desenvolvimento limitam-se às nações centrais e seus blocos econômicos. Desencadeia-se uma modernização de dupla face: produtos sofisticados importados e transferência para fora de fortunas especulativas e bens econômicos. Ao contrário do ciclo anterior, não há necessidade de formação de uma infraestrutura específica. A reprodução do sistema de produção encerra-se no exterior. O país torna-se mais periférico, combina dependência com múltiplas malhas neocoloniais e sucumbe nas garras de imposições regressivas, das quais resulta o atual pós-moderno. Esperar o que desse estilo de desenvolvimento capitalista tão devastador? (FERNANDES, 1995).

Duas mudanças no regime de classes são suficientes para caracterizar por que, na visão de Florestan Fernandes, a inserção subalterna no processo de globalização dos negócios compromete o futuro do Brasil como projeto

O IMPASSE DA "FORMAÇÃO NACIONAL"

civilizatório. De um lado, o novo contexto histórico reduz dramaticamente a autonomia relativa da burguesia brasileira, diminuindo perigosamente sua capacidade de defender o espaço econômico nacional e de negociar os termos de sua inserção na economia mundial. De outro, a desarticulação da industrialização por substituição de importações quebra os mecanismos de mobilidade social, tornando extremamente problemática a legitimidade do regime burguês. Donde o prenúncio de um período de instabilidade econômica e política sem precedente na história do Brasil turbulento.

> Encontramo-nos em um ciclo final, não em um ponto de partida, embora fim e começo apareçam entrelaçados. Essa vem a ser a reflexão que deve guiar o horizonte intelectual dos trabalhadores e sindicalistas brasileiros. Oprimidos e marginalizados dos centros de decisão do poder, compete-lhes lutar com ardor para impedir que a civilização capitalista dos trópicos se reproduza indefinidamente como o malho que esmaga a cabeça dos pobres. [...] Até o presente, as classes burguesas dominaram as transformações da sociedade e da civilização. Agora, os trabalhadores, com apoio em grupos aliados, precisam recriar o mundo a sua imagem. Ou ceder à barbarização sem precedente de sua existência social (FERNANDES, 1995).

A decomposição do poder de barganha da burguesia no plano internacional associa-se basicamente a dois fenômenos. Em primeiro lugar, as exigências para participar da globalização – plena liberdade de movimento do capital, liberalização indiscriminada do comércio exterior, equiparação de tratamento entre o capital nacional e estrangeiro, privatização da economia, desregulamentação generalizada da atividade econômica – deixam o país totalmente vulnerável às exigências e às chantagens do grande capital financeiro internacional. Em segundo, o colapso da União Soviética e a crise do movimento socialista, ao afastarem a ameaça imediata de projetos políticos alternativos que pudessem questionar a absoluta hegemonia do capitalismo e ao franquearem o espaço para que os Estados Unidos pudessem dar livre curso à sua vocação imperial, deixavam as economias periféricas ao sabor do arbítrio de uma ordem internacional arbitrária e unilateral.

Sem margem de manobra para negociar os termos da dependência, a burguesia brasileira é atropelada pelas transformações irradiadas dos centros capitalistas, o que põe em questão a sua própria sobrevivência como classe dominante. Abre-se, em consequência, uma conjuntura de grande instabilidade social e de crise política latente.

Por um lado, a desarticulação do sistema produtivo nacional, a acelerada desnacionalização da economia e o desmantelamento dos centros internos de decisão ameaçam a posição da burguesia brasileira na sociedade. A dimensão da mudança em curso pode ser avaliada pela rapidez impressionante com que a burguesia brasileira está sendo transformada de sócia pri-

435

Plinio de Arruda Sampaio Jr.

vilegiada do capitalismo monopolista em mera intermediária comercial do grande capital financeiro que controla o processo de globalização. A distância entre uma burguesia dependente e uma burguesia compradora pode ser avaliada objetivamente – em termos do grau de instabilidade econômica, social e política que a hegemonia de cada uma delas representa para o país – pela distância que existe entre um espaço econômico nacional – o horizonte de atuação da primeira – e um simples espaço mercantil – a referência da segunda. Enfim, a diferença entre a burguesia dependente e a nova burguesia compradora patenteia-se no abismo que existe entre industrialização subdesenvolvida – o objetivo estratégico da primeira – e simples entreposto de negócios – o único interesse da segunda. É a percepção desta diferença que levou Florestan Fernandes a escrever em um de seus últimos artigos:

> A globalização, para o Brasil, tem um sentido de sinal ultranegativo. Extensa parte de nossas classes dominantes experimentará as agruras das velhas burguesias compradoras. O "neoliberalismo" difunde mitos inferiores aos do "um mundo só" e da "aliança para o progresso". Pregam-se, por isso, fórmulas insensatas como o "Consenso de Washington". O intervalo técnico, que separa a economia automatizada e informatizada do sistema produtivo montado sob os desígnios da substituição de importações, possui proporções tão descomunais que não há como conceber tamanho salto econômico-tecnológico fora do âmbito dos antigos "negócios da China" (FERNANDES, 1994).

Por outro lado, Florestan Fernandes denuncia que os efeitos devastadores da globalização sobre o mundo do trabalho tendem a transformar o país em uma verdadeira panela de pressão. A reversão da tendência à diminuição do subemprego estrutural (que acompanhou o movimento de industrialização), o aparecimento de elevadas taxas de desemprego aberto – um fenômeno inusitado na história moderna do Brasil – e a acelerada precarização do emprego formal liquidam o único fio de esperança que o capitalismo dependente dá às classes subalternas: a expectativa de mobilidade social gerada pelo crescimento econômico. A globalização cria, assim, uma situação paradoxal. Ao mesmo tempo em que o polo trabalho assiste impotente ao rápido enfraquecimento de suas organizações sindicais e políticas, o polo capital, que no passado nunca se distinguiu pela capacidade de alimentar seus escravos, tende a enfrentar crescentes dificuldades para iludi-los indefinidamente. Donde a contundente conclusão de Florestan Fernandes:

> Com o deslocamento da importância do trabalho para a tecnologia e as tendências ao crescimento rápido da exclusão do trabalhador excedente e do pauperismo, a composição do capital só deixa abertas duas saídas – a revolução social, para os assalariados, e uma autocracia de corte fascista, para os manipuladores do capital e das empresas gigantes (FERNANDES, 1995).

4 A construção interrompida

Celso Furtado vê a formação econômica do Brasil como o processo histórico de constituição das bases técnicas, do substrato social, da matriz espacial, dos "centros internos de decisão" e do projeto ideológico que compõem um sistema econômico nacional. O eixo de sua interpretação articula-se em torno da relação contraditória entre a posição periférica do país no sistema capitalista e o avanço do processo de industrialização – a coluna vertebral de um sistema econômico nacional. Tal contradição materializa-se na impossibilidade de consolidar um mercado interno composto pelo conjunto da população, problema associado à falta de controle sobre os "centros internos de decisão" e à reprodução de "heterogeneidades estruturais" – produtivas, sociais e regionais – que caracterizam as economias subdesenvolvidas.

Na visão de Furtado, a dificuldade para levar a termo a transição de uma economia colonial para uma economia nacional decorre do fato de que, como as rupturas com o passado colonial e com o centro capitalista nunca foram levadas até o fim, o Brasil acabou preso às teias da dependência. Ao subordinar a incorporação de progresso técnico à lógica do processo de modernização dos padrões de consumo – um modelo de desenvolvimento capitalista que coloca a cópia do estilo de vida das economias centrais como objetivo primordial da sociedade –, as classes dominantes condenaram a sociedade ao subdesenvolvimento. Mesmo assim, o país conseguiu conduzir o processo de industrialização por substituição ao paroxismo, levando ao limite o contraste entre o elevado grau de desenvolvimento de suas forças produtivas e as péssimas condições de vida do povo.

> O que importa assinalar é que o estilo de crescimento estabelecido na fase anterior pela modernização impunha certo padrão de industrialização. Para escapar dele seria necessário corrigir a distância entre a penetração da moderna tecnologia no estilo de vida e nos processos produtivos. Mais precisamente, congelar importantes segmentos da demanda de bens finais de consumo e intensificar consideravelmente a acumulação no sistema produtivo. Vale dizer, pôr em andamento um processo político que, pela magnitude dos interesses que contraria, somente se produz no quadro de uma convulsão social. Restava, como linha de facilidade, continuar apoiando-se na modernização, por conseguinte, reproduzindo o subdesenvolvimento (FURTADO, 1992: 43).

A análise de Furtado da evolução histórica responsável pela cristalização do Brasil como uma economia dependente, industrial e subdesenvolvida, destaca basicamente cinco aspectos:

1) o baixíssimo nível econômico que serviu de ponto de partida da jovem nação, fato associado ao primitivismo da economia colonial, ao ul-

Plinio de Arruda Sampaio Jr.

traelitismo de uma sociedade escravista, bem como à dispersão e isolamento das regiões que compõem um território pouco povoado e de dimensões continentais;

2) o atraso na formação do mercado interno e no aparecimento de "centros internos de decisão" capazes de articular uma política econômica verdadeiramente nacional (o que é relacionado à lentidão com que se deu a emancipação política, a abolição do regime escravo, a generalização do trabalho livre e o aparecimento de elites dominantes capazes de romper com os dogmas do pensamento liberal);

3) a ampliação do atraso relativo da economia brasileira quando comparada às economias centrais exatamente no momento em que a revolução industrial era difundida pelos países da Europa ocidental (fenômeno atribuído à longa descontinuidade entre o ciclo de crescimento da economia mineira – que entra em declínio no último quartel do século XVIII – e a integração da economia cafeeira na divisão internacional do trabalho, que só ganha ímpeto a partir de 1870);

4) a eclosão tardia da industrialização (fenômeno relacionado à lentidão com que se deu a superação definitiva da economia primário-exportadora, cuja crise final só veio a ocorrer após o colapso da divisão internacional do trabalho em 1929); e, por fim,

5) a subordinação da industrialização por substituição de importações à lógica do processo de modernização dos padrões de consumo (fato condicionado pelo modo de utilização do excedente social no período primário-exportador e sacramentado pelas reformas institucionais do regime militar, cuja essência consiste em ajustar tal processo às exigências das empresas transnacionais)[2].

Mesmo aprofundando as "heterogeneidades estruturais" e exacerbando a dependência externa, Furtado acredita que a industrialização por substituição de importações teve um papel importante na formação econômica do Brasil, uma vez que o expressivo aumento do excedente social e a internalização da indústria de bens de produção permitiram que a economia funcionasse como um sistema orgânico, conferindo-lhe um surpreen-

---

[2] Comentando a perversidade do estilo de desenvolvimento que se consolida após o golpe militar, Furtado diz: "Concentrando-se no condicionamento da demanda, esse 'modelo' consente que a assimilação do progresso tecnológico – introdução de novos processos produtivos e de novos produtos – permaneça sob a direção dos consórcios internacionais, o que permite conciliar as exigências imediatas do crescimento interno com a reprodução das relações externas de dependência. Dessa forma se acomodam, em um sistema em expansão, as formas de desperdício que a rápida renovação de modelos e produtos engendra nas economias altamente desenvolvidas, com o infraconsumo de grandes massas de população, que é a marca essencial do subdesenvolvimento" (FURTADO, 1972: 66).

O IMPASSE DA "FORMAÇÃO NACIONAL"

dente dinamismo. Ao ampliar as oportunidades de emprego em atividades de elevada produtividade, a expansão das forças produtivas contribui não apenas para viabilizar a legitimação política do "modelo" brasileiro, como também para cristalizar a própria unidade nacional. Com efeito, o rápido crescimento do mercado interno daí decorrente desencadeou forças centrípetas que foram decisivas para estreitar os nexos econômicos entre as diferentes regiões do país e para permitir a plena mobilidade do trabalho no território nacional.

Na visão de Furtado, os efeitos desestruturantes do processo de transnacionalização do capitalismo sobre a economia brasileira modificam radicalmente a relação entre processo de modernização dos padrões de consumo e formação econômica do Brasil. Interrompendo um longo ciclo de expansão das forças produtivas, a desarticulação do processo de industrialização por substituição de importações, que avançava pela linha de menor resistência, ancorada no Estado e impulsionada pelo capital internacional, rompe o último elo que sustentava a construção da nação. Em *Brasil: A construção interrompida,* Furtado (1992) – um notório moderado – pinta com cores dramáticas o momento histórico:

> Em meio milênio de história, partindo de uma constelação de feitorias, de populações indígenas desgarradas, de escravos transplantados de outro continente, de aventureiros europeus e asiáticos em busca de um destino melhor, chegamos a um povo de extraordinária polivalência cultural, um país sem paralelo pela vastidão territorial e homogeneidade linguística e religiosa. Mas nos falta a experiência de provas cruciais, como as que conheceram outros povos cuja sobrevivência chegou a estar ameaçada. E nos falta também um verdadeiro conhecimento de nossas possibilidades, e principalmente de nossas debilidades. Mas não ignoramos que o tempo histórico se acelera, e que a contagem desse tempo se faz contra nós. Trata-se de saber se temos um futuro como nação que conta na construção do devir humano. Ou se prevalecerão as forças que se empenham em interromper o nosso processo histórico de formação de um Estado-nação (p. 35).

De acordo com Furtado, o traço distintivo da ordem internacional emergente é a ruptura das sinergias econômicas e políticas que haviam dado coerência aos regimes de acumulação ancorados nos sistemas econômicos nacionais. A essência do problema reside na impotência do Estado nacional para impor limites à mobilidade do capital e para garantir uma relação construtiva entre acumulação de capital e escassez relativa de mão de obra.

> Com o avanço da internacionalização dos circuitos econômicos, financeiros e tecnológicos, debilitam-se os sistemas econômicos nacionais. As atividades estatais tendem a circunscrever-se às áreas sociais e culturais.

Plinio de Arruda Sampaio Jr.

> Os países marcados por acentuada heterogeneidade cultural e econômica serão submetidos a crescentes pressões desarticuladoras. A contrapartida da internacionalização avassaladora é o afrouxamento dos vínculos de solidariedade histórica que unem, no quadro de certas nacionalidades, populações marcadas por acentuadas disparidades de nível de vida (FURTADO, 1992: 57).

O impacto assimétrico da transnacionalização do capitalismo sobre as diferentes regiões do globo tende a agravar o hiato que separa as economias centrais das economias periféricas. Em meados da década de 1970, muito antes das mudanças terem alcançado as dimensões hoje conhecidas, Furtado já alertava para os perigos da nova ordem para os países latino-americanos.

> A enorme concentração de poder que caracteriza o mundo contemporâneo – poder que se manifesta sob a forma de superestados nacionais e ciclópicas empresas transnacionais, uns e outros apoiados em imensos recursos financeiros, no controle da técnica e da informação e em instrumentos de intervenção aberta ou disfarçada em âmbito planetário – coloca a América Latina em posição de flagrante inferioridade, dado o atraso que acumularam as economias da região e as exíguas dimensões dos mercados nacionais (FURTADO, 1976: 136).

Muito mais do que uma ampliação do atraso relativo das economias periféricas na incorporação de progresso técnico, para Furtado, a "nova dependência" põe em xeque a capacidade das economias periféricas de subordinarem o rumo das transformações capitalistas aos desígnios da sociedade nacional. Em consequência, a contradição entre dependência e desenvolvimento nacional torna-se aguda.

> A atrofia dos mecanismos de comando dos sistemas econômicos nacionais não é outra coisa senão a prevalência de estruturas de decisões transnacionais, voltadas para a planetarização dos circuitos de decisões. A questão maior que se coloca diz respeito ao futuro das áreas em que o processo de formação do Estado nacional se interrompe precocemente, isto é, quando ainda não se há realizado a homogeneização nos níveis de produtividade e nas técnicas produtivas que caracterizam as regiões desenvolvidas (FURTADO, 1992: 9).

A armadilha da dívida externa e a estreita integração no sistema monetário internacional reforçam a dependência financeira das economias periféricas, deixando-as perigosamente vulneráveis às pressões oriundas da comunidade financeira internacional. Ao exigir uma forte especialização da economia em setores em que o país possua vantagens comparativas, as políticas de ajustamento impostas pelos organismos financeiros internacionais levam a uma inserção hierarquizada na divisão internacional do trabalho, que solapa a posição do mercado interno como centro dinâmico da economia periférica.

O IMPASSE DA "FORMAÇÃO NACIONAL"

Se isso não bastasse, a intensificação do processo de difusão de valores do centro capitalista exacerba a dependência cultural. Os avanços nas áreas de comunicações e transporte levam ao paroxismo a tendência das classes mais favorecidas de copiar os padrões de consumo e os estilos de vida das economias desenvolvidas. A sacralização do mercado como princípio organizador da sociedade paralisa os centros nacionais de decisão, questionando a própria noção de espaço econômico nacional[3].

Não passa despercebido a Furtado o fato de que a dimensão continental do território nacional, o seu imenso contingente populacional, a presença de fortes heterogeneidades econômicas, sociais e regionais, bem como a existência de um imenso parque industrial sem condições de acompanhar os índices de produtividade das economias centrais, tornam a economia brasileira particularmente vulnerável aos efeitos desestruturantes da ordem internacional emergente.

> Em um país ainda em formação, como é o Brasil, a predominância da lógica das empresas transnacionais na ordenação das atividades econômicas conduzirá quase que necessariamente a tensões inter-regionais, à exacerbação de rivalidades corporativas e à formação de bolsões de miséria, tudo apontando para a inviabilização do país como projeto nacional (FURTADO, 1992: 35).

Na perspectiva de Furtado, a elevada vulnerabilidade do Brasil ao novo contexto histórico decorre fundamentalmente da incapacidade estrutural da indústria brasileira de enfrentar a concorrência internacional. Voltada essencialmente para o atendimento de um mercado interno que possui uma renda média por habitante muito inferior à existente nos países desenvolvidos, o parque produtivo instalado no país, salvo raras exceções, não tem a menor condição de aproveitar a abertura externa para elevar a produtividade do sistema produtivo como um todo por intermédio da diversificação de produto e do aumento das escalas de produção. Mesmo que existisse a disposição de modernizar o parque produtivo, seria totalmente irrealista imaginar que a indústria brasileira pudesse alcançar os padrões internacionais de produtividade, pois, como a tecnologia de ponta exige investimentos de alta intensidade de capital, o esforço de poupança necessário para a modernização do conjunto da economia seria muito superior às possibili-

---

[3] "O que está em jogo" – afirma o autor, ao enfatizar a urgência de uma crítica ao neoliberalismo – "é mais do que um problema de desmistificação ideológica. Temos que interrogar-nos se os povos da periferia vão desempenhar um papel central na construção da própria história, ou se permanecerão como espectadores, enquanto o processo de transnacionalização define o lugar que a cada um cabe ocupar na imensa engrenagem que promete ser a economia globalizada do futuro" (FURTADO, 1976: 132).

Plinio de Arruda Sampaio Jr.

dades materiais do país. E ainda que se lograsse um aumento espetacular da taxa de poupança, a economia brasileira não teria condições de acompanhar os ritmos do processo de inovação das economias centrais, pois, dada a brutal assimetria no nível de renda *per capita* – pelo menos cinco vezes inferior ao existente nas economias centrais –, há uma desproporção insuperável no volume de recursos que estes dois tipos de sociedade podem alocar em pesquisa e tecnologia.

Como o acesso ao progresso técnico de última geração não pode ser generalizado pelo conjunto do sistema econômico, Furtado chama a atenção para o fato de que uma política voluntarista de modernização da indústria só agravaria a heterogeneidade da estrutura produtiva.

> Algumas indústrias poderão apresentar elevada produtividade física e econômica, equiparando-se aos padrões internacionais. Contudo, como elevada produtividade significa fortes investimentos por pessoa ocupada [...], a existência de indústrias de tecnologia de vanguarda e padrões internacionais tem como contrapartida a presença de amplos segmentos de atividade industrial colocados bem abaixo desses padrões. Dessa forma, pode haver indústrias tecnologicamente equiparadas para a competição internacional, mas o sistema industrial, como um todo, não o é (FURTADO, 1985: 83).

Para Furtado, a impossibilidade de conciliar inserção especializada na divisão internacional do trabalho e continuidade do processo de industrialização – impossibilidade derivada da absoluta falta de condições de aumentar a competitividade dinâmica do conjunto do sistema industrial – significa que o ajuste da economia brasileira às imposições da ordem global ameaça a sobrevivência do sistema produtivo articulado nacionalmente. De um lado, a eliminação das indústrias de bens de capital – exatamente aquelas que apresentam maior grau de obsolescência quando comparada aos padrões internacionais – desarticula os elos estratégicos que permitiam que a indústria funcionasse como o polo dinâmico da economia. De outro, ao sancionar os processos que levam a uma integração hierarquizada no sistema produtivo mundial, o ajuste às exigências das empresas transnacionais implica especialização da economia brasileira em setores de baixo conteúdo tecnológico, cuja competitividade internacional depende da superexploração da força de trabalho e da degradação do meio ambiente.

Do ponto de vista de Furtado, a desarticulação do sistema econômico nacional ameaça a construção da nação porque o comprometimento do mercado interno como centro dinâmico do crescimento e a desarticulação do processo de industrialização expõem o Brasil a forças centrífugas que tendem a segmentar o espaço econômico nacional entre regiões que conseguem uma inserção virtuosa na divisão internacional do trabalho – verdadeiras "ilhas de prosperidade" que procuram aumentar seu grau de autono-

O IMPASSE DA "FORMAÇÃO NACIONAL"

mia – e regiões que, seja pela desestruturação de sua base produtiva, seja pela sua marginalização do comércio internacional, tendem a ser desarticuladas em partes estanques, vivendo fechadas sobre si mesmas. O novo contexto histórico solaparia, assim, as dinâmicas econômica e política que cimentavam a unidade nacional. De um lado, a concorrência predatória pela atração de investimentos estimularia a guerra fiscal entre as regiões e incentivaria o aparecimento de sonhos autonomistas. De outro, a ruptura dos mecanismos de mobilidade social que sustentavam as correntes migratórias criaria um ambiente propício ao aparecimento de processos ativos de segregação social. Comparando o atual contexto histórico com o do período de industrialização por substituição de importações, o autor diz:

> A regionalização dos interesses políticos, que se manifesta tão fortemente por todas as partes, foi contida no passado, em seus efeitos centrífugos, pelo exercício de um poder hegemônico regional, o qual foi substituído pela interdependência dos interesses econômicos, que emergiu com a formação de um sistema nacional. Ter acesso a um mercado mais amplo ou poder deslocar-se territorialmente em busca de emprego são fatores que emprestaram um conteúdo real à ideia de unidade nacional. Mas se a lógica dos interesses é dinamitada pelas conexões internacionais, e os interesses corporativos se organizam para dificultar a mobilidade da mão de obra, os vínculos de solidariedade entre as regiões terão necessariamente que se debilitar[4].

Furtado atribui o surpreendente imobilismo da sociedade brasileira frente aos processos desagregadores da globalização à herança da ditadura militar. O problema reside no impacto perverso do "modelo brasileiro" – cuja essência consiste em subordinar o estilo de crescimento da economia às exigências das empresas transnacionais – sobre os centros internos de decisão e sobre o substrato social da economia. Sua análise destaca o impacto particularmente negativo da perda de controle do Estado sobre os mecanismos de apropriação e utilização do excedente social, relacionados com o padrão de financiamento instituído logo após o golpe militar para viabilizar o "milagre econômico", aprofundado na segunda metade dos anos

---

[4] "Tratando-se de uma economia subdesenvolvida" – o autor acrescenta – "a exaustão dos efeitos de sinergia provocada pela integração internacional indiscriminada terá necessariamente resultados mais amplos no plano social. É de esperar que o espírito corporativo se exacerbe com a contração do mercado de trabalho e que, em consequência, se caminhe para uma redução, de forma disfarçada, da mobilidade geográfica da mão de obra. Havendo solidariedade entre patrões e empregados que dificulte o acesso a segmentos privilegiados do mercado de trabalho, os reflexos no plano político virão sem demora, compartimentando-se regionalmente os interesses envolvidos. É a gestação de conflitos regionais cujo alcance conhecemos da história trágica dos povos" (FURTADO, 1992: 33).

Plinio de Arruda Sampaio Jr.

1970 pelo voluntarismo megalomaníaco do II PND e levado à exaustão na década de 1980 com a crise da dívida externa.

A crescente internacionalização do sistema monetário-financeiro brasileiro e a extrema precariedade dos mecanismos de financiamento público e privado, ao estimular um processo descontrolado de endividamento externo e interno que acabaria provocando uma vigorosa espiral de preços, geraram um desgaste irreversível dos "meios de ação" e uma progressiva perda de autonomia do Estado em face dos grupos econômicos internos e externos. Discutindo a natureza da crise inflacionária recente, Furtado não se perdeu em aspectos instrumentais:

> Ninguém ignora que a inflação é um simples sintoma, a manifestação externa de desarticulação, desajustamento ou descontrole de uma economia. Mas uma inflação da magnitude da nossa é sintoma inequívoco de completo desgoverno. O que é preciso corrigir é esse desgoverno, o qual não se explica sem o desgaste completo dos instrumentos de política econômica. As autoridades responsáveis já não têm meios para aplicar uma política monetária, controlar a liquidez, disciplinar o custo do dinheiro, fiscalizar as instituições financeiras, definir uma política de câmbio etc., etc. Permitiu-se uma excessiva abertura financeira que restringiu consideravelmente a autonomia de decisão das autoridades brasileiras. E, na medida em que estas se foram imobilizando, instalou-se um clima propício a toda forma de aventureirismo (FURTADO, 1983: 15-16).

O crescimento exponencial da dívida externa, sem que houvesse como contrapartida um aumento proporcional na capacidade de transferência de recursos reais ao exterior, significava que se estava hipotecando o futuro do país. A paralisia dos "centros internos de decisão", após a crise de estrangulamento cambial gerada pela interrupção dos fluxos de empréstimos dos bancos privados internacionais no início da década de 1980, prenunciava que a hipoteca seria cobrada da pior maneira. Pois a falta de instrumentos e de rumo para formular uma política econômica deixava o país à mercê da comunidade financeira internacional. Escrevendo no início da década de 1980, o autor deixa claro o que estava em jogo:

> O Brasil vive atualmente uma fase de sua história similar à dos anos 1990 do século passado, quando, sob a pressão de desequilíbrios financeiros externos, renunciou a ter uma política de industrialização e acomodou-se na situação de economia exportadora de produtos primários e importadora de manufaturas. Perderam-se, em consequência, quarenta anos e a fisionomia do país foi marcada de forma indelével (FURTADO, 1982: 63).

A incapacidade de reverter o imobilismo da política econômica na Nova República e a capitulação às determinações do Consenso de Washington na década de 1990 não podem ser dissociadas das graves sequelas

O IMPASSE DA "FORMAÇÃO NACIONAL"

do "modelo brasileiro" sobre as estruturas sociais. A mudança crucial consiste no extraordinário fortalecimento de estratos de classes médias e altas, o que aprofundava o mimetismo cultural, tornando muito mais difícil a reversibilidade do processo de modernização sem rupturas traumáticas para a sociedade. Se isso não bastasse, a desnacionalização da economia brasileira e sua maior integração na economia mundial geraram laços de solidariedade com a comunidade financeira internacional incompatíveis com a articulação de uma estratégia nacional para o enfrentamento da globalização. O autor faz um balanço sombrio do período autoritário:

> Durante muitos anos fomos vítimas de políticas marcadamente antissociais, que contribuíram para agravar malformações que nos vêm do passado. As desigualdades sociais se aprofundaram, a massa dos excluídos cresceu, ao mesmo tempo em que se instalava a classe média na ilusão de uma prosperidade sem limites. Agora descobrimos que também fomos vítimas de uma série de engodos, que o país foi hipotecado a banqueiros estrangeiros e que foram assinados acordos com instituições financeiras internacionais que implicam derrogações de nossa soberania (FURTADO, 1983: 9).

Antes que a sociedade brasileira tivesse tido a oportunidade de se recompor do longo pesadelo autoritário e dos contratempos do atrabiliário Collor de Mello, a reintegração do Brasil nos fluxos de capitais internacionais, ao viabilizar a estabilização da inflação e a liberalização acelerada da economia, deu fôlego ao ajuste propugnado pela comunidade internacional, abrindo caminho para uma nova rodada de modernização dos padrões de consumo. Preocupado com os efeitos deletérios do aprofundamento do "modelo brasileiro", no início da década de 1990, Furtado advertiu enfaticamente que a adesão aos estilos de vida da era global exacerbaria as taras do subdesenvolvimento, tornando o futuro do Brasil bastante incerto. A absoluta impossibilidade de conciliar modernização dos padrões de consumo e industrialização subdesenvolvida deixava o povo brasileiro em uma perigosa encruzilhada histórica.

> Na lógica da ordem econômica internacional emergente parece ser relativamente modesta a taxa de crescimento que corresponde ao Brasil. Sendo assim, o processo de formação de um sistema econômico já não se inscreve naturalmente em nosso destino nacional. O desafio que se coloca à presente geração é, portanto, duplo: o de reformar as estruturas anacrônicas que pesam sobre a sociedade e comprometem sua estabilidade, e o de resistir às forças que operam no sentido de desarticulação de nosso sistema econômico, ameaçando a unidade nacional.

Mas não houve mudança de curso. Ao aprofundar a adaptação subalterna da economia brasileira às tendências do processo de globalização, a

445

Plinio de Arruda Sampaio Jr.

coalizão modernista-conservadora liderada por Fernando Henrique Cardoso está transformando em realidade o terrível vaticínio de Furtado:

> A ofensiva que visa a vacinar a nova geração contra todo pensamento social que não seja inspirado na lógica dos mercados – portanto, vazio de visão histórica – já convenceu a grande maioria da inocuidade de toda tentativa de resistência. Interrompida a construção de um sistema econômico nacional, o papel dos líderes atuais seria o de liquidatários do projeto de desenvolvimento que cimentou a unidade do país e nos abriu uma grande opção histórica (FURTADO, 1992: 9).

5 Uma agenda para o Brasil

As interpretações examinadas confluem para a ideia de que o processo de formação do Brasil se encontra em um perigoso impasse. A visão de que a continuidade da dependência externa está provocando uma perigosa reversão neocolonial é tanto mais grave porque perfeitamente condizente com o que se observa no dia a dia da sociedade. Recusando o conformismo de quem pensa que o Brasil não tem outra escolha senão aceitar, docilmente, as tendências espontâneas do sistema capitalista mundial, bem como o escapismo de quem se recusa a pensar alternativas que transcendam os marcos do *status quo*, as reflexões de Caio Prado, Florestan Fernandes e Celso Furtado apontam para a urgência de uma ruptura com a situação atual.

A abertura de novos horizontes históricos exige que se coloque na ordem do dia a superação das três principais mazelas da sociedade brasileira: 1) o caráter dependente de seu sistema econômico – uma forma de organização da vida material que deixa o país sujeito às vicissitudes das finanças internacionais; 2) a natureza extremamente assimétrica das estruturas sociais – um padrão de estratificação social que cria um abismo entre os brasileiros; e 3) o pesado fardo do colonialismo cultural, que impede a generalização dos benefícios da civilização pelo conjunto do povo – uma concepção de mundo estreita, que transforma a cópia dos estilos de vida das economias centrais na prioridade absoluta a orientar a organização da economia e da sociedade.

REFERÊNCIAS

BRAUDEL, F. (1979). Le Temps du monde. In: *Civilisation matérielle, économie et capitalisme, XVe-XVIIIe siècle*. T. 3. Paris: Armand Colin.

O IMPASSE DA "FORMAÇÃO NACIONAL"

FERNANDES, F. (1995). "O eclipse do trabalho". *Folha de S. Paulo*, 26/6.

_____ (1994). " Globalização e neoliberalismo". *Folha de S. Paulo*, 26/12.

_____ (1985). *A Nova República*. Rio de Janeiro: Zahar.

_____ (1979). *Mudança social no Brasil*. Rio de Janeiro: Difel.

_____ (1976). *A Revolução Burguesa no Brasil*: ensaio de interpretação socio-
lógica. Rio de Janeiro: Zahar.

_____ (1975). *Capitalismo dependente e classes sociais na América Latina*. Rio
de Janeiro: Zahar.

FURTADO, C. (1992). Globalização das estruturas econômicas e identidade nacional. In: *Estudos avançados* 6(16).

_____ (1992). *A construção interrompida*. Rio de Janeiro: Paz e Terra.

_____ (1983). *Não à recessão e ao desemprego*. Rio de Janeiro: Paz e Terra.

_____ (1982). *A nova dependência*. Rio de Janeiro: Paz e Terra.

_____ (1981). *O Brasil pós-milagre*. Rio de Janeiro: Paz e Terra.

_____ (1976). *Prefácio à nova economia política*. Rio de Janeiro: Civilização
Brasileira.

_____ (1972). *Análise do "modelo brasileiro"*. Rio de Janeiro: Civilização Brasileira.

PRADO Jr., C. (1970). *História econômica do Brasil* [1ª ed. 1945]. São Paulo: Brasiliense.

_____ (1966). *A revolução brasileira*. São Paulo: Brasiliense.

_____ (1942). *Formação do Brasil contemporâneo*. São Paulo: Brasiliense.

Maria da Conceição Tavares

Império, território e dinheiro*

1 Política e economia na formação do Brasil contemporâneo**

1.1 Geopolítica e geoeconomia

O Brasil tem suas histórias geopolítica e geoeconômica fortemente entrelaçadas. A nossa inserção geopolítica foi determinada pelas guerras intraeuropeias e suas disputas coloniais do século XVII ao XIX com projeções sobre nossa inserção econômica internacional.

As disputas sucessivas da Espanha, Inglaterra e França pela hegemonia do espaço europeu permitiram que Portugal expandisse o território brasileiro à margem do pacto colonial original, firmado pelas grandes potências europeias no Tratado de Tordesilhas. O Tratado de Madri de 1750, que arrancou aos jesuítas os "Sete Povos das Missões", fixou praticamente as fronteiras políticas do Brasil, e foi resultante de uma complexa obra de engenharia geopolítica, em que participaram, além de Portugal e Espanha, a diplomacia do Papado e da Inglaterra. A Espanha achou um excelente negócio ficar com o território do Sacramento (o atual Uruguai), que lhe ga-

---

* Ensaio realizado de memória e "em memória" dos 500 anos do "descobrimento" do Brasil.

** A obra fundamental de Caio Prado Júnior, *Formação do Brasil contemporâneo*, 1942, é a primeira obra magna a dar uma visão completa da economia política do "sistema colonial" brasileiro e de sua crise, assim como a *Formação econômica do Brasil*, 1961, de Mestre Celso Furtado é o primeiro tratamento histórico analítico sobre o desenvolvimento econômico do capitalismo brasileiro. Ambas as obras foram fundamentais para minha formação de economista política, mas é meu dever esclarecer que esta minha "viagem de redescoberta do Brasil" não se prende ao pé da letra à obra dos grandes mestres e é tão somente a releitura das minhas próprias obsessões à luz do presente impasse da nação brasileira.

rantia controle sobre a Bacia do Prata e abandonou à sua sorte o território das Missões jesuítas, já devastadas pelas incursões bandeirantes em busca das minas interiores, às quais os portugueses esperavam ter acesso pelo Rio Uruguai. A busca do metal precioso era mais necessária a Portugal do que à Espanha, que tinha outras fontes de exploração nos seus vice-reinados latino-americanos.

O regime colonial esgota o seu potencial de "acumulação mercantil" para a metrópole portuguesa e de "acumulação primitiva" para o centro capitalista internacional também no século XVIII, com o esgotamento do ouro de Minas. No entanto, desde o coração de Minas Gerais, já começara a ocupação extensiva do nosso vasto território interior, com os negócios de gado e muares, o primeiro movimento de integração nacional, à margem dos negócios metropolitanos. A expansão do comércio e do latifúndio internos faz nascer o *Grande Sertão: Veredas,* que tem de ser intercalado à visão da decadência do grande latifúndio canavieiro escravista do século XVII ou da ascensão cafeeira do século XIX. Minas serve de ponte interna para o século XIX, tanto de ocupação territorial quanto como precursora da Independência. É a partir da ideologia de suas elites políticas urbanas que se vai desfazendo a visão do Brasil como uma "vasta empresa colonial" cujo destino está amarrado à metrópole.

Nossa independência política e a inserção da economia na órbita de expansão do capitalismo inglês estão também atreladas a um fenômeno geopolítico sem precedentes na história mundial: a transmigração da sede de um império – o português – para o seu maior espaço colonial – o Brasil. A aliança explícita da coroa portuguesa com a potência que derrotaria Napoleão e que imporia a *Pax* Britânica ao mundo por mais de um século, permitiu que o Brasil se constituísse desde o começo do século XIX (e não no futuro, como temia Chico Buarque) em um imenso Portugal. Entre a vinda de D. João VI – com a abertura dos portos e a manutenção da escravidão "ao sul do equador" já negociadas – e a proclamação da Independência, medeiam apenas catorze anos. Tornamo-nos, portanto, um Império "excêntrico", enquanto Portugal regressava à "apagada e vil tristeza" das suas sobras territoriais e coloniais em outros continentes, depois de ter sido o pioneiro dos "descobrimentos" e da "empresa colonial" no mundo moderno.

O Brasil não foi submetido à ordem imperial da nova potência mundial dominante no século XIX, já que só interessava como um "bom negócio capitalista", na divisão internacional do trabalho proposta pela Inglaterra. O império britânico já deixara de recorrer ao esgotado ouro de Minas Gerais, como lastro do padrão ouro-libra, e necessitava de mercados para a sua vitoriosa revolução industrial, não tendo portanto nenhum interesse de substituir o Império Português para manter o Brasil sob seu domínio colonial.

IMPÉRIO, TERRITÓRIO E DINHEIRO

Era mais importante abrir um novo espaço de acumulação para o capital mercantil, industrial e financeiro inglês, associando-se à *mise en valeur* do novo Estado livre, enquanto reforçava os seus laços de opressão no Oriente, de onde havia conseguido expulsar os portugueses – tanto de sua empresa mercantil das Índias Orientais como de sua "missão civilizatória", apoiada mais no comércio e na Ordem Jesuíta do que nas armas.

O novo império brasileiro, nascido à sombra de dois Impérios, um decadente e outro no auge de sua expansão mundial, manteve sob seu domínio político a expansão das oligarquias regionais em sua ocupação do espaço e estabeleceu-se aos poucos sobre um território continental unificado. Em menos de um século, os espaços econômicos decadentes da exploração colonial (extrativa, canavieira e mineral) deram lugar a um espaço dominante de acumulação, tendo como centro interno o próprio complexo cafeeiro e como inserção internacional a economia mundial. A expansão da economia brasileira, ao mesmo tempo em que se abria ao capital inglês, permitiu a absorção de imigrantes pobres de muitos países (entre os quais milhares de portugueses), atraídos pelas oportunidades de trabalho abertas pela exploração capitalista de um novo território "livre". O novo Estado independente cultivava de forma ampliada, na própria capital, o Rio de Janeiro, os velhos vícios burocráticos e clientelísticos da corte imperial portuguesa. Manteve, até as vésperas da Proclamação da República, a reprodução renovada do capital mercantil escravista, bancando os riscos de uma parte da sua burguesia nativa, ao mesmo tempo em que financiava a expansão da nova burguesia cafeeira.

O Império brasileiro terminaria em menos de sessenta anos, esvaído pelo gigantesco endividamento interno e externo, esgotado pelas lutas regionais dos senhores, pela abolição tardia da escravidão e por uma corte dispendiosa e incapaz de acompanhar as reformas burguesas que tinham sido vitoriosas em outros países de capitalismo retardatário. Assim, a República e a crise do Encilhamento vieram juntas, mas sem as características das revoluções burguesas originárias, nem mesmo as dos "capitalismos tardios", examinadas neste livro.

No Brasil, a ânsia de fazer coincidir os ideais liberais político-econômicos da potência dominante inglesa com uma versão periférica e tardia do iluminismo das revoluções francesa e americana, levou-nos a uma República proclamada sem revolução política nem burguesa. A hoje denominada Velha República nasceu "pelo alto" e pelas mãos dos militares, em meio às intrigas das novas e velhas oligarquias (com dificuldade de estabelecer um pacto de compromisso), ante a apatia e o estranhamento do povo brasileiro, que assistiu, como espectador, à proclamação da sua nova (velha) República imperial.

451

A república brasileira nasceu, assim, "pacificamente" sobre os escombros do capital mercantil-escravista e a falência de inúmeras casas de comércio e bancárias mergulhadas no "Encilhamento", resultante, ontem como hoje, da política econômica de endividamento interno e externo dos senhores locais do nosso império. Uma das primeiras medidas de grande relevância econômica da República recém-proclamada foi uma grande moratória seguida de uma negociação do reescalonamento da dívida externa (um *funding loan*) com os banqueiros ingleses. Para obter esta colaboração as autoridades monetárias e financeiras levaram o país ao primeiro grande ajuste recessivo de corte liberal e à adesão mais firme ao padrão ouro-libra, derrotando os "papelistas", que preferiam estabelecer um padrão monetário interno, sem conversibilidade, mas que permitisse expandir o crédito interno.

A história das "grandes moratórias", que se têm seguido de cinquenta em cinquenta anos a períodos longos de endividamento externo, tem marcado inflexões dramáticas na política e na economia brasileira, em que a disputa entre os "papelistas" e os "metalistas" é recorrente para a determinação do valor e destino do nosso dinheiro interno em confronto periódico com o dinheiro internacional. Deve-se talvez a isso, mais do que à importância das "exportações" como variável dinâmica da economia, a ideia de que os determinantes principais do desenvolvimento capitalista brasileiro são exógenos. Mesmo sem aceitar esta "determinação em última instância" como o motor central da história econômica brasileira, convém no entanto deixar registrado essa recorrência que tem marcado os nossos períodos de ruptura no processo de acumulação de capital e da forma de inserção da economia brasileira na economia internacional.

1.2 A ocupação do território como base do capitalismo e do autoritarismo

As determinantes geopolíticas e geoeconômicas da formação do Brasil contemporâneo, e as "taras" do seu passado colonial, não explicam, no entanto, a meu juízo, de forma satisfatória, sua evolução social e política como país independente. A oscilação permanente entre uma ordem liberal oligárquica e um Estado interventor autoritário passa por três ordens de fatores político-econômicos, que geram conflitos periódicos no pacto de dominação interna. Em primeiro lugar, vêm os conflitos pela concessão de "garantias" para a apropriação privada do território como forma patrimonial de riqueza e exploração predatória de recursos naturais, expulsão e incorporação de populações locais e imigradas, submetidas a todas as formas de exploração conhecidas. Seguem-se os conflitos entre as oligarquias regionais em sua relação com o poder central, quando se trata da distribuição dos fundos públicos, que alimentam periodicamente a crise do nosso pacto federativo e dos sucessivos "pactos de compromisso". Finalmente as rela-

IMPÉRIO, TERRITÓRIO E DINHEIRO

ções entre o dinheiro mundial, o dinheiro local e as finanças públicas, foram sempre a moldura que enquadrou a formação de nossas elites "cosmopolitas" e seu caráter mais ou menos associado com o capitalismo internacional e seus conflitos periódicos com as elites regionais no processo de validação do dinheiro como forma de valorização geral dos capitais particulares. As crises econômicas mundiais, embora produzam rupturas periódicas no processo de acumulação de capital e no pacto de governabilidade das elites, não têm alterado, porém, substantivamente as relações essenciais de dominação interna fortemente autoritária sobre as "classes subordinadas", nem o caráter rentista e patrimonialista que a expansão mercantil agrária e mais tarde urbano-industrial mantém como característica fundamental da nossa burguesia nacional.

As raras passagens pela democracia política nunca conseguiram estabelecer um estado de direito com instituições capazes de conter dentro delas o seu próprio aperfeiçoamento e a moldura de regulação das lutas das oligarquias regionais e das lutas dos movimentos sociais. As sucessivas mudanças de regime político, da forma autoritária explícita para a forma mais branda de "pactos constitucionais democráticos", nem sequer conseguiram resolver de forma democrática a luta das elites intelectuais radicalizadas em sua indignação contra o "arbítrio político" e a opressão do "poder econômico". A falta de acesso à terra, à educação e ao trabalho de nossa população rural e urbana, nunca pôde ser equacionada nos marcos do nosso precário estado de direito. Não por falta de "leis", mas porque uma das marcas terríveis da nossa sociedade capitalista foi a descolagem completa entre a ideologia das elites bacharelescas, liberais ou libertárias e os pactos de poder ferozmente conservadores que conduziram o país através dos embates entre as cúpulas políticas territoriais e as cúpulas do poder ligadas ao império e ao dinheiro.

Nossas "transições democráticas interrompidas" nunca alteraram a marcha batida do capitalismo brasileiro, dando a impressão sistemática que os ideais reformistas ou revolucionárias estão "fora de lugar", quando na verdade as ideias postas em prática pela chamada "sociedade civil" burguesa sempre estiveram no lugar: o de manter em movimento o "moinho satânico" do capital em suas várias formas. Para manter o movimento do dinheiro e assegurar a propriedade do território a ser ocupado por formas mercantis sempre renovadas de acumulação patrimonial, o Estado brasileiro – que a pretexto da crise sempre retoma o seu caráter imperial – é chamado a intervir com o propósito de manter a segurança e o domínio das nossas classes proprietárias ou tentar validar o estoque de capital acumulado.

As nossas reformas burguesas sempre tiveram como limites dois medos seculares das nossas elites ilustradas: o medo do Império e o medo do Povo.

453

As nossas repúblicas (velha e nova) e a nossa "revolução burguesa de 30" nunca incluíram o povo em um "pacto democrático". Não porque fossem tardias ou resultassem da herança colonial, mas porque todas as tentativas reformistas democráticas tendiam sistematicamente a extravasar os limites de tolerância do pacto oligárquico de dominação interna, fosse ele estabelecido pelas armas ou pelo famoso "pacto de compromisso" das burguesias regionais e das elites políticas.

A ideologia da Ordem e da Segurança Nacional, justificada pela necessidade de preservar a "integridade" do nosso imenso território, permeia o caráter autoritário que caracteriza os nossos sucessivos regimes de governo. Quando se trata de uma ordem autoritária explícita, com seus projetos nacionais de grandeza (Estado Novo de Vargas e projeto geiselista), encontra por limite o Império dominante na ordem mundial. Quando se estabelece sob a forma de pacto oligárquico liberal, termina entrando em desagregação pelos conflitos das elites políticas territoriais e pela ruptura periódica do elo frágil entre o dinheiro mundial e o nosso dinheiro local inconversível. Nessa situação apela-se, em geral, para a ordem interna das armas para garantir "a paz das famílias" e a "propriedade privada" e restabelecer um novo pacto oligárquico de dominação, no qual um "novo dinheiro" pretende garantir o valor do capital. Este forte autoritarismo ligado à terra e ao dinheiro serviu sempre de embasamento para aniquilar as lutas populares e das classes médias radicalizadas, como ocorreu tanto com a Aliança Nacional Libertadora, depois da crise e da revolução de 1930, quanto com as lutas pelas Reformas de Base de 1963 e dos movimentos sociais ao longo da nossa história.

Nem os projetos "nacional-desenvolvimentistas", nem os sucessivos pactos oligárquicos liberais ou autoritários, encontraram tempo, dinheiro ou razão suficiente para levar adiante a reforma agrária e o ensino básico universal, que todos proclamaram serem indispensáveis ao desenvolvimento de uma nação moderna, por intermédio de suas elites conservadoras mais lúcidas[1]. O fato de a nossa "revolução burguesa" continuar "incompleta" não se justifica, pois, nem pelo caráter tardio do nosso capitalismo, nem porque os nossos burocratas de Estado sempre procuraram fazer a "revolução pelo alto", já que isso não impediu muitos outros países de capitalismo tardio de levar a cabo as reformas agrárias e de ensino, requeridas pelas suas "modernizações conservadoras".

---

[1] Cf., sobre reforma agrária, os sucessivos pronunciamentos, desde o Patriarca da Independência até o programa do Estatuto da Terra do Governo Castello Branco. Sobre ensino público fundamental, desde o Ministério da Educação do Estado Novo até ao ministro do governo Fernando Henrique Cardoso.

IMPÉRIO, TERRITÓRIO E DINHEIRO

Na verdade, a história vitoriosa da constituição do capitalismo no Brasil independente e os seus percalços e "desvios históricos" do ponto de vista da incorporação popular parecem dever pouco, tanto à herança colonial quanto às ideias iluministas que animaram os corações e mentes de nossas elites bem-pensantes. Os fatos relevantes para a história social e política do país parecem ter sido sempre, desde o século XIX, a apropriação privada do território, as migrações rurais e rural-urbanas compulsórias da população, em busca de terra e trabalho, além da centralização e descentralização do próprio domínio do Estado nacional, ora férreo, ora frouxo, sobre um "pacto federativo" que se revelou sempre precário desde a nossa constituição como país independente. Ordem e Progresso sempre significaram domínio sobre a terra e as classes subordinadas e acumulação "familiar" de capital e de riqueza, qualquer que fosse a inspiração ideológica, positivista ou liberal, das elites no poder. Nunca se conseguiu constituir, por isso, nenhuma espécie de consenso amplo da "sociedade civil" sobre como governar em forma democrática o nosso país.

Por outro lado, a "fuga para a frente" do dinheiro e das normas (FIORI, 1984) só foi possível porque houve a fuga para a frente das populações em busca do espaço livre, que ao ser ocupado reproduzia, na fronteira de expansão da acumulação capitalista, as relações sociais e econômicas desiguais e combinadas que constituem a marca mais forte da heterogeneidade social crescente da sociedade brasileira. Esta não se justifica pela mestiçagem como tantos autores sociais, neles incluídos alguns modernistas de 1920, sempre lamentaram, nem mesmo, fundamentalmente, pela difusão desigual do progresso técnico (PINTO, 1965, 1970). A heterogeneidade social explica-se sobretudo pela conquista do espaço interno de acumulação de capital, em condições de dominação que vão se alterando no tempo e nas formas de ocupação do território, mas que sempre confirmaram a tendência à concentração crescente da renda e da riqueza e à exploração brutal da mão de obra.

A própria mudança da capital do Estado brasileiro para o centro do país, utopia de mais de dois séculos, ao ser realizada, demonstrou na prática da construção de Brasília, entre candangos, superquadras e os três poderes, o caráter contraditório de buscar ao mesmo tempo a ocupação privada dos grandes espaços livres para diminuir os desequilíbrios regionais e sociais do país e dar maior força e centralidade para um poder que rapidamente se tornou imperial.

Não convém portanto recorrer às versões mais abstratas e gerais do esquema cepalino centro-periferia, nem mesmo aos esquemas dependentistas do capitalismo associado, para explicar a especificidade de nossa dinâmica socieconômica. Mesmo do ponto de vista estritamente econômico, parece ser necessário uma releitura crítica dos dois modelos cepalinos de

455

crescimento *"hacia afuera"* e *"hacia adentro"* para explicar o dinamismo de nosso capitalismo tardio[2]. A expansão das fronteiras econômicas, periodicamente fechadas e reabertas, pelos negócios de produção e exportação do *agrobusiness* e da exploração de recursos naturais, mantém-se ao longo de toda a história econômica brasileira. Assim a ocupação capitalista de várias regiões do país amplia a dimensão "nacional" da acumulação de capital, que dificilmente pode ser explicada apenas pelo caráter "reflexo" do chamado modelo de crescimento para fora, ou pela dinâmica da "substituição de importações". A economia brasileira, sempre cresceu "para dentro" e ao mesmo tempo sempre esteve inserida de forma periférica e dependente na ordem econômica internacional. Apesar de ser periférica e dependente – isto é, de não contar com a geração de progresso tecnológico próprio, nem com dinheiro conversível no mercado mundial – conseguiu obter durante mais de cem anos uma das maiores taxas de crescimento do mundo capitalista[3].

Prebisch (1949), quando propôs a sua explicação geral do centro e periferia e a importância que tinha a mudança dos centros para o crescimento da América Latina, estava visivelmente influenciado pelo caso da Argentina, que sempre tendeu a encaixar-se melhor no esquema do padrão-ouro do que no padrão-dólar que o sucedeu. Isto porque a divisão internacional do trabalho lhe era mais favorável, sendo a Inglaterra o centro hegemônico. O que não foi o caso do Brasil, cujas "classes produtoras" sempre foram capazes de se adaptar (até recentemente) às novas circunstâncias da "ordem mundial", por sua vocação invejável de conquistar novos espaços de acumulação, reinventar o dinheiro e abandonar as normas impostas pelas propostas de regulação hegemônica do padrão monetário internacional vigente. Isso deve-se provavelmente ao fato de que no caso argentino as relações espaciais de produção e de dominação tenham reproduzido internamente, com maior nitidez e estabilidade, o esquema metrópole (Buenos Aires)/satélite (as províncias).

No Brasil, apesar de sua vocação "imperial", a "corte" mudou várias vezes de lugar. O talento multipolar da dominação se revelou na forma como foi conquistada e articulada, de forma desigual e combinada, a ocupação capitalista do território nacional, produzindo vários focos de expansão e várias burguesias e oligarquias regionais que contrabalançavam a sua decadência econômica "cíclica" com um maior peso político relativo junto ao governo central, onde quer que ele estivesse. O Estado nacional brasilei-

---

[2] Essa releitura já foi feita por João Manuel Cardoso de Mello (1982).

[3] O fato de que apesar disso tenha-se mantido "subdesenvolvido" significa que o Brasil tem periodicamente sua "marcha interrompida", tanto do ponto de vista do desenvolvimento das forças produtivas modernas quanto do ponto de vista dos direitos sociais, quando comparado com outros países de capitalismo tardio, que se tornaram "potências" no sentido "moderno" neomercantilista do termo.

IMPÉRIO, TERRITÓRIO E DINHEIRO

ro, por sua vez, sempre avançou em sua vocação "centralizadora" a partir de sucessivos conflitos e pactos das oligarquias regionais e destas com as elites de negócios internacionalizados.

O recurso periódico a uma ordem política autoritária busca suas razões de Estado tanto na preservação do território nacional quanto no apoio à expansão capitalista, em novas "fronteiras" de acumulação, onde lhe cabe impedir uma luta de classes aberta, dos senhores da terra e do capital entre si, e garantir a submissão das populações locais ou emigradas, que se espraiaram pelo vasto território brasileiro. Por sua vez, o processo de deslocamentos espaciais maciços das migrações rural-urbanas das nossas populações e as mudanças radicais nas condições de vida e de exploração da mão de obra não permitiram, até hoje, a formação de classes sociais subordinadas mais homogêneas e sedimentadas, capazes de um enfrentamento sistemático que pudesse levar a uma ordem civil burguesa estabilizada. A "ordem das elites de negócios" sempre foi capaz de mudar as "regras" e fazer "contratos de gaveta", produzindo assim uma sociedade mercantil em constante "fuga para a frente", sem normas e sem dinheiro permanentes, isto é, sem uma ordem civil burguesa capaz de autoadministrar-se nos marcos da Lei. Recorrendo periodicamente a golpes militares ou a intervenções políticas "salvacionistas", as elites de poder brasileiras não permitiram até hoje uma acumulação política de forças e uma participação societária popular, capazes de produzir uma verdadeira ordem democrática.

As forças expansivas dos donos do império, do território e do dinheiro, sobrepuseram-se sempre aos interesses de vida da maioria da população brasileira. Nos seus caminhos de dominação, sempre em busca da "modernidade", podem ser encontradas as razões da riqueza e da miséria da nação brasileira.

2 O movimento político-econômico do capitalismo tardio no Brasil

2.1 Inserção internacional

Apoiado ao mesmo tempo na sua imensa fronteira de expansão interna e na expansão do mercado mundial, o café tornou-se rapidamente uma mercadoria de grande valor no comércio internacional[4]. Assim, embora à sombra da expansão do capital financeiro inglês, a economia capitalista brasileira teve determinantes para sua própria expansão econômica simul-

---

[4] Já em meados do século XIX o comércio internacional do Brasil era superior ao da Alemanha; enquanto o algodão norte-americano deixara de ser uma *commodity* relevante, o café valia ouro nas bolsas de Chicago e Londres e só seria suplantado em valor no mercado mundial de *commodities* no século XX pelo petróleo, já sob o comando do padrão-dólar.

taneamente endógenos e exógenos e deixou de ser uma mera "economia reflexa", dos tempos da "empresa colonial".

Com a constituição do complexo cafeeiro do centro-sul, o capital mercantil inglês encontrou uma nova fronteira de expansão tardia, depois das suas aventuras imperialistas na Ásia e na Africa e nos próprios Estados Unidos. Já não se tratava porém de uma aventura de domínio imperial, mas de uma incorporação do espaço econômico brasileiro ao mercado internacional, na qual o capital inglês realizou excelentes negócios. O financiamento de algumas ferrovias e serviços de utilidade pública com garantia da dívida pública brasileira em Londres foi apenas um deles. A sua atuação mercantil-especulativa interna revelou-se também lucrativa: monopolizou parte da fronteira de expansão agrícola (por ex., as companhias de terras no Paraná); apoderou-se de alguns empreendimentos ferroviários dos Barões do Império Brasileiro (a ferrovia São Paulo – Railway e a Leopoldina são os casos mais notórios) e abriu filiais de casas bancárias e de câmbio para acumular os lucros da circulação financeira. Várias associações comerciais e bancárias entre o capital brasileiro e inglês terminaram quebrando na crise do Encilhamento. O capital financeiro, centralizado na *City* de Londres, tendo aprisionando o governo brasileiro em um processo de endividamento público externo de longo prazo, levou à ruína as finanças públicas na passagem do Império para a República, e conduziu o país à moratória de 1898.

A grande crise internacional do último quartel do século XIX, com seus reflexos sobre a demanda de café, a liquidação tardia do braço escravista do capitalismo mercantil (uma decisão política decorrente do conflito interno com as elites escravocratas brasileiras), e a própria crise financeira do Encilhamento, liquidaram parte dos "bons negócios" do complexo cafeeiro, que se estendia do Rio de Janeiro, pelos caminhos de Minas, e se concentrou em São Paulo. A crise prejudicou temporariamente as possibilidades de expansão das exportações de café, mas não retirou o "complexo", nem o país, da órbita do capital financeiro internacional como sucedera nos ciclos anteriores da cana-de-açúcar e do ouro. Juntamente com a moratória foi executado um drástico plano de ajuste às regras do padrão-ouro, ao qual se seguiu um *"funding loan"* da dívida pública externa, aprovado novamente pela *City* de Londres.

A economia brasileira já tinha porém transbordado os limites de crescimento guiado meramente pela demanda internacional e pelo financiamento externo. A expansão da agricultura de alimentos e do trabalho assalariado e a criação de economias regionais mais sustentáveis permitiram a diversificação da produção para o mercado interno e a formação de um embrião de sistema bancário nacional, fatores que, juntamente com a existência de uma infraestrutura de transportes, permitiram relançar a economia brasi-

IMPÉRIO, TERRITÓRIO E DINHEIRO

leira e iniciar finalmente a construção de uma indústria local antes mesmo da Primeira Guerra Mundial (cf. CANO, 1981). A economia nacional acelerou um processo de diversificação produtiva agrícola e industrial, já completamente desvinculado das agruras do café, que se acentuou durante a Primeira Grande Guerra, de tal modo que o novo auge cíclico do café na década de 1920 se sobrepôs a uma economia em expansão mais diversificada, que, por isso mesmo, foi capaz de reagir mais rápido e eficazmente à crise de 1930.

A decadência do domínio econômico e político da Inglaterra levou-a a abrir mão de ser o financiador preferencial da política de sustentação do café às vésperas da crise de 1930, o que terminou conduzindo o país à segunda moratória, de 1937, com os banqueiros de Londres, dos quais escapamos definitivamente, graças à guerra europeia e ao acordo com os americanos em 1939. No entanto, não ficamos esperando tanto tempo para superar a crise de 1930. A recessão interna que se segue ao *crash* de Nova York foi contornada rapidamente pela queima dos estoques de café e pela subida dos preços das importações, provocada pela política cambial e de restrição de oferta de divisas. O corte drástico das importações durante a guerra e a melhoria nos termos de troca, resultante da elevação de preços nos produtos de exportação, acabou permitindo a recuperação da renda dos exportadores e a acumulação de reservas internacionais que foram desbaratadas, depois da guerra, para nacionalizar a infraestrutura sucateada das ferrovias inglesas.

Em um breve interregno, entre as duas guerras, passamos finalmente da esfera de influência inglesa para a norte-americana, mas tanto a recuperação da crise de 1930 quanto a chamada "industrialização por substituição de importações" não se deram mais com recurso aos empréstimos do capital financeiro internacional. O papel do capital financeiro americano não teve, portanto, maior relevância para a expansão interna da economia brasileira que se seguiu à crise de 1930, movida pelo crescimento da renda monetária e pela expansão de crédito interno da rede do Banco do Brasil, cujas carteiras de crédito geral, agrícola e industrial supriram sem dificuldades a expansão das atividades em várias regiões do país.

A influência norte-americana foi muito menos forte do que era de se esperar, dadas suas pretensões com a doutrina Monroe do fim do século XIX e os acordos de Washington de 1939. Os Estados Unidos, ao se tornarem uma potência no final do século XIX, pretenderam afirmar seu poder no continente sul-americano, tentando estender sua esfera de influência, muito além do México e da América Central, o que ficou expresso na doutrina Monroe, antecipação premonitória da Alca, cem anos depois. Mas a "América para os americanos" foi contida tanto pela mudança na política externa americana, ciclicamente isolacionista, quanto pelos interesses econômicos dos ingleses no Cone Sul – em particular a Argentina, o Bra-

459

sil, o Uruguai e o Chile – até a crise de 1929. Somente na qualidade de banqueiro financiador da grande safra cafeeira às vésperas da crise e na abertura de filiais industriais na década de 1920, o grande capital americano passou a desempenhar algum papel no Brasil.

Apesar do caráter frouxo dos laços com o capital financeiro norte-americano, a importância geopolítica da grande potência americana foi determinante para que Vargas não aceitasse em 1930 a criação de um "banco central independente" – que acompanhava a proposta de estabilização dos banqueiros ingleses – e conduzisse o país à moratória de 1937, sem temor de retaliação do capital financeiro inglês. Proclamado o Estado Novo em 1937, o governo brasileiro aproveitou as tendências divergentes dos militares (pró e contra aliados) e manteve a neutralidade durante a Segunda Guerra Mundial até 1942, quando finalmente o Brasil entrou em guerra contra as potências do Eixo. Vargas utilizou uma diplomacia contraditória de troca de interesses geopolíticos com os Estados Unidos e a ideologia nacionalista industrializante do grupo militar pró-Eixo (chefiado por Góes Monteiro), conseguindo negociar a concessão da base de Natal aos americanos, em troca da promessa de uma siderurgia nacional financiada pelo Eximbank.

Esse foi na verdade o período em que, uma vez mais devido à guerra europeia, o Brasil começou a desenhar, a partir de um Estado nacional autoritário, um projeto nacional de desenvolvimento relativamente autônomo. Como é sabido, a Revolução de 30 não foi do ponto de vista político verdadeiramente burguesa, mas uma recomposição do pacto oligárquico regional com forte participação das classes médias urbanas e forte dissidência militar interna, que nos levou à beira da guerra civil, evitada, porém, com a derrota política de São Paulo, onde se centrava a grande burguesia cafeeira, em 1932. Continuamos, portanto, nossa marcha triunfante para adquirir uma nacionalidade sob a bandeira da "Ordem e Progresso", à qual agregamos a autoestima de nossa "cultura popular", descoberta pelos modernistas de 1922 e aplicada com proficiência estatal pelo Ministério da Cultura do Estado Novo de Vargas.

No pós-guerra, a assinatura do tratado do Rio de Janeiro em 1947 e a criação da comissão mista Brasil – Estados Unidos pareciam mergulhar-nos novamente na perspectiva de submissão ao domínio político-econômico da grande potência norte-americana. A política liberal de Dutra, a discussão das elites mercantis sobre a nossa "vocação agrícola" e a política de "boa vizinhança" apontavam nessa direção. Uma vez mais a dominação geopolítica e geoeconômica do Brasil foi afastada pelas novas tarefas imperiais dos Estados Unidos na Guerra Fria europeia, na guerra da Coreia e nas guerras do norte da África, e a política interna liberal foi substituída por uma política econômica de caráter nitidamente industrializante.

IMPÉRIO, TERRITÓRIO E DINHEIRO

Ao ter de substituir militarmente os aliados da Segunda Guerra Mundial, na dupla tarefa de *gendarme* neocolonial e de poder hegemônico na contenção do comunismo na Europa e na Ásia, os Estados Unidos desviaram de novo as suas atenções da América do Sul. A não ser com a tardia intervenção em Cuba, malsucedida do ponto de vista do Império, e a retórica da "Aliança para o Progresso" desencadeada por Kennedy, a política externa norte-americana orientou-se para os velhos continentes, convertendo os seus inimigos da véspera – Alemanha e Japão – em sócios preferenciais e desarmados da expansão da nova ordem econômica mundial e da *Pax* Americana. A sua intervenção na América Latina limitou-se uma vez mais à América Central, em forma aberta, e a apoiar decididamente os golpes militares que se sucederam na América do Sul, entre os quais o nosso, em 1964.

Do ponto de vista geoeconômico, os seus interesses estavam alhures, nos países petroleiros e em outros países periféricos, ricos em matérias-primas estratégicas, além de tentarem ocupar o espaço econômico e a influência diplomática que o velho Império Britânico deixara no seu ex-espaço colonial (transformado em uma *Commonwealth* enfraquecida). A industrialização da América do Sul ficou por conta da força ou fraqueza dos seus próprios países. Só mais tarde, depois de 1958, a expansão das filiais industriais multinacionais iniciou sua volta ao mundo, depois de saltar as barreiras alfandegárias do Mercado Comum Europeu, chegando assim a desempenhar um papel importante na industrialização de vários países da América Latina. O Brasil, ao abrigo de uma política tarifária e cambial de caráter protecionista, e com o apoio das suas próprias instituições de fomento, seguiu os "ares do mundo", começando para valer a sua industrialização pesada, continuando a tão famosa como maldenominada e interpretada "substituição de importações" (cf. TAVARES, 1972).

2.2 O começo da industrialização pesada

Como é natural, não ocorreu nenhum apoio à industrialização pesada por parte dos norte-americanos durante a guerra, nem no após-guerra do governo Dutra. Apesar da instalação da Comissão Mista Brasil – Estados Unidos, que supostamente se dedicava a apoiar o desenvolvimento brasileiro, a réplica periférica do "Plano Marshall" de reconstrução europeia nunca ocorreu. A duras penas cumpriram a promessa dos acordos de Washington de 1939 de financiar por meio do Eximbank a Companhia Siderúrgica Nacional, assim mesmo tardando até o segundo governo Vargas para ser instalada. Os interesses da nova potência hegemônica, no que se refere aos principais países do Cone Sul, Argentina e Brasil, limitavam-se a manter a nossa "vocação" agroexportadora, de preferência contida dentro das próprias regras do livre-comércio, de que eles mesmos eram autores. Para garantir a sua posição privilegiada como os maiores produtores mundiais de grãos, de gado, de matérias-primas minerais e de manufaturas, concorreram com a Argentina na exportação de trigo, subsidiada pelo ponto IV do Pentágono, e colocaram uma série de restrições à importação de gado. Do mesmo modo no Chile, na Bolívia e na Venezuela, só lhes interessavam os minerais estratégicos, que tentaram controlar o maior tempo que puderam, com todos os expedientes possíveis (de variação de estoques estratégicos até restrições ao financiamento e desnacionalizações parciais).

O novo centro mundial, ao contrário da Velha Inglaterra, não propunha nenhuma nova divisão internacional do trabalho que garantisse um papel à periferia na expansão do sistema capitalista internacional, como avisou Raúl Prebisch em seu documento seminal de 1949, em que propunha a industrialização latino-americana como um caminho *"hacia adentro"*. No Brasil, a proposta norte-americana e seus arautos liberais no período Dutra tentavam manter o estado de coisas, incentivando a retomada liberal: declararam junto ao FMI uma paridade do cruzeiro com o dólar insustentável, liquidaram as reservas internacionais acumuladas durante a guerra e confirmaram a nossa "vocação agrícola" com o estabelecimento de algumas empresas agroindustriais ligadas ao grande capital norte-americano (frigoríficos, óleos, moinhos e comercialização do algodão e do café), além da retomada de algumas empresas de mineração.

O projeto nacional-desenvolvimentista de industrialização pesada só foi iniciado verdadeiramente pelo segundo governo Vargas com a criação da Siderúrgica Nacional, a Fábrica Nacional de Motores, a Alcalis, a Petrobras e o BNDE, e continuou, depois de breve interrupção causada pela sua morte, por meio do plano de metas do governo JK. Não se tratava portanto de um projeto de desenvolvimento autônomo da burguesia nacional, que continuava dominantemente no *agrobusiness* e nos bancos tanto em São Paulo quanto em Minas Gerais. Estava constituído desde o início por um forte núcleo industrial estatal, onde tanto o capital estrangeiro como o nacional desempenhavam papéis complementares. Assim, apesar de ter apoiado a "burguesia imigrante" para encaixá-la no projeto da indústria metal-mecânica, ela era e continuou a ser a "pata fraca" do tripé (capital estatal, privado nacional e estrangeiro) sobre o qual estava montada a industrialização brasileira. É interessante notar que o chamado "capitalismo industrial associado", localizado sobretudo em São Paulo, não tinha praticamente nenhuma filial americana nova. As que já estavam instaladas desde a década de 1920 não avançaram muito na nova siderurgia nem na indústria de material de transporte, em que eram dominantes as filiais europeias e japonesas. Basta dizer que a Ford limitou-se a concorrer na nova indústria automobilística apenas com o projeto Ford-Willys, de um veículo utilitário

IMPÉRIO, TERRITÓRIO E DINHEIRO

destinado, preferencialmente, ao uso em zonas agrícolas. Diga-se de passagem que as outras montadoras multinacionais tampouco aportaram capital inicial de grande vulto, financiando sua expansão sobretudo à custa de reinvestimento de lucros obtidos em um mercado protegido e em crescimento rápido (LESSA, 1981).

Como era de se esperar, o Rio de Janeiro continuava o centro do "projeto nacional", concebido originalmente pelo positivismo militar de Góes Monteiro durante o Estado Novo e levado adiante pela burocracia de Estado no segundo governo Vargas. O cerne do projeto "nacional-desenvolvimentista" mantém-se ancorado no Estado e desdobra-se com eixos claros de acumulação de capital e de ocupação do espaço territorial. O BNDES, a Petrobrás, e as suas encomendas à indústria naval e ao setor de bens de capital; a siderurgia, em conjunto com a mineração e a metalurgia de Minas Gerais, com o desdobramento regional dos projetos da Vale do Rio Doce e o sistema hidroelétrico e de construção rodoviária, foram os núcleos estratégicos que deveriam dar apoio à burguesia industrial nacional durante três décadas. Esta, por sua vez, depois de ter um papel complementar na montagem do Plano de Metas deveria ser fortalecida mais tarde no II PND.

O Plano de Metas tratava de "nacionalizar" os programas setoriais de infraestrutura da falecida Comissão Mista Brasil – Estados Unidos com financiamento fiscal de um adicional de imposto de renda e mais tarde o imposto único de combustíveis e lubrificantes. Do ponto de vista ideológico, depois do entrevero de Roberto Simonsen travado com Gudin, o *establishment* paulista continuava sob a influência liberal no seu horror ao Estado, enquanto no Rio de Janeiro o Iseb fornecia a ideologia do nacional-desenvolvimentismo. A Cepal no BNDE continuava pregando o seu programa de industrialização por substituição de importações, que só em Vargas tivera alguma audiência (cf. FURTADO, 1992).

Do ponto de vista da diplomacia, o Itamarati iniciou, com o apoio de Juscelino, a sua Operação Pan-Americana, destinada a neutralizar o pacto do Rio de Janeiro e a substituir a diplomacia da OEA por uma doutrina de não intervenção de cunho terceiro-mundista, que foi reativada pelos regimes do governo militar depois de breve interrupção de quatro anos, 1964-1968. Nesse período adotou-se uma diplomacia pró-americana em pagamento aos bons serviços prestados ao golpe militar de 1964.

No período do Plano de Metas a acumulação do capital privado industrial prosseguia agora liderada pela industrialização pesada, com uma concentração crescente no espaço paulistano, sede do antigo complexo cafeeiro, o que provocou vários conflitos entre a burguesia cafeeira e a industrial, por causa da política de câmbio múltiplo que prejudicava a primeira e beneficiava a segunda. No que tange porém à grande burguesia nacional clássi-

Maria da Conceição Tavares

ca, foi a interiorização do desenvolvimento que lhe permitiu, de novo, a sua forma favorita de acumulação mercantil: apropriação de terras e acumulação patrimonial-rentista. A associação entre empresários industriais nacionais e as empresas multinacionais não passava pela constituição de *joint ventures* ou outra forma de associação de "capital aberto". Tanto os grupos nacionais como as filiais das multinacionais mantiveram suas empresas de capital fechado (cf. MIRANDA & TAVARES, neste livro). Foi a montagem da matriz interindustrial, propiciada pela política de "substituição de importações" do período JK, que propiciou o caráter complementar na divisão de trabalho entre empresas nacionais e empresas multinacionais de todos os continentes. O Plano de Metas, por meio dos seus grupos setoriais sediados no BNDE, contemplava a montagem de "complexos industriais", sobretudo o metal-mecânico, que ia da indústria automobilística à indústria naval, com predomínio do capital europeu e japonês nas montadoras e metalurgia, mantendo-se a indústria de autopeças e de bens de capital por encomenda preponderantemente nacionais[5].

As filiais americanas de mais velha data concentraram sua acumulação no complexo agroindustrial, continuando a acreditar piamente na nossa vocação agrícola e agroexportadora, o que não significa que não tenham se beneficiado substantivamente do crescimento do mercado interno, propiciado pela articulação da expansão do grande complexo metal-mecânico de material de transporte e da expansão vigorosa do sistema de infraestrutura, sobretudo de energia e de transporte rodoviário.

A ruptura com o Fundo Monetário e o Bird foi provocada pela opção JK contra a política de estabilização Campos-Lucas Lopes e a favor da interiorização do desenvolvimento – a construção de Brasília, barragens e estradas continentais – que valorizou, do ponto de vista capitalista, consideráveis extensões de terra no imenso território do interior brasileiro. Esta expansão e apropriação privada do espaço continental deu lugar à ampliação de escala dos dois pilares clássicos da verdadeira burguesia nacional (até recentemente não associada ao capital estrangeiro), a saber: as construtoras e os bancos brasileiros. A questão das "reformas de base" proposta pelo governo de Jango no período 1962-1964, ao incluir a reforma agrária ao longo dos principais eixos rodoviários que cortavam de norte a sul o país, levantou, como não podia deixar de ser, a oposição frontal da grande burguesia, e a reforma agrária terminou, como é sabido, com o golpe militar que depôs João Goulart.

---

[5] Minha experiência profissional como economista começou no BNDE em 1958, quando participei com exaltação nacional-desenvolvimentista do Geimape (Grupo Especial da Indústria de Máquinas Pesadas).

IMPÉRIO, TERRITÓRIO E DINHEIRO

No novo regime militar, mesmo as políticas de estabilização liberais dos ministros Bulhões-Campos nunca puseram em tela de juízo o apoio dos sucessivos governos autoritários ao capital estatal e ao capital privado nacional, fortalecendo inclusive a pata estatal. Depois de 1964, foi promulgado o Decreto 400, que tornava mais autônoma a gestão das empresas estatais, e foi criado um fundo parafiscal (o FGTS) de poupança forçada dos trabalhadores, como instrumento público de financiamento à construção civil, com mecanismos de indexação das dívidas contratuais dos mutuários. Mais tarde, já no "milagre econômico" de Delfim Netto, foi criado o PIS-Pasep (novamente um fundo parafiscal), para dar financiamento privilegiado à grande empresa nacional por meio do BNDES[6].

A expansão capitalista brasileira foi portanto apenas "associada" do ponto de vista de complementaridade tecnológico-produtiva com o capital estrangeiro, cuja concentração notória se deu nas montadoras dos complexos metal-mecânico e elétrico e em alguns segmentos da agroindústria alimentar. A entrada de capital financeiro externo no período 1950/1970 foi insignificante; o financiamento da produção fez-se pela via dos bancos nacionais, públicos e privados, e a expansão das filiais multinacionais deu-se sobretudo por reinvestimento de lucros. Do ponto de vista do financiamento privado da indústria nacional, a reforma do mercado de capitais do governo Castello Branco, que optou por copiar o modelo americano de sistema financeiro, nunca foi bem-sucedida. A tentativa de Roberto Campos de utilizar o sistema bancário nacional segmentado, associando o capital financeiro internacional por meio de bancos de investimento, fracassou exemplarmente.

Delfim Netto, que assumiu o Ministério da Fazenda em 1968 com o apoio do capital bancário paulista, reforçou o poder do sistema financeiro nacional, colocando os bancos comerciais como cabeça dos "conglomerados" financeiros que desenvolveram na prática os bancos múltiplos de capital nacional, mas sem a articulação entre empresas e bancos, característica do capitalismo organizado europeu e asiático. Esse sistema bancário não foi capaz de promover nenhum capitalismo financeiro digno desse nome e terminou por servir de intermediário (aproveitando a instrução 63) entre as empresas nacionais e o crédito externo, que se tornara abundante no mercado internacional de eurodólares a partir da crise do "padrão-dólar" de 1971. Aqui sim começou a verdadeira associação explícita, para não dizer promíscua, entre a burguesia nacional e o capital financeiro internacional,

---

[6] O novo "S" agregado ao BNDE significa "Social", apenas porque os novos fundos eram legalmente dos trabalhadores e permitiam ao Banco Nacional de Desenvolvimento sair da armadilha de ter-se convertido apenas em financiador da Siderurgia Nacional, cujo financiamento os japoneses tinham abandonado na crise de 1964-1967.

Maria da Conceição Tavares

que nos levaria ao desastre da "ciranda financeira", que perturba o nosso pobre dinheiro até os nossos dias.

O processo de endividamento externo privado iniciado por Delfim Netto deixou com o banco central o risco cambial, prática que se tornaria habitual nos empréstimos externos de empresas e bancos, a partir dessa data até hoje, e levaria sempre a bons negócios privados e prejuízos públicos a cada desvalorização cambial das últimas três décadas. Já o endividamento externo ocorrido no período Geisel foi basicamente estatal, o que não deixa de ser paradoxal para um processo de industrialização pesada que se pretendeu guiado por um "plano nacional de desenvolvimento autônomo" – o II PND[7].

Em conclusão, a chegada tardia do capitalismo brasileiro à primeira revolução industrial deu-se nas entranhas do complexo cafeeiro a partir do "encilhamento" do último quartel do século XIX. Já a implantação, igualmente tardia, da indústria pesada da segunda revolução industrial só foi iniciada a partir da década de 1950 e terminou com o governo Geisel, trinta anos depois. Nessa longa trajetória de mais de 100 anos de história da indústria e de desenvolvimento tardio de forças produtivas especificamente capitalistas, não foi possível conduzir o país nem à condição de potência intermédia na ordem mundial, nem à geração de um núcleo endógeno de ciência e tecnologia capaz de imprimir ao Brasil o seu "destino manifesto" da modernidade desejada por meio do progresso. Este, apesar de colossal, não nos retirou da nossa condição de país subdesenvolvido, depois denominado sucessivamente como: em desenvolvimento, NIC (*New Industrialized Country*) ou mesmo "mercado emergente", conforme a evolução, que os tecnocratas dos organismos multilaterais de financiamento houveram por bem fazer, de conceitos ambíguos, que supostamente designam esta combinação de Estado nacional-desenvolvimentista (excêntrico) e de economia capitalista (periférica). A ambiguidade de nossa "sociedade civil" heterogênea tampouco se desfez ao longo destes 100 anos de história capitalista, uma vez que as classes empresariais nunca terminam por constituir-se como burguesia autônoma e as classes subordinadas têm sempre sido designadas pela referência genérica de "povo", quer ele seja escravo ou livre, assalariado ou "por conta própria", incluído ou excluído nos poucos direitos que a "cidadania" foi capaz de garantir-lhe em forma permanente.

Passemos porém ao resto do movimento histórico-estrutural do capitalismo brasileiro que, nas três décadas de 1970, 1980 e 1990, experimentou novamente dois projetos igualmente fracassados: o de projeto nacional au-

---

[7] Sobre o endividamento externo privado e público da década de 1970, cf. Cruz (1984).

IMPÉRIO, TERRITÓRIO E DINHEIRO

tônomo de potência e o de retorno à nova ordem liberal, interrompida, uma vez mais, tanto pela geopolítica e a geoeconomia mundiais quanto pelo fracasso de suas elites empresariais e políticas.

3 Sonho e fracasso do projeto de desenvolvimento como potência

O desenvolvimento econômico da segunda metade da década de 1970 merece uma nota à parte, porque permitiu uma alta taxa de crescimento da economia brasileira em uma conjuntura de crise internacional. O país foi considerado pelo governo militar "uma ilha de prosperidade, cercada de crise por todos os lados", dando lugar a um sem-número de controvérsias, interpretações e teses que até hoje são difíceis de encaixar no lugar certo.

Com o distanciamento que só a história produz vamos tentar fazer uma avaliação rápida deste período contraditório, que se seguiu ao "milagre" do primeiro ministério Delfim Netto e à primeira crise do petróleo. Geisel tentou executar um novo projeto de desenvolvimento nacional autônomo contra as tendências dos demais países latino-americanos não exportadores de petróleo e em plena crise recessiva da economia internacional.

3.1 O debate sobre o II PND

O II PND já estava sendo alvo de críticas não apenas pelos liberais conservadores, por seu caráter estatizante, mas também por vários expoentes progressistas do movimento de renovação dos economistas, antes mesmo de terminar o governo Geisel. As interpretações críticas não têm até hoje a unanimidade nem a consistência de que foi alvo o projeto Delfim Netto, merecendo por isso uma tentativa de síntese dos seus principais problemas.

A questão macroeconômica dos limites do endividamento externo e os riscos de atrelar o desenvolvimento de longo prazo do país à liquidez internacional extremamente volátil de um *"non system"* financeiro em mudança acelerada desde a ruptura do sistema de Bretton Woods foram feitas sobretudo por Pedro Malan nos anos 1978/1980. São da sua lavra a utilização de expressões como *"growth cum debt"*, encontrada em um texto seu, escrito para o Ipea em pleno período Geisel, e a adoção de uma expressão pouco acadêmica – "o rabo abanando o cachorro" – referindo-se aos efeitos sobre a economia brasileira da escalada de juros internacionais e da crise da dívida externa que lhe seguiu. O fato de que havia "cachorros" tanto dentro quanto fora do país nunca foi devidamente sublinhado.

A crítica mais radical da economia política do projeto Geisel está contida na tese de titular do Professor Carlos Lessa (1978). Começando pela natureza megalomaníaca e autoritária do II PND – "A nação potência como um projeto de Estado para o Estado" – Lessa mostra com clareza as contradições entre a retórica e a implementação das diretrizes estratégicas e a debilidade estrutural do projeto de "substituição de importações" de bens de capital, que resultaria em uma tentativa fracassada de fortalecimento do capital privado nacional como promotor autônomo da industrialização. Enfatiza também os limites das empresas estatais, por meio da sua política de encomendas, para promover a indústria nacional e sublinha, com abundância de citações, a "ingratidão" dos empresários beneficiados pelo financiamento subsidiado pelo BNDE. Para os empresários nacionais não bastavam as taxas de juros subsidiadas para a implantação dos projetos, já que o problema do financiamento corrente, da concorrência e do lucro produtivo encontravam dificuldades crescentes com a política macroeconômica restritiva de M.H. Simonsen. Queixavam-se portanto de que elevadas taxas de juros do mercado interno não permitiam às empresas nacionais obter capital de giro em condições de concorrer com as filiais multinacionais. Estas podiam endividar-se por meio do circuito matriz-filial, tinham a liberdade de importar equipamentos seriados financiados do exterior a taxas de juros baixíssimas e eram capazes de bater os empresários nacionais, pela mesma razão, no esforço promotor de exportação de manufaturas incentivadas pelo programa do Befiex.

O importante na tese de Lessa é que ele prevê o fracasso do II PND por razões completamente distintas das tradicionais. Não são apenas os limites do endividamento externo que levarão o Plano ao fracasso, mas suas próprias insuficiências estruturais dinâmicas e contradições político-econômicas.

Na minha tese de titular, "Ciclo e crise" (1978), coetânea e complementar à de Carlos Lessa, trato também da mesma questão, abordando-a de um outro ângulo: a insuficiência estrutural da construção incompleta de um arremedo de "capitalismo monopolista de Estado" não conduziu a um crescimento autossustentado de base nacional. Ao discutir o financiamento público, no capítulo sobre o sistema financeiro, ressaltei a dimensão passiva e incompleta da intermediação financeira do Estado, em que o sistema financeiro público não participa como sujeito do processo de monopolização do capital que lhe é exterior. Essa última observação destinava-se a qualificar a minha divergência com Coutinho e Belluzzo (1982), que consideravam "que o sistema financeiro público e as grandes empresas estatais constituíam formas superiores de organização, cumprindo o papel desempenhado pelo capital financeiro nas industrializações avançadas". Tento explicar o ceticismo que perpassa tanto a tese de Lessa quanto a minha sobre a natureza "avançada" do processo de monopolização em curso, já que os "conglomerados financeiros" (montados a partir da política de Delfim Netto) não cumpriam a função do capital financeiro organizado em associa-

IMPÉRIO, TERRITÓRIO E DINHEIRO

ção com o capital industrial (a exemplo do caso alemão e japonês). Na verdade não passavam de capital rentista e patrimonial, cuja dimensão de acumulação financeira não podia ser atrelada endogenamente à monopolização produtiva[8].

O Estado brasileiro – ao não se realizar a constituição efetiva do capital financeiro privado e nacional, dado o fracasso da reforma do mercado de capitais e o caráter familiar e rentista dos grandes grupos bancários – tampouco intervinha, como agente ativo do processo de centralização do capital, com exceção do modelo de petroquímica, que implicava a integração produtiva do tripé (capital nacional, estatal e estrangeiro), sob o comando da Petroquisa, uma subsidiária da Petrobrás. De um modo geral limitou-se a procurar a linha de menor resistência, utilizando o capital financeiro externo – sobre o qual não exercia qualquer controle – para financiar a infraestrutura, a expansão das estatais e conceder financiamento público barato para promover o aumento de escala da indústria pesada da segunda revolução industrial. Com esse enlace entre endividamento externo e acumulação financeira privada interna, tanto o Estado quanto o grande capital industrial brasileiro ficavam vulneráveis às flutuações da liquidez internacional. Assim o projeto de reforço das indústrias de base e de bens de capital sob o comando de poucos grandes capitães de indústria nacionais, por um lado, malbaratava os fundos de poupança forçada dos trabalhadores (o PIS-Pasep) e por outro deixava a autonomia financeira das estatais atrelada ao endividamento externo do Estado, ao mesmo tempo em que os "escândalos financeiros" pipocavam entre os "especuladores" que se agregaram à ciranda financeira interna (cf. ASSIS, 1983). Essa monopolização incompleta e espúria do grande capital nacional logo mostraria a sua verdadeira fraqueza com a crise da dívida externa e o encilhamento financeiro das finanças públicas de 1980/1982.

O maior fracasso, do ponto de vista da organização industrial, revelou-se porém na indústria de equipamentos, que não foi estruturada sequer para resistir a uma reversão cíclica. Qualquer queda no investimento estatal afetava mais que proporcionalmente a demanda por equipamentos sob encomenda, segmento no qual se especializou o empresariado nacional, enquanto o capital multinacional se voltou para a produção ou importação de equipamentos seriados, acompanhando o comportamento do ciclo, sempre com a garantia de financiamento do capital financeiro internacional.

---

[8] Para desdobramentos histórico-concretos desta minha tese, cf. Miranda e Tavares (1999).

Lessa tinha razão quando atribuía à debilidade na articulação estrutural da indústria nacional pesada com as empresas estatais e o BNDES, e não apenas à campanha liberal contra a estatização, a falta de apoio do empresariado nacional ao projeto Geisel.

A interpretação, *post-mortem*, otimista de Barros de Castro ao II PND, encontra-se em um trabalho que gerou grande controvérsia, *A economia brasileira em marcha forçada*, de 1985, que tenta racionalizar a experiência geiselista para apresentá-la, já na Nova República, como uma alternativa possível de crescimento, a ser continuada agora em plena vigência do regime democrático. O argumento de que a "substituição de importações" gerada no II PND teria levado espontaneamente ao saldo comercial de 1984 é francamente duvidoso[9]. Para a análise das exportações do período deve-se levar em conta não apenas a capacidade ociosa herdada de Geisel, mas, sobretudo, que o mercado americano em crescimento, com o dólar sobrevalorizado, atuou como uma locomotiva comercial para todos os países – que dirá para o Brasil, com as sucessivas depreciações do cruzeiro! No ano de 1984 as nossas exportações para os Estados Unidos cresceram 50% e explicaram uma boa parte do crescimento industrial daquele ano.

O que a famosa "substituição de importações" do governo Geisel conseguiu, em resumo, foi um aumento extraordinário da capacidade de produção das indústrias pesadas, de insumos e de bens de capital, que aumentou a nossa capacidade de exportar manufaturas industriais, a partir da forte depreciação do cruzeiro em relação ao dólar e da queda da demanda interna, em 1982/1983. Tanto a produção nacional quanto a importação de equipamentos foram sempre pró-cíclicas, mas a natureza dos equipamentos nacionais e estrangeiros sempre foi complementar e não substitutiva. Vale dizer, o acelerador da demanda de bens de capital tem um vazamento para o exterior mais forte. Por essa razão a importação de bens de capital sobe no período de expansão mais que proporcionalmente à produção interna de equipamentos, com o que parece ocorrer uma "dessubstituição de importações". No período recessivo a importação agregada de equipamentos cai mais do que proporcionalmente à produção da indústria de bens de capital, sugerindo uma aparente "substituição de importações".

Mas o essencial no argumento de Castro em suas críticas ao pensamento conservador era correto: havia capacidade ociosa que poderia ser aproveitada para retomar o crescimento. Tanto havia, que ela foi utilizada intensamente no Plano Cruzado e permitiu ao país crescer até à moratória de 1987.

---

[9] Cf. a argumentação proposta por Carneiro (1991).

IMPÉRIO, TERRITÓRIO E DINHEIRO

A combinação contraditória do projeto estatal de desenvolvimento com políticas macroeconômicas liberais que conduzem ao endividamento externo, foi fatal para a sua continuidade, colocando-o *sub judice,* periodicamente interrompido pelos *avatares* do capital financeiro internacional.

Iluminados esses pontos de conflito de interpretações sobre o projeto de Geisel, é forçoso concluir que ele foi de fato uma tentativa de levar adiante um "projeto nacional de desenvolvimento" que combinava as duas estratégias fundamentais que têm presidido a expansão do capitalismo no Brasil: a ocupação econômica por meio de uma tentativa de integração do nosso espaço continental e a resposta geopolítica de buscar por meio de uma diplomacia própria desviar-se da proposta do Império.

Pelo contrário, fazer do Brasil uma plataforma de expansão do capital industrial e financeiro internacional e reafirmar as nossas "vantagens comparativas" é uma proposta liberal recorrente das potências imperiais dominantes desde o século XIX, que volta periodicamente por meio de elites tecnocráticas e políticas conservadoras em aliança, quase sempre espúria e predatória, com o nosso capital bancário nacional. Na verdade, é o capital bancário nacional que, mais do que o industrial, mereceria a designação de "burguesia associada", quando se trata de situações de "submissão" à ordem liberal, tanto no desenvolvimento do complexo cafeeiro quanto nos últimos vinte anos, com interrupção apenas dos períodos de controles cambiais severos, e sem entrada de capital financeiro internacional.

3.2 Percalços da geopolítica

O Brasil teve dois projetos estatais autoritários de desenvolvimento nacional explícitos. O primeiro foi de caráter defensivo, do Estado Novo de Vargas, aproveitando a mudança de guarda dos centros hegemônicos mundiais. O segundo foi o do general Geisel, de natureza ofensiva na sua política de enfrentamento com a diplomacia mundial dos Estados Unidos, tentando abrir espaço em um mundo que se configurava àquela época como trilateral.

Depois do Acordo de Washington em 1939, em que finalmente negociamos com os americanos, a ambição máxima de Vargas em matéria de geopolítica, além de negociar em simultâneo com as potências do Eixo e com os Estados Unidos, era reunir o ABC (Argentina, Brasil e Chile), a versão antecipada do Mercosul, aparentemente sem pretensões hegemônicas, dado o nosso subdesenvolvimento relativo frente à Argentina e ao próprio Chile. A crise política e econômica do ABC, apesar de ter a mesma origem – a ruptura do modelo exportador e do pacto oligárquico – teve desdobramentos políticos e econômicos completamente diferentes para os três países. Mais tarde, quando voltou ao poder em 1954, Vargas só poderia contar com Pe-

471

Maria da Conceição Tavares

rón na Argentina, um aliado de pouca valia, porque já estava configurada a nova ordem mundial. Assim mesmo aproveitou a Guerra da Coreia e alta dos preços do café para derrubar a paridade fixa com o dólar de 1947 e instalar o novo regime cambial de quotas e taxas múltiplas de câmbio, que aguentou o suficiente para terminar o Plano de Metas de JK.

O projeto do governo Geisel foi de caráter nitidamente ofensivo. Tentou enfrentar a potência hegemônica em vários níveis, com pretensões de desempenhar o papel de potência no Continente Sul, no vácuo da suposta decadência norte-americana, desde a ruptura do sistema de Bretton Woods e da perda de competitividade para o Japão e a Alemanha. Desse projeto geopolítico decorreram: o projeto nuclear com a Alemanha, a ruptura do pacto militar Brasil-Estados Unidos, a diplomacia africana, o reatamento das relações com a China e a mudança diplomática em Cuba. Em um mundo que se desenhava multipolar – com a Alemanha e o Japão desempenhando novamente um papel geoeconômico relevante –, o Brasil deveria ocupar o seu lugar no concerto das grandes nações[10]. Deveria ampliar também suas relações geoeconômicas e políticas com o chamado Terceiro Mundo.

O primeiro projeto, o de Vargas, podia ser continuado por meio de um "capitalismo associado", que requeria apenas um sistema de crédito interno público e renegociar periodicamente os *supply credit's* com os bancos internacionais que davam apoio comercial às filiais multinacionais. Já o segundo, o de Geisel, requeria muito mais do que isso, requeria um capitalismo financeiro nacional que nunca existiu (cf. TAVARES, 1972 e 1978).

O II PND tinha tarefas demais. Do ponto de vista geoeconômico deveria lograr os seguintes objetivos:

– Construir um núcleo tecnológico endógeno, composto de um setor de bens de capital (com capacidade de renovação tecnológica), de reserva de mercado para a indústria de informática e de construção de um sistema nacional integrado de telecomunicações. Esses setores em conjunto garantiriam um *upgrading* da nossa capacidade tecnológica que nos permitiriam entrar na terceira revolução industrial.

– Tornar-se um *global trader,* abrindo o caminho das exportações de manufaturas para várias áreas do mundo, com o apoio do capitalismo associado de algumas filiais multinacionais, das indústrias metal-mecânica e eletroeletrônica, e expandindo o complexo agroindustrial em disputa por mercados mundiais.

– Mudar o *mix* de importações de petróleo, enquanto não se avançava o suficiente na autossuficiência, concentrando-se no norte da África, para

---

[10] Geisel nunca visitou os Estados Unidos e fez visitas (que depois se revelaram pouco produtivas) ao Japão e à Alemanha.

IMPÉRIO, TERRITÓRIO E DINHEIRO

onde levou as grandes construtoras e armas. A presença brasileira no norte da África manteve-se contra ventos e marés, com lucros privados e prejuízos públicos, até ser inviabilizada pela Guerra do Golfo de 1991 e a reviravolta liberal interna.

– Colocar sob controle o complexo exportador internacionalizado, promovendo os grandes projetos para competir com os Estados Unidos na disputa de mercados da Ásia. Nesse continente o Brasil tinha como parceiros os japoneses, com seu projeto dos Cerrados, além do complexo exportador mineral encampado pela Vale do Rio Doce em Carajás. O Japão vinha reafirmando a sua vocação de potência nacional autônoma, mesmo em 1975, depois do primeiro choque do petróleo, quando ainda estava disposto a promover uma nova divisão internacional do trabalho, na Ásia e na América do Sul, e considerava o Brasil uma economia complementar à japonesa e a ser disputada à zona de influência dos Estados Unidos. O Japão encontrava-se porém mergulhado em um processo de reajuste estrutural interno em que – a partir do segundo choque do petróleo e do choque de juros de 1979 – a Ásia e os Estados Unidos passaram a ser peças fundamentais para sua inserção internacional. O Brasil deixa de ser parceiro prioritário tanto na indústria metal-mecânica como no projeto dos Cerrados, e muito menos ainda na indústria de informática.

Geisel teve uma visão estratégica de longo prazo que resultou impraticável pelas imprevistas mudanças da geopolítica mundial. Além disso, cometeu alguns equívocos táticos nas negociações com a Alemanha no pacto nuclear e atritou-se precocemente com o Japão, por meio do contencioso da Usiminas, depois de sua visita pessoal a Tóquio. Superestimou o potencial da China, como potência multipolar emergente, de se tornar rapidamente um parceiro comercial relevante para o Brasil. Essa prioridade continuava até há pouco tempo na agenda do Itamarati, antes que ele se engolfasse na questão do Mercosul e da Alca. Além disso, criou uma área de atrito permanente com os Estados Unidos ao assinar o acordo nuclear com a Alemanha, que terminou levando-o a romper o acordo militar Brasil-Estados Unidos.

Mas o equívoco maior, porque previsível, foi do ponto de vista econômico, a megalomania de um projeto que se pretendia autônomo e dependia para sua inserção internacional tanto de decisões privadas do capital financeiro externo quanto da expansão de mercados e associações tecnológicas. Estas, por sua vez, eram contraditórias com os determinantes da geoeconomia mundial, em áreas vitais para a manutenção dos interesses do capitalismo americano. Quanto à burguesia nacional, desta obteve pouca coopera-

Maria da Conceição Tavares

ção política e uma parte dela passou a compor a "frente ampla democrática", que começava a construir-se na segunda metade da década de 1970.

Assim o sonho da grande potência transformou-se em fracasso, às vésperas da reafirmação completa da hegemonia americana e do começo da nossa transição democrática lenta, gradual e insegura. O fracasso deu-se menos pelo território e mais pelo dinheiro e sobretudo pelo Império, já que enfrentou em simultâneo as contradições internas de seu sistema militar, da sua aliança com a "burguesia nacional" e da sua tentativa de desfiliação ao sistema imperial americano.

3.3 O fracasso do dinheiro na transição econômica: do fim do regime militar à Nova República

O fracasso do dinheiro estourou com enorme violência financeira com o episódio do choque de juros, da chamada "diplomacia do dólar forte", iniciada em 1979/1980, que multiplicou por três o tamanho da dívida externa do Brasil e levou a periferia capitalista à crise da dívida externa e o planeta à crise mundial de 1980/1982.

Com o choque de juros e o esgotamento das reservas que sobreveio com a crise da dívida externa, o capital financeiro internacional começou a retirar-se do Brasil. Delfim Netto, novamente no poder, tratou de salvar os bancos e os empresários nacionais da sua política de desvalorizações cambiais, "estatizando a sua dívida externa". A pretexto de combater a inflação, tentou controlar as tarifas públicas das empresas estatais, obrigando-as a buscar *relendig* de curto prazo da sua dívida externa acumulada de médio e longo prazo, casando operações de transferência de títulos externos com a emissão de créditos internos a favor das estatais, por meio das operações de avisos MF-30 do Ministério da Fazenda.

O problema de restrição ao crescimento na década de 1980 não era de "poupança" interna ou externa, mas de falta de financiamento interno e de reescalonamento da dívida externa. Os miniciclos de consumo atravessaram, como atravessam até hoje, os planos heterodoxos de estabilização e esgotavam-se com medidas ortodoxas de restrição ao crédito interno e arrocho salarial que sempre se seguiam ao fracasso de cada plano.

Do ponto de vista do capital financeiro – que tinha como lastro o endividamento público tanto em dólares como em cruzeiros – o problema se agrava com a crise da dívida externa pelo aumento brutal da exposição dos bancos norte-americanos, provocado pelo afastamento dos demais credores internacionais. A partir das sucessivas crises financeiras internas privadas e públicas, os banqueiros afastam-se da América Latina, passando a cobrar uma transferência de recursos para o exterior superior a US$ 200 bilhões (cf. CEPAL, 1987).

IMPÉRIO, TERRITÓRIO E DINHEIRO

O problema da dívida externa agravado com a subida de juros e a escassez de novos recursos não podia ser resolvido com o aumento do superávit comercial e a Nova República não teve coragem de ir à moratória senão quando se esgotaram completamente as reservas. A queda de Funaro depois da "moratória técnica" e a retomada dos pagamentos externos, por meio da reciclagem da dívida, com encurtamento de prazos, levada a cabo por Maílson da Nóbrega, provocou o encilhamento do setor público e levou a uma nova moratória logo em seguida, no governo Collor.

Esta tem sido a regra geral de endividamento nas três últimas décadas: endividamento externo com as consequentes repercussões no endividamento interno do Estado brasileiro em todas as suas órbitas. Esse é um processo pelo qual se atrela a ciranda financeira internacional com a interna, o que a rigor temos feito desde a década de 1970, com a criação do nosso peculiar mercado de *open market,* que se converteu em *overnigth* de forma peculiar e maligna, por sua relação com a dívida pública. A contribuição decisiva para a conformação e ampliação do nosso "mercado monetário" foi dada pelo ministro Mário Henrique Simonsen e seus discípulos e posteriormente aperfeiçoada pelos tecnocratas banqueiros que ocuparam o Banco Central a partir da Nova República e do fracassado Plano Cruzado. A regra de ouro tem sido combinar juros altos e restrição ao crédito líquido interno para atrair, ou pelo menos reciclar, o capital externo por meio da emissão de dívida pública com prazos cada vez mais curtos, a qual termina dolarizada ou indexada ao câmbio, até chegarmos a uma crise cambial.

Esgotadas as possibilidades dinâmicas de endividamento externo para expandir o setor produtivo estatal e do autofinanciamento por meio da correção tarifária, as estatais foram submetidas, em pouco mais de uma década de restrição externa e ajuste fiscal compulsório, ao desastre das privatizações e ao sucateamento da infraestrutura sistêmica que servia de suporte à expansão territorial do capitalismo brasileiro. Uma vez mais, para completar gloriosamente o fim do século, grandes negócios privados e enormes prejuízos públicos.

É fácil olhar da perspectiva de hoje o que significou a falta de um núcleo endógeno de financiamento público e privado nacional capaz de se articular sem passar pelo endividamento externo. Sem um verdadeiro capitalismo financeiro endógeno, os bancos brasileiros foram se convertendo em parasitas do Estado e beneficiários da inflação, produzindo de forma precoce e original a armadilha do "dinheiro indexado", que nos valeu uma década de superinflação, e crises cambiais recorrentes, e converteu o Banco Central no papel de bancador e jogador principal do cassino da ciranda financeira interna acoplada à ciranda financeira internacional.

Não se tratava então, como não se trata até hoje, de absorver "poupança externa" ou de obter, por meio de restrições ao consumo, uma poupança interna capaz de financiar o desenvolvimento[11]. Tratava-se, então como hoje, de realizar o que foi o maior fracasso público de nossa história financeira: a falta de instituições públicas e privadas capazes de garantir endogenamente a intermediação financeira adequada ao nosso próprio potencial de poupança. O poder público deveria pois ser capaz de impedir a esterilização de nossa poupança interna (das famílias e dos trabalhadores) pelo "moinho satânico" da especulação patrimonial e financeira dos dois maiores poderes privados associados na história da República: o capital financeiro privado nacional e o internacional.

A minha obsessão sobre a intermediação financeira interna e a falta de um capitalismo financeiro digno deste nome, que permitisse à monopolização produtiva evoluir para uma eficaz centralização de capital, percorrem todos os meus ensaios, desde 1967 até os mais recentes. Nenhuma das soluções encontradas pelos sucessivos governos do país, de JK em diante, se revelou satisfatória. Todos foram esquemas provisórios, inventados como expedientes para tocar para frente os projetos, públicos e privados, associados ou não ao capital estrangeiro, utilizando fundos de natureza parafiscal, que, além de se revelarem estruturalmente ineficazes, padeciam do vício expropriatório, no caso da poupança forçada dos trabalhadores, e patrimonialista, no caso da sua utilização pela burguesia nacional e internacional.

A precariedade estrutural da articulação financeira entre o capital nacional (mercantil, agrário e industrial) e o financiamento público e privado conduzia sempre, ao final de cada ciclo de negócios, a uma "socialização dos prejuízos", que periodicamente destruía as finanças públicas, alimentava a inflação e induzia os governantes de todos os matizes a recorrer novamente ao endividamento externo, como uma tábua de salvação. Desse modo, o rentismo financeiro e a especulação sempre presidiram, de forma caótica e inorgânica, à acumulação de capital no país, além de frear, ao sabor do movimento internacional de capitais, o desenvolvimento interno das famosas forças produtivas. Neste aspecto estrutural reside o núcleo permanente do caráter "associado" de nossa burguesia nacional, sempre dependente das finanças públicas e das benesses do Estado e usando como lhe apraz por meio das "nossas" autoridades monetárias a inconversibilidade efetiva da moeda brasileira.

---

[11] Cf. crítica ao "modelo dos dois hiatos" feita por Pereira (1974). Este modelo dos dois hiatos de poupança continua assombrando a mente dos economistas de todas as tendências ideológicas.

IMPÉRIO, TERRITÓRIO E DINHEIRO

A indexação da dívida pública, os fundos parafiscais e os próprios fundos de pensão das estatais foram instrumentos poderosos de acumulação financeira de capital que, apesar de serem "generosamente" utilizados para subsidiar a burguesia nacional, nunca conseguiram impedir que ela deixasse de ser a "pata fraca" do tripé, isto é, que deixasse de ser parasitária do Estado, e condenada a seu eterno papel de "burguesia associada".

O entendimento analítico deste problema nos pouparia de buscar explicações éticas ou culturais para o comportamento predatório e o horizonte temporal de curto prazo de nossa burguesia nacional, ao mesmo tempo em que evitaria o comportamento ciclotímico das contraelites progressistas, que ora buscam aliar-se a ela, para cumprir as tarefas de uma "revolução democrático-burguesa tardia", ora concedem que só um Estado centralizador e autoritário é capaz de cumprir as tarefas do desenvolvimento nacional.

4 Liberalização e globalização financeira

A década de 1990 inaugura-se sob a égide da globalização financeira dos chamados mercados emergentes, designação que coube àqueles países das periferias asiática e latino-americana que passaram a ser invadidos por uma onda de capital financeiro internacional especulativo, cuja única exigência inicial era a liberalização cambial e dos mercados financeiros privados, independentemente do modelo de desenvolvimento adotado por cada país.

É necessário um breve registro dos acontecimentos recentes que levaram o Brasil a ingressar no cassino global, sob a pretensão falsa de que estávamos preparando uma nova etapa de desenvolvimento.

O Brasil foi, dentre os países latino-americanos, aquele que adotou mais tardiamente as políticas neoliberais recomendadas pelo FMI e o Banco Mundial, por ocasião da renegociação da dívida externa mexicana de 1982, chamadas na década de 1980 de "condicionalidades cruzadas" para a adoção do plano Brady de reescalonamento da dívida.

4.1 O neoliberalismo tardio

Só no começo da década de 1990, com o governo Collor, em meio ao agravamento da crise financeira e cambial herdada da década anterior, se iniciou o processo de liberalização e desregulamentação financeira que permitiu atrair montantes consideráveis de capital financeiro especulativo internacional, em pleno período de grave instabilidade política e macroeconômica. O resto das medidas de liberalização – comercial, flexibilização do mercado de trabalho, reformas econômicas e do Estado e privatizações que constam do catálogo do chamado Consenso de Washington – foi executado de forma acelerada pelo governo FHC em menos de cinco anos.

477

As primeiras medidas de política econômica do governo Collor foram tomadas depois dos vários "planos" de estabilização fracassados da década de 1980. As novas medidas foram empreendidas sem o comando do FMI, uma vez que se tratava de uma moratória externa unilateral e do "confisco" de ativos financeiros que levaram à depreciação da dívida interna.

A liberalização dos mercados de câmbio e de capitais – por meio dos famosos Anexos IV e V da legislação do mercado de capitais e da nova regulamentação do capital estrangeiro – foi executada por um jovem economista, Armínio Fraga, na direção de câmbio do Banco Central, seguido por Gustavo Franco, que completou o processo de liberalização cambial[12].

O entusiasmo dos banqueiros internacionais com a desregulamentação do mercado de capitais levada à prática em 1991 foi tão grande que não hesitaram em entrar no novo "mercado emergente", a despeito do caos econômico, social e político em que tinha se convertido o governo de Collor. Para enfrentar a inflação galopante exigiram, porém, a indexação ao dólar dos títulos da dívida pública que serviam de lastro à articulação interna e externa da moeda brasileira. Depois de indexados todos os contratos e preços em dólar (que levaram a uma hiperinflação programada, por meio da URV), criou-se finalmente a nova moeda, o real, supostamente "forte e conversível". Dada a âncora cambial, produziu-se uma sobrevalorização do Real em relação ao dólar que acompanhou a política de juros altos e de entrada de capitais especulativos que serviram de base para a acumulação de reservas. Estas não pararam de subir, interrompidas apenas pelas sucessivas crises cambiais dos chamados países emergentes: México (1994), Ásia (1997), Rússia (1998) e novamente Brasil (1998-1999).

O amplo pacto conservador que elegeu Fernando Henrique Cardoso, não foi percebido como tal graças ao sucesso do Plano Real, e o presidente manteve-se no poder depois da desmontagem drástica da Constituição nos seus principais capítulos econômicos e de direitos sociais e, *last but not least,* da emenda que autorizou a sua reeleição.

A abertura radical da economia, o processo de reformas e as operações de privatização de empresas estatais, desnacionalização dos bancos e o desmonte do Estado foram empreendidos com uma velocidade espantosa, aproveitando as experiências bem ou mal-sucedidas de outros países da América Latina: do Chile de Pinochet ao México de la Madrid e Salinas; da Argentina de Martinez de Hoz, Cavallo e Menen, aos desastres da Venezuela, Bolívia, Peru e Equador (cf. CANO, 1999). O neoliberalismo tardio do

---

[12] Sobre a natureza dos anexos e do processo de liberalização financeira no Brasil, cf. Miranda e Tavares (1999).

IMPÉRIO, TERRITÓRIO E DINHEIRO

Brasil forçou a aceleração drástica da implementação das medidas do chamado "Consenso de Washington", depois da crise do México de 1994 (cf. FIORI, 1994). Em menos de cinco anos conseguimos compactar abertura econômica, políticas de estabilização, o pacote das reformas neoliberais e as privatizações e desnacionalização em um ritmo, extensão e profundidade, que levaram no México, o país livre-associado dos Estados Unidos, mais de catorze anos para se completar.

O ciclo longo de endividamento interno e externo já dura mais de trinta anos. Acompanhando os movimentos da liquidez internacional, foi avançando com idas e vindas à custa de moratórias, concessões negociadas e posterior liberalização do mercado de câmbio e de capitais. Esta última terminou provocando uma onda de endividamento externo privado, de curto prazo, que atingiu mais de US$ 140 bilhões, que se sobrepõe à dívida pública externa e alcançou mais de US$ 130 bilhões, com o empréstimo do FMI/BIS. Em cada período de reversão da entrada de capitais especulativos, a inflação e a crise cambial tendem a tornar-se explosivas: já atravessamos a crise cambial de 1982, uma moratória externa (em 1987), uma ameaça de hiperinflação (em 1989), seguida de uma nova moratória externa e outra interna em 1991. A política cambial e a liberdade de entrada e de saída de capitais, interrompida temporariamente pela crise cambial de janeiro de 1999, acabou tornando o Brasil da década de 1990 o paraíso dos especuladores, disputando com outros "mercados emergentes", da Ásia e da Rússia, o tamanho da catástrofe.

O aumento brutal da dívida pública interna e do endividamento externo do setor privado tornou-se novamente explosivo em 1998, depois da crise da Rússia, e o período de sobrevalorização cambial, decorrente da "âncora cambial", terminou com uma crise cambial profunda e uma desvalorização abrupta em janeiro de 1999. O regime cambial mudou e o Bacen passou a deixar o câmbio flutuar "livremente", sempre que a perda de reservas não ultrapasse os US$ 20 bilhões, cláusula de contenção colocada pelo FMI para garantir a operação sem risco dos principais bancos internacionais. A fuga de capitais e a onda especulativa iniciada antes da "livre" flutuação do câmbio foram interrompidas pelo monitoramento do FMI sobre as reservas. Em menos de um mês verificou-se uma retomada da entrada de capitais para o mercado de ações, começando com as ADR na praça de Nova York e seguida de novas aplicações de capital estrangeiro em fundos de renda fixa. O lucro obtido pelos bancos com o ataque especulativo do real foi suficiente para garantir a sua participação na terceira onda de privatizações.

Esta ligação entre sobrevalorização periódica do câmbio e entrada de capitais especulativos tem constituído o mecanismo por meio do qual o endividamento interno do setor público lastreou o endividamento externo das empresas e bancos, atingindo porém dimensões gigantescas que praticamente explodiram com a desvalorização, atingindo o conjunto da dívida (externa e interna) um valor superior ao PIB. Essa situação tem como limite duas perspectivas. A primeira é continuarmos sob "domínio" do capital financeiro internacional, desta vez claramente conduzido pelos grandes bancos norte-americanos, aprofundando a submissão aos desideratos da potência hegemônica e caminhando na direção da dolarização com *currency board* de bancos estrangeiros e desnacionalização completa do sistema bancário, em uma situação semelhante à da Argentina, que liquidificou previamente a sua dívida interna. A outra alternativa seria aceitar um controle de câmbio e de movimento de capitais severíssimo, que terminaria muito provavelmente na inconversibilidade de nossa moeda e em uma moratória definitiva.

Nesta última perspectiva, tanto a estabilização quanto a retomada do desenvolvimento requereriam uma mudança substantiva no pacto de poder político liberal-conservador que atualmente administra a crise brasileira. Só um novo bloco de poder político seria capaz de pôr em funcionamento, sob restrição externa severa, a atual capacidade produtiva ociosa do país, por meio da criação de um novo sistema de crédito interno e de um novo tipo de inserção internacional, que só aceitasse o comércio e o investimento produtivo e excluísse de vez a nossa participação na "ciranda financeira internacional". Uma experiência deste tipo, orientada para o mercado interno e o comércio internacional requerido pelo crescimento endógeno, teria grandes resistências do setor financeiro, a menos que a severidade da crise internacional o tivesse posto em condições tão precárias de liquidez internacional e de risco de falência que estivesse disposto, para salvar a pele, a entregar-se à orientação de um novo banco central verdadeiramente independente do sistema financeiro, capaz de regular a reestruturação dos ativos e passivos bancários. Os primeiros são a própria dívida pública interna e os segundos correspondem a devedores privados em dólar.

4.2 A globalização financeira sob hegemonia do dólar

O projeto hegemônico naturalmente caminha em direção oposta à autonomia das políticas econômicas dos Estados nacionais em crise. Os seus porta-vozes "acadêmicos" pretendem manter e ampliar o domínio do dólar no mundo, ao mesmo tempo em que pregam a diminuição de "moedas" nacionais, as quais para se tornarem "conversíveis" deveriam na verdade ser reduzidas a pouco mais de três, de preferência o dólar, o euro e o iene, e convertendo os demais bancos centrais em *boards* da moeda dominante,

IMPÉRIO, TERRITÓRIO E DINHEIRO

sem qualquer autonomia na política monetária e cambial[13]. O problema desta formulação ultraliberal seria porém gigantesco nas áreas que disputam a hegemonia com o dólar. A coordenação de áreas monetárias que estabilizasse a relação do dólar com as demais moedas implicaria um acordo difícil de conquistar na atual situação da Europa, com as pretensões de autonomia do euro e sobretudo com o iene atravessando uma crise relacionada à própria crise estrutural da economia japonesa. Nas relações entre os Estados Unidos e a Europa está claro tanto o jogo financeiro quanto a hierarquia de poder, dada pela supremacia da política diplomática e militar norte-americana e auxiliada pelo alinhamento da Inglaterra com os desígnios da potência hegemônica. O grande problema está na Ásia, onde é difícil ordenar o jogo monetário-financeiro e hierarquizar as relações da potência hegemônica com o Japão e a China. Sobra ainda o problema não trivial de como operacionalizar o jogo com países continentais tão assimétricos em poder militar e financeiro, como Índia e Rússia, e como regular de vez o "padrão monetário" da América Latina, sobretudo o do próprio Brasil. Como se vê, o problema de organizar uma nova ordem mundial está longe de resolvido.

Este é o panorama, visto da "periferia", das tentativas de regular a "globalização financeira" novamente sob hegemonia do dólar, que, no caso da América Latina, depois dos efeitos destruidores da desregulação, já começou a ganhar os seus adeptos da dolarização. Enquanto a nova ordem global não chega, o fenômeno da desregulação financeira dos mercados e instabilidade cambial continua produzindo as suas vítimas na periferia, o que tem sido útil para pavimentar o caminho da "diplomacia do dólar" *vis-à-vis* as demais potências econômicas. As ondas de valorização e depreciação das principais moedas internacionais ainda não terminaram, uma vez que o equilíbrio estrutural entre as operações financeiras realizadas em dólar, euro e iene, com regimes de taxas de câmbio flutuantes, tem se revelado impossível, além de ser altamente favorável à financeirização da riqueza global (cf. TAVARES, 1985; BRAGA, 1997; BELLUZZO, 1997 e MIRANDA, 1997). As trajetórias de crescimento e de balanço de pagamentos dos grandes países são cada vez mais divergentes e não conseguem ser compatibilizadas, mesmo com uma taxa de juros convergente e declinante, em um mercado financeiro globalizado, que não pode autorregular-se. Com mais forte razão os mercados emergentes, mesmo adotando a dolarização, não conse-

---

[13] Cf. pronunciamento de Dornbush (professor do MIT). O próprio Volker (ex-presidente do FED e atualmente lecionando em Stanford), em palestra recentemente pronunciada no Brasil, esposou a mesma ideia, que tem voltado ao debate entre alguns dirigentes do FMI e do governo norte-americano.

guem aplicar mecanismos de ajuste automático de balanço de pagamentos, qualquer que seja o regime cambial pelo qual se regem, ou sejam forçados a optar; *currency board,* paridade fixa, banda de flutuação estreita ou larga, ou câmbio livre. Para estabilizar a sua moeda e torná-la conversível por algum tempo os países periféricos têm sido obrigados a elevações fortíssimas das taxas de juro internas para permitir o jogo da "arbitragem" que lhes é imposto no cassino global, e têm sido periodicamente conduzidos a desvalorizações brutais não desejadas.

Convém relembrar que o padrão ouro-libra acomodava as desvalorizações do câmbio entre os principais parceiros do centro capitalista e descarregava o ônus da sustentação do padrão nos ajustes de preços e de nível de atividade dos países da periferia, provocando uma deflação de preços. A deterioração dos termos de troca e do ciclo de investimento internacional provocou uma queda na renda nacional e a deterioração das finanças públicas na periferia. Estes movimentos davam ao capital mercantil e financeiro inglês a folga suficiente para fazer o ajuste monetário do balanço de pagamentos que lhe permitia acomodar as demais moedas dos centros industriais (cf. TRIFFIN, 1972). No caso da Ásia, onde a Inglaterra concentrava boa parte do seu volume de comércio, o padrão-ouro ancorava os *boards* das praças financeiras abertas, Hong Kong e Cingapura, na libra, arbitrando o valor das demais moedas de conversibilidade forçada em libra, com ou sem lastro em ouro. Era este mecanismo "automático" que dava a impressão de que o sistema era autorregulado.

O padrão-dólar, porém, nunca funcionou de forma "autorregulada", mesmo na vigência do sistema de Bretton Woods, já que sempre houve uma assimetria muito grande entre o poder econômico e político dos Estados Unidos e dos demais países do G-7. O sistema nunca conseguiu ajustar-se "automaticamente" nem na Europa, onde produziu primeiro escassez e depois excesso de dólares; muito menos nos países da periferia, onde a maioria das moedas era inconversível e sua referência foi passando crescentemente a ser o dólar, independentemente de seu padrão de comércio, na medida em que se tornou a moeda financeira "globalizada", por excelência.

Deste modo, os ajustes clássicos, fiscais e monetários de balanço de pagamentos perdem qualquer eficácia, já que os mercados globalizados de câmbio são gigantescos, concentrados e independem do volume e do padrão de comércio internacional. Sua própria dimensão e volatilidade provocam mudanças de "paridade" entre o dólar, o iene e as moedas europeias que não permitem que o ajuste recessivo da periferia do sistema capitalista tenha qualquer função estabilizadora sobre os países centrais (cf. SERRANO & MEDEIROS, 1999).

IMPÉRIO, TERRITÓRIO E DINHEIRO

Mesmo o país emissor da moeda e da dívida pública dominantes no mercado financeiro internacional, os Estados Unidos, por meio do FED e do Tesouro, não consegue evitar a contaminação em cadeia das perturbações que atingem os países periféricos a partir da depreciação, ou valorização cambial, de uma das moedas fortes da "ex-tríade". A coordenação de políticas macroeconômicas dos países centrais, empreendidas a partir da década de 1980, foi feita sempre em benefício dos Estados Unidos. Não tem, porém, logrado estabilizar o câmbio, nem outros mercados de ativos, nos principais países, mesmo com viés deflacionário. O que dizer da periferia, onde vem provocando ondas de choque devastadoras desde 1979/1980...?

Assim, ao contrário da "boa doutrina", não há garantia de estabilidade com os mercados financeiros livres, independentemente da existência, ou não, de "fundamentos macroeconômicos" equilibrados. Em uma economia mundial em que o cassino se tornou global, a "eutanásia do rentista" de Keynes é impraticável e os desequilíbrios patrimoniais dos agentes econômicos são muito mais relevantes que os desequilíbrios de renda e emprego da versão nacional dos modelos keynesianos.

Deste modo, tanto as "oportunidades" quanto as "restrições" externas ao desenvolvimento dos países tornam-se intratáveis do ponto de vista da política macroeconômica keynesiana. O velho monetarismo liberal, por sua vez, sob a égide das políticas do FMI, é apenas um chicote que se aplica aos países sem poder econômico e político, e que os obriga a um "ajuste" permanente, do qual não se vislumbra perspectiva de saída estável.

A partir da década de 1990 aumenta a impossibilidade de autogerenciamento dos países, tanto pela via fiscal quanto pela via do crédito interno, e está ocorrendo uma tendência estagnacionista da produção, mesmo em países desenvolvidos centrais. As projeções da produção europeia e asiática no final da década de 1990 demonstram isso claramente, o que prejudica seriamente os esforços exportadores das economias periféricas, com qualquer taxa de câmbio (cf. o recente caso da Coreia e o atual do Brasil).

O movimento macrodinâmico instável do sistema tem sido mantido sem ruptura nos elos mais fortes porque a potência hegemônica vem crescendo o dobro de seus parceiros do G-7 e mantém um déficit permanente e crescente em transações correntes com a Ásia (sobretudo com o Japão e a China). Qualquer perturbação na valorização no centro do sistema, tem provocado deslocamentos fortes no movimento de entrada ou saída de capitais nos chamados mercados emergentes, tanto de investimento direto quanto de capital especulativo. Nas últimas três décadas a direção dos fluxos de capital já se inverteram várias vezes, provocando flutuações acentuadas no balanço de pagamentos entre as regiões.

483

No caso da América Latina ela foi globalmente deficitária e absorvedora líquida de recursos na década de 1970. Depois da crise da dívida externa, na década de 1980, passou a ser globalmente superavitária na balança comercial e transferidora líquida de recursos para o centro, mas manteve o seu balanço de pagamentos desequilibrado por causa do pagamento da dívida. Finalmente na década de 1990 voltou a ser globalmente deficitária na balança comercial, sobretudo com os Estados Unidos, mas a absorção líquida de recursos tornou-se instável, levando a sucessivas crises cambiais, no México, na Argentina, na Venezuela, no Brasil e em outros países menores.

A tendência à sobrevalorização ou à depreciação das moedas latino-americanas tem sido periódica e independe do regime cambial. Os regimes cambiais de paridade nominal fixa, de banda deslizante ou de livre flutuação, não impedem que o sistema financeiro esteja mais ou menos dolarizado e que sofra pressões periódicas de *credit crunch,* inadimplência e falência financeira. O país que melhor tem sobrevivido desde 1986 tem sido o Chile, porque foi praticamente o único que adotou controle de câmbio na década dos 1990, ao contrário do Brasil, que depois de uma longa tradição de controle é hoje um dos países mais desregulados da América Latina, o que o levou à crise cambial do início de 1999.

4.3 O impasse brasileiro

Ao entrar periodicamente em uma dinâmica de acumulação com endividamento externo, o Brasil tem estado sujeito – no final de cada grande ciclo largo de expansão do capital internacional – a incorrer em moratória com seus credores internacionais, como mostram as três grandes moratórias brasileiras, que se deram com intervalos de cinquenta anos. A primeira deu-se durante a plena vigência do padrão-ouro, em 1897.

A segunda, a moratória de 1937, ocorreu – em plena decadência do liberalismo, do padrão-ouro e da hegemonia inglesa – em um clima de intervenção de um estado nacional autoritário, às vésperas da Segunda Guerra Mundial. O Estado Novo, conduzido pelo primeiro governo de Vargas, aproveitou as brechas geopolíticas da luta das grandes potências europeias, já sob a influência crescente e decisiva nos negócios mundiais da potência norte-americana, para conceber um projeto "nacional-desenvolvimentista" que, com todos os desvios de rotas e arbítrios políticos, durou quase cinquenta anos.

A terceira moratória dá-se em 1987, depois da crise geral da dívida externa de 1980-1982, que atingiu todos os países periféricos, embora o ajuste liberal brasileiro – semelhante ao ocorrido no final do século XIX – só viesse a repetir-se depois da segunda moratória, no início da década de 1990, e com a adesão tardia do Brasil ao projeto de neoliberalismo global sob a hegemonia do "Consenso de Washington".

IMPÉRIO, TERRITÓRIO E DINHEIRO

A situação de impasse em que se encontra o capitalismo brasileiro tende a ser prolongada, se forem levadas em conta apenas as determinações externas da geopolítica e da geoeconomia.

Do ponto de vista geopolítico, o governo brasileiro não pode recorrer ao conflito entre potências, como em 1939, para obter uma negociação favorável com o governo norte-americano, já que os Estados Unidos se converteram, de potência hegemônica capaz de organizar as relações econômicas mundiais, em potência imperial global. A ordenação assimétrica da *Pax Americana* está desfazendo o sonho do "equilíbrio multipolar" da tríade e reforçando sua dominação política e ideológica na América Latina. No Brasil, a submissão ao *desideratum* do Grande Irmão do Norte está provocando a destruição, a partir da década de 1990, da economia, da ideologia e da diplomacia nacionais que conduziram, com raras interrupções liberais, o caminho do Estado brasileiro no mundo desde a década de 1930.

Do ponto de vista geoeconômico, nossa inserção subordinada na globalização financeira nos torna prisioneiros de uma situação de endividamento externo que não tende a se resolver facilmente, uma vez que não existe a possibilidade de substituição dos credores privados, todos os países do G-7. Tampouco está à vista qualquer *funding loan* definitivo, como o obtido na crise do final do século XIX, porque a centralização do capital financeiro neste final do século XX não guarda nenhuma semelhança com a existente na *city* de Londres há cem anos. Wall Street, apesar de ser a praça financeira dominante, não tem um poder de coordenação equivalente à do padrão-ouro, já que o poder mundial do dólar reside exatamente no seu oposto, a desregulação do capital financeiro internacional.

O acordo "preventivo" do FMI com a colaboração do BIS (um arremedo de banco internacional de compensação) foi obtido precariamente, em condições draconianas impostas pelo FED e pelo Tesouro norte-americano. O período de financiamento é curto, de apenas três anos, e requer *road-shows* permanentes dos nossos tecnocratas de plantão, que mal sobrevivem aos vencimentos recorrentes dos compromissos com o capital especulativo. Este último é operado por meio do interbancário mundial, dos mercados futuros e de redes *offshore*, tornando impossível distinguir as dívidas dos "residentes" e dos "não residentes". Foi tamanha a liquefação das nossas regras de controle pelo Banco Central que ele mesmo é posto em xeque periodicamente pela entrada e saída recorrente de capitais sem registro de propriedade e procedência[14].

---

[14] Na última crise cambial de janeiro de 1999, estima-se que só nas Bahamas existiam mais de US$ 30 bilhões em contas de "brasileiros". Isto significa que não há muito o que esperar da nossa "burguesia nacional", convertida em rentista, para o enfrentamento da atual crise.

Por outro lado o desequilíbrio estrutural do nosso balanço em transações correntes não se alterou nos seus "fundamentos", nem por força do acordo com o FMI, com a sua política recessiva explícita, nem por conta da desvalorização cambial ocorrida no início de 1999. Já no que tange às amortizações a situação piorou de dois pontos de vista: a dívida pública externa, que já era de US$ 90 bilhões em 1998 subiu mais US$ 40 bilhões com o novo empréstimo, que obteve a "colaboração" de todos os países do G-7. A dívida privada, em um montante de US$ 140 bilhões ao final de 1998, parece ter alcançado o seu limite de expansão e mantém-se, rolando a curto prazo, à custa de entradas sucessivas de capital especulativo. Assim mesmo a captação "voluntária" de capital internacional só funciona para aquelas empresas e bancos que, ou já foram desnacionalizados, ou têm boas possibilidades de sê-lo, por representarem "bons negócios". A maioria dos operadores locais só entram no jogo quando bancados pelo Banco Central, isto é, praticamente sem risco.

Trata-se pois de uma situação extrema, cujo desenlace fica difícil de prever. Ou existem forças "políticas" internas, surgidas da própria crise brasileira capazes de mudar a natureza do atual pacto político de dominação, ou seremos aniquilados enquanto esperamos uma nova rodada de agravamento das crises asiática, russa e latino-americana, que liquidem de vez o "Consenso de Washington" e o nosso cassino financeiro.

A continuarem as tendências à desnacionalização e à submissão ao capital especulativo, o Estado nacional brasileiro será totalmente desmantelado e corremos o risco a médio prazo de acabar como "domínio" dos EUA. Nessa direção, vem sendo muito debatida a adoção de uma moeda única (o dólar) juntamente com o Mercosul, como propõem, além de Cavallo (ex-ministro da Fazenda da Argentina) e Dornbusch (professor do MIT), algumas autoridades americanas. Esta "solução" padece dos mesmos vícios da dolarização simples, apenas ampliaria a área de segurança do Cone Sul para o "abraço mortal" do capital financeiro internacional e retiraria do Mercosul qualquer possibilidade de ser uma alavanca para uma melhor inserção no projeto da Alca da potência dominante.

A dolarização definitiva criaria ainda mais problemas que os já existentes para a nossa economia debilitada, porque operar um *board* de moeda única dolarizada em um país das dimensões continentais do Brasil (e com um "pacto" federativo, ainda que precário) não é o mesmo que operar uma praça financeira. Seria uma opção suicida do ponto de vista nacional, não apenas porque reduziria globalmente a atividade econômica e o nível de emprego já deprimido na atual conjuntura, mas porque limitaria as possibilidades de regulação futura do nosso espaço econômico regional

IMPÉRIO, TERRITÓRIO E DINHEIRO

e continental. Significaria aceitar a desintegração do espaço econômico brasileiro e perder simultaneamente o controle do território nacional e do dinheiro público.

O Brasil encontra-se pois em um verdadeiro impasse. Pela primeira vez na história do capitalismo brasileiro, não temos modelo de crescimento, "para fora" nem "para dentro", compatível com o tamanho do "encilhamento" financeiro em que nos metemos desde a crise da dívida externa do início da década de 1980, agravada pela liberalização financeira e comercial.

Não há nenhum "ajuste automático" de balanço de pagamentos possível, qualquer que seja a política cambial, uma vez que a estrutura de comércio exterior é desfavorável a uma inserção comercial dinâmica. As exportações estão baseadas em *commodities* agrícolas e industriais que não reagem às desvalorizações, dada a situação internacional e o excesso de oferta de países concorrentes na América, na Ásia e na Oceania.

O excesso de endividamento, rolado a taxas de juros sem precedente histórico, compromete de vez tanto as finanças públicas como o serviço da dívida externa. A desnacionalização das principais atividades agrícolas, industrias, bancárias e de infraestrutura, é apenas um grande negócio patrimonial e rentista. Não permite a ampliação das forças produtivas nem a sua articulação territorial interna, além de comprometer o balanço de pagamentos com fluxos crescentes de remessas de lucros, sem melhorar a inserção internacional do país. Não implica, portanto, nenhum dinamismo, seja "para dentro", seja "para fora".

No que se refere às transações com o exterior não se consegue vislumbrar, temporariamente, nenhuma solução melhor, do ponto de vista nacional, do que deixar a nova moeda tornar-se inconversível e retomar a expansão de crédito interno sem lastro em dólar, usando uma centralização cambial estrita para monitorar os fluxos de pagamentos com o exterior.

Estou convencida de que o atual nó financeiro só será desfeito depois de uma moratória final, em uma crise ainda prolongada. A dúvida que prevalece é se essa moratória se dará como um "negócio privado", depois da desnacionalização completa do sistema bancário, sob o comando de um conjunto de bancos internacionais, transformados explicitamente no *board* da moeda dolarizada, ou, se pelo contrário, nos sucessivos ataques especulativos à nossa moeda "flutuante", o enfrentamento da crise cambial recorrente se fará, finalmente, sob a forma de uma moratória soberana, buscando novos "caminhos e fronteiras" para a regeneração do Estado e da economia nacional.

487

Maria da Conceição Tavares

REFERÊNCIAS

ASSIS, J.C. (1983). *A chave do tesouro* – Anatomia dos escândalos financeiros no Brasil. [s.l.]: Ed. Paz e Terra.

BELLUZZO, L.G. (1997). Dinheiro e as transfigurações da riqueza. In: FIORI, J.L. & TAVARES, M.C. *Poder e dinheiro* – Uma economia política da globalização. Petrópolis: Vozes.

BRAGA, J.C. (1997). Financeirização global – o padrão sistêmico da riqueza do capitalismo contemporâneo. In: FIORI, J.L. & TAVARES, M.C. *Poder e dinheiro* – Uma economia política da globalização. Petrópolis: Vozes.

CANO, W. (1981). *Raízes da concentração industrial em São Paulo.* [s.l.]: TA Queiroz.

_____ (1999). "América Latina: da industrialização ao neoliberalismo", neste volume.

CARDOSO DE MELLO, J.M. (1982). *Capitalismo tardio.* [s.l.]: Ed. Brasiliense.

CARNEIRO, R. (1991). "Crise, estagnação e hiperinflação: A economia brasileira nos anos 80". Campinas: Instituto de Economia da Unicamp, Tese de doutoramento.

CASTRO, A.B. (1985). *A economia brasileira em marcha forçada.* Rio de Janeiro: Paz e Terra.

CEPAL (1987). *Informe de la Reunión sobre Crisis Externa.* Santiago do Chile.

COUTINHO, L.G. & BELLUZZO, L.G. (1982). Política econômica, inflexões e crise: 1974-1981. In: BELLUZZO L.G. & COUTINHO, R. *Desenvolvimento capitalista no Brasil* – Ensaios sobre a crise. São Paulo: Brasiliense.

CRUZ, P.R.D. (1984). *A dívida externa e política econômica* – A experiência brasileiras nos anos 70. [s.l.]: Ed. Brasiliense.

FIORI, J.L. (1994). "Os moedeiros falsos". *Folha de S. Paulo,* caderno Mais! julho.

_____ (1984). "Instabilidade e crise do estado brasileiro" [Tese de doutoramento, USP São Paulo].

FURTADO, C. (1992). *A fantasia organizada.* São Paulo: Paz e Terra.

_____ (1961). *Formação econômica do Brasil.* 4. ed. Rio de Janeiro: Fundo de Cultura.

LESSA, C. (1981). *Quinze anos de política econômica.* [s.l.]: Ed. Brasiliense.

_____ (1978). "A estratégia de desenvolvimento 1974-1976 – Sonho e fracasso". Tese de titular apresentada à FEA/UFRJ.

MIRANDA, J.C. (1997). Dinâmica financeira e política macroeconômica. In: FIORI, J.L. & TAVARES, M.C. *Poder e dinheiro* – Uma economia política da globalização. Petrópolis: Vozes.

MIRANDA, J.C. & TAVARES, M.C. (1999). "Estratégias de conglomeração", neste volume.

PEREIRA, C.E. (1974). *Financiamento externo e crescimento econômico no Brasil*: 1966-1973. Rio de Janeiro: Ipea/Inpes.

PRADO Jr., C. (1942). *Formação do Brasil contemporâneo*. São Paulo: Brasiliense.

PREBISCH, R. (1949). "O desenvolvimento econômico da América Latina e alguns dos seus principais problemas". *Revista brasileira de economia*.

SERRANO, F. & MEDEIROS, C. (1999). "Padrões monetários internacionais e crescimento", neste volume.

TAVARES, M.C. (1985). A retomada da hegemonia norte-americana. In: TAVARES, M.C. & FIORI, J.L. (orgs.). *Poder e dinheiro* – Uma economia política da globalização. Petrópolis: Vozes.

_____ (1978). "Ciclo e crise". In: *IE/Unicamp – 30 anos de economia*.

_____ (1972). Auge e declínio do processo de substituição de importações no Brasil. In: *Da substituição de importações ao capitalismo financeiro*, Zahar.

TRIFFIN, R. (1972). *O sistema monetário internacional*. [s.l.]: Editora Expressão e Cultura.

AUTORES

José Luís Fiori
Professor no Instituto de Economia da UFRJ e no Instituto de Medicina Social da UERJ.

Luiz Gonzaga Belluzzo
Professor no Instituto de Economia da Unicamp.

Carlos Aguiar de Medeiros
Professor no Instituto de Economia da UFRJ.

Franklin Serrano
Professor no Instituto de Economia da UFRJ.

Aloisio Teixeira
Professor no Instituto de Economia da UFRJ.

José Carlos de Souza Braga
Professor no Instituto de Economia da Unicamp.

Ernani Teixeira Torres Filho
Professor no Instituto de Economia da UFRJ e Economista do BNDES.

Luís Manuel Fernandes
Professor no Instituto de Relações Internacionais na PUC/RJ e no Departamento de Ciência Política na UFF.

Wilson Cano
Professor no Instituto de Economia da Unicamp.

Autores

José Carlos Miranda
Professor no Instituto de Economia da UFRJ.

Luciano Coutinho
Professor no Instituto de Economia da Unicamp.

Plinio de Arruda Sampaio Jr.
Professor no Instituto de Economia da Unicamp e Economista do Diesp/Fundap.

Maria da Conceição Tavares
Professora Emérita da Universidade Federal do Rio de Janeiro.

CULTURAL
Administração
Antropologia
Biografias
Comunicação
Dinâmicas e Jogos
Ecologia e Meio Ambiente
Educação e Pedagogia
Filosofia
História
Letras e Literatura
Obras de referência
Política
Psicologia
Saúde e Nutrição
Serviço Social e Trabalho
Sociologia

CATEQUÉTICO PASTORAL
Catequese
Geral
Crisma
Primeira Eucaristia

Pastoral
Geral
Sacramental
Familiar
Social
Ensino Religioso Escolar

TEOLÓGICO ESPIRITUAL
Biografias
Devocionários
Espiritualidade e Mística
Espiritualidade Mariana
Franciscanismo
Autoconhecimento
Liturgia
Obras de referência
Sagrada Escritura e Livros Apócrifos

Teologia
Bíblica
Histórica
Prática
Sistemática

REVISTAS
Concilium
Estudos Bíblicos
Grande Sinal
REB (Revista Eclesiástica Brasileira)
SEDOC (Serviço de Documentação)

VOZES NOBILIS
Uma linha editorial especial, com importantes autores, alto valor agregado e qualidade superior.

VOZES DE BOLSO
Obras clássicas de Ciências Humanas em formato de bolso.

PRODUTOS SAZONAIS
Folhinha do Sagrado Coração de Jesus
Calendário de mesa do Sagrado Coração de Jesus
Agenda do Sagrado Coração de Jesus
Almanaque Santo Antônio
Agendinha
Diário Vozes
Meditações para o dia a dia
Encontro diário com Deus
Guia Litúrgico

CADASTRE-SE
www.vozes.com.br

EDITORA VOZES LTDA.
Rua Frei Luís, 100 – Centro – Cep 25689-900 – Petrópolis, RJ
Tel.: (24) 2233-9000 – Fax: (24) 2231-4676 – E-mail: vendas@vozes.com.br

UNIDADES NO BRASIL: Belo Horizonte, MG – Brasília, DF – Campinas, SP – Cuiabá, MT
Curitiba, PR – Fortaleza, CE – Goiânia, GO – Juiz de Fora, MG
Manaus, AM – Petrópolis, RJ – Porto Alegre, RS – Recife, PE – Rio de Janeiro, RJ
Salvador, BA – São Paulo, SP